SV

atlantisch'er war *Herolds bomb* *ne bleibende Sp.* *ersprichct. Seine* *funktioniert* *ganz neuer* *Kommunist* *Nachkrie* *peralistische Ex* *Korruption* *schulstudi* *technokrat* *Karl Mark* *Computern eine perfe* *Ihnen nicht zu* *Zimmerhin«, sag auch wenn* *leihen oder Ih* *ndere ei* *sere Demokra* *Wetter* *einem derart* *Maximum* *Matrik* *Theorem* *Osmatischen Sinne* *die Gesellsch* *nicht darauf ein*

Hans Magnus Enzensberger

Ach Europa!

Wahrnehmungen aus sieben Ländern
Mit einem Epilog aus dem Jahre 2006
Suhrkamp Verlag

CARL A. RUDISILL LIBRARY
LENOIR RHYNE COLLEGE

Collagen für Einband und Vorsatzpapier:
Jirí Kolář

Vierte Auflage 1987
© Suhrkamp Verlag Frankfurt am Main 1987
Alle Rechte vorbehalten
Druck: Wagner GmbH, Nördlingen
Printed in Germany
ISBN 3-518-04432-X

Inhalt

Schwedischer Herbst

Fast ein halbes Jahrhundert ist seit der Katastrophe der europäischen Zivilisation vergangen. Aber unser Kontinent ist nicht endgültig untergegangen. Welche Folgen hat seine Rekonstruktion in Ost und West gezeitigt? Von welchen Defekten ist er entstellt, und wo sind seine Chancen zu suchen?

Hans Magnus Enzensbergers neues Buch wirft diese Fragen auf, doch es beantwortet sie nicht mit geschichtsphilosophischen Reflexionen. Sein Untertitel verspricht »Wahrnehmungen aus sieben Ländern«.

Enzensbergers Medium ist die große Reportage. Er greift damit auf eine verschüttete Tradition der deutschen Literatur zurück, auf eine Form, die von Georg Forster, Ludwig Börne und Heinrich Heine begründet und von Autoren wie Alfred Döblin und Joseph Roth bis in die zwanziger Jahre hinein fortgesetzt worden ist.

Der Schriftsteller schlüpft in die Rolle des Journalisten – eine heuristische Maskerade, die es ihm erlaubt, in die entferntesten Winkel der Gesellschaften einzudringen, die er untersucht. Dabei gehen Bericht, Dialog und Essay – dokumentarische, narrative und theoretische Momente – eine unlösliche Verbindung ein.

»Sachkenntnis und Phantasie«, behauptet Enzensberger, »schließen einander nicht aus. Meine Arbeiten gleichen einer Springprozession. Wenn ich stillstehe, verstehe ich nichts. Das ist mein erkenntnistheoretisches Prinzip.«

Das Resultat einer solchen Recherche läßt sich nur im Paradox auf einen Nenner bringen: die Irregularität, der Wirrwarr macht die Stärke Europas aus. Die Einheit des Kontinents, so wie sie in der Logik der Konzerne, der Parteien, der Bürokratien verstanden wird, nämlich als Projekt der Homogenisierung, erweist sich als Chimäre. Europa ist als »Block« undenkbar.

Es ist kein Zufall, daß sich der Autor seinem Thema von

der Peripherie her nähert. Die drei »Großen«, Frankreich, die Bundesrepublik und das Vereinigte Königreich, bleiben in seinem Buch ausgespart. Nicht aus der politischen Zentralperspektive der Macht, sondern von den Rändern her eröffnet sich der Blick auf ein »Europa der Wünsche«, das seine Zukunft vielleicht noch nicht hinter sich hat.

In seinem Epilog, einer imaginären Reportage aus dem Jahre 2006, entwirft Enzensberger eine ironische Utopie: das Bild einer Halbinsel, die »von der Differenz lebt« und die nicht abdanken will.

Ach Europa! – ein spannungsreiches Buch europäischer Abenteuer, geschrieben von einem Dichter, der sich als Reporter verkleidet – auf klügste, auf souveränste Weise.

Die Wahlparty

»Ganz egal für wen wir stimmen, und was dabei herauskommt: Sozialdemokraten sind wir doch alle«, sagte der
Herr in der abgetragenen Tweedjacke und prostete mir
mit einem Wasserglas voll Rotwein zu.

Seine Bemerkung überraschte mich nicht; denn die Wahl-
party, zu der ich eingeladen war, fand im Hause eines
bekannten Ideologen der Arbeiterbewegung statt, in der
Vasastadt, drei Treppen hoch ohne Aufzug, und ich hatte
den Eindruck, daß man hier ganz unter sich sein wollte,
um den bevorstehenden Wahlsieg Olof Palmes zu feiern.
Man schrieb das Jahr 1982, und Palme war auf dem
Höhepunkt seiner Karriere, die vier Jahre später so tra-
gisch enden sollte.

Die Wohnung war sorglos und bescheiden eingerichtet,
fast ein wenig vergammelt: zusammengewürfelte Stühle,
alte Plakate an den Wänden, Bücher in rohgezimmerten
Regalen. Ein Hauch von Ikea lag über dem Ganzen. So
wohnen bei uns in Berlin oder in Frankfurt die jungen
Lehrer-Ehepaare, die Hörspiel-Dramaturgen, und jene
Kunsthistoriker, denen es gelungen ist, eins der immer
seltener werdenden Promotions-Stipendien zu bekommen.

In solchen Zimmern riecht es nicht nach Geld, Prestige,
Karriere; ich lehnte mich beruhigt zurück, um, in Erwartung der ersten Hochrechnungen, ein Stück Räucher-
fleisch vom Pappteller zu verzehren. Der Kopfarbeiter
aus der Bundesrepublik ist es ja gewohnt, in derartigen
komfortablen Ecken und Nischen, fern der Macht, zu
leben.

Dann allerdings, an der improvisierten Bar im Korridor,
fing eine hilfreiche Seele an, mich aufzuklären. Der Herr
in der Tweedjacke war, wie sich herausstellte, beileibe

9

kein Sekretär der lokalen Lehrergewerkschaft, sondern ein gefürchteter Journalist, der böse Leitartikel für die größte konservative Zeitung des Landes schrieb; der etwas zu elegant gekleidete Herr, der sich eben ein Stück Käse aus der Küche holte, war ein Stockholmer Star-Architekt; die mürrische Frau in Turnschuhen hatte jahrelang an der Spitze des Sozialministeriums gestanden; der Zeichenlehrer mit den grauen Schläfen war gar kein Zeichenlehrer, sondern ein ehemaliger Botschafter; und sogar die Dame mit dem Photoapparat, die den ganzen Abend lang knipste, ohne daß sich jemand um sie gekümmert hätte, war keineswegs eine gewöhnliche Reporterin oder die Tante des Gastgebers, sondern eine der reichsten Erbinnen des Königreichs Schweden.

Ohne es zu ahnen, bin ich in eine Gesellschaft geraten, die jeder empirische Soziologe, ohne zu zögern, als die Machtelite des Landes bezeichnen würde, auch wenn die Anwesenden eine solche Charakterisierung weit von sich weisen dürften. Scheußlicher Ausdruck, »Machtelite«; und an keinem Punkt der Erde, nicht einmal in Tirana oder Pnom Penh, könnte er unpassender klingen als hier in Stockholm.

Irgendwo in einer Ecke steht ein kleiner Fernseher. Die Gäste unterhalten sich angeregt; die Stimme des Ansagers geht unter; auf die ersten Ergebnisse werfen die Anwesenden nur hie und da einen kurzen Seitenblick. Von Spannung, Aufregung, »Wahlfieber« keine Spur. Schon in den Tagen vor der Wahl war mir die unerhörte Gelassenheit aufgefallen, mit der die Schweden ihren Wahlkampf hinnehmen, die stoische Manierlichkeit der Redner. In den meisten demokratischen Ländern ist dies der Moment, in dem die graue Routine der Parteipolitik zum öffentlichen Theater wird. Die Wahl ist Schau-

kampf, Karneval, Reinigungsritual – eine Art rhetorischer Fußballmeisterschaft, bei der angestaute Aggressionen und unterdrückte Leidenschaften sich Luft machen:
ein Ventil für die Frustrationen, die Niederlagen und
Enttäuschungen des politischen Alltags. Besonders dann,
wenn die Völker das Gefühl haben, es stehe ihre Zukunft
auf dem Spiel, gleicht der Wahlkampf einem zerstöreri-
schen Potlach, einer nationalen Rauferei, bei der erlaubt
ist, was sich sonst verbietet: die offene Rivalität, die
rücksichtslose Polarisierung, der Ausbruch von Haß, Un-
zufriedenheit und Feindschaft.

Niemand wird behaupten wollen, den Schweden fehle es
einfach an Gründen, sich aufzuregen. Der Staatshaushalt
soll, wie ich höre, ein Defizit von 78 Milliarden Kronen
aufweisen; jeder Schwede, der die Zeitung liest, weiß,
daß er mit 38000 Kronen verschuldet ist, und das macht
für das Staatswesen insgesamt gut 300 Milliarden; was
die Arbeitslosigkeit betrifft, so spricht die offizielle Statistik von 170000, aber jeder begreift, daß dies eine Milch-
mädchenrechnung ist und daß die wahre Zahl eher bei
500000 liegen dürfte. Und als wäre dies alles noch nicht
genug, haben die Gewerkschaften, rechtzeitig zur Wahl,
auch noch ein Monster-Projekt auf die politische Bühne
geholt, einen utopischen Elefanten (sagen die einen),
einen King-Kong der Ökonomie (sagen die andern): die
berühmten Arbeitnehmer-Fonds, ein geradezu ideales
Streitobjekt, das in jedem andern Land der westlichen
Hemisphäre einen ideologischen Bürgerkrieg ausgelöst
hätte. Wenn ich diesen Vorschlag richtig verstanden habe
(ich wäre allerdings nicht der einzige, der sich in seinen
Fußangeln und Gummiklauseln verheddert hätte), so
läuft er auf eine ebenso einfache wie dreiste Forderung
hinaus: Die Kapitalisten sollen den Strick bezahlen, an
dem die Gewerkschaften sie erwürgen wollen.

Aber so unhöflich drückt das in einem ordentlichen Land wie Schweden natürlich niemand aus. Und vielleicht ist es auch gar nicht so ernst gemeint; vielleicht war die Idee nur ein Versuchsballon; vielleicht wollte nur der eine oder andere Linke ein bißchen Leben in die Bude bringen, und nach ein paar bösen Wahlplakaten, ein paar vorsichtigen Interviews, ein paar Untersuchungskommissionen wird der Plan dann sowieso zu den Akten gelegt. Nach und nach versichert mir der eine oder andere Anwesende, der mit Olof Palme Tennis spielt oder Sommerausflüge macht, dem künftigen Premier sei gar nicht so wohl bei dem Gedanken, und er habe ihn in der Tat nur aufgegriffen, um den einen oder andern Gewerkschaftsbaron zufriedenzustellen ...

Mag sein. Aber je länger ich darüber nachdenke, desto fadenscheiniger kommen mir derart taktische Erklärungen vor. Der tiefe Orgelton der Harmonie, der hierzulande alle politischen Äußerungen begleitet, muß andere, weit mächtigere Gründe haben.

Wenn ein Intellektueller vor einem Rätsel steht, dann fällt ihm gewöhnlich ein Begriff ein. Diesmal ist es der alte Gramsci, der mir in meiner Not zu Hilfe eilt. In seinen theoretischen Schriften spielt das Konzept der *Hegemonie* eine entscheidende Rolle. Die Sozialdemokratische Partei, so kommt es mir vor, ist in Schweden weit davon entfernt, eine Partei unter anderen zu sein. Sie spielt eine hegemoniale Rolle, und das heißt, sie bestimmt die Spielregeln, denen alle anderen Mitspieler folgen müssen, um politisch zu überleben.

Am Vorabend der Wahl traten die Chefs aller Parteien, die im Reichstag vertreten sind, in einer Fernsehdiskussion auf. Dabei ging es, wie nicht anders zu erwarten, so anständig, fair und gemessen zu, daß manche Zuschauer vor dem Fernsehschirm einschliefen. Von der ersten Sekunde an begriff ein jeder, wer der Häuptling der Häuptlinge war: nicht etwa der amtierende Ministerpräsident, sondern der Vorsitzende einer Partei, die sich, formell betrachtet, in der Opposition befand. Olof Palme trat auf, als wäre er der Gastgeber, der Hausherr, der Champion; und er spielte diese Rolle nicht kraft seines persönlichen Charisma, kraft seiner rhetorischen Gaben. (Zum geborenen Landesvater fehlte ihm die Schwere; er war zu intellektuell, zu beweglich, zu großstädtisch, um Verehrung oder gar Ehrfurcht zu erregen.) Wenn er also der Herr der Situation war, so war er das kraft seines Amtes. Er behielt das letzte Wort, weil er eine Gruppierung vertrat, die die schwedische Gesellschaft ideologisch, moralisch und politisch beherrscht, und zwar ganz unabhängig davon, ob sie an der Regierung ist oder nicht.

Diese Kraft ist so stark, daß sie sämtliche Bewegungen ihrer Gegner bestimmt. Wer gegen sie opponiert, pflegt sich für seine Opposition gewissermaßen zu entschuldigen, und zwar amüsanterweise oft, ohne es zu bemerken. Das beginnt bereits bei den Namen, unter denen die anderen Parteien antreten. Die Konservativen nennen sich, als schämten sie sich, Konservative zu sein, »Gemäßigte Vereinigungspartei«; den Liberalen kommt ihr eigener Liberalismus offenbar verdächtig vor, und so haben sie sich einen volkstümlichen Spitznamen ausgedacht; die alte Bauernpartei versteckt sich hinter einer Bezeichnung, die so neutral ist, daß sie fast gar nichts bedeutet.

Es ist ein altes vulgärmarxistisches Mißverständnis zu glauben, die politische Macht sei in den Banktresoren zu Hause. Mindestens ebenso stark fällt ins Gewicht, was in den Köpfen der Menschen vorgeht, an welche ungeschriebenen Gesetze sie sich halten und welche Sprache sie sprechen. Das schwedische Bürgertum hat keine eigene Sprache mehr, kein Selbstbewußtsein und keine politische Kultur. Schon das Wort »borgerskapet« hat einen anrüchigen, zumindest aber einen defensiven Klang. Insofern ist es auch kein Wunder, daß die sogenannten »bürgerlichen Regierungen« seit 1976, abgesehen von ein paar Nuancen, nichts anderes betrieben haben als die Fortsetzung sozialdemokratischer Politik unter anderem Etikett: sie haben die Steuerlast vermehrt, die öffentlichen Ausgaben gesteigert und die Staatsquote erhöht.

In einer solchen Gesellschaft haben die Reichen, scheint es, wenig zu lachen. Ja, wenn es nur die Steuern wären! Die wollten sie, als anständige Staatsbürger, wenn auch ungern, so doch pünktlich bezahlen. Was sie viel mehr kränkt, ist der Umstand, daß niemand Verständnis für ihr schweres Los aufbringt. Sie öffnen ihre Haustür mit einer entschuldigenden Geste. Nur durch Zufall, gleichsam aus Versehen sind sie zu ihrem Geld, zu ihrer Villa gekommen. Auch ist es nicht so, daß sie auf ihrem Reichtum bestünden. Im Gegenteil, er ist ihnen eher lästig, er fällt auf, er gibt Anlaß zu Mißverständnissen. Man könnte sie für unbescheidene Leute oder gar für Spekulanten halten, und das fänden sie ausgesprochen kränkend. Mit einem Wort, sie fühlen sich überflüssig, mißachtet, ausgeschlossen; und wenn sie sich zu einem schüchternen Protest aufraffen, so fällt er hilflos und kleinlaut aus. (Nie werde ich mich, ohne zu lachen, an den nachtblauen Jaguar erinnern, der am Wahlsonntag vor dem Grand Hôtel Saltsjöbaden stand, und auf dessen Fondscheibe in Gestalt eines Aufklebers der folgende Stoßseufzer zu lesen war: »Das Volk ist gegen die Arbeitnehmer-Fonds.«

Unterdessen hatten sich die Reihen der Gäste gelichtet. Niemand beachtete die Zahlenkolonnen auf dem Bildschirm. Die wichtigsten Personen, für den Außenstehenden nur durch ihre auf die Spitze getriebene Unauffälligkeit erkennbar, waren verschwunden, sobald der Wahlsieg sich abgezeichnet hatte; vermutlich waren sie ins Hauptquartier der Partei gefahren, wo die ersten Personalentscheidungen getroffen wurden. Die Hinterbliebenen waren beim Nachtisch angelangt, einem vorzüglichen Wildbeereneis, das aus Pappbechern gelöffelt wurde, als der Sieger des Abends auf der Mattscheibe erschien. Was er sagte, konnte mich nicht mehr in Erstaunen versetzen. Großmütig reichte er seinen Gegnern »die ausgestreckte Hand«; väterlich ermahnte er sie, nun müsse es Schluß sein mit der Konfrontation; Rücksicht auf ihre Ansichten verhieß er den Unterlegenen; allen verirrten Schafen bot er, ganz der gute Hirte, Verzeihung und Versöhnung an; im milden Glanz der sozialdemokratischen Hegemonie konnte das Land zur Tagesordnung übergehen.

Ich aber nahm ein Glas Portwein in die Hand und verfiel, während die letzten Gäste ihre Mäntel zuknöpften, in eine längere Grübelei. Wahrscheinlich bin ich zu lange geblieben. Je mehr ich über den Abend nachdachte, desto exotischer und wunderbarer kam mir dieses Land im Norden vor. Alles, was ich während des Wahlkampfs gehört hatte, ließ darauf schließen, daß ich im Reich der Vernunft und der Einsicht, der Solidarität und der Rücksicht gelandet war. Ich hatte einem edlen Wettstreit beigewohnt, in dessen Verlauf sich alle Beteiligten nur über eines den Kopf zerbrachen: wie den Arbeitslosen und den Krüppeln, den Rentnern und den Zukurzgekommenen zu helfen war. Hier schien niemand an seine eigenen Interessen zu denken. Niemand appellierte an die niedrigen, selbstsüchtigen Instinkte, von denen andere Gesellschaften besessen waren. Wenn ich da an mein eigenes Land dachte, an die Bundesrepublik, stieg eine häßliche Regung in mir auf – der Neid. Meine Landsleute erschienen mir als eine Horde von Egoisten und Asozialen, die sich der Verschwendung, der Prahlerei und der Aggression hingaben.

Es sah ganz so aus, als wäre den Erbpächtern dieser politischen Kultur, den Sozialdemokraten, ein Projekt gelungen, an dem schon ganz andere Regimes, von der Theokratie bis zum Bolschewismus, gescheitert waren: nämlich die Zähmung des Menschen. Während ich durch die verlassenen Straßen der Hauptstadt in mein Hotel zurückstolperte, fragte ich mich, wie ihnen dieses Wunder geglückt sein mochte. Ich sah die Leuchtreklamen der Monopole, die Flut von Waren in den Schaufenstern, die Polizisten und die Betrunkenen. Mitten im Kapitalismus soviel Eintracht, soviel Solidarität, soviel Selbstlosigkeit? Ich kam an den riesigen Backstein-, Granit- und Sandsteinburgen des Östermalm vorbei mit ihren kupfergrünen Türmen, den steingewordenen Monumenten der schwedischen Bourgeoisie, und – soll ich es zugeben? – ein kalter Zweifel faßte mich an. Ich fragte mich nach dem Preis dieses Friedens, nach den politischen Kosten dieser Umerziehung, ich fing an, überall das Verdrängte und seine Wiederkehr zu wittern, den modrigen Geruch einer allgegenwärtigen, sanften, unerbittlichen Pädagogik.

Am Nybroplan war ich einer kleinen Depression nahe. Da fiel mir ein Mann ein, dem ich, ein paar Tage zuvor und ein paar Schritte weiter, in einem häßlichen, modernen Bürohaus begegnet war: ein Emporkömmling, ein *nouveau riche*, ein Selfmademan. Wohlmeinende Freunde hatten mich vor diesem »häßlichen Schweden«

gewarnt. »Was versprichst du dir davon, ihn kennenzulernen?« hatten sie mich gefragt. »Das ist ein Spekulant, ein Haifisch, ein Pfandleiher.«

Ihre Ermahnungen fruchteten nichts, im Gegenteil, ich brannte darauf, den Schwarzen Mann kennenzulernen, der es vom Kohlenhändler bis zum Konzernchef gebracht hatte. Er empfing mich in einem gemütlichen, etwas kleinbürgerlichen Büro, dessen Wände mit nagelneuen Gemälden bedeckt waren. Die Lachfalten um seine Augen vermehrten sich, als er mir von seinen märchenhaften Erfolgen erzählte. Jede Heuchelei war ihm fremd. Von seinem Reichtum sprach er mit Ehrfurcht, von seinen Feinden mit befriedigtem Ingrimm, von den Kampagnen der Zeitungen ohne Wehleidigkeit. Zum Abschied überreichte er mir seine Firmenzeitung. Sie war mit vierzehn Fotos illustriert. Auf acht davon war er selbst zu sehen, umgeben von Staatsmännern, die ihm gratulierten, Diplomaten, die ihm Grüße überbrachten, und reichgeschmückten Damen der Gesellschaft, die ihm zulächelten. Seine naive Eitelkeit hatte etwas Entwaffnendes. Er war hart, schlau und ein wenig vulgär, aber an seiner Vitalität und an seinem Mut war nicht zu zweifeln.

Für einen Mitteleuropäer ist es schwierig, den Rest von Zynismus abzustreifen, den er braucht, um in seiner Heimat moralisch und intellektuell zu überleben. Vielleicht ist dies der Grund dafür, daß mir der böse Schwede gefiel. Seine Ansichten interessieren mich nicht, und seine Erfolge lassen mich kalt. Seine Existenz aber scheint mir eine verschwiegene Wahrheit auszudrücken. Ich glaube, seine Landsleute nehmen ihm nicht nur die Millionen übel, die er besitzt, sondern auch die schamlose Offenherzigkeit, mit der er jene Wahrheit ausdrückt. Es gibt Leute, an denen sich jede Fürsorge und jede Erzie-

hung die Zähne ausbeißt, auch die menschenfreund-
lichste. Ich weiß nicht warum, aber dies ist eine Gewißheit, die mich beruhigt.

Das Gehäuse der Institutionen

An einem schönen Herbstabend im September 1982 trafen sich am Fridhelmsplan ein paar Dutzend Schülerin-
nen und Schüler in bunten Klamotten: ganz gewöhnliche
Jugendliche, keine organisierten Motorrad-Gangs. Auch
die spärliche Punker- und Anarchoszene war nur mit
wenigen Abgesandten vertreten. Immer neue Ankömm-
linge tauchten aus den Tiefen der Tunnelbahn auf. Niemand wußte, woher sie kamen, und was sie vorhatten.
Es gab nichts, wofür oder wogegen sie demonstriert hätten. Sie waren einfach da, standen in lockeren Gruppen
herum und unterhielten sich miteinander. Als die Menge
bis auf beinah tausend Köpfe angeschwollen war, setzte
sie sich ohne Marschordnung, ohne Parolen, ohne vorge-
faßten Plan in Richtung Rålambshovspark in Bewegung.
Die Polizei war nach einer halben Stunde zur Stelle, ein
Aufgebot von über fünfzig Mann, mit Bereitschaftswa-
gen, Schlagstöcken und scharfen Hunden. Im Nu ver-
wandelte sich die friedliche Szene in ein bedrohliches
Gegeneinander. Die Einsatzleitung hatte es darauf abgesehen, die Jugendlichen auseinanderzutreiben. Die Polizisten schlugen auf einzelne Leute ein, die Hunde wurden
unruhig, es gab Beulen und zerrissene Kleider. Dann flogen die ersten Steine. Nach drei Stunden lag der nächtliche Park wieder still und menschenleer da.
Erst am andern Morgen erfuhren die Stockholmer aus

der Morgenzeitung, was der Anlaß zu dieser gewalttäti-
gen Aktion gegen die Jugendlichen gewesen war: eine
soziale Erfindung ersten Ranges. Ein paar kluge Kids
hatten entdeckt, daß das öffentliche Telefonnetz eine
interessante technische Lücke aufwies: wer die Nummern einer gewissen Zahl von gesperrten Anschlüssen
wählte, konnte mit jedem andern Teilnehmer sprechen,
der das gleiche tat. Die betreffenden Telefonnummern
gingen an den Stockholmer Schulen wie ein Lauffeuer
um, und es entstand eine enorme, spontane Konferenz-
schaltung. Ein neues Massenmedium war geboren: der
»heiße Draht«. Intelligenter kann man moderne Kom-
munikationstechniken kaum anwenden. Ich weiß nicht,
ob es einen Kulturpreis der Stadt Stockholm gibt. Falls
ja, dann haben ihn die unbekannten Entdecker des »heißen Drahtes« eher verdient als alle aufstrebenden Ak-
tionskünstler des Königreichs. Das sollten sogar die gut-
bezahlten Experten einsehen, die das Publikum seit Jahrzehnten mit ihren sorgenvollen Auslassungen über die
Ziellosigkeit, die Motivationsschwäche und die Anomie
der heutigen Jugend langweilen.
Nun, die Obrigkeit hat, wie gesagt, eine andere Form der
Reaktion vorgezogen. Wozu hat man schließlich eine
Hundestaffel? Allerdings erfuhr die Polizeibehörde in
einigen sorgsam abgewogenen Zeitungsartikeln milden
Tadel. Auf die Tatsache, daß ihr Einsatz ein klarer Ver-
stoß gegen die Verfassung war, die allen schwedischen
Bürgern die Freiheit, sich zu versammeln, garantiert,
kamen die Kritiker gar nicht erst zu sprechen, und ich
habe auch nicht den Eindruck, daß irgendeiner der Verantwortlichen zur Rechenschaft gezogen worden wäre.
Nun ist die Willkür der Polizei, wie ich aus eigener Erfahrung weiß, durchaus keine schwedische Spezialität, und
so widerlich mir der ganze Vorfall erscheint, so würde

ich auf dem bornierten Ordnungssinn der Behörden auch nicht weiter herumreiten, wenn es bei ein paar zerfetzten Jeans geblieben wäre. Der Terror der französischen oder der westdeutschen Polizei (von der ostdeutschen ganz zu schweigen) nimmt schließlich Formen an, die weit gefährlicher sind, und mit denen die Stockholmer Kollegen kaum konkurrieren können.

Was mir aber bemerkenswert scheint, ist die Tatsache, daß ihre Übergriffe einen ganz anderen Sinn haben. Am Rålambshovspark ging es nicht um illegale Hausbesetzungen; es gab weder vermummte Köpfe, noch Molotow-Cocktails, nur ein paar hundert junge Leute, die sich ein bißchen unterhalten wollten.

Ihr Verbrechen bestand einfach darin, daß sie zu diesem Zweck keine von den dafür zuständigen *Institutionen* in Anspruch nahmen. Hätten sie sich an die richtige Stelle gewandt, mit der Bitte, einen Treffpunkt für ziellose, motivationsschwache, anomische Jugendliche zu *organisieren*, so wäre man ihnen nicht mit Polizeiknüppeln, sondern mit Subventionen entgegengekommen. Scharen von Sozialarbeitern, Betreuern und Animateuren hätten sich in Marsch gesetzt, um ihnen zu einer sozial erwünschten Form der Kommunikation zu verhelfen.

Der Beweis für diese These wurde innerhalb einer Woche nachgeliefert. Kaum waren die Beulen verheilt, die Jeans geflickt, da mischte sich die entsprechende Instanz mit dem Angebot ein, den »heißen Draht« zu *institutionalisieren*.

»Wir haben verstanden«, so hieß es im Kommuniqué der Behörde, »daß bei vielen Jugendlichen wirklich ein Bedürfnis nach dem ›heißen Draht‹ besteht. Wir werden daher eine eigene Telefonnummer für Gruppengespräche einrichten, und wir schlagen vor, daß jeweils fünf Personen von ihr für eine Dauer von je fünf Minuten Gebrauch machen können.« Die Logik der staatlichen Intervention ist vollkommen klar: erst der Knüppel, dann die Mohrrübe. Die soziale Phantasie der Jugendlichen, ihre Selbsttätigkeit soll in einer Art von Zangenbewegung erstickt werden: einerseits durch Unterdrückkung, andererseits durch Verstaatlichung. Die Freiheit, sich zu bewegen und miteinander zu sprechen, die sich ein paar hundert junge Stockholmer genommen haben, erscheint den Polizisten ebenso wie den Fürsorgern als eine Eigenmächtigkeit, die nicht geduldet werden kann.

Auf die Dauer sehen das auch die Jugendlichen ein, wenigstens einige unter ihnen. Sie bilden ein Komitee, das mit den zuständigen Stellen verhandelt, mit der Sozialbehörde und mit dem Fernmeldeamt. Und von diesem Augenblick an kann man die scharfen Hunde im Zwinger lassen. Nichts als Hilfsbereitschaft und Verständnis bringt man den Schafen entgegen, die in den Pferch zurückgefunden haben.

Max Weber hat diesen Pferch »das Gehäuse der Institutionen« genannt. Wir wissen, was das heißt. Wir, die Bewohner moderner Industriestaaten, haben uns längst damit abgefunden, daß wir unser Leben in einem Labyrinth sichtbarer und unsichtbarer Einmauerungen zubringen müssen, und daß mit der Größe und Komplexität unserer Gesellschaften die Bürokratie unaufhaltsam zunimmt. Auch die Kritik an diesem Zustand ist trivial geworden. Der Widerstand, den wir ihm entgegensetzen, ist meist ebenso stumm wie vergeblich, und das hat einen ganz einfachen Grund. Dieser Widerstand ist nämlich sehr halbherzig. Eben das, was uns einschränkt und belästigt, verspricht uns zugleich Entlastung, Schutz, Komplexitätsreduktion, und die Verfügungsmacht über unser eigenes Leben, die wir vom Leviathan der Bürokratie zurückfordern, haben wir im allgemeinen eben erst an ihn delegiert. Das Risiko der Freiheit erscheint uns allzu hoch, und es ist in der Tat für den einzelnen kaum mehr zu tragen.

An diesem Dilemma finde ich nichts, was spezifisch schwedisch wäre. Und dennoch verfehlt die theoretische Analyse den eigentümlichen Charakter der Strategien, mit deren Hilfe im skandinavischen Wohlfahrtsstaat der fundamentale Konflikt zwischen den Menschen und den Institutionen, in denen sie leben, gleichsam ausgebügelt wird. Die beiden Seiten treten einander nämlich in einem Zustand gegenüber, der anderswo undenkbar wäre: im Zustand der historischen Unschuld.

Ob es nun um den »heißen Draht«, um den Alkoholismus, um die Erziehung ihrer Kinder, um Städtebau und Gesundheitswesen oder um die Besteuerung ihrer Löhne geht: immer sind die Bürger Schwedens bereit, ihren Institutionen derart arglos und zutraulich zu begegnen, als stünde deren Gutartigkeit ganz außer Frage. Einem Spanier, einem Iren, einem Italiener oder einem Franzosen würde diese Haltung unverständlich scheinen; den Bürgern dieser Länder ist die Skepsis, die Verdrossenheit, das Mißtrauen längst zur zweiten Natur geworden, und selbst die Deutschen, denen man ein besonders braves Verhältnis zur Obrigkeit nachsagt, können es in dieser Hinsicht seit ein paar Jahrzehnten mit den Schweden nicht mehr aufnehmen.

Diese Vertrauensseligkeit hat sicherlich viele Gründe. Der wichtigste ist wohl in einem Mangel an Erfahrung zu suchen, um den man die Schweden nur beneiden kann. Die Inhaber der politischen Macht haben hier seit Menschengedenken einen Zeitvertreib aufgegeben, der in anderen Weltgegenden gang und gäbe ist: die bewaffnete

Menschenjagd. Deshalb geben sich die Schweden dem Glauben hin, die Behörden wollten nur ihr Bestes.

Und mit dieser Vermutung haben die Schweden recht. Die Institutionen, die mit ihren Betonklötzen die Zentren aller Städte okkupiert haben, verkörpern eine zwar fremde, jedoch immer wohlwollende Macht; ja, es ist gerade dieses Wohlwollen, was sie unanfechtbar macht.

So wächst den Institutionen eine moralische Immunität zu, die andere Gesellschaften nicht kennen. Die Macht des Guten einzuschränken, zu kontrollieren, sich gegen sie zur Wehr zu setzen – daran kann eigentlich nur Böse-wichtern gelegen sein. Und so nimmt es nicht wunder, daß diese Macht sich unwiderstehlich ausdehnt, in alle Ritzen des Alltagslebens eindringt und die Regungen der Menschen in einem Maß reglementiert, das in freien Ge-sellschaften beispiellos ist.

So kommt es auch, daß die institutionellen Apparate nicht nur den größten Teil der Einkünfte, sondern auch die moralischen Werte der Bürger beschlagnahmen kön-nen. Sie sind es, die für Solidarität und Gleichheit, für Schutz und Hilfe, für Gerechtigkeit und Anstand sorgen – allesamt Dinge, die viel zu wichtig sind, als daß man sie den gewöhnlichen Leuten überlassen könnte.

Eine unpersönliche Vernunft scheint alle Lebensäußerun-gen zu beherrschen. Ihr feinverzweigtes, dichtes Netz reicht bis in die letzte Gewerkschaftszelle und bis ins letzte Bauernhaus. Ihre typische Erscheinungsform ist das *ämbetsverk*, ein Ausdruck, der im Deutschen keine genaue Entsprechung hat. Niemand in Schweden hat mir sagen können, wie viele dieser administrativen Saurier es in Schweden eigentlich gibt. Ein Reichstagsabgeordneter schätzte ihre Zahl auf 75, ein Professor des Staatsrechts rechnete mit knapp 200. In einem Punkt jedoch waren sich alle einig, die ich fragte: All diese Behörden, die *nämnder, expeditioner, ämbeter, enheter, styrelser* und *verk* genießen eine Autonomie, wie sie anderswo kaum denkbar wäre. Die Kontrolle, die das Parlament über sie ausübt, ist äußerst zaghaft, und wenn der zuständige Minister es wagt, sich in ihren Betrieb einzumischen, wird er zurechtgewiesen. Ich habe den Eindruck, daß sie ihr Selbstverständnis aus der Zeit des aufgeklärten Absolutismus herleiten. Sie gleichen riesigen, sinnreichen, etwas altertümlichen Konstruktionen, einer Polhemschen Theater-Maschinerie, die, schwerfällig ächzend, das Räderwerk des Staatswesens in Gang hält, während auf der Bühne die Politiker ihre Schaugefechte austragen.

Es ist, als stünden die Beamten, die sie beherrschen, über den Parteien. Das gleiche ließe sich von den Spitzen der Gewerkschaftszentralen sagen. Sie glauben im Namen nicht nur ihrer Institution, sondern im Namen der ganzen Gesellschaft sprechen und handeln zu können. In ihren Äußerungen kehren immer wieder bezeichnende Sätze wieder: »Hier muß die Gesellschaft eingreifen.« »Das kann die Gesellschaft nicht zulassen.« »Darum muß sich die Gesellschaft kümmern.« Wenn man solche Sätze genauer untersucht, wird man feststellen, daß das Wort *samhället* in ihnen gleichbedeutend ist mit »der Institution, die ich vertrete«.

Der gute Hirte – um auf ihn zurückzukommen – ist, da er stets das Beste will, immer der Überzeugung, im Recht zu sein. Zur Besserwisserei fühlt er sich geradezu verpflichtet. Wenn er auf Kritik stößt, macht er zwar hie und da einen taktischen Rückzieher, aber an seinem Hintergedanken hält er unbeirrt fest, und er ist und bleibt entschlossen, ihn das nächste Mal, an anderer Stelle, durchzusetzen. Nicht, als wäre der gute Hirte absolut unfehlbar; unfehlbar ist nur die ideale Totalität, die er immer nur mangelhaft und vorläufig verkörpert. Als eingefleischter Erzieher weiß er auch, daß er sein Ziel, die Verbesserung des Menschen, immer nur teilweise erreichen kann, und daß er mit seinen Zöglingen Geduld haben muß, wenn sie sich uneinsichtig zeigen.

Es ist schwer, ein Urteil über den guten Hirten zu fällen. Das liegt an der Zweideutigkeit seines Wirkens. Er bietet einen Service, einen Grad an Daseinsfürsorge, der beispiellos ist; aber er übt auch einen »weichen Terror« aus, der mich erschreckt. Wenn er – natürlich in bester Absicht – Kinder entführt, Journalisten einsperrt und scharfe Hunde auf Jugendliche hetzt, dann ist es leicht, sich über ihn zu entrüsten; wenn er kostenlose Rollstühle verschreibt und den Frauen gleiches Recht am Arbeitsplatz verschafft, erntet er Beifall. Vielleicht ist es gar nicht möglich, ihm objektiv gerecht zu werden. Vielleicht *ist* man entweder guter Hirte, oder man ist es nicht. Je nachdem wird man auch die Vermehrungsrate dieser gesellschaftlichen Figur mit Befriedigung oder mit Schrecken betrachten. Denn der gute Hirte ist ja kein Individuum, sondern selbst ein Kollektiv, das sich kaninchenartig fortpflanzt. Kaum ein anderer sozialer Sektor dürfte derartige Zuwachsraten zu verzeichnen haben. Und spätestens an diesem Punkt, wo es um die eigene korporative Existenz geht, hört auch die Güte des guten Hirten auf. Hier versteht er keinen Spaß.

Vor einiger Zeit soll sich die Zentralorganisation der beamteten Kinderhüter energisch gegen eine Gruppe von schwedischen Eltern ausgesprochen haben, die die Absicht geäußert hat, sich in Zukunft selber um ihre Kinder zu kümmern. Ein so dreister Übergriff, sagten die guten Hirten, gefährde nicht nur ihre Arbeitsplätze, sondern auch die menschenfreundlichen Ziele einer solidarischen Gesellschaft.

Gegen eine so schlagende Argumentation wird man mit Zitaten kaum ankommen. Ich möchte es dennoch genau wissen, nehme mein Wörterbuch zur Hand und finde den folgenden Eintrag:

»*Myndighet*, abgeleitet von *myndig*. Das Wort bedeutet eigentlich ›der Macht hat‹ und ist abgeleitet von germ. mundô ›Hand‹. Es bedeutet besonders die Macht, welche die selbständigen Mitglieder der Familie über die unselbständigen ausübten: angelsächs. *mund* ›Hand, Schutz, Vormundschaft, Vormund; Kaufpreis der Braut und die durch den Kauf erworbene Vormundschaft über dieselbe.‹ Eine Ableitung ist *myndling*, ›der in eines anderen Macht steht‹. Siehe auch *formynder* (Vormund).«

Ich glaube mich zu erinnern, daß es, in grauer Vorzeit, eine Wunschvorstellung der Linken war, die Menschen aus ihrer Unmündigkeit zu befreien. Warum die Anbetung des Staates in vielen Ländern, und ich fürchte, auch in Schweden, zum Credo der Linken, der Hang zur Selbstbestimmung aber zum Inbegriff bürgerlicher Verstocktheit geworden ist, habe ich eigentlich nie ganz verstanden.

Die Verfassung, die keiner kennt

An einem wunderbar durchsichtigen Vormittag – vom Riddarsholmen aus sieht man alle Turmspitzen der Hauptstadt golden gleißen – sitzt der Regierungsrat Gustaf Petrén, einer der höchsten Richter Schwedens, in seinem Arbeitszimmer am Birger Jarl Torg. Eigentlich hat er Besseres zu tun, als sich die Fragen eines durchreisenden Ignoranten anzuhören. Mit einer entschuldigenden Geste weist er auf den Fußboden des Zimmers, der mit Aktenstapeln bedeckt ist.

Aber sobald er auf die Grundlagen des politischen Systems zu sprechen kommt, das in Schweden herrscht, vergißt der mächtige Mann mit dem zerrauften Haar und den buschigen Augenbrauen auf die Uhr zu blicken. Der gemessene Ton der Beamtenroutine ist ihm fremd, und etwas sehr Seltenes kommt zum Vorschein: das rücksichtslose Engagement eines geborenen Juristen.

»Die Justiz«, sagt er, »ist in Schweden nicht viel mehr als ein Zweig der Administration. Die Richter kommen gemeinhin aus der Verwaltung, und sie fühlen sich als Teil des Apparates. Sie sehen ihre Aufgabe weniger darin, den Bürger vor dem Staat, als umgekehrt, den Staat vor dem Bürger zu schützen. Sie erinnern sich vielleicht an das sogenannte Ausnahmegesetz, das es der Allgemeinheit verbieten sollte, hochgestellte Beamte zu verklagen?« Ich habe davon gehört; allerdings weiß ich auch, daß dieses Gesetz, das ein schlafmütziges Parlament verabschiedet hatte, wieder abgeschafft worden ist. »Ja, der Reichstag ist wohl durch seine Arbeit ziemlich überfordert«, bemerkt Petrén trocken. »Ich kenne höchstens ein halbes Dutzend Abgeordnete, die überhaupt in der Lage sind, die Entwürfe, über die sie abstimmen sollen, zu verstehen.«

Der Sarkasmus, den dieser Richter an den Tag legt, verführt ihn nicht zum linearen Denken. Dazu ist seine Intelligenz zu dialektisch, zu beweglich. Eine höchst produktive Unruhe bewegt ihn. Er springt von einem Thema zum andern, bald hebt er eine Schönheit, einen Vorzug des Systems hervor (er lobt das Öffentlichkeitsprinzip der schwedischen Behörden und erläutert die guten Seiten des Remiss-Verfahrens), bald kritisiert er brüsk, was ihm falsch erscheint. Er unternimmt rasche Ausflüge in die Geschichte und zieht Beispiele und Vergleiche aus anderen Ländern heran. Manchmal bin ich mir nicht ganz sicher, ob er ein Argument ernst oder ironisch meint. »Ein Gutes hatte das Ausnahmegesetz immerhin«, erklärt er nebenbei: »Ungefähr fünftausend Herren konnten ruhig schlafen, ohne daß ihnen eine Meute von Querulanten das Leben zur Hölle gemacht hätte.« Ich habe immer vermutet, daß es einem guten Juristen nicht schwer fallen dürfte, zu einem guten Satiriker zu werden. »Unser System«, fährt Herr Petrén fort, »hat sehr altertümliche Grundlagen, die bis in die Zeit Oxenstiernas zurückreichen.« (Axel Graf Oxenstierna lebte von 1583 bis 1654 und besaß als Kanzler und Vormund der Königin fast unumschränkte Macht.) »Die Idee der Gewaltenteilung ist uns fremd. Dem schwedischen Staatsdenken geht es nicht um *checks and balances*, sondern um die Kontinuität einer unparteiischen Verwaltung. Infolgedessen haben wir eher einen Gesetzes- als einen Rechtsstaat. Wer allzusehr auf seine Rechte pocht, gilt als Formalist.«

»Aber schließlich«, wende ich ein, »ist die Institution des Ombudsmannes eine schwedische Erfindung.«

»Hören Sie mir damit auf«, erwidert der Richter zornig. »Ich war selbst viele Jahre lang Justiz-Ombudsmann, und ich könnte es vielleicht heute noch sein. Aber ich habe die Lust an diesem Amt verloren, seitdem man den, der es ausübt, 1976 aller Machtmittel beraubt hat. Seitdem können die Behörden seinen Spruch in aller Ruhe ignorieren. Seine Tätigkeit droht zur Augenwischerei zu werden. Das wollte ich nicht mitmachen.«

Eine Sekretärin hat dem Richter seinen Lunch gebracht.

Die frugale Mahlzeit besteht aus einem Tomatensand-
wich, das, in Plastikfolie verpackt, auf dem Schreibtisch
liegt; nicht einmal ein Glas Tee scheint der Richter sich
zu gönnen. Vielleicht, denke ich mir, ist es an der Zeit,
mich zu verabschieden. Aber Herr Petrén winkt ab. Er
vergißt seinen Lunch. Er ist bei seinem Thema.
»Im Zweifelsfall ist es immer die Exekutive, die in
Schweden das Sagen hat. Die Rolle des Reichstags ist
sehr relativ. Es sind die Experten in den *ämbetsverk*, die
die Gesetzentwürfe ausarbeiten, oder die Experten in
den Kommissionen. Auch der Einfluß der Minister ist
verhältnismäßig gering. Nur im Kabinett haben sie etwas
zu sagen, und auch da gibt die Stimme des Premierministers, der eine sehr starke Stellung hat, den Ausschlag.
Daraufhin wandert die Vorlage in den zuständigen Aus-
schuß. Der Reichstag gibt dann fast automatisch seinen
Segen. Es kommt kaum vor, daß er eigene Entwürfe
einbringt.«
Ich erkundige mich, ob diese Machtverteilung den Normen der Verfassung entspricht.
»Ach, wissen Sie, in Schweden interessiert sich niemand
für die Verfassung. Niemand kennt sie. Auch dies hat
historische Gründe. Die Verfassung, die bis in die siebziger Jahre dieses Jahrhunderts galt, wurde 1809 von oben
eingeführt, um einen Staatsstreich zu legitimieren – ein
Vorgang, an dem das Volk in keiner Weise beteiligt war.
Sie wurde nicht einmal in das schwedische Gesetzbuch
aufgenommen. Dem Buchstaben nach wurde das parla-
mentarische System in Schweden eigentlich erst 1969 eingeführt.
In der alten Verfassung hatte der König eine sehr zentrale
Position. Das hat den Politikern nicht gefallen, und so
haben sie beschlossen, dem Volk alle Macht zu geben,
um sie dann allerdings im selben Atemzug vom Volk

zurückzufordern. Beim Entwurf der neuen Verfassung hat man übrigens ursprünglich ganz vergessen, einen Katalog der bürgerlichen Rechte mit aufzunehmen; erst, als dies einigen Leuten auffiel, wurde das Versäumnis nachgeholt. Vielleicht ist es auch bezeichnend, daß die neue Verfassung, ganz wie die alte, angenommen wurde, ohne daß der Souverän, das heißt das Volk, die Möglichkeit gehabt hätte, darüber abzustimmen.«

Ich bedankte mich und verließ diesen freimütigen Mann, betrübt bei dem Gedanken, daß er nun seinen ganzen Scharfsinn einem Haufen staubiger Akten würde zuwenden müssen. Während er, über Schriftstücke gebeugt, sein Brötchen verzehrte, füllten sich die vorzüglichen Restaurants der Altstadt mit smarten Geschäftsleuten, die, nach einer rundum befriedigenden Mahlzeit, gegen halb vier Uhr Nachmittags ihre Attaché-Cases zuklappen und ihre Kreditkarten zücken würden.

Unterdessen suchte ich zwei, drei Buchhandlungen auf, die in der Nähe lagen, um ein Exemplar der schwedischen Verfassung zu erwerben. Mit diesem Wunsch stieß ich auf ratloses Bedauern. Schließlich fiel mir der Notanker aller ausländischen Ignoranten ein, das Svenska Institutet. Nach längerem Suchen im Magazin überreichte mir eine elegante Dame den gewünschten Text, in schwedischer und in englischer Sprache, noch dazu kostenlos, und ich begab mich in mein Hotel, um das Dokument zu studieren.

Ich lese eigentlich sehr gerne Verfassungen. Zwar bin ich durchaus kein Kenner der Materie, sondern ein bloßer Amateur, aber ich finde doch, daß wir es hier mit einer der vortrefflichsten Erfindungen des bürgerlichen Zeitalters zu tun haben. Die Behauptung meiner orthodox marxistischen Freunde, es handle sich dabei um ein Verschleierungsmanöver der herrschenden Klasse, eine bloße Formalität, die nichts zu bedeuten habe, ist mir immer idiotisch vorgekommen. Der Verzicht der Linken auf vermeintlich »bürgerliche« Rechte und Freiheiten hat sich noch jedesmal, und zwar oft auf die blutigste Weise, gerächt. Und so habe ich auch die ersten beiden Kapitel der *Regeringsformen*, die von den grundlegenden Rechten der Schweden handeln, mit Vergnügen gelesen. Hier findet sich sogar eine Absichtserklärung, die in den Grundgesetzen anderer Länder fehlt:

»Es soll ein besonderes Anliegen des Gemeinwesens sein, das Recht auf Arbeit, Wohnung und Bildung zu schützen sowie für soziale Fürsorge, soziale Sicherheit und ein gutes Lebensmilieu einzutreten.« In dieser Bestimmung drückt sich zweifellos, ebenso wie im Fehlen einer klaren Eigentumsgarantie, das aus, was man die sozialdemokratische Hegemonie nennen kann.

Im übrigen mußte ich leider feststellen, daß Herr Gustav Petrén mit seiner Kritik recht hatte. Besonders gravierend scheint es mir, daß das schwedische Grundgesetz keinen Verfassungsgerichtshof kennt. Wenn nun der Reichstag oder die Regierung oder irgendeine Behörde ein Gesetz, einen Erlaß oder eine Verordnung in Kraft setzt, die verfassungswidrig ist, was geschieht dann? Dann geschieht gar nichts; denn: »Abschnitt 11, § 14: Wenn ein Gericht oder ein anderes öffentliches Organ feststellt, daß eine Vorschrift im Widerspruch zu den Bestimmungen der Verfassung steht, ... so darf diese Vorschrift nicht angewendet werden. Geht die Vorschrift jedoch auf einen Beschluß des Reichstags oder der Regierung zurück, so soll ihre Anwendung nur für den Fall unterbleiben, daß der Verfassungsverstoß offensichtlich ist.« Diese Regel ist so sonderbar, daß bisher noch niemand daran gedacht hat, sie anzuwenden.

Von Verlegenheit und schlechten Kompromissen zeugen auch andere Teile dieser »Regierungsform« (das ist der offizielle Titel der schwedischen Verfassung), so der Abschnitt über die Monarchie. Der arme König, der wie ein Statist behandelt wird, hat in der Überschrift sogar seinen Titel eingebüßt; irgendwelche Rechte werden ihm nicht zuerkannt; nur eine Reihe von Beschränkungen wird pedantisch aufgezählt, so als wollte man den »Staatschef« gleichzeitig behalten und loswerden. Dasselbe scheint für die Staatskirche zu gelten, die die Väter der Verfassung weder bestätigen noch abschaffen wollen, und die deshalb unter dem Titel »Übergangsbestimmungen« in eine obskure Fußnote verbannt worden ist. Überhaupt macht der Text im ganzen eher den Eindruck einer lästigen Pflichtübung. Selbst einem radebrechenden Ausländer muß die Lieblosigkeit dieser Prosa auffallen, besonders wenn er sie mit den großartigen Formulierungen der alten schwedischen Königseide und Königsversprechen vergleicht. Kann man es einem Volk verübeln, wenn es Formulierungen wie die folgende nicht in sein Herz schließt?:

»Ein Gutachten des Gesetzgebungsrates ist einzuholen, bevor der Reichstag grundlegende Gesetze, die Pressefreiheit betreffend, beschließt, Gesetze über das Recht, von öffentlichen Urkunden Kenntnis zu nehmen, Gesetze im Sinn des Abschnitt 2, § 12, Absatz 1, § 17–19 oder § 20, Absatz 2, oder Gesetze, die solche Gesetze ändern oder aufheben, Gesetze über die Besteuerung durch die Gemeinden, Gesetze im Sinn des § 2 oder § 3 oder Gesetze im Sinn des Abschnitt 11, wenn diese Gesetze für den einzelnen Bürger oder unter allgemeinen Gesichtspunkten von Bedeutung sind. Diese Bestimmung gilt jedoch nicht für den Fall, daß die Anhörung des Gesetzgebungsrates auf Grund der Beschaffenheit der Frage ohne Be-

deutung ist, oder daß sie die Behandlung der Gesetzes-
vorlage derart verzögern würde, daß daraus erhebliche
Nachteile erwüchsen. «

Diese Sätze erinnern schmerzlich an die endlosen und
unverständlichen Phrasen, die man in allen schwedischen
Städten auf riesigen blauen Schildern aufgemalt findet
und deren Zweck es ist, autofahrende Schweden an der
Benutzung ihrer Straßen und Plätze zu hindern. Das Studium dieser Parkverbote erfordert soviel Zeit, daß man
bereits einen Parkplatz gefunden haben muß, wenn man
sie lesen und verstehen will – ein logisches Dilemma, aus
dem sich nur befreien kann, wer bereit ist, 200 Kronen
an die Autoren dieser Prosawerke zu überweisen.

Nun, vielleicht haben die Schweden recht, über solche
und andere Ungereimtheiten mit einem resignierten Lächeln hinwegzusehen. Vielleicht war meine Vorliebe für
das Studium von Verfassungen nur eine typisch deutsche
Obsession, geboren aus der unglücklichen Geschichte
eines Volkes, das nur allzuviel Grund hatte, seine Obrigkeit wie die Pest zu fürchten. Ohne die Verfassungs-
kämpfe des neunzehnten Jahrhunderts wäre die deutsche
Demokratie – *such as it is* – undenkbar, und der ebenso
zähe wie hitzige Streit, der seit der Gründung der Bundesrepublik um die Auslegung des Bonner Grundgesetzes
geführt wird, ist nur zu verstehen, wenn man bedenkt,
daß es dabei um die Vollendung der gescheiterten Revolution von 1848 geht.

Schon möglich, daß man in Skandinavien solche Quere-
len nicht nötig hat, und daß man nicht auf ein Stück
Papier angewiesen ist, wenn es darum geht, die eigene
Freiheit zu verteidigen. Verfassungen, die schön zu lesen
sind, gibt es auch in lateinamerikanischen Diktaturen.
Bekanntlich ließ Stalin zur selben Zeit, da er sich an-

schickte, die Sowjetunion mit einem unvorstellbaren Massenterror zu überziehen, nämlich 1936, eine Konstitution ausarbeiten, die den sowjetischen Bürgern alle möglichen Menschenrechte garantierte. Zwischen Verfassungsrecht und Verfassungswirklichkeit können sich Abgründe auftun. Das gilt im negativen, aber auch im positiven Sinn. Weshalb sollte man sich also durch die beklemmenden Züge des *pays légal* einschüchtern lassen, solange das *pays réel* frisch, frei und unbekümmert vor sich hinlebt?

Ich legte die Bücher weg und sah aus dem Fenster über den blanken Mälaren auf die stolze Stadt, die in den schrägen Strahlen der Oktobersonne funkelte. Auf dem Tisch knisterten die Zeitungsausschnitte meines kleinen Archivs, Artikel, die ein grelles Licht auf die Paradoxien der schwedischen Freiheit warfen. Ratlos erinnerte ich mich an die aufgeregte Rhetorik der Kritiker. Ihre Angriffe legten Zeugnis ab vom Übermut der Ämter, vom Stumpfsinn der Bürokratie, von der Borniertheit der Macht. Man las ihre Artikel, diskutierte sie ein paar Tage und legte sie zu den Akten.

Ihr Ton war oft schrill, zuweilen schien er mir sogar hysterisch; aber das bewies nur, daß sie in der Minderheit waren. Je konkreter ihre Beispiele waren, desto fester war ich davon überzeugt, daß sie recht hatten. Nur wenn sie versuchten, ihre Sorgen auf den Begriff zu bringen, schien mir das, was sie zu sagen hatten, seltsam blaß. Sie hatten sich ihr theoretisches Bauholz aus anderen, weit entfernten Gesellschaften geholt; sie sprachen von Kollektivismus, Korporatismus, Totalitarismus. Ich verstand nur allzugut, was sie damit sagen wollten; aber ich kannte einige jener Regimes, in denen diese Abstraktionen Wirklichkeit geworden waren, und ich kannte sie nicht aus Büchern.

Ich schaue aus dem Fenster und denke an die entvölkerten Siedlungen Värmlands, an die Vierzehnjährigen auf dem Sergelstorg, die in den Telefonzellen die Hörer abschneiden, an die lieben, verrückten alten Damen, die durch die felsigen Parks auf dem Södermalm irren; ich versuche, mir das wirkliche Leben der wirklichen Schweden vorzustellen, und je dunkler die Aussicht über den Mälaren wird, desto weniger glaube ich, beim besten Willen, denen, die sich an das Italien Mussolinis oder an das Deutschland Honneckers erinnert fühlen, wenn sie über die Probleme dieses sonderbaren Landes nachdenken. Ich knipse das Licht an und blättere noch einmal die klugen, ernsten, dringenden Artikel durch, und auf einmal glaube ich zu verstehen, was ihre Analysen so kahl, so schattenlos macht. Sie haben etwas vergessen: die Vergangenheit. Das macht den Atem ihrer Erklärungen kurz und flach. Oh, ich bin nicht der Mann, der sich berufen fühlte, unerbetene Ratschläge auszuteilen, ich rede nur so vor mich hin, ich sage einfach, was mir durch den Kopf schießt. Ich sage zum Beispiel: Wer von der Geschichte Schwedens nichts wissen will, der wird die Rätsel, die seine Gegenwart aufgibt, kaum lösen können.

Die Wolfsmauer

Keine zwei Stunden Fahrt von Stockholm entfernt, im nördlichen Uppland, wirkt die schwedische Landschaft bereits öd und menschenleer. Aber dieser Eindruck trügt. Wer hier anfinge zu graben, stieße auf prähistorische Siedlungen, fände da das Fundament einer verlassenen Kirche und dort die Reste eines aufgegebenen Hammerwerks. Und der Reisende, der sich mit Geduld und mit einer guten Karte gewappnet hat, wird mitten in dieser gleichförmigen, ebenmäßigen Waldregion noch mehr entdecken: ein kleines Wunder der frühen industriellen Zivilisation. Leufsta Bruk, heute eine still vor sich hinträumende Siedlung abseits der großen Verkehrswege, führt dem Besucher aus der Gegenwart das fast intakte Bild eines utopischen Gemeinwesens aus dem achtzehnten Jahrhundert vor Augen: Im Zentrum, von einem alten Park umgeben, das Herrenhaus, das sich im großen Wasserreservoir spiegelt – Teil eines kunstvollen hydraulischen Systems, das die Kräfte der Natur der menschlichen Vernunft dienstbar machte; jenseits des Wassers in symmetrischer Anordnung die Wohnhäuser der Verwalter, der Schmiede und der Handlanger; daneben die Schule, die Apotheke, die Wohnung des Arztes; der hölzerne Turm, dessen Glocke die ganze Gemeinde zur Arbeit rief; und die kleine, ebenso karge wie prächtige Kirche, die mit einer der schönsten Barockorgeln des europäischen Nordens geschmückt ist.

Das Eisenwerk freilich, die eigentliche *raison d'être* dieses phantastischen Ortes, existiert nicht mehr; seine letzten Reste wurden in den dreißiger Jahren abgerissen. Nur die alten Stiche, die in der unzugänglichen Bibliothek des Schlosses schlummern, könnten dem Betrachter ein anschauliches Bild von der unerhörten technischen Energie seiner Erbauer geben. Es mutet heute noch wie ein Wunder an, daß dieses strukturell arme, unterbevölkerte Land vor dreihundert Jahren zum führenden Eisen- und Stahlexporteur der Welt werden konnte. Diese technologische Leistung wäre undenkbar gewesen ohne jene soziale Phantasie, die sich in der planerischen Gestalt solcher Gemeinden herauskristallisiert hat. Jedem, der dort zu Hause war, stellte das Werk für sich und seine Familie zeitlebens Arbeitsplatz und Wohnung, Schulbildung und Seelsorge, ärztliche Hilfe und Altersversorgung zur Verfügung; und auch die Stimme der Kultur, das heißt, die Stimme von Johan Niclas Cahmans Orgel – Gedackt, Mixtur, Rohrflöte, Rauschquint, Vox humana – war für alle da. Man müßte taub und blind sein, um in dieser patriarchalischen Utopie nicht die Basis des modernen schwedischen Wohlfahrtsstaates zu erkennen.

Leufsta Bruk ist eine Enklave in der Wildnis, ein Karree der Ordnung, der Sicherheit und der Disziplin. Eine hohe gelbe Mauer trennt es von der Außenwelt, in der die unberechenbaren Kräfte des Animalischen lauern. Diese Mauer hatte nicht nur einen symbolischen Sinn, sondern auch einen praktischen Zweck: sie schützte das Gemeinwesen vor den Wölfen.

L., eine Siebzehnjährige aus Västerås, interessiert sich leidenschaftlich für die Geschichte ihres Landes. Sie will Historikerin werden. Zwei Jahre vor dem Abitur erklärt ihr die Lehrerin, daß sie sich auf einem Holzweg befinde. »Was willst du mit diesem abgelebten Kram? Glaubst du, das hätte irgendeine Bedeutung? Du solltest dich lieber um die Zukunft kümmern. Geschichte ist überhaupt kein richtiges Fach. Schau dir unseren Lehrplan an. Gemeinschaftskunde und nochmals Gemeinschaftskunde: Darauf müssen wir uns konzentrieren!«

Der Stockholmer Museumsführer von Bo Wingren verzeichnet 49 Institutionen, von Liljevalchs Kunsthalle bis zum Tabakmuseum, vom Millesgården bis zur Medizinhistorischen Sammlung. Man kann sich alte Brauereiwerkzeuge ansehen, altes Kunsthandwerk, alte Kanonen, alte Posthörner, chinesische Bronzen, Strindbergs Schreibtisch, die echten Kleiderbürsten und die falschen Breughels der Gräfin von Hallwyl, Motorräder aus den zwanziger Jahren und exotische Schmetterlinge. Nur für die politische Geschichte Schwedens gibt es kein Museum. Wer, in der Hoffnung, etwas über die fabelhafte Expansion der schwedischen Macht im 17. Jahrhundert zu erfahren, zum Historischen Museum am Narvavägen pilgert, dem steht eine herbe Enttäuschung bevor. Die Sammlungen, die eher ethnographisch und kulturhistorisch als politisch orientiert sind, reichen nur bis zum Anbruch der Vasazeit. Danach tut sich ein Vakuum auf, für das sich niemand zu interessieren scheint.

Ideologische Verdrängung? Politische Selbstzensur? Angst vor einer Vergangenheit, die vielleicht nicht in das Bild paßt, das man von sich selbst entwerfen möchte? Jedenfalls scheint das offiziell approbierte Gedächtnis kaum weiter zurückzureichen als bis in die siebziger Jahre des vergangenen Jahrhunderts. Denn auf die Sozialgeschichte der Volksbewegungen, der Gewerkschaften und der Sozialdemokratie wird allerdings großer Wert gelegt; sie wird in Spielfilmen und Schulbüchern, wissenschaftlichen Monographien und Ausstellungen, in Romanen und Fernsehserien aufbereitet, und nicht selten macht sich in diesen Darstellungen ein gewisser Triumphalismus breit, nach dem begreiflichen, aber auch selbstgerechten Motto: Von der Dunkelheit ans Licht.

Man hat den Eindruck, als wären den schwedischen Intellektuellen gerade die größten Leistungen ihrer Nation unheimlich, um nicht zu sagen lästig. Es gibt Historiker, die behaupten, Schweden sei der älteste existierende Nationalstaat im modernen Sinn. Die »buntscheckigen Feudalbande«, von denen Marx im *Manifest* spricht, sind nirgendwo früher zugunsten eines straff organisierten Zentralstaates zerrissen worden als hier. Oxenstierna,

ein administratives Genie ersten Ranges, erfand, zweihundert Jahre vor Napoléon, das System der Präfektur
und entsandte in alle Regionen des Reichs Gouverneure
mit exekutiver Macht, die sogar über militärische Mittel
verfügen konnten, um die Politik des Königs gegen die
Interessen der Region durchzusetzen; er schuf das erste
nationale Kartenwerk und die erste Zentralbank der
Welt. Und so weiter. Hat all das Implikationen für den
heutigen Zustand des Landes, für die Problematik seiner
Institutionen, oder hat es keine? Warum interessiert sich
niemand für die sogenannte »Freiheitszeit« mit ihrem
angeblich unerträglichen »Parteienstreit«, ihrem vielbe-
klagten und doch so produktiven »Chaos«? Es mag ja
ein löbliches Zeichen für die internationale Solidarität
der Sozialdemokratie sein, daß die schwedischen Schulkinder mehr über die Unterdrückung und Ausbeutung in
der Dritten Welt wissen als über Schwedens eigene Groß-
macht-Zeit; aber läßt sich die Frage, warum Schweden
ist, was es ist, wirklich beantworten, indem man das
System der Apartheid in Südafrika und die Befreiungsbewegungen in Zentralamerika studiert? Ich frage ja nur.

»Die Liquidierung der eigenen Geschichte«, sagte mir ein
norwegischer Historiker, »ist vielleicht der größte ideologische Fehler der schwedischen Sozialdemokratie. Wie
soll eine so alte Nation wissen, was sie tut, wenn sie
nicht weiß, was sie geerbt hat? Diese systematische Vergeßlichkeit wird sich spätestens in den Krisenzeiten rä-
chen, die uns bevorstehen.«

Hans Hagnell, Landshövding in Gävleborgs Län, residiert im nördlichsten Schloß der Welt. In den weitläufi-
gen Räumen stehen gustavianische Fauteuils neben spar-
tanischen Möbeln aus den fünfziger Jahren. Das feudale

Gepräge dieser Umgebung stört den alten Metaller. Er wehrt sich, indem er sich weigert, seine alten Schuhe und seine geflickten Hosen wegzuwerfen. Dafür hat er die Porzellansammlung, die ihm sein Amtsvorgänger hinterließ, sofort in ein Museum schaffen lassen, als er erfuhr, daß sie ein paar Millionen Kronen wert war. Der unendlich redliche, magere, weißhaarige Mann zeigt mir beim Abschied einen Paravent aus dem 18. Jahrhundert. Auf einem Flügel des reichbemalten Wandschirms sind vier Affen zu sehen, die nach der Pfeife eines Flötenspielers im Vordergrund tanzen. Wer sind die Affen? Wer ist der Flötenspieler? Warum zeigt mir der Landeshauptmann dieses Bild, und was bedeutet sein bitteres Lächeln?

Der Reichstagsabgeordnete B. reicht mir, drei Tage nach der Wahl, einen Zettel über den Schreibtisch. »Dies ist der einzige schriftliche Beweis dafür, daß ich zu den gewählten Vertretern des schwedischen Volkes gehöre«, sagte er achselzuckend. Ich sehe mir das Schriftstück genauer an. Es ist von einem Computer geschrieben und ausgestellt vom Finanzamt; unterzeichnet hat es irgendein Büroangestellter. »Wie Sie sehen, ist ein Abgeordneter bei uns nichts Besonderes«, sagt Herr B.
Nun ist es an mir, dem hartgesottenen, zynischen Mitteleuropäer, schockiert zu sein. Der Vorgang scheint mir in seiner technokratischen Schäbigkeit, seiner widerwärtigen Rationalität unfaßbar. »Früher«, fügt der Abgeordnete mit einer wegwerfenden Geste hinzu, »wurden solche Urkunden im Namen des Königs ausgefertigt.«
Nun ist es für einen Ausländer kaum begreiflich, warum ausgerechnet die Steuerbehörde in Schweden für die Wahlen verantwortlich ist, eine Einrichtung, die in den meisten andern Ländern längst in Flammen aufgegangen wäre, wenn sie derart unverschämte, konfiskatorische

Forderungen an die Bürger stellen würde wie in Schweden. Doch der Widerwille, den mir der Computerzettel des Herrn B. einflößt, hat mit den schwedischen Steuersätzen nichts zu tun. Was mir skandalös erscheint, ist die rüde Mißachtung aller symbolischen Formen, die sich in dieser Mitteilung ausdrückt.

Die Bürokratie gibt es hier dem Parlament schwarz auf weiß, daß es sich auf seine Würde nichts einzubilden hat, und daß in ihren Augen nur ein einziges Gesetz gilt: das berühmte »Jante-Gesetz« des norwegischen Schriftstellers Aksel Sandemose: »Bilde dir ja nicht ein, daß du jemand *bist*, bilde dir ja nicht ein, daß sich jemand um *dich* schert, bilde dir ja nicht ein, daß du *uns* etwas zu sagen hast.«

Die Zerstörung der Form ist ein weiteres Indiz dafür, daß das Geschichtsbewußtsein dieser Gesellschaft vom Verfall bedroht ist. Die hegemoniale Kultur der Sozialdemokratie hat die symbolische Dimension vergessen, ohne die es keine Politik gibt. Dieser Irrtum kann sie noch teuer zu stehen kommen.

Was Herrn B. betrifft, so gehört er der konservativen Partei an. Doch macht er, in seiner militanten Effizienz, seiner smarten Kaltschnäuzigkeit, eher den Eindruck, als wäre er ein Teil des Problems, von dem hier die Rede ist, als ein Teil seiner Lösung.

Lesjöfors in Värmland ist ein typisches *Bruks*-Gemeinwesen, in dem heute noch fast 2000 Menschen arbeiten. Das Eisenwerk ist trotz enormer Modernisierungs-Anstrengungen teilweise veraltet, und es hat schwer unter der Strukturkrise dieses Wirtschaftszweigs zu leiden. Ein Jahrhundert lang war seine Lage ideal: das Erz kam aus den Gruben im eigenen Land, die Wälder lieferten Holzkohle, das Wasser billige Energie, und die Inlandsbahn sowie die großen Seen stellten die Verbindung zu den Absatzmärkten her. Noch zu den Zeiten des »alten Barons«, der zu Pferd durch das Walzwerk zu reiten pflegte, gingen die Geschäfte gut, und der Bruk konnte sich um alles kümmern, was das Gemeinwesen brauchte: Wohnungsbau und Einzelhandel, Kanalisation und Stromversorgung, Pfarrer, Schule, Apotheke, Wasserleitung, Straßenbeleuchtung. Der Bruk war alles für alle, Arbeitgeber, Krankenkasse und Altersheim zugleich, und niemand ging leer aus, auch der Chor nicht, der Sportverein und das Blasorchester.

Heute steht das traditionsreiche Werk vor dem Konkurs. Als die Familie der Besitzer drauf und dran war, aufzugeben, beschlossen die Arbeiter, den Betrieb selbst in die Hand zu nehmen. Dazu fehlten, nach quälenden Verhandlungen, 30–40 Millionen Kronen Kapital.

Ende September, noch vor der Regierungsbildung, reiste eine Delegation nach Brommersvik in Sörmland. Dort tagten, in einem Gewerkschaftshaus, die Spitzen der Sozialdemokratie in strenger Klausur. Olof Palme hatte hier seit vielen Jahren eine kleine Wohnung in einem Pförtnerhaus.

Die Delegation soll erst nach längerem Parlamentieren vorgelassen worden sein. Das Kabinett war noch nicht gebildet. Keiner der Verantwortlichen hatte Lust, das Regierungsprogramm durch eine ad-hoc-Entscheidung zu präjudizieren. Nach längerer Beratung wurden die Forderungen der Leute von Lesjöfors abgewiesen. Man verabschiedete sich in gedrückter Stimmung. Der designierte Finanzminister fuhr zurück nach Stockholm.

Aber die Leute aus Värmland gaben nicht auf. Zwei altgediente Metallgewerkschaftler forderten Palme zu einem Spaziergang am Ufer des Yngaren auf. Als sie in der blaugrauen Dämmerung zurückkehrten, hatte der künftige Premierminister eine einsame Entscheidung getroffen. Die Leute von Lesjöfors sollten ihre 30 Millionen bekommen.

Vielleicht ist diese Geschichte eine Legende, vielleicht auch nicht. Aber ihre Bedeutung liegt auf der Hand. Der schwedische Bruk ist in Schwierigkeiten. Der Direktor versucht zu retten, was zu retten ist, und vor der Mauer des Gemeinwesens heulen die Wölfe der Konkurrenz, der Verschuldung und der Arbeitslosigkeit, die Wölfe der Krise.

Die Krise

Man braucht eine Ansicht nur oft genug gehört zu haben – schon wird sie einem verdächtig. Die Schweden beten den Konsens an, sie sind fügsam, um nicht zu sagen konformistisch; außerdem sagt man ihnen eine gewisse Neigung zur Selbstzufriedenheit nach, und ihre Sicherheit, heißt es, gehe ihnen über alles. Solche Urteile sind selten ganz und gar aus der Luft gegriffen, aber im Grunde haben sie die Konsistenz von Gerüchten. Vielleicht verhält es sich so, vielleicht auch nicht. Vielleicht bemerkt einer, der sie immer nur weitererzählt, die Symptome der Veränderung nicht, die subtilen Vorzeichen der Zukunft; vielleicht entgeht ihm gerade das, worauf es ankommt.

Die meisten Schweden, denen ich in diesem Herbst begegnet bin, waren Abweichler. Früher oder später, zaghaft oder vehement, voller Bedauern oder voller Zorn äußerten sie ihren Zweifel am Großen Modell, an jener besten aller möglichen Gesellschaften, die noch vor zwanzig Jahren in greifbare Nähe gerückt zu sein schien.

Natürlich sind die gläubigen Anhänger dieses Projektes nicht über Nacht ausgestorben. Besonders in den Gewerkschaftszentralen und in den höheren Rängen der Sozialdemokratie gibt es viele, die nach wie vor einem rasenden Optimismus anhängen. »Wir können stolz auf das sein, was wir erreicht haben«, sagen sie, »und wir werden noch mehr erreichen.« Sie sind fest davon überzeugt, daß es so weitergeht. Auf die zunehmende Malaise der schwedischen Gesellschaft gedenken sie zu reagieren, indem sie die Dosis ihrer Medizin steigern. Auf die Wirtschaft bezogen heißt das: mehr *deficit spending*, höhere Staatsausgaben, verschärfte Kontrollen, Wachstum um jeden Preis. Anna Hedborg zum Beispiel, eine führende Gewerkschaftsökonomin, erklärt sich die wachsende Arbeitslosigkeit auf denkbar einfache Weise: sie ist »das Resultat regionaler Ungleichgewichte, veralteter Geschlechterrollen, mangelhafter Ausbildung, vernachlässigter Kindergärten und schlechter Steuermoral«. Die Lösung ist einfach: noch mehr Fürsorge, noch mehr Zentralsteuerung, noch mehr Staat. Und auf die Frage, ob sie keine Grenzen des industriellen Reichtums, keine Schranken der staatlichen Wohlfahrt sehe, antwortet sie mit einem schlichten Nein. Mit dieser Auffassung steht sie nicht allein da. Ein Berater des Premierministers hat mir versichert, Schweden könne auch in Zukunft als Vorbild für ganz Europa dienen; durch Disziplin, Anständigkeit und Zusammenhalt ließen sich auch weiterhin erhebliche Zuwachsraten erzielen. In dieser Gewißheit, wenn auch nicht in der Methode, sind sich die Technokraten der Linken mit denen der Rechten einig.

Aber es könnte sein, daß sie mit ihrer Zuversicht in die Minderheit geraten sind. Es soll ja vorkommen, daß die Völker den Ideologen voraus sind, daß ihre Ahnungen weiter reichen als die Doktrinen, mit denen die Politiker sie abspeisen wollen. Es könnte sein, daß die schwedische Krise mehr ist als ein vorübergehendes Liquiditätsproblem, als ein ökonomisches Zwischentief, das sich mit altbewährten Rezepten kurieren ließe. Es könnte sein, daß die allumfassende Service-Gesellschaft eine Schönwetterkonstruktion war, deren verborgene politische und moralische Kosten erst jetzt, da die Zeiten härter werden, zum Vorschein kommen.

Ein Indiz dafür ist die sogenannte »Politikerverachtung«, eine Erscheinung, die manchen wohlmeinenden Beobachter dazu veranlaßt, sorgenvoll die Stirn zu runzeln. »Man muß doch Vertrauen haben!« beschwor mich ein liberaler Professor der Staatswissenschaften. Warum eigentlich?

Nicht nur die Jugendlichen haben *second thoughts*, auch unter den Siegern von gestern und vorgestern macht sich ein schwer zu deutendes Unbehagen breit. Die Veteranen der Arbeiterbewegung, von den Schweden liebevoll »graue Sozis« genannt, sind Leute, die das Lügen nicht gelernt haben; man versteht auf Anhieb, warum das ganze Land ihnen sein Vertrauen geschenkt hat. Es fällt ihnen schwer, ihre Zweifel zu äußern. Sie tun es vorsichtig, in den Grenzen der Loyalität.

Per Nyström in Göteborg, einer der Architekten des Wohlfahrtsstaates, zitiert Tage Erlander: »Wenn die Leute anfangen, von *denen* statt von *uns* zu sprechen, dann ist die Arbeiterbewegung in Gefahr.« Er kritisiert die Machtkonzentration an der Gewerkschaftsspitze, den Übermut der Ämter, den Etikettenschwindel der sogenannten Dezentralisierung, die darin besteht, ein paar der übermächtigen Zentralverwaltungen in die Provinz zu verlegen, als wäre es mit einer Adressenänderung getan.

Hans Hagnell, Landshövding in Gävle, hebt den feuchten Zeigefinger in die Luft und sagt: »So machen die Politiker in Stockholm Politik.« Die Beamtengewerkschaften seien zu Selbstbedienungsläden verkommen; die offizielle Arbeitslosenstatistik diene nur dem Selbstbetrug. Sein eigenes Amt bürstet er gegen den Strich. Er nutzt es, um die Interessen der Region gegen die Schwerfälligkeit, den Kameralismus und die Ignoranz der Zentralgewalt durchzusetzen.

Bengt Göransson, der neue Kulturminister, der seine politische Heimat im Vereinswesen hat, beklagt den Verlust an Vielfalt und Eigeninitiative, der durch die Verstaatlichung gesellschaftlicher Bedürfnisse in Schweden entstanden ist. »Die Leute haben sich daran gewöhnt, das Gemeinwesen als ein Versicherungsunternehmen zu betrachten. Der Bürger zahlt seine Prämie, und je höher sie ausfällt, desto mehr Service erwartet er im Gegenzug, desto passiver verhält er sich, desto sicherer endet er in der Isolation.«

Weit radikaler äußert sich die Kritik bei denen, die der hegemonialen Kultur der Sozialdemokratie ferner stehen. Ich habe rücksichtslose Diskussionen unter Stockholmer Intellektuellen erlebt, die sich, nicht ohne Ironie, als »Freidenker« bezeichnen, und die nicht nur bereit sind, sondern sich sogar dazu verpflichtet fühlen, den schwedischen Konsens von Grund auf in Frage zu stellen. Andere, vielleicht sind es die meisten, wenden sich einfach ab, so wie der junge John, der seine Stimme den Konservativen gegeben hat, nicht weil er die geringste Sympathie für sie empfände, sondern weil ihm die Gewerkschaft mit ihren sturen Vorschriften die Berufsausbildung versaut hat; so wie der ehemalige Industrieminister, der keine Lust mehr hat, sich im Reißwolf der Parteipolitik zu behaupten, und künftig lieber Gedichte schreiben will; so wie die Kids, denen ihr »heißer Draht« mehr sagt als jedes offizielle Freizeitprogramm, und wie die alte Dame, die zum ersten Mal ein »Wirtschaftsverbrechen« begeht, weil der schwarz arbeitende Tapezierer so nett ist und weil sie, wenn es nach den Launen der Steuerbehörde ginge, ihre letzten Jahre in einer dunklen, schmutzigen Bude zubringen müßte.

Harald Wigforss, einer der *grand old men* des schwedischen Journalismus, den man im Royal Bachelors Club zu Göteborg trifft, spricht es heiter und gelassen aus: »Überall in Schweden treffen Sie heute Unruhe an, Mißtrauen gegen die Behörden, *grass-root*-Bewegungen, Bürgerinitiativen, Schwarzarbeit, Widerstand in den Gewerkschaften, Abweichler in den Parteien – mit einem Wort, überall verspüren Sie einen Hauch von Anarchie.«

Was sich da abzeichnet, darüber wird sich etwas Bestimmtes schwer sagen lassen. Manche sagen, es handle sich einfach um eine Art von Normalisierung; Schweden nähere sich dem Zustand anderer westlicher Industrieländer an und sei dabei, die Sonderrolle einzubüßen, die es seit dem Zweiten Weltkrieg gespielt hat. Vielleicht aber handelt es sich auch um einen langsamen, molekularen Lernprozeß, der zu neuen, unerwarteten Resultaten führen kann. Jedenfalls machen es sich diejenigen zu leicht, die eine solche unterirdische Bewegung einfach moralisch denunzieren und alles, was ihnen nicht in den Kram paßt, als Renegatentum und Egoismus, als Mangel an Ehrlichkeit und Solidarität verdammen.

Der moralische Rigorismus, der sich in solchen Verdächtigungen äußert, ist eher selbst ein Teil des Dilemmas, vor dem die schwedische Gesellschaft steht, als daß er es aufzulösen vermöchte. Wer sich Politik nur als einen

Kampf zwischen den Guten und den Bösen vorstellen kann, dessen Weltbild ist einer Systemkrise wie der gegenwärtigen einfach nicht gewachsen. Die ewigen Vormünder wollen die unvernünftigen Menschen zur Raison bringen und sie von ihrer Sündhaftigkeit befreien. Aber sie verfehlen das Problem. Mit jeder neuen Reglementierung reißen sie neue Löcher auf; mit jeder Kontrollmaßnahme, die das Risiko des Unvorhergesehenen mindern soll, vermehren sie es, und je dichter sie das Gehäuse der Institutionen ausbauen, desto anfälliger wird es gegen innere und äußere Störungen.

Die zunehmende Unregierbarkeit verblüfft und irritiert die Zentralen, nicht nur in Schweden. Aber hier, wo das Manichäertum besonders tiefe Wurzeln geschlagen hat, liegt auch die Versuchung besonders nahe, sich an das Gutgemeinte zu halten; nur daß das Gutgemeinte nicht mehr gut genug ist, wenn ein Problem vorliegt, vor dem jeder Schwarz-Weiß-Raster versagt.

Der gute Hirte glaubt, die Welt werde von Absichten, guten oder bösen, regiert. Er glaubt an die Berechenbarkeit, und das heißt, an die Beherrschbarkeit gesellschaftlicher Vorgänge. Aber vielleicht ist das eine Wahnvorstellung? Vielleicht ist der gute Hirte ein Unding? Vielleicht ist – um es theoretisch auszudrücken – die menschliche Evolution ein stochastischer Prozeß?

Das ist eine sehr alte Vorstellung. Schon den Griechen war sie vertraut. Sie taucht immer wieder auf, in der Idee der tragischen Ironie ebenso wie in der Vorstellung von der »unsichtbaren Hand«. Noch Marx war überzeugt davon, daß sich geschichtliche Tendenzen hinter dem Rücken der Menschen und jenseits ihrer Absichten durchsetzen.

Wenn sich also die Bürger eines Landes von ihren Institutionen zurückziehen, wenn ein immer größerer Teil ihrer

48

Wirtschaft »untertaucht«, wenn ganz neue soziale Phantasien sich entwickeln, von der Selbsthilfe bis zur Selbstversorgung, so hat es wenig Sinn, über die sinkende Moral der Menschen, über Instabilität und Polarisierung zu lamentieren. Das alles sind in erster Linie Lebenszeichen. In der Selbsttätigkeit der Leute äußert sich, auch wenn sie ihr eigenes Ziel nicht angeben können, vor allen Dingen die praktische Kritik am Bestehenden.

Wenn an alledem etwas Wahres ist, dann geht es bei der Krise des schwedischen Systems nicht nur um ein ökonomisches Malheur, das sich mit technischen Tricks beheben ließe. Natürlich ist ihr Ausgang höchst ungewiß. Aber sie eröffnet nicht nur niederdrückende Aussichten, sondern auch eine Chance. Vielleicht legt sie eines Tages die älteste, oft verschüttete Schicht der schwedischen Geschichte frei, ihr demokratisches Urgestein.

Italienische Ausschweifungen

Die Magier

Im Hades von Mailand, in der U-Bahn-Station unter dem Dom, deren endlose Korridore rußfarben gestrichen sind, in dieser Vorhölle des Massenverkehrs habe ich erfahren, daß es in Deutschland eine Bildungsstätte gibt, deren Existenz mir bis dahin entgangen war: die Hohe Internationale Künstler-Akademie der Okkulten Wissenschaften in Berlin.

Gleich neben einem strahlend hellen Schaufenster, das Pyjamas und Unterhosen in allen möglichen Farben darbot, war mir eine verstaubte Vitrine aufgefallen. Dort lagen im trüben rosa Schein einer flackernden Neonröhre die folgenden Gegenstände aufgebahrt: Eine rote Teufelsmütze, die über einen Schädel aus weißem Styropor gezogen war... ein Teekessel aus Aluminium mit einem schwarzen Plastikgriff, der auf Wunsch eine Fülle von kleinen Schaumgummi-Tieren gebar (90 000 Lire)... ein trauriger Blumenstrauß, der aus bonbonfarbenen Federn bestand... eine geheimnisvolle Schachtel, mit deren Hilfe sich beliebig viele Tauben herbeizaubern ließen (100 000 Lire)... ein Totenkopf und ein Häufchen bunter Phantasie-Banknoten im Nennwert von 100000 Lire, ausgegeben von der »Banca d'Amore« und verziert mit dem Porträt eines bärtigen Herrn, der mich lebhaft an die Soziologie-Studenten der frühen siebziger Jahre erinnerte. Über diesem reichhaltigen Waren-Angebot schwebte ein handgemaltes Plakat, auf dem zu lesen war:

»Achtung. Italienische Atteste und Diplome werden vom Staat nicht anerkannt. Alle, die sich ein international anerkanntes Diplom verschaffen wollen, müssen die Nummer 059-685323 anrufen. SILVA DER MAGIER ist von der Hohen Internationalen Künstler-Akademie der

Okkulten Wissenschaften in Berlin bevollmächtigt, Fachleute und Amateure der Okkulten Kunst auszuzeichnen.«

Ich zögerte. So verlockend die Aussicht auf eine Unterhaltung mit Silva dem Magier auch sein mochte – die Vorwahlnummer machte mich stutzig. 059... das mußte irgendwo hinter Reggio Emilia in den Bergen liegen, vermutlich in der Gegend von Canossa. Soweit aber wollte ich nicht gehen. Das war, wie ich an Hand der Telefonbücher feststellen konnte, auch gar nicht nötig. Jede größere Stadt in Italien verfügt über Dutzende von Magiern, die auf den Gelben Seiten verzeichnet sind.

Ich kann hier leider aus Platzgründen nur wenige nennen:

den Magier von Florenz, Joseph Cervino (Nationaler Vorsitzender der Zauberer Italiens, Vereinigung A.N.D.D.I)... die Magierin der Sieben Ringe... Dr Marco Belelli (Präsident des Internationalen Zentrums für Astrologische Studien CISA, Großmeister des Theurgischen Ordens von Elios)... den Magier Pharao Tutanchamun... und Professor Joseph, den Zauberer, der von Seiner Heiligkeit Papst Johannes XXIII. wegen seiner Menschlichkeit und großen Güte gesegnet wurde (Ehrenmitglied der Nationalen Zauberer- und Geistheiler-Vereinigung von Italien und Inhaber des Ehren-Diploms des Altehrwürdigen Instituts für Metaphysische Wissenschaften in Paris).

Für weitere Auskünfte muß ich auf die einschlägige Fachpresse verweisen, besonders auf *Astra*, die astrologische Monatsschrift des *Corriere della Sera*, deren Anzeigenteil eine Fundgrube des Imaginären ist. Die Zahl der *Maghi*, die in Italien praktizieren, wird auf 100000 geschätzt. Ihre Kunst ist weit gefächert: Exorzisten und Pendler, Sterndeuter und Chiromanten, Hellseher und Pranothe-

rapeuten, Magnetiseure und Parapsychologen, Kaffee-
satzleser und Paragnosten, Dämonologen und Radio-
Ästhesisten, Kartenschläger und Geisterseher nehmen
Jahr für Jahr mehrere hundert Milliarden Lire ein und
lösen dafür »jedes beliebige Problem auf jede beliebige
Entfernung«.

Vor einigen Jahren haben die Arbeiter des Übernatürlichen angefangen, sich gewerkschaftlich zu organisieren,
um damit die einzige Aufgabe zu bewältigen, an der sie
bisher gescheitert sind: die Eingliederung der Zauberer
in den Sozialstaat.

Die Zauberer-Gewerkschaft Uaodi (Unione astrologico-
occultistica d'Italia) hat bereits ein offizielles Berufsregister eingerichtet und dem Parlament einen Gesetzentwurf vorgelegt, der auch ein Staatsexamen für Zauberer
vorsieht.

»Wir fordern«, sagt der Generalsekretär Mario Davano,
»daß die folgenden Titel endlich staatlich anerkannt werden: Diplom-Astrologe, Diplom-Okkultist, Fachberater
für Bio-Plasmologie und für Okkulte Fragen... Wer
einen solchen Titel mißbraucht, der muß mit Disziplinar-
strafen belegt werden. Ja, er kann, in besonders schweren Fällen, sogar aus dem Berufsregister gestrichen werden... Unsere Mitglieder sind verpflichtet, ordnungsge-
mäße Rechnungen auszustellen und die gesetzliche
Mehrwertsteuer abzuführen... Dafür verlangen wir im
Gegenzug die Gleichstellung mit anderen Berufen, besonders was unsere Alters- und Krankenversorgung betrifft.«

»Ich weiß nicht, worauf du hinauswillst mit deinen Zau-
berern... Oder vielmehr, ich weiß es nur allzu gut... Ich
sehe ihn schon vor mir, den abergläubischen Südländer,
der sofort sein Korallenhorn zückt, wenn ihm ein *Ietta-*

tore mit dem bösen Blick begegnet ... den wundergläubigen Pilger auf der Suche nach dem Blut irgendeines Heiligen ... den Mafia-Boß, der in Tränen ausbricht, weil er sein Amulett verloren hat. Aber das sind doch folkloristische Klischees! Italien ist nicht die Dritte Welt! Wir sind kein Indianerstamm! Laß dir das gesagt sein ... Das wilde Denken im Taschenbuch-Format ... Lévi-Strauss in der Pizzeria ... Das könnte dir so passen! In Wirklichkeit ist der Aberglauben genauso italienisch wie IBM oder Coca-Cola. Oder glaubst du im Ernst, die Deutschen läsen keine Horoskope?«

Dem Tadel meiner Turiner Freundin hatte ich wenig entgegenzusetzen. Vergebens zitierte ich Camilla Cedernas Buch *Casa nostra*, dessen erstes Kapitel »Satan in Turin« heißt. Es wird darin die überraschende Behauptung aufgestellt, daß die Zauberer dieser Stadt einen höheren Umsatz erzielen als die Fiat-Werke.

»Na und? Was willst du damit beweisen? Daß Piemont in der Nähe von Papua-Neuguinea liegt?«

»Beweisen will ich gar nichts ... Ich setze mich in Frankfurt ins Flugzeug, und nach einer Stunde lande ich in einer absolut phantastischen Gegend, in einem Land, wo es von Mythomanen wimmelt. Ich schlage die erstbeste italienische Zeitung auf, und schon befinde ich mich in einem riesigen Lunapark ... Fünfhundert Lire am Kiosk, und ich fahre mit der Geisterbahn! Überall Verschwörungen, Drahtzieher, Geheimlogen, melodramatische Bandenkriege, unbegreifliche Palastintrigen ... Die Tatsachen verdunsten einfach. Die Wirklichkeit wird zu einem Foto-Roman. Ich brauche nur den Fernseher einzuschalten, und was sehe ich? Die ausgestorbene Halle eines Appartmenthauses in Genf. Die Kamera fährt auf eine Aufzugtür zu, die sich öffnet. Der Lift ist leer. Oben in den Korridoren unheilvolle Schatten an der Wand, wie im Kabinett des Dr Caligari... Eine ratlose Putzfrau wird interviewt... Mit dieser Krimiszene, die absolut mysteriös ist, die keinerlei Sinn ergibt, beginnt die Tagesschau. Es handelt sich um die hundertste Fortsetzung eines Schundromans, dessen unsichtbarer Held ein Matratzenfabrikant aus Arezzo ist. Ein Hintertreppen-Dämon, eine paranormale Persönlichkeit: der mächtigste Mann Italiens. Großmeister der rätselhaften Loge, nach deren Pfeife Minister tanzen, Generäle, Parteivorsitzende, Geheimdienste. Ein Matratzenfabrikant! Entschuldige bitte, aber da wird man sich doch fragen dürfen: Was liegt hier vor? Grand Guignol oder Paranoia? Trivialliteratur oder Schwarze Magie?«

»Du hältst uns also für unzurechnungsfähig?«

»Sagen wir lieber: Der Aberwitz ist euer tägliches Brot.«

»Mit einem Wort, wir sind subnormal.«

»Im Gegenteil.«

»Was heißt: im Gegenteil?«

»Das weiß ich nicht genau. Vielleicht soviel wie paranormal. Deswegen interessiere ich mich für eure *Maghi*.«

»Und die, glaubst du, könne man im Telefonbuch finden? Du tust mir leid! Ein wirklich guter Zauberer steht doch nicht in den Gelben Seiten.«

»Wo denn dann?«

»Ich gebe dir ein paar Adressen. Aber ich möchte auf keinen Fall, daß du meinen Namen erwähnst.«

»Warum nicht?«

»Weil das Unglück bringt.«

»Ich glaube nicht an Magie, an Hellseherei, an Okkultismus. Ich glaube nur an das Unbekannte«, sagt Lisa Morpurgo. Ihr Salon hat den diskreten Charme der älteren Mailänder Bourgeoisie. Die Fenster gehen auf einen verwilderten Kostergarten hinaus; unter den Schlingpflanzen sind die Reste eines neugotischen Monuments zu sehen. Frau Morpurgo ist eine äußerst belesene Dame von mitteleuropäischem Habitus, »un' austriacante«, wie sie selber sagt.

Ich höre mir ihre ruhigen, vernünftigen Urteile über politische und wirtschaftliche Fragen an. Sie spricht über den Dollarkurs (»der Höhepunkt ist überschritten«) . . . über den Ministerpräsidenten Craxi (»ein Gaffeur ohne Charisma, gepeinigt von spastischem Machthunger«) . . . über die italienische Presse (»alle wollen reden, keiner hört zu«). Die Wahrheit, die auf der Hand liegt, wird ignoriert, weil sie zu einfach ist . . . Die Verständigung ist zusammengebrochen.

Woran liegt das? Es liegt daran, daß das Zeichen der Kommunikation, das Zeichen der Zwillinge leer steht; Uranus und Jupiter befinden sich in Opposition. Das Schicksal des Landes wird außerdem durch die Tatsache kompliziert, daß Italien von zwei Tierkreiszeichen regiert wird. Über den Norden herrscht der Stier, über den Süden der Skorpion.

»Falsch, absolut falsch! Die italienische Halbinsel insgesamt steht vielmehr unter dem dynamischen Zeichen des Widders, und im Horoskop der Republik geben die Zwillinge den Ton an. Übrigens besteht jedes Horoskop aus vier Elementen: Wasser, Luft, Feuer und Erde . . . Nun ist die Republik aber am 18. Juni 1946 proklamiert worden. Und unter diesem Datum ist einfach weit und breit kein Erdzeichen zu finden. Deshalb hat dieser Staat keine Autorität. Er ist nicht handlungsfähig. Nur der individuelle Ausweg zählt. Er ermöglicht das Überleben.«

So urteilt Francesco Waldner, ein hochberühmter Astrologe aus Südtirol, der seit nunmehr dreißig Jahren in Rom praktiziert. Wer ihn sprechen will, wird in ein kleines, elegant möbliertes Wartezimmer hoch über dem Tiber-Ufer geführt, wo man sich, wie in der Praxis eines Modearztes, die Zeit mit der Lektüre von Hochglanz-Zeitschriften vertreiben kann. Nach einer angemessenen Frist wird der Kunde dann in den imposanten Konsultationsraum vorgelassen.

Hinter einem Schreibtisch, der mit vergoldeten Lupen und astronomischen Tabellen bedeckt ist, versinkt der kleine, kernige *Mago* fast in seinem riesigen Sessel. Einen Augenblick lang irritiert mich seine verblüffende Ähnlichkeit mit Franz Josef Strauß. Mit schmalen, verschleierten Augen und angezogenen Knien sitzt der selbstbewußte Mann quer in seinem Fauteuil, und heftig gestikulierend, beinahe zappelig trägt er »das älteste Erfahrungswissen der Welt« vor. Immer wieder läßt er die Namen von Klienten wie Kreisky, Pompidou, Spadolini fallen. Seine Urteile aber sind nicht mondän, sondern durchaus handfest; und weit davon entfernt, sich in den geheimnisvollen Mantel des Übernatürlichen zu hüllen, gibt er maßvolle, hausbackene Ratschläge von sich.

Ich bin enttäuscht. Angenehm enttäuscht... Meine Suche nach dem Imaginären hat zu einem paradoxen Resultat geführt. Es kommt mir vor, als wären die Sterndeuter in diesem Land die letzte Zuflucht des *common sense*, als hätte sich die praktische Vernunft, reduziert auf den altmodischen und leicht philiströsen Kern der »Lebensweisheit«, im Hauptquartier des »Aberglaubens« verbarrikadiert – während draußen, in der Welt der Banken und Parteien, der Krankenkassen und Fernsehsender, die Wirklichkeit immer wahnhafter, der Wahn immer wirklicher wird. Nicht der Zauberer in seinem Salon ist dämonisch, sondern die Stadt vor seiner Tür mit ihren Finanzskandalen, ihren Luxusräuschen, ihren Gangsterkriegen, Schiebergeschäften und Gefängnissen.

Aber vielleicht habe ich ein ganz falsches Italien im Kopf. Vielleicht lasse ich mich vom bloßen Schein des Alltags täuschen, oder ich bin ein Opfer meiner Vorurteile? Allerdings, sagt Dr Giampaolo Fabris, Professor der Soziologie an der Universität Trient, ein lebhafter, druckreif sprechender Herr... Das eine Italien, nach dem Sie fragen, ist eine Illusion... Es existiert nicht! Die Wirklichkeit, sagt er, ist viel komplexer, als Sie ahnen... Es gibt, sagt er, sieben verschiedene Italien, keines mehr und keines weniger... Das kann ich Ihnen beweisen!

Der Wissenschaftler ist eine drahtige Erscheinung. Sein hochgewölbter Schädel ist sonnenverbrannt und kahl. Er trägt einen wohlgepflegten, schwarzen Kinnbart, und sein Blick wirkt, wenn er die runde Nickelbrille abnimmt, eigentümlich stechend. Die Wände seines großzügigen Mailänder Büros sind mit den Ergebnissen der »größten ethno-anthropologischen Studie zur Erforschung der italienischen Gesellschaft« geschmückt, die es je gegeben hat. Es handelt sich um das Forschungsprojekt »Monitor 3Sc«, will sagen, um das »System soziokultureller Strömungen und Veränderungs-Szenarios« der Firma Monitor Demoskopea, die Dr Fabris leitet.

Niemand kann behaupten, er und sein Team hätten sich die Sache leicht gemacht. Zunächst haben sie etwa dreißig »Strömungen« oder »Werte« identifiziert, die sie für ihr Gesellschafts-Gemälde brauchen konnten, darunter Konzepte wie »Polysensualismus«, »sexuelle Freizügigkeit«, »Sensibilität für die Natur« und »Säkularisierung«. Sie haben sich ferner ein paar hundert Fragen ausgedacht und sie derart trickreich formuliert, daß die Versuchspersonen möglichst nicht erkennen sollten, worauf das Ganze hinauslief. Und für diesen stundenlangen Test haben sich dann nicht weniger als 2520 Italiener geopfert. (Beispiel: »Es ist immer etwas peinlich, ein Paar kennenzulernen, das zusammenlebt, ohne verheiratet zu sein.« Ja oder nein?)

Die Antworten wurden einem Computer eingegeben, der nach einem raffinierten mathematisch-statistischen Modell die Faktoren wog, die Korrelationen berechnete und die Zonen minimaler Variabilität ausfindig machte. »Von dem Moment an, wo wir unseren Input, d.h. die kodierten Antworten auf unsere Items dem Rechner übergeben, haben wir keinerlei Einfluß mehr auf die Ergebnisse«, sagt Dr Fabris mit einem Anflug von Befriedigung.

Trotzdem kann man ihn kaum als einen bornierten Empiristen bezeichnen. Denn während er mir seine Methodologie erklärt, zitiert er fließend Horkheimer, Max Weber, Agnes Heller und Gramsci. Auch gibt er mir zu verstehen, daß er mit der Kommunistischen Partei Italiens sympathisiert, wenn auch seine Auftraggeber ... bedauerlicherweise ... eher im Lager des großen Kapitals zu finden sind ... Was aber hat er ihnen vorzuweisen?

Zum ersten die Versiebenfachung der italienischen Gesellschaft. Der Computer hat ermittelt, daß man fortan voneinander zu unterscheiden hat: ein Italien der Konservativen, ein archaisches, ein puritanisches, ein konsumorientiertes, ein fortschrittliches Italien, ein Italien im Blaumann und ein Italien der Zukunft ... Die Einwohnerzahl dieser imaginären Länder schwankt zwischen 3,2 und 7,6 Millionen. Auf Verlangen kann Dr Fabris jederzeit Auskunft darüber geben, welche Zeitungen diese Völkerschaften lesen, was sie kaufen, wen sie wählen, was sie am liebsten essen und wie oft sie zum Friseur gehen.

Wie aber verhalten sich die Sieben Stämme zueinander, und wie sieht ihre Zukunft aus? Auch auf diese Fragen weiß der Demoskopea-Computer eine Antwort. Er druckt auf Wunsch die Koordinaten einer Karte aus, auf der jeder Clan seine sozio-kulturelle Heimat findet. Die senkrechte Achse des Koordinatensystems reicht vom Südpol des »Sozialen« zum Nordpol des »Privaten«; die waagrechte »Achse der Modernisierung« dagegen erstreckt sich von der »Nabelschnur« des Alten im Osten bis zur *New Frontier* im Westen. Und wohin bewegt sich die Gesellschaft im Ganzen? Es ist kaum zu glauben, aber die Daten lügen nicht: Sie bewegt sich fort von der Tradition, haarscharf am »Dreieck der Entfremdung« vorbei, auf die »Nordwestpassage« zu! Das ist der »Megatrend«... »Für den, der die Zeichen zu deuten weiß«, sagt Dr Fabris, »ist schon heute klar, wie das Italien der Jahrtausendwende aussehen wird.«

Die führenden Blätter des Landes haben die Ergebnisse des Unternehmens Monitor 3 Sc respektvoll kommentiert. Hie und da wurde sogar ein Seufzer der Befriedigung laut. Anscheinend hat sich niemand gefragt, warum es ausgerechnet sieben Italien geben soll. Warum nicht fünf, oder acht, oder zweiundzwanzig? Sollte das damit zusammenhängen, daß die Sieben eine magische Zahl ist? Und warum tauchen die »Emergenti«, diese Mutanten der Modernisierung, am Horizont der Zukunft auf? Vielleicht, weil sie Dr Fabris persönlich auf diesen schönen Namen getauft hat; weil Tautologien zwar nichts beweisen, aber dafür den Vorteil haben, daß sie nicht widerlegbar sind? Und warum liegt das Private wohl im Norden, das Soziale aber am Südpol? Warum nicht umgekehrt? Was soll das überhaupt heißen, »privat« und »sozial«? Warum gerade diese Antithese, und nicht irgendeine andere? Warum teilt Dr Fabris die Landkarte seiner »Werte« nicht anders ein, zum Beispiel nach dem Schema »korrupt/ehrlich«, oder »fleißig/faul«, oder »reich/arm«?... Ah, sagt Dr Fabris, ich kann mir denken, worauf Sie hinauswollen. Aber der Begriff der Klasse ist doch völlig veraltet! Ein unbrauchbares Instrument!

Ach so ... Nun, wer wird sich schon bei den guten alten Tatsachen aufhalten! Jedenfalls nicht die Firma Monitor Demoskopea. Die fragt nach »Strömungen«, nach »Werten«, nach »Life-styles«, und ihre Daten sind Einstellungen, Meinungen, Ansichten ... oder vielmehr Einstellungen zu Einstellungen, Meinungen über Meinungen, Ansichten über Ansichten.

Fragt sich nur, was dabei herauskommt, und wie er aussieht, der zukunftsträchtige Italiener vom Typ 2000?

»Sucht nach einem Gleichgewicht zwischen häuslichem Leben und Außenwelt... Hält sich gern und oft im Freien auf... Hat eine Vorliebe für ›kreative‹ Hobbies... Geht auf eine lange oder auf zwei kurze Ferienreisen... Hat ein ausgeprägtes Bedürfnis nach spirituellen Werten.«

Dieser Ton kommt mir doch irgendwie bekannt vor! Max Weber? Ausgeschlossen. Das ist kein Idealtypus, das ist eine Passepartout-Beschreibung... Der Elektronenrechner der Demoskopea hat ein Horoskop verfaßt, von eben jener Sorte, wie man sie in *Astra* findet! Und Dr Fabris, der Mann mit dem schwarzen Bart und dem stechenden Blick, ist der wahre Astrologe, der aus dem Kaffeesatz seiner Theoreme, aus den Eingeweiden seines Computers, die imaginäre Zukunft Italiens liest. Der Soziologe als Hexenmeister! Der Mago als Aufklärer! Und wer sind seine Kunden? Die Automobilindustrie, die Seifenbranche, und der Generalsekretär der Democrazia Cristiana!

Meine römischen Bekannten haben mich ausgelacht, als ich ihnen von meinen Recherchen berichtete. Das sei doch wahrhaftig nichts Neues. Das wisse jeder! Das hätten sie mir gleich sagen können! Offenbar sei es mir, wie den meisten Ausländern, entgangen, daß die italienische Kultur seit Jahren von einer Horde profaner Medizinmänner und Schamanen beherrscht wird: von jenen Spezialisten der Debatte, des Kommentars, der Interpretation, des »Diskurses«, die sich überall eingenistet hätten, im Fernsehen, in den Stiftungen, in der Presse, in den Parteien, in der Literatur, im Parlament, und deren unaufhörlicher Suada niemand entrinnen könne. Politologen, Romanciers, Psychoanalytiker, Professoren, Leitartikler, Soziologen... ein ununterscheidbarer Teig, aus dem sich eine weltliche Priesterkaste gebildet habe, unter deren Händen die gesamte kulturelle Produktion des Landes zu ein und derselben Sache geworden sei: zum Journalismus. »Dein Dr Fabris ist in dieser Zunft der Bauchredner und der Alltags-Propheten nur ein kleiner Fisch, ein Anfänger. Die Stars dieser Industrie brauchen keinen Computer, sie sind in jedem Blatt und auf jedem Kanal zu finden. Wir haben sogar einen Namen für sie. Wir nennen sie *gli intelligenti*.«

Sie sprachen diese Bezeichnung aus, als wäre sie ein Schimpfwort, ein Fluch. »Findet ihr es wirklich so schlimm, wenn ein Intellektueller intelligent ist?« fragte ich. Ich hatte den unangenehmen Eindruck, daß sie von meiner Naivität entzückt waren. Wir saßen in einem jener exquisiten Restaurants, die kein amerikanischer Tourist in Rom zu finden weiß: ein düsterer junger Mann, der schön gedruckte, aber etwas esoterische Bücher verlegte; eine strenge, militante Übersetzerin aus Neapel; und ein boshafter Dandy, der ein langes Studium des Staats- und Verwaltungsrechts hinter sich hatte. Die Türen zur Terrasse standen weit offen... Auf diesen Jugendstil-Sesselchen mochte einst die Duse mit D'Annunzio gespeist haben, und der grüne Salat war mit weißen Trüffeln angemacht... Nur ab und zu war von der Straße her ein schriller Heulton zu hören. Dann erhob sich einer der Gäste, um nach seinem Wagen zu sehen. Der Schrei der Alarmanlage gehört offenbar zur Partitur einer römischen Nacht.

»Sagt, was ihr wollt«, fuhr ich fort. »Ich jedenfalls bewundere eure intelligenten Hexer. Wenn ich ihnen zuhöre, komme ich mir wie ein Provinzler vor.«

»Du machst dich wohl lustig über uns!«

»Im Gegenteil. Bei euch haben sogar die Kretins noch die Fähigkeit, alles zu durchschauen, nichts für bare Münze zu nehmen. Keine Intrige, kein Komplott, das sie nicht im Handumdrehen aufzudecken verstünden, kein verborgenes Motiv, das ihnen dunkel bliebe. Wenn ich dagegen an unsere Presse denke, an die deutschen, die schweizerischen, die schwedischen Zeitungen! Diese Biederkeit, dieser mausgraue Konformismus, dieses Kleben an den bloßen Fakten... dieser Mangel an Verwegenheit, Tempo, Brio!«

»Aber eure Journalisten gehen hin, sie forschen an Ort und Stelle nach, sie sind konkret. Unsere *Maghi* dagegen verlassen nie ihren Schreibtisch, ihr Hotelzimmer, und gerade deshalb sind sie allgegenwärtig und allwissend! Du kannst ihnen nichts sagen, was sie nicht schon wüßten, du kannst sie nie aus der Ruhe bringen. Der Zusammenbruch der Institutionen, der Terror, die Krise, die Katastrophe Italiens, das ist alles nur Wasser auf ihre Mühle. Sie sind immer *à la page*, und ihre Privilegien haben in ganz Europa nicht ihresgleichen.«

»Das ist nicht wahr! Das gilt nur für ein halbes Dutzend Stars! Ich kenne viele, die sich für ihre miserablen Honorare nicht einmal ein neues Hemd kaufen können.«

»Um so frenetischer versuchen sie, sich vorzudrängeln!

Sie haben jeden Pups zur Kenntnis genommen, den *Le Monde* tut. Ganz zu schweigen von den Dutzenden von italienischen Blättern, die sie offenbar jeden Tag studieren... Soundso hat in *Manifesto* behauptet... Dieunddie hat in *La Stampa* die Ansicht vertreten... X hat in *La Repubblica* dazu Stellung genommen... Hast du Ys Brief in der *Unità* gesehen? Unerhört, reiner Schwachsinn... Das hat vielleicht vor drei Monaten gestimmt, aber heute kann ich nur die Achseln zucken... So strikken sie weiter an ihrem Meinungsstrumpf, und ihre Produktivität grenzt an Wahnsinn.«

»Es entgeht ihnen nichts? Um so besser«, rufe ich. »Diese Gier hat ihr Gutes, und daß sie das Ausland zur Kenntnis nehmen, halte ich für einen großen Vorzug. Italien ist nicht nur der führende Importeur von Malt Whisky und von Champagner, es ist auch dasjenige Land Europas, in dem am eifrigsten übersetzt wird.«

»Alles nur Angeberei! Überkompensation! Minderwertigkeitskomplexe! Wir lassen uns kolonisieren, wir beten nach, was die Franzosen, was die Amerikaner sagen. Unser Journalismus saugt alles auf, was ihm zu Ohren kommt, wie ein trockener Schwamm. Und die unsichtbare Hand des Marktes drückt diesen Schwamm in immer kürzeren Abständen aus. Das Resultat ist eine grenzenlose Vergeßlichkeit. Im übrigen sind unsere *Intelligenti* völlig außerstande, einen normalen italienischen Satz zu bilden.«

An diesem Punkt geriet ich in die Defensive. Ich mußte zugeben, daß ich oft nicht in der Lage war, den »Diskurs« der Italiener zu entziffern. Gewisse Eigentümlichkeiten ihres Lexikons, die ich störend fand, ließen sich noch auf die Nonchalance von Leuten zurückführen, die es eilig hatten; doch war es immerhin möglich zu erraten, was eine »Maxi-Sitzung«, ein »Mega-Prozeß« und eine

»Mikro-Mimesis« sein sollte. Aber niemand hat mir erklären können, was der Ausdruck »virtuosistische Pro-
jektualität« bedeutet, was die »Semiotik der Macht« ist,
was der Bindestrich »Interaktion-Kompensation« heißen
soll, ganz zu schweigen von der »Meta-Vulgarität« und
dem »Polytheismus des Konsums«... Und das alles nicht
in irgendwelchen esoterischen Revuen, sondern in einer
Massenpresse, deren Auflage in die Hunderttausende
geht. Was wohl das Publikum dazu sagt? Was jene davon
halten, die man nicht zu den *Intelligenti* zählt?
»Sie haben es satt«, sagte mein Gastgeber. »Deswegen
sinken auch die Auflagen. Da lobe ich mir die alte *cro-
naca nera*, die traditionelle Kriminal-Reportage... die
Zeitung als phantastisches Opern-Libretto... die Verklä-
rung der Realität zur Räuberpistole, zur Kolportage, wie
wir sie früher hatten. Alles ist besser als dieser hochge-
stochene, folgenlose Quatsch!«
Beim Nachtisch hatten sie mich beinahe überzeugt. Beinahe, aber nicht ganz. »Und ihr?« fragte ich tückisch.
»Oh, wir gehören natürlich auch dazu... Vielleicht zer-
fleischen wir uns ein wenig gründlicher als andere. Aber
wir richten nichts aus. Alle wollen reden, aber keiner
hört zu.«
Dieser Satz kam mir bekannt vor. Es war, alles in allem,
ein deprimierender Abend, trotz der ausgezeichneten
Trüffeln im Salat und trotz der üppigen Vegetation auf
der Terrasse.
Ich dachte an Francesco Waldner, den Astrologen.
»Meine Klienten«, hatte er zum Schluß gesagt, »sind
ungläubige Leute. Sie hören mir zu, aber sie nehmen
mich nicht allzu ernst... Sie lieben das Phantastische,
aber dann gehen sie nach Hause und denken sich ihr
Teil.«
Ich ging nach Hause und dachte mir: Vielleicht sind die

Medien für die Italiener nur ein Fluchtversuch, ein Mittel, um sich über die Normalität, den Immobilismus, die lapidare Dummheit der Tatsachen hinwegzutrösten. Die zähen, alten, widerspenstigen Probleme des Landes sind evident, also langweilig. Sie haben keinen Unterhaltungswert: die Inflation, die Lähmung der Justiz, die fehlende Steuergerechtigkeit... Agrarsubventionen, Stahlpreise, Bebauungspläne... Dagegen der mysteriöse Tod eines Großbankiers... die Flucht des Großmeisters aus einem Schweizer Gefängnis... die Machenschaften eines türkischen Attentäters! Mit dem »Megablitz« und dem »Super-Thriller« kann niemand konkurrieren, der sich überlegt, wie eine vernünftige Verkehrspolitik auszusehen hätte, wie man eine Strafprozeßordnung reformiert, und wie man die Krankenhäuser des Landes in einen zivilisierten Zustand versetzen könnte.

Es war spät geworden. Das Taxi fuhr durch die ausgestorbenen Straßen Roms, die im Herbstregen glänzten, und ich sagte mir: Vielleicht bist auch du nur ein nüchterner Augur, ein Magier für die Ungläubigen, ein Astrologe der Sachlichkeit.

Der Haß auf die Gleichheit

Zollerklärung. Als der Frachtbrief kam, war ich erleichtert. Das Haus in den Castelli Romani, das ich gefunden hatte, war keine herrschaftliche Villa, aber meine Familie war klein; für ein Jahr würde es gut und gern ausreichen. Der Mietvertrag war unterschrieben; in die Geheimnisse der *carta bollata* (des steuerpflichtigen Papiers, auf dem man in Italien Urkunden ausfertigt) war ich eingeweiht; der Notar hatte mir die dunkleren Klauseln des Vertrags erklärt. Jetzt blieb nur noch eine Kleinigkeit zu tun übrig: ich mußte das Umzugsgepäck durch den Zoll bringen.

Eines Morgens fuhr ich bei der zuständigen Behörde vor. Sie war in einem alten, verlotterten, kasernenartigen Gebäude an der römischen Peripherie untergebracht. Ich ließ den Taxifahrer warten, weil ich dachte, es ginge nur um eine Formalität: keine Handelsware, keine Wertsachen, nur ein paar Kisten mit Hausrat, Kleidern, Büchern.

Ich habe auf diesem Kasernenhof, im Labyrinth der Lagerhallen, Amtsstuben, Korridore, Vorzimmer und Schalter drei Tage meines Lebens zugebracht, zuerst ungläubig, dann empört, schließlich verbittert und demoralisiert. Rings um mich herum lief alles wie am Schnürchen. Flinke, geschäftige, aber undurchsichtige Leute mit dicken goldenen Uhren am Handgelenk eilten an mir vorbei, tauschten lachend Grüße und Scherze mit den Beamten aus. Zahllose Tassen Kaffee wurden getrunken. Nur ich irrte mit meinen Formularen in fünffacher Ausfertigung, mit Gebührenmarken, Laufzetteln, Kassenbons, Bescheinigungen, Quittungen von einem Verschlag zum andern, brachte ein Dutzend Male mein Anliegen vor, mußte warten, wurde vertröstet, herumgeschickt, ignoriert.

Mit steinerner Miene nahm ich am Abend des dritten Tages meine Sachen in Empfang. Auf meiner Kopie des Frachtbriefs und der Zollerklärung befanden sich insgesamt 38 verschiedene Stempel. Um jeden einzelnen habe ich zäh und erbittert gekämpft. Das ist nun schon über zwanzig Jahre her, aber noch heute erfaßt mich ein unvernünftiger Widerwillen, wenn ich einen italienischen Zöllner sehe.

Natürlich habe ich längst begriffen, daß ich dieses absurde Abenteuer ganz allein mir selber zuzuschreiben hatte. Wenn ich meinen römischen Freunden davon erzähle, so hören sie mir amüsiert zu, aber in ihre Heiterkeit mischt sich ein Gran Bewunderung und Schrecken. Was? Da bist du selber hingegangen? Allein? Sie behandeln mich, als wäre ich ein Irrer, der die Alpen zu Fuß überquert hat. Heute weiß ich mir auch die finsteren und gelangweilten, die beleidigten und angeödeten Gesichter der kleinen Beamten zu deuten, über die ich damals so ungehalten war. Ohne es zu ahnen, hatte ich die fundamentalen Regeln des Spiels verletzt. Ich hatte mich wie ein Amerikaner aus dem Mittleren Westen verhalten, der sich anschickt, mitten in Neapel einen Gemüsestand auf offener Straße aufzuschlagen, oder wie ein irischer Hippie, der auf die Idee gekommen ist, den Gepäckträgern an der Stazione Termini Konkurrenz zu machen.

Ich hatte keine Ahnung davon, daß ein Zollbeamter, der von seinem Gehalt leben müßte, dem Hungertod ausgeliefert wäre, und daß ich mich, in der Absicht, meine Angelegenheiten auf eigene Faust zu erledigen, wie ein gefährlicher Verrückter benahm. Ein Italiener käme nie auf die exzentrische Idee, selber zum Zoll zu gehen. Heute weiß ich auch, wer die flinken Nagetiere waren, die damals in den Hallen des Zollamtes an mir vorbeihuschten. Es waren die *galoppini*, die professionellen Zwischenträger und Agenten. Man zahlt sie, und alle 38 Stempel finden sich mühelos in einer halben Stunde ein. Alles klappt, alle verdienen, allen ist geholfen.

Der schmale und der breite Weg. Nie wird ein Fremder alle Nuancen, alle Untertöne, alle Subtilitäten begreifen, aber das Prinzip ist klar: Der normale Weg ist nicht der normale Weg. Unter keinen Umständen ist es sinnvoll, sich auf ein Recht zu berufen, das allen zusteht; es kommt vielmehr darauf an, eine Vergünstigung zu erlangen, eine Gefälligkeit, ein Privileg; und dazu bedarf es eines Umwegs, einer Empfehlung, eines Mittelsmannes.

Eine Formenwelt von unerschöpflicher Vielfalt, von phantastischem Reichtum tut sich auf. Wir begegnen dem Feuerwehrmann, der immer eine Theaterkarte für die ausverkaufte Vorstellung der Scala hat; dem Nachbarn, der mit der Tochter des Pedells befreundet ist, und der beizeiten erfahren kann, wie die Abitur-Aufgaben aussehen; dem Mafia-Boß, der sich einen Fernschreiber in die Gefängniszelle bringen läßt; dem Krankenpfleger, der dem Patienten den *turno* besorgt, einen numerierten Gutschein, der ihn berechtigt, in der Klinik vorzusprechen – ein Papier, nach dem andere sich um sechs Uhr morgens anstellen müssen; der Industriellen-Gattin, die nicht weiß, wie man einen Einschreibebrief aufgibt, ein Flugbillett bestellt, einen Führerschein verlängert, weil eine Schar von *galoppini* ihr jeden denkbaren Weg abnimmt – die Sekretärinnen ihres Mannes; und der Büglerin, die der gnädigen Frau ein Huhn bringt, weil diese einen Neffen hat, der Dermatologe ist; weil sie hofft, der Neffe werde ihren Brustkrebs kurieren (wovon der Neffe nichts versteht); weil sie Angst hat, von der obskuren, namenlosen Maschine der Medizin umgebracht zu werden...

Doch jedes Ding hat seinen Preis. Der Außenstehende wird Jahre brauchen, um die Spielregeln zu verstehen. Zwar ist der 50000-Lire-Schein, den man zwischen die Seiten des Reisepasses steckt, leicht begreiflich; aber was bedeutet jene Visitenkarte, auf der ein paar freundliche, nichtssagende Zeilen an den Quästor stehen? Der Besucher aus dem Norden, der immer gleich »Bestechung!« ruft, macht sich die Sache zu leicht. Ihm fehlt der Sinn für die Andeutung, das Ohr für die Worte, die unausgesprochen bleiben. Seine brutalen Vereinfachungen werden der Mannigfaltigkeit und Eleganz dieses Systems nicht gerecht.

Was zum Beispiel besagen die Blumen, die Erdbeeren, die gestickten Servietten und die Torten, was bedeutet dieser Gabentisch, den die Frau des Personalchefs, der von Mailand nach Neapel gezogen ist, am Tag nach ihrer Ankunft vor der Haustür findet? Wer hat ihn gedeckt? Was ist der Sinn dieser Bescherung?

»Wenn du auch nur eine einzige Kirsche von dieser Torte ißt«, erklärt sie mir, »bist du geliefert. Du hast einen Pakt geschlossen, der fürs ganze Leben gilt. Nicht eine, sondern drei, vier, fünf Großfamilien werden von dir fordern, daß du ihnen Arbeit verschaffst, Studienplätze, Pensionen... Was sollte ich machen? Es blieb mir keine andere Wahl, ich mußte auf den Balkon treten und laut verkünden, daß ich nichts brauche, nichts will, nichts annehmen kann.«

Auf die Frage, wie sich die ungeschriebenen Gesetze Italiens zu den geschriebenen verhalten, weiß ich keine handliche Antwort. Die juristischen Traditionen des Landes sind eindrucksvoll, die Gesetze zahlreich, die kasuistischen Leistungen fabelhaft. An Normen fehlt es also nicht, bloß sind sie derart vielfältig, kompliziert und widersprüchlich, daß nur ein Lebensmüder auf die Idee kommen kann, sie allesamt einzuhalten. Ihre strikte Anwendung würde zur augenblicklichen Paralyse Italiens führen.

Warum soll ein Professor nicht dort wohnen, wo er lehrt? Die Gründer der Universität von Cosenza verordneten, um dieses Ziel zu erreichen, eine Residenzpflicht für alle Lehrer, die sie engagierten. Niemand widersprach dieser Regelung. Der ganze Lehrkörper erkannte sie durch eine feierliche Unterschrift als bindend an. Trotzdem leben über 90% der Professoren heute auswärts, in Rom, Neapel oder anderswo. Hätten sie darauf bestanden, ihre Verpflichtung zu erfüllen, es wäre zu einer kleinen Katastrophe gekommen; es waren nämlich gar keine Wohnungen für sie vorhanden. Einen italienischen Bürger, der *in regola* wäre, müßte man mit der Lupe suchen. Wer es versuchen wollte, ganz egal, ob es sich um eine Baugenehmigung, eine Aufenthaltserlaubnis, ein Devisengeschäft handelt, der würde im Papierkrieg der *incartamenti*, der *pratiche*, der *tramiti* erstikken. Jede neue Regel heckt neue Ausnahmen, neue Vorstöße, neue Um- und Abwege.

Extras. Jeder Italiener, auch der ärmste Schlucker, ist ein Privilegierter. *Nobody is a nobody.* Mag ein nüchterner Beobachter auch zu dem Schluß kommen, daß diese Vorrechte oft nur in der Einbildung existieren – subjektiv sind sie das Manna der Existenz. Ein Logiker mag einwenden, eine Gesellschaft, die ausschließlich aus Bevorzugten bestehe, in der es also jeder einzelne »besser hätte« als alle andern, sei ein Ding der Unmöglichkeit. Die Italiener aber haben dieses Wunder, das an die Quadratur des Kreises und an den Indischen Seiltrick erinnert, wahr gemacht.

Fünf Fernfahrer stehen an einer Bar in Andria, und jeder verlangt einen Kaffee: der eine will ihn *molto stretto*, der andere *macchiato*, der nächste *con latte caldo*, sein Kollege verlangt einen Cappuccino, der letzte aber ruft triumphierend durchs Lokal: »Einen doppelten Espresso, und die Milch dazu extra!« In allen Raststätten zwischen Verona und Brindisi kennt man ihn, und kein Wirt würde es wagen, ihm diesen Herzenswunsch abzuschlagen; er gehört nun einmal nicht zu den Durchschnittstypen, er ist was Besonderes. So harmlos der Reigen der Privilegien anhebt, so endlos setzt er sich fort; wir können ihn nur ein paar Schritte weit verfolgen.

Der erste Traumtänzer wird uns erzählen, daß er über die Reichen, die ihr Geld in teuren Delikatessgeschäften lassen, nur lachen kann; er nämlich hat das beste Olivenöl der Welt, ganz billig, aus einer Quelle, die er leider nicht preisgeben kann... Der zweite, ein Käsefabrikant aus Reggio Emilia, zeigt auf sein Sofa, das mit echtem Leopardenfell bezogen ist, und flüstert uns zu: »Das hat mich eine Stange Geld gekostet, aber in ganz Italien bin ich der einzige, der so was hat.«... Der dritte, ein Fußball-Reporter, lacht seine Kollegen aus, die für ihre Autos zahlen; er fährt einen brandneuen Lancia, »ein Testfahrzeug«, umsonst... Der vierte sitzt vor dem Schiffahrts-Museum in Venedig in der Sonne, verkündet jedem, der es hören will, daß das Institut wegen Personalmangel geschlossen sei, und scheint von seiner Mission ganz gut zu leben... Der fünfte, ein Hinterbänkler, weiß über alle Geheimnisse Italiens Bescheid; »zufällig habe ich neulich mit Gianni gesprochen«, »gestern hat mir Giulio gesagt«; er verläßt sich darauf, daß dem Zuhörer die Familiennamen schon noch einfallen werden, mit denen er auf Du und Du steht (Agnelli, Andreotti)... Die sechste, eine kerngesunde Lehrerin, hat sich mit 34 pensionieren lassen, und nun will sie in einem Verlag arbeiten; es ist der Traum ihres Lebens, mit Moravia zu tanzen... Der siebte, ein Lokalpolitiker und Präsident einer jener ominösen Körperschaften, die sich AMNU oder IACP oder INAIL oder AZASI nennen, hat sich an der Ausfahrt seines Hauptquartiers eine Sirene installieren lassen, die ertönt, bevor die eigens für ihn erbaute Ampel ihm grünes Licht gibt, während der Verkehr auf der öffentlichen Straße stillsteht.

Das Geniale an diesem System ist, daß es nicht nur von oben nach unten, sondern auch von unten nach oben funktioniert; denn auch die Armen, die »Unterprivilegierten« haben ihre Privilegien, ihre Tröstungen, ihre Vorrechte. Der Portier teilt seine Wohltaten und seine Strafen aus, wie es ihm gefällt, und der Amtsdiener genießt seine dunkle Macht, von der sein Chef, der Minister, keinen Begriff hat.

Die Babysitterin, früher Krankenschwester, erzählt lachend Geschichten aus dem Klinikum, in dem sie gearbeitet hat. Über den Eingängen steht geschrieben: *Für Zahler, Für Nicht-Zahler.* Oh, der Privilegierte, der Privatpatient, hat zwar sein Telephon, seine Marmorfliesen, sein eigenes Bad, und dafür muß er blechen. Ob er aber besser behandelt wird? Während der Kassenpatient routinemäßig vom nächstbesten diensthabenden Arzt versorgt wird, muß der Reiche warten, bis der Baron erscheint, der Ordinarius, an dessen Beute sich keiner vergreifen wird. Er liegt in seinem schönen Einzelzimmer und wartet, und manchmal muß er warten, bis es zu spät ist.

Oder der ältere Buchhalter, kurz vor seiner Pensionierung, der mit seiner Mutter, einer Greisin, seit fünfzig Jahren eine riesige, dunkle Wohnung teilt. Eines Tages stirbt der Hausbesitzer, und seine Erben drohen mit der Räumungsklage. Die Bewohner des Mausoleums sind hilflos; aber das marokkanische Dienstmädchen hat einen Freund, und der ist Polizist. »Machen Sie sich keine Sorgen, Signore! Mein Verlobter hat einen Onkel bei der Steuerfahndung. Sie brauchen nur ein Wort zu sagen, und der Onkel, ein sehr mächtiger Mann, nimmt die Geschäfte der neuen Hausbesitzer unter die Lupe, so lange, bis diese Leute ruiniert sind, oder bis sie die Räumungsklage zurückziehen.« Dann allerdings hätte der alte Herr die Familie des Polizisten am Hals.

Die Lehre von den Kategorien. Ein heimlicher Stolz schwingt mit, wenn die Italiener den extremen Individualismus beklagen, der ihr gesellschaftliches Leben prägt. »Hier denkt jeder nur an sich.« Aber die endlose Kette der Privilegien reicht nicht nur von einer Person zur andern, sie setzt sich fort, wo es um die Vorrechte von Gruppen, Berufen, Zünften, Körperschaften geht. Jede Kategorie, und es gibt unendlich viele, beansprucht irgendeinen Vorrang vor der andern. Zuweilen glaubt man sich bei diesen Auseinandersetzungen an die Fürstenhöfe des 17. Jahrhunderts versetzt, wo es um den Vortritt ging, die Anredeformeln und die Tischordnungen.

»Entschuldige bitte die abscheulichen Möbel«, sagt der Bibliotheksdirektor, der mich in seinem Amtszimmer, einem wunderbaren Renaissance-Saal, empfängt. »Das Reglement des Ministeriums ist unerbittlich. Es schreibt uns vor, wie sich ein Beamter, je nach seinem Rang, einzurichten hat. Dem einen steht nur eine Tisch-, dem andern außerdem eine Stehlampe zu; der eine hat nur einen Schreibtisch, dem andern wird dazu noch eine Etagère ins Zimmer gestellt. Ein hölzerner Stuhl, ein Sessel aus imitiertem Leder, ein Sessel aus echtem Leder, ohne Fußstütze, mit Fußstütze – ein Kult der Abstufungen, von dem du dir keine Vorstellung machst... Und mit den Gehältern ist es ähnlich. Ich habe es schon lange aufgegeben, meine monatlichen Abrechnungen entziffern zu wollen. Da wimmelt es von mysteriösen Posten: Sondervergütungen, Ausgleichszahlungen, Ergänzungszulagen, Begünstigungszuschläge, und so weiter und so weiter... Der psychologische Mechanismus ist immer derselbe: Ich sehe mein Grundgehalt und erbleiche. Davon kann kein Mensch leben! Wir werden alle verhungern!... Dann wandert der Blick ein paar Zeilen weiter, und ich sehe die rettende Hand, die sich mir entgegenstreckt... Über-

all Notleinen, Rettungsringe, Extras! Also erst die Verurteilung, dann die Gnade, erst die Angst, dann die Erlösung. Und letzten Endes drückt dieser Wirrwarr sogar
ziemlich genau aus, wie es um uns steht: wir sind arm
und reich zugleich.«

Ein Extremist. Er sagt:
Wir hassen die Gleichheit. Wir verachten sie. Nur die
Unterschiede gefallen uns... Der Kommunismus in Italien ist ein Witz. Schon das Wort Genosse ist eine Über-
treibung. Die egalitären Reden auf den Kongressen der
Gewerkschaften sind die schiere Demagogie. Niemand
fällt darauf herein, weil niemand daran glaubt. Wir sind
kein Kollektiv, wir sind eine Ansammlung freier Indivi-
duen. Wir verabscheuen die Anonymität. Niemand ist
verantwortlich für das »Ganze«, jeder nur für sich, für
seinen Clan, seinen Klüngel, seine Clique... Die Gesetze
gelten immer nur für die Deppen, d.h. für die anderen.
Glaubst du, ich ließe mich herumschubsen wie ein Schaf
im Pferch? Glaubst du, ich wäre bereit, mich an einem
Schalter anzustellen und zu warten, bis ich dran bin? Nie
und nimmer! Natürlich bedeutet das die totale Mißachtung des Nachbarn. Der Müll wird bei uns grundsätzlich
vor der Tür der andern abgeladen. Rücksicht ist unbekannt. Diesen Sommer gab es in unserer Stadt zwei
Mordfälle, weil der Krach unerträglich wurde bei dieser
Hitze. Einer davon geschah hier nebenan. Die ganze
Straße konnte nächtelang kein Auge zutun. Da hat einer
seine Flinte hervorgeholt und den Schreihals erschossen... Das ist normal. Das schlechte Gewissen ist eine
unbekannte Größe. Wir haben zwar eine linke Rhetorik,
aber kein soziales Über-Ich. Wir brauchen keinen Guten
Hirten, keinen Pastor, keinen Blockwart. Um so schlimmer, wirst du sagen. Meinetwegen. Aber ich sehe in alle-

dem auch etwas Gesundes. Ihr andern müßt euch immer an eine Regel halten, und an dieser Regel geht ihr zugrunde. Wir dagegen delegieren nichts an das Kollektiv, und das macht uns zu freien Menschen. Daran scheitern hierzulande alle Ideologien. Daran ist auch der Faschismus gescheitert. Jeder von uns ist ein Häuptling, ein Chef, eine Diva, oder sein Vetter hat irgendwo das Sagen, oder er ist mit einem zur Schule gegangen, den er anrufen kann, weil der, und wäre es nur bei der Feuerwehr, der Größte ist... Das gibt uns auch die Möglichkeit zu helfen. Nicht anonym, durch Vorschriften, Bescheinigungen, Computer, sondern in eigner Person, unmittelbar, und unerbittlich. Ich freue mich immer, wenn ich etwas in die Hand nehmen, etwas tun kann für meine Freunde, meine Kollegen, meine Klientel. Weil ich mit dem Chefarzt befreundet bin, bringe ich den Kranken unter, der nicht mehr weiter weiß, ich sorge für ihn, obwohl er in keiner Kasse ist, obwohl er keinen Zettel und keinen gesetzlichen Anspruch hat... *non è in regola*... verstehst du? Und umgekehrt genauso, der andere kümmert sich um mich, wenn ich ihn brauche. Deshalb kann es in Italien keine Sozialdemokratie geben, deshalb sind die Gesetze ein Haufen toten Papiers, und der Staat ist nur ein abstrakter Freßsack, eine nimmersatte Chimäre. Jeder für sich und für die Seinen, um jeden Preis, auf jede Gefahr hin – das ist unsere Moral.

Erklärungsversuche. Hypothesen. Ausreden. Das ist eine alte, eine sehr alte Geschichte... Das liegt an der späten Einigung Italiens, die nie zur Einheit gediehen ist... Das hängt damit zusammen, daß der Staat immer wie eine Besatzungsmacht aufgetreten ist, der das Volk eine zähe Abneigung, ein extremes Mißtrauen entgegenbrachte... Das ist der mediterrane Charakter, genau wie er sich bei den Spaniern, bei den Levantinern, bei den Griechen findet... Das sind vorkapitalistische Einstellungen, Reste des Feudalismus... Das ist die Ablehnung der »nackten Barzahlung«, von der Marx spricht, der unpersönlichen Macht des Geldes, das den Menschen eine Gleichheit aufzwingt, die leer und gesichtslos ist... Das rührt von der traditionellen Struktur der Familie her, wie sie unter agrarischen Verhältnissen um ihr Überleben gekämpft hat... Das ist ein Zeichen unserer Zurückgebliebenheit... Das ist die historische Schuld der Democrazia Cristiana... Das liegt am Paternalismus unserer Parteien, die, wie Räuberbanden, das soziale Terrain unter sich aufteilen... Das sind Verhaltensweisen, die wir von der Herrschaft der Bourbonen geerbt haben... Das ist ein Vermächtnis des Kirchenstaats... Das ist die Rache des Südens, eine Krankheit, die die Kalabresen und Apulier, die Neapolitaner und die Sizilianer, in den Staatsapparat eingeschleppt haben, und nun hat sich der ganze Körper der Gesellschaft damit angesteckt...

Nein, sagt ein anderer, das alles ist es nicht. Ich will dir sagen, was schuld ist: die Kleinstaaterei, der Lokalismus. Die Venezianer bitten jeden zur Kasse, der von außen kommt, und ein Ausländer ist jedermann, der jenseits von Mestre wohnt. Zur Strafe dafür zahlt er drei- bis viermal soviel für den *vaporetto* wie die Eingeborenen. Neuerdings haben die Stadtväter vorgeschlagen, für ihre Insel ein Eintrittsgeld zu erheben, einen Wegezoll, wie im Mittelalter. Das ist konsequent. Denn in Italien gibt es gar keine Italiener, nur Eingesessene und Hinzugekommene. Jeder definiert sich, wie in der Kunstgeschichte, nach dem Ort, an dem er geboren ist: Il Parmigiano, il Veronese, il Perugino. Und dabei bleibt es: der Turiner bleibt immer Turiner, auch wenn er seit einem Menschenalter in Cagliari lebt. Das erklärt alles. Deshalb ist er nämlich so nüchtern, deshalb nimmt er es so genau. Umgekehrt erklärt seine Herkunft auch, warum er von Sardinien nichts versteht. Er hat ja keine Ahnung, der Ärmste!... So bescheinigen sich die Italiener gegenseitig ihre Fremdheit, ihre Besonderheit, ihre Ungleichheit.

Andererseits führt dies dazu, daß jeder zweite Italiener den Status eines Botschafters hat. Die Mailänderin, die in Giglio geboren ist, muß jeden einladen, beherbergen, beschützen, der von dieser Insel kommt, obwohl sie ihre Heimat vor 40 Jahren verlassen hat, obwohl sie nur ab und zu drei Tage dorthin zurückkehrt, um ihre alte Mutter zu besuchen, am Ostersonntag... Das nützt ihr nichts. Sie haftet. Sie repräsentiert. Sie ist die Gesandte. Giglio ist und bleibt ihre Hauptstadt, ihre Metropole. Für Mailand dagegen kann sie nichts... So beginnt das Privileg bereits mit der Geburt. Es ist eine Auszeichnung, an diesem Ort auf die Welt gekommen zu sein und an keinem andern. Andere Dörfer, Gegenden, Länder, Kontinente mag man bewundern, aber beneiden? Oder gar lieben? Niemals!... Auf diese Weise ist jede italienische Stadt die Größte, vielleicht mit einer Ausnahme, auf die sich alle geeinigt haben, und diese Ausnahme heißt, ich weiß nicht warum, Rovigo. (»Ach, Sie sind aus Rovigo? – Schade.«)

Ein Extremist (Fortsetzung). Er sagt:
Was willst du überhaupt mit deiner Gleichheit? Von allen Schlagworten des Jahres 1789 ist dies das leerste. Die Gleichheit, von der du sprichst, ist ein Phantom. Nie ist sie auch nur annähernd verwirklicht worden. Oder glaubst du, in den sogenannten sozialistischen Ländern gäbe es etwas, was diesen Namen verdient? Daß ich nicht lache! Und wie ist es bei euch, im braven, wohlbehüteten, ordentlichen Norden? Gibt es da keinen Eigennutz,

kein Durcheinander, keinen Nepotismus, keine Bestechlichkeit, keine Privilegien?

Ich weiß, was du mir entgegenhalten wirst. Ich weiß es auswendig! Du wirst dich auf die formale, die bürgerliche Gleichheit zurückziehen, und du wirst sie in den höchsten Tönen preisen. Die Gleichheit vor dem Gesetz... die Tatsache, daß auch die Reichen Steuern zahlen... die Gewißheit, daß du gewisse Rechte hast, genau wie jeder andere, die dir auch ohne Empfehlungsbrief zustehen, ohne Protektion, ohne *galoppino*, »ohne Ansehen der Person«... Vielleicht wirst du sogar die zivilen Freuden der Anonymität rühmen, den unpersönlichen Austausch von Dienstleistungen, Waren, Ideen, Posten und Verwaltungsakten. Du wirst mir beweisen, daß die Entfremdung ein Genuß und die Unauffälligkeit eine Entlastung ist, und daß ihr in der besten aller möglichen Welten lebt, nämlich in einer sozialen Maschine, die sauber, hygienisch und reibungslos *funktioniert*...

Nur vergißt du dabei eine Kleinigkeit, mein Lieber. Du vergißt den Preis, den ihr dafür bezahlt: den Konformismus, die moralische Dummheit, die Heuchelei. Denn dort, wo der Kampf aller gegen alle einfach verleugnet wird, wo jeder selbstzufriedene Bürokrat sich einbilden darf, er wäre gut, selbstlos, anständig, dort herrscht die protestantische Heuchelei, und die scheinheilige Empörung macht sich über jeden her, der diesen Selbstbetrug nicht teilen will.

Ihr kommt mir vor wie die Millionäre, die nicht zugeben wollen, daß sie Millionäre sind, die zweiter Klasse fahren, die in schäbigen Jacken herumlaufen und die ihre Privilegien heimlich genießen, weil sie sich ihrer schämen. Wenn es um Tod oder Leben geht, dann möchte jeder, auch in Frankfurt oder Stockholm, den besten Arzt, die teuerste Privatklinik, die er sich leisten kann, aber natürlich diskret und ohne ein Ärgernis zu geben. Auch der radikalste englische Gewerkschaftsboß schickt seine Kinder auf die *public school*, für deren Abschaffung er eintritt... Die Wahrheit ist, daß ihr die Wahrheit nicht ertragen könnt! Ich finde sie trostlos, eure sozialdemokratischen Utopien, eure schwedischen Träume, in denen die nackte Macht sich ein weißes Nachthemd überzieht, als wäre sie ein Unschuldsengel.

Die Potentaten. Solche Verkleidungskünste kann man keinem, der in Italien etwas zu sagen hat, vorwerfen. Die Macht, das Privileg aller Privilegien, wird nicht versteckt, sie wird beschworen und vorgezeigt, ausgestellt und bewundert. Sie ist ein unerschöpfliches Gesprächsthema. Ihre Verwandlungen und Nuancen, ihre Wechselfälle und Querverbindungen werden leidenschaftlich diskutiert. Die Intrige ist ein Genuß, von dem niemand ausgeschlossen sein will. Für strukturelle, unpersönliche, objektive, ferne Formen der Machtausübung interessiert sich niemand. Erst wenn sie sich verkörpert in einer Person, wenn sie einem hautnah entgegentritt, wird die Macht für wirklich gehalten und ernst genommen. Man kann, man will sie anfassen; etwas von ihrem *mana*, ihrer Elektrizität, geht auf den über, der sie berührt. Sie ist das gebräuchlichste Aphrodisiakum. Im Bedeutungsfeld des Wortes *potenza* geht der politische Sinn direkt in den sexuellen über. Ein berühmtes sizilianisches Sprichwort drückt das mit unübertrefflicher Präzision aus: »Commandare è meglio di fottere.« (»Herrschen ist besser als ficken.«)

Halb schaudernd, halb hingerissen faßte eine römische Dame ihr Urteil über den neugewählten Ministerpräsidenten Italiens in den denkwürdigen Satz zusammen: »Er ist sehr phallisch.« Und Andreotti, der von allen bewunderte Großmeister der italienischen Politik, von dem das Gerücht geht, er sei der Sohn eines Kardinals, hat mit ruhiger Stirn behauptet, nicht die Macht sei es, die einen Mann abnutze, sondern der Mangel daran.

Und was für den »Palast« gilt (so hat Pasolini den staatlichen Apparat seines Landes genannt, und diese Bezeichnung ist in die Alltagssprache übergegangen), das gilt auch für die kleinste Hundehütte; denn auch die Handwerkergasse in Pavia hat ihren Ras, auch die Plüschtier-Branche ihren Hospodar, auch der Ruderklub seinen Kaziken.

Einmal, auf einem Fest in Mailand, wurde mir ein leicht ergrauter, hochgewachsener, aber leicht gebückter Herr mittleren Alters gezeigt, und jemand flüsterte mir zu: »Schau dir den da drüben an! Der übt eine unerhörte Macht auf dem Gebiet der jungen italienischen Lyrik aus.« Ich hatte nie etwas von diesem Mann gehört, nie eine Zeile von ihm gelesen, und seinen Namen habe ich vergessen, kaum daß er, mit herablassendem Nicken, vorbeigegangen und verschwunden war. Doch die verbliebenen Gäste, die alle mehr oder weniger mit Literatur zu tun hatten, bestanden darauf, sein Privatleben, seine Machenschaften, seine Strategien, seine Defekte zu erörtern... Ich fragte sie, ob das Wort »Macht« in diesem Fall nicht doch zu hoch gegriffen sei? Ein paar schmale Bändchen, die niemand liest, eine Einladung zu dem oder jenem Festival. Kein Geld, keine Karriere, keine Politik... Das Ganze komme mir vor wie eine Seeschlacht im Wasserglas. Aber nein, hieß es, an dem kommt keiner vorbei. Was glaubst du, wieviel Stunden im Vorzimmer, wieviel Telefonate, wieviel Empfehlungen nötig sind!... Und wenn du ihn dir zum Feind machst, dann bist du *tagliato fuori*, ein Aussätziger! Dann spielst du einfach nicht mehr mit!

»Mir tut er leid«, sagte plötzlich eine kleine, magere, häßliche Dichterin. »Glaubt nur nicht, daß es ein Vergnügen ist, den Zirkusdirektor zu spielen, besonders in dieser Menagerie, wo die Löwen keine Zähne haben und die Seehunde keinen Ball halten können. Jeder muß zahlen für sein Privileg, der Klient für die Empfehlung, der Politiker für die Stimmen, der Gangster für die Protektion. Zugegeben, der arme G. ist hier der Boss, der Bevorzugte, aber dafür muß er wieder andere bevorzugen. Nichts geht von selbst. *Bisogna strappare tutto.* Der Emir ist nicht nur der Emir, sondern auch das Opferlamm. Immer muß er sich aufblasen, immer so tun, als wäre er der Größte. Repräsentieren, einladen, zahlen, die Fassade wahren... Und das alles nur der Poesie zuliebe! Bei einer Auflage von 1200! Ihr könnt sagen, was ihr wollt, ich finde das heroisch!«

Sie blickte in die Runde, und in ihren zornigen Augen war kein Funken von Ironie zu bemerken.

Ein Traum. Ich sitze auf einem hohen, altertümlichen Patentstuhl, der zurückgeklappt wird, bis ich fast liege. In den hohen, halberblindeten Spiegeln an der Wand sehe ich lauter Bekannte. Es sind die Leute aus dem Dorf, die auf einer langen Holzbank sitzen und warten: der Tabakhändler, der Pfarrer, der Weinbauer, der Mann von der Tankstelle. Sie unterhalten sich, sie blättern in der Zeitung, sie rauchen. Draußen vor dem Laden dösen die Köter auf der Piazza in der Mittagshitze. Der Barbier, ein zahnloser alter Mann, hat mich gerade eingeseift. Auf der Uhr an der Wand ist es eine Minute vor zwölf.

Da fliegt die Tür auf, und ein feister, kleiner, glatzköpfiger Herr tritt ein. Peinlich frischgebügelter, brauner Anzug, Ordensbändchen im Knopfloch, Uhrkette, blendend polierte spitze Schuhe. Er bleibt stehen und sieht sich um. Sofort verstummen alle Gespräche. Der Barbier stürzt sich auf den neuen Kunden. Verblüfft sehe ich zu, wie der Tabakhändler ihm den Hut abnimmt, wie der Pfarrer ihm aus der Jacke hilft, wie der Tankwart ihm seine Zeitung reicht. Der Dicke sagt kein Wort. Er fährt sich nur mit seiner langen, rosafarbenen Zunge über die Lippen und nimmt feierlich auf dem Stuhl neben mir Platz. Eilfertig wird er mit Kölnisch Wasser eingerieben, mit heißen und kalten Handtüchern zugedeckt, massiert, gepudert, gekämmt. Um mich kümmert sich niemand, ich spüre, wie die Seife auf meinen Wangen langsam eintrocknet, ich möchte aufstehen, protestieren, aber ich komme nicht hoch aus meinem Stuhl. Es ist heiß. Ich höre das Kratzen des Messers, das Klatschen der Finger auf der Haut des Dicken. Viel Zeit vergeht. Dann springt der Dicke auf, alle bedanken sich bei ihm, er gibt kein Trinkgeld, er zahlt überhaupt nicht, doch der Lehrling des Barbiers küßt ihm die Hand. Ich starre ihn voller Ekel an, weil mir endlich klar geworden ist, wen ich vor mir habe: diese aufgeblähte Null, dieser kleine Dicke ist »die Macht«.

Kaum ist er durch die Tür, schlagen sich alle lachend auf die Schenkel, greifen zu ihren Zeitungen und zünden ihre Zigaretten wieder an. »Und warum zahlt er nicht?« frage ich. »Warum wartet er nicht, wie jeder andere, bis er an der Reihe ist?«

Der Lehrling blickt mich erstaunt an. »Aber er kommt doch jeden Tag hierher, punkt zwölf Uhr«, sagt der alte Barbier, »und läßt sich rasieren.«

»Warum laßt ihr euch das gefallen?« rufe ich wütend. »Warum schlagt ihr das Aas nicht tot?«

»Mischen Sie sich da nicht ein«, sagt der Tabakhändler.

»Das ist unsere Sache«, sagt der Pfarrer. »Blöder Ausländer«, murmelt der Mann von der Tankstelle.

Ich springe auf und laufe aus dem Laden. Auf einmal stehe ich mitten in Mailand auf der Straße, gegenüber von San Babila, mit dem weißen Latz des Dorffriseurs um den Hals. Rasender Verkehr. Ein kleiner Junge zeigt mit dem Finger auf mich, die Passanten drehen sich um und lachen.

Die Münze

Kaugummi in den Taschen, nichts als Kaugummi, Trambahnfahrscheine, unbrauchbare Kugelschreiber, zusammengepappte Briefmarken, Karamellen, Suppenwürfel... Wissen Sie noch, Herr Unterstaatssekretär? Erinnert ihr euch, liebe Freunde?
Natürlich nicht. Alle zucken mit den Achseln. Es ist genau so, als hätte ich nach König Zogu von Albanien gefragt, oder nach dem Slogan *Tunis – Korsika – Dschibuti*, an dem sich gegen Ende des Jahres 1938 ein paar Millionen Italiener begeistert haben... Vollständige Amnesie. Dabei liegt sie doch nur neun, sieben, fünf Jahre zurück, die Epoche der Kaugummis und der Suppenwürfel, die große Krise des kleinen Geldes. Die Stadt Rom mit ihrer 2200 Jahre alten Münzgeschichte... das Land, dem Europa die Erfindung der doppelten Buchführung verdankt... Lombard und Kredit, Saldo und Diskont, Agio und Bilanz, alles Begriffe, die von hier aus ihren Siegeszug durch die Welt angetreten haben; sogar das Wort *Bank* kommt aus dem Italienischen... Doch nach dem größten Boom seiner Geschichte, reicher denn je zuvor, war dieses Land, die achte Industriemacht der Erde, nicht mehr imstande, seine Bewohner mit jenen runden Blechstücken zu versorgen, die seit Menschenge-

denken für die einfachsten Transaktionen des Alltags nötig sind. Wer damals in Italien telefonieren wollte, ein paar Tomaten kaufen, einen Kaffee trinken, einen Brief aufgeben, der mußte sich auf Karamellen gefaßt machen. Und zwar nicht vierzehn Tage lang, weil die Metallarbeiter gestreikt hätten, nicht drei Monate lang, weil die Münze abgebrannt wäre, sondern A.D. 1975–1979, fünf Jahre lang, galt, wie einst die Kaori-Muschel in Ozeanien und Afrika, der Kaugummi in Italien als Zahlungsmittel.

In der Schweiz, wo die Landeswährung wie der Heilige Gral gehütet wird, wäre vermutlich nach vierzehn Tagen die Regierung gestürzt worden. In Japan hätte der zuständige Minister *Seppuku* begangen, d.h. Harakiri. Sogar in der trägen Sowjetunion wären vielleicht ein paar Funktionäre in die Wüste geschickt worden. In Italien thronten die Regierungen seelenruhig über dem Debakel. Ratlos waren nur die Touristen. Die Einheimischen reagierten mit stoischer Geduld und hurtiger Improvisation. Es vergingen nur ein paar Monate, bis das Land auf die magische Lösung des Problems, auf den genialen Trick, auf das Geschäft des Jahrzehnts verfallen war. Die Italiener ließen das zuständige Ministerium schnarchen und druckten ihr Geld selber: das Papier des Kolumbus, den Minischeck.

Alsbald überschwemmten Millionen von Zettelchen in allen Farben des Regenbogens die Ladenkassen. Der Nennwert dieser Schecks soll sich auf dreißig, hundert, dreihundert Milliarden Lire belaufen haben. Jeder Experte nennt seine eigene Zahl, und es kommt auch gar nicht darauf an, ob er sich um eine Zehnerpotenz verschätzt, denn von irgendeiner Kontrolle konnte natürlich keine Rede sein bei diesem nationalen Monopoly.

Im Zweifelsfall gewinnt bei solchen Gesellschaftsspielen

immer die Bank; aber damit das Ganze funktioniert, müssen auch die Mitspieler eine Chance haben... Ich betrete die Schalterhalle und zahle auf mein Konto ein paar Millionen Lire in bar ein. Banknoten sind ja immer noch genügend vorhanden, die Notenpresse arbeitet unermüdlich. Als Gegenwert händigt mir die Bank riesige Mengen von Minischecks auf Löschpapier aus, in winzigen Abschnitten zu je 50 oder 100 Lire. Dieses Kleingeld setze ich in Umlauf, im Laden, in der Lohntüte, am Schalter, im Restaurant. Die Bank ist zufrieden. Sie kann mit dem Geld operieren, das ich zinslos deponiert habe. Ein hübscher Schnitt... Meine Schecks zirkulieren, sie werden zerfleddert, vergessen, weggeschmissen. Eingelöst werden vielleicht zwei Drittel, oder auch nur die Hälfte... Das wird sich nicht so genau nachprüfen lassen, denn wer wollte bei diesem Chaos noch auf einer exakten Buchhaltung bestehen? Und nach ein paar Jahren erkundige ich mich bei der Bank nach meinem Kontostand. Er ist, streng genommen, unbekannt. Aber wir werden uns schon irgendwie einigen. Das Einfachste ist, wir teilen uns die Beute, ich und die Bank, die Bank und ich. Nach diesem Schema sind in den Spielgeld-Jahren alle Finanzinstitute des Landes verfahren, ferner die Genossenschaften, die Warenhäuser, die Autobahnverwaltungen, die Zeitungshändler, die Staatsbetriebe, die Handelskammern und vermutlich auch eine schöne Zahl von Schwindelfirmen und Bankerotteuren.

Ich erinnere mich, daß ich damals, auf irgendeinem Nachtflug über Asien, einen italo-amerikanischen Bankier traf, der für den Weltwährungsfonds unterwegs war. Im Halbschatten der Nachtbeleuchtung – die anderen Passagiere hatten sich längst zusammengerollt und schliefen – erklärte mir dieser bleiche, redselige, hagere

Genueser, der keinen Augenblick lang still sitzen konnte, was es mit den italienischen Milliarden auf sich hatte.

»Glatter Irrsinn! Diese Minischecks sind eine irrsinnige Form der Kreditschöpfung, und natürlich wirken sie inflatorisch, das liegt auf der Hand ... Aber meinen Landsleuten – bitte zitieren Sie mich nicht – gefällt die Inflation. Sie lamentieren zwar darüber, aber darauf dürfen Sie nichts geben. Je mehr Nullen, desto besser. Auf diese Weise wird jeder Millionär. Andere Länder hätten längst einen Währungsschnitt gemacht, 1:100 oder 1:1000. Aber in Rom hat die sogenannte Lira pesante, eine Lira, die was wert wäre, keine Chance ... Das röche ja nach *austerity*, nach Einschränkung, nach Verzicht! Dagegen die Inflation, das ist doch die wunderbare Brotvermehrung, die Lösung der ökonomischen Probleme durch Zauberei ... Eine unwiderstehliche Versuchung, mein Lieber! Die Wahrheit ist, daß wir über unsere Verhältnisse leben, und zwar schon seit zwanzig Jahren.«

»Ein schöner Zug«, sagte ich. »Ihr seid eben großzügige Leute. Lebensart, Luxus, wo gibt es das noch in Europa? Nur in Italien ...«

»Unsinn. Alles nur Eitelkeit. Die Verschwendung in Italien ist nicht nur eine nationale Manie, sondern geradezu ein sozialer Zwang. Die Automobile immer eine Nummer zu groß, die Rechnungen in den Restaurants immer um eine Lira-Null zu hoch ... Lauter Habenichtse, die den großen Herren spielen wollen.«

»Aber die Sparquote«, hielt ich ihm entgegen. »Über 12%! Höher als die der Japaner! Wie macht man das: sein Geld zum Fenster hinauswerfen und dabei noch sparen?«

»Und die Dollar- und Franken-Milliarden auf den Züricher und New Yorker Konten sind dabei noch gar nicht mitgerechnet! Macht nichts, das ist sowieso gestohlenes

Geld, schwarzes Geld, Schmier- und Drogengeld... Sie haben völlig recht, die Italiener sparen wie die Besessenen. Aber sie tun es heimlich. Was anderswo als Tugend gilt, ist für uns ein heimliches Laster. Jeder Angeber, der sich öffentlich ruiniert, kann sich in der Bewunderung seiner Mitbürger sonnen. Wer dagegen sein Geld nicht ausgeben will, ist praktisch ein Paria. Die Liebe zum Geld ist bei uns eine lichtscheue Sünde, eine obszöne Perversion, die niemand ungestraft gestehen kann – was ihre kriminelle Energie natürlich nur steigert. Eingefleischter, schäbiger, entschlossener kann kein Geizhals sein als der italienische... Ich stamme aus Genua. Ich weiß, wovon ich rede.«

»Und der Staat?«

»Genauso. Versuchen Sie doch einmal, an einem offiziellen Schalter Ihr Geld zu kriegen! Die Professorengehälter, die ›noch nicht angekommen‹ sind... Die Lire-Milliarden, die Europa für die Rettung Venedigs lockergemacht hat, wo stecken die eigentlich? Das hat niemand herausfinden können... irgendwo steckengeblieben... versandet... auf dem Dienstweg... Zuständigkeiten... Aktengänge... Beschlußgremien. Die tote Hand des Fiskus! Oder diese lächerlichen Devisenvorschriften... die Pensionen... die Steuerrückzahlungen! Der Staat hält sie instinktiv zurück. Ein unpersönlicher, abstrakter Geizhals, der an einer monumentalen Verstopfung leidet. Und auf der anderen Seite, schlagen Sie irgendeine Zeitung auf, und Sie finden überall ›Löcher‹, wahnwitzige Defizite. IRI, ENI, IMPS, alle diese Abkürzungen, von denen es in Italien wimmelt, und jede von ihnen ist ein Faß ohne Boden. Da plötzlich ist der Staat liquide, er entleert sich wie ein Typhuskranker. Die Konsistenz des Geldes scheint sich schlagartig zu verändern. Ich möchte sagen, es handelt sich um eine Art ontologischer Diarrhöe, eine absurde, ostentative Verschwendung, die einen Gestank verbreitet, der nicht alltäglich ist.

Und dieser Widerspruch zwischen Behalten und Vergeuden kann nur auf eine Art aufgehoben werden: durch den Trick aller Tricks, durch den Vermehrungszauber, durch die Inflation! Das Verschwinden des Metallgeldes ist nichts weiter als der sinnliche Ausdruck dieser magischen Operation. Das Metall stört nur, es ist zu hart, zu handgreiflich, man muß es auflösen, es wird zu Löschpapier, zu Kaugummi, zu dem Stückchen Schokolade, das in ihrer Rocktasche zerschmilzt ... Und was das Schönste ist: Niemand wundert sich darüber, niemand kriegt es mit der Angst zu tun, niemand regt sich auf.«

Niemand, wirklich niemand? Im Gegenteil! Ich erinnere mich an eine jahrelange, erbitterte »Diskussion«, an Glossen, Interpellationen, Proteste, Enthüllungen, Leitartikel, Appelle. Der Kleingeld-Skandal war ein wunderbarer Anlaß zu Streitereien, ein ideales Mistbeet für Gerüchte, für Theorien, für Witze. Sogleich setzten sich die Juristen in Bewegung. Sie unterwarfen die Papierkrümel, das Lumpengeld, die Zwergschecks einer ebenso gründlichen wie langweiligen Analyse. Waren die Banken Falschmünzer? Waren ihre Zettel legal? Ein Richter in Perugia verfügte, gestützt auf eine raffinierte Urteilsbegründung, im Herbst 1976 die Beschlagnahmung sämtlicher Minischecks in ganz Italien, ein Beschluß, dessen Verwirklichung die italienische Polizei monatelang beschäftigt hätte. Ein paar Monate später hob ein Mailänder Richter, mit noch spitzfindigerer Begründung, das Urteil wieder auf, und der zuständige Unterstaatssekretär, ein Zahnarzt aus Vicenza, erklärte vor dem Parlament:
»Die Regierung ... umpf, umpf ... hat im Hinblick auf die Frage nach der Gesetzlichkeit der Minischecks ...

rrm, rrm ... stets eine negative Haltung eingenommen...
In ihrer Verausgabung liegen Anomalien... brom,
brom..., die, zumindest im substantiellen Sinn, eine of-
fensichtliche Verletzung der geltenden Vorschriften auf
dem Gebiet des Scheckverkehrs darstellen... mum,
mum..., insofern als dieselben keinesfalls *de facto* als
Bargeldersatz dienen können.«

Dieses rhetorische Glanzstück bezeichnete ziemlich
genau den Kurs, den die Regierung zu steuern gedachte:
nämlich die stumpfsinnige Leugnung der Tatsachen. Dagegen legte das Volk eine geradezu beängstigende Anpas-
sungsfähigkeit an den Tag. Der Einzelhandel rundete
einfach seine Preise nach oben auf, um dem Kleingeld-
mangel abzuhelfen. Auf dem schwarzen Markt, der über
Nacht entstanden war, wurden Kursmünzen mit einem
Aufschlag von 10–15 % gehandelt. Das führte natürlich
dazu, daß auch noch die letzten Münzen verschwanden:
sie wurden systematisch gehortet. Eine besonders gute
Quelle für den Schwarzhandel waren die öffentlichen
Verkehrsmittel: Als die Betriebsgesellschaft der Auto-
busse und der Vaporetti von Venedig ihre Angestellten
aufforderte, das eingenommene Metallgeld abzuliefern,
statt es zu verhökern, drohten die Schaffner mit einem
Streik...

Phantasiebegabte Leute kamen schnell darauf, daß es ein
Kinderspiel war, Minischecks zu fälschen. Bei über
3000 kursierenden Sorten fiel das nicht weiter auf. Aber
eigentlich war es gar nicht nötig, den Banken Konkurrenz zu machen; denn auch mit den offiziellen Minischecks ließ sich wunderbar spekulieren. Tausende von
Sammlern fielen über jede neue Emission her. Die druck-
frischen Schecks verschwanden auf Nimmerwiedersehen
in eigens hergestellten Alben, von denen rund eine Million Exemplare verkauft worden sein sollen. Eine Mil-

lion Alben! Eine brodelnde Menge, die auf dem Turiner Balún, an der Porta Portese in Rom, auf der Piazza dei Mercanti in Mailand und auf allen andern Sammlerbörsen des Landes die Preise in die Höhe trieb. Besonders rare Minischecks zum Nennwert von 100 Lire notierten bald mit dem tausend-, ja fünftausendfachen Kurs. Der Taumel der Spekulation führte natürlich dazu, daß eigens für die Sammler Abarten, Aufdrucke, Fehlfarben in winziger Auflage hergestellt wurden, die dann zu Phantasiepreisen in den einschlägigen Katalogen auftauchten.

Warum das Ganze? Woher? Aus welchem Grund, in Gottes Namen? Waren die Italiener verrückt geworden? Hatten seine Bewohner die Kunst verlernt, runde Stücke aus Blech zu stanzen und mit einer Inschrift zu versehen? Ich habe eine kleine Sammlung mit den gängigsten Erklärungen angelegt, die ich hier vorlegen möchte.

1. »Es war kein Metall mehr da.« (Bankangestellter, Venedig 1977)

2. »In Japan und in Singapur haben sie aus unseren 50-Lire-Stücken Knöpfe gemacht, und deswegen sind die Münzen verschwunden.« (Theaterkritikerin, Rom 1983)

3. »Die Gewerkschaften sind schuld. Sie haben mit ihren Forderungen das ganze Land ruiniert. Deshalb funktioniert auch die Münze nicht.« (Taxifahrer, Mailand 1976)

4. »Die Ausländer, die zum Heiligen Jahr gekommen sind, haben unser Kleingeld als Souvenir mitgenommen.« (Der Schatzminister der Italienischen Republik, 1975)

5. »Das ist eine Verschwörung der Banken, die auf Kosten des kleinen Mannes ein Riesengeschäft machen.« (Kommunistischer Gewerkschaftler, 1977)

6. »Das Kleingeld kostet zuviel, und das Parlament wollte nicht zahlen.« (Schuhverkäuferin, Como 1983)

7. »Die Hundert-Lire-Stücke werden in riesigen Tankwagen in die Schweiz gebracht, wo die dortige Industrie aus ihnen Uhrgehäuse macht.« (*La Stampa*, eine angesehene Turiner Tageszeitung, 1976)

8. »Das Kleingeld steckt einfach in den Automaten, die zu selten geleert werden.« (Kellner, Neapel 1976)

9. »Bei der gegenwärtigen Unterbringung der Münze können wir weder eine angemessene Erhöhung der Produktion, noch die minimalsten Bedingungen für die Sicherheit und Gesundheit des Personals garantieren.« (Senatsausschuß für Finanz- und Schatzangelegenheiten, 1976)

10. »Was wollen Sie, so sind wir eben... *Siamo negati per queste cose*... Da kann man nichts machen... Das System ist schuld... *È un casino, un paese di merda*... Alle diese Politiker und Beamten aus dem Süden... Eigentlich war es ein Fehler, daß wir die Österreicher vertrieben haben. (Vox populi, 1975–1983)

An diesen bemerkenswerten Erklärungen fällt dreierlei auf. Zum ersten sind sie ausnahmslos falsch. Zum zweiten ignorieren sie souverän den Sachverhalt, den sie aufklären wollen: nur eine einzige, die der Senatskommission, geht überhaupt auf die Tätigkeit der Münze ein. Und zum dritten zeugen sie von einer üppigen Phantasie, die durch keinerlei Kenntnisse getrübt ist. Sie neigen entweder zur Anekdote oder zur Abstraktion, auf jeden Fall aber zur Mythomanie. In den meisten dieser Geschichten drückt sich ein gewisser Verfolgungswahn aus. Für die Kleingeld-Misere werden dunkle, anonyme Mächte verantwortlich gemacht (»das System«, »die Banken«, »die Gewerkschaften«, die »Beamten aus dem Süden«, d.h.

die Mafia), oder es sind die gierigen Touristen, die bösen Schweizer, die undurchsichtigen Malaien, die schlitzäugigen Japaner, die den armen Italienern ihre sauer verdienten 100-Lire-Stücke weggenommen haben.

Die öde Wirklichkeit sah natürlich ganz anders aus. Bar aller Geheimnisse und Verschwörungen beharrte sie auf der plumpen Frage: Wie stellt man es an, mehr Münzen zu schlagen? An dieser Notwendigkeit führte kein Weg vorbei. Sie war auch durchaus nicht neu, sondern seit Jahrzehnten vorhersehbar. Dazu waren nur ein paar leicht zugängliche Zahlen nötig, ein Blatt Papier und ein Bleistift. Der Anteil der Münzen am Geldumlauf lag in allen Industrieländern bei etwa 8% (Bundesrepublik 6%, Großbritannien 8%, USA 10,5%). In Italien war er zunächst auf 3, dann auf 1,8 und schließlich auf 1,2% gesunken. Die Katastrophe war also absehbar. Nur daß die »politischen Kräfte«, blind wie ein Maulwurf, aber ohne die Energie und den Instinkt dieses erstaunlichen Tieres, zu einer solchen Analyse nicht fähig waren.

Allerdings, im fernen Jahr 1968 hatte es einem unbekannten Beamten gedämmert... eine ferne Ahnung war ihm aufgestiegen... und er hatte eine Vorlage ausgearbeitet. Eine neue Münze! Warum nicht, sagten die Parlamentarier und beschlossen für diesen guten Zweck drei Milliarden Lire bereitzustellen. Daraufhin geschah acht Jahre lang gar nichts. 1976 wurden für das Phantom der neuen Münze weitere 12 Milliarden bewilligt, und die römische Stadtverwaltung verabschiedete einen neuen Bebauungsplan. Es wurde ein Grundstück in der Via di Grotta Gregna im Osten der Stadt gefunden. Und im Parlament stand wieder ein Unterstaatssekretär auf (diesmal war es kein Zahnarzt) und sprach: »Von nun an werden wir in der Lage sein, unter Berücksichtigung aller Einschränkungen, die ich erwähnt habe, eine Prüfung des Projekts zur Errichtung einer neuen Münze vorzunehmen.«

Und dabei ist es geblieben: bei der Prüfung, bei den Einschränkungen und bei einem Projekt, das in den Schubladen irgendeines Ministeriums verstaubte.

Hunderte und Aberhunderte von Journalisten haben sich damals unermüdlich mit dem »Phänomen« des fehlenden Kleingelds beschäftigt, aber nur zwei von ihnen sind bis an den Ort des Verbrechens vorgedrungen, obgleich er von den meisten römischen Redaktionen aus in zehn Minuten mit Hilfe eines Taxis zu erreichen ist. Die Schilderungen der Reporter Aldo Santini und Paolo Guzzanti aus den Jahren 1976/77 ergeben das folgende Bild:

Der Keller der alten Münze, die in der Via Principe Umberto 4, hinter dem Hauptbahnhof, liegt, ist ein Relikt aus früheren Epochen der Industrialisierung, ein Inferno, wie wir es aus den Romanen von Dickens kennen. Der Lärm der altertümlichen Pressen ist ohrenbetäubend, er erreicht mit 95 Dezibel fast die Schmerzschwelle. Mehrere Arbeiter sind taub geworden. Die hygienischen Bedingungen sind unbeschreiblich. Alles voller Staub und Spinnweben. An eine ordentliche Entlüftung ist nicht zu denken. Der Betriebsrat beschwert sich über den hohen Zyanidgehalt der Luft. Überall stehen schrottreife Maschinen herum, darunter ein altes Walzwerk, das bereits völlig verrottet ist. Man kann sich kaum bewegen, so eng ist es in den muffigen Gewölben, an deren Wänden die Ratten entlanglaufen. »Bis vor kurzem«, sagen die Arbeiter, »mußten wir die Münzen mit der Hand zählen, Stück für Stück. Die Vorschriften, nach denen wir arbeiten müssen, stammen aus dem Jahr 1921. Die Leitung ist absolut unfähig. Die Münze ist total verwahrlost.«

Fünf Jahre später gibt es in Italien Kleingeld in Hülle und

Fülle, und es fiele niemandem ein, diese Selbstverständlichkeit auch nur zu erwähnen. Was die Minischecks betrifft, so erklärt mir ein Mailänder Münzenhändler in seinem verbarrikadierten Laden an der Via dei Mercanti: »Kein Mensch will sie haben... In den Keller sind sie gefallen... Der Markt ist völlig zusammengebrochen! Sie können die größten Seltenheiten, die damals eine Million wert waren, für 2000 Lire haben.« Er lächelt befriedigt, die Greisenhaut über seinem Schädel zieht tausend Fältchen: »Ich habe es immer gesagt! Ein Schund war das, eine Sumpfblüte... Dagegen die Liebig-Bildchen, die haben sich gehalten!« Er sieht so aus, als hätte er die Liebig-Bildchen persönlich erfunden.

Im Rom schlage ich das Telefonbuch auf und finde die staatliche Münze immer noch unter ihrer alten Adresse. Aus dem seit nunmehr fünfzehn Jahren geplanten Neubau scheint nichts geworden zu sein. Der alte Kasten aus dem Jahre 1911, rosa getüncht, im umbertinischen Zukkerbäcker-Stil, wird von der Finanzpolizei mit gezogener Maschinenpistole bewacht... Fernsehmonitore in der Pförtnerloge, pompöse Marmortreppe, riesige, altmodische Schreibtische. Der Direktor der Münze, Nicola Jelpo, zeigt mir seinen Betrieb. Wir steigen in den Keller. Vor der Metalldetektor-Schleuse werden Schlüsselringe und Feuerzeuge abgelegt. Ich bin auf einen Horror-Trip gefaßt.
Was ich zu sehen bekomme, und ich lasse mir jeden Winkel zeigen, sind helle, weitläufige, gut klimatisierte Räume... Saubere Werkstätten, in denen konzentriert gearbeitet wird, moderne Fertigungsstraßen mit neuen Pressen aus Deutschland. Der Lärmpegel ist nicht höher als der eines Großraumbüros. Es ist überall genügend Platz vorhanden, sogar für die Produktion von Medail-

len, Orden, Stempeln, Gedenkmünzen. Die vollautomatische Zähl-, Prüf- und Verpackungsanlage, eine hauseigene Entwicklung, arbeitet einwandfrei. Und auf die Frage nach der Kapazität der Münze erklärt mir der Direktor Jelpo in aller Ruhe:»Wir prägen zur Zeit 1 bis 1½ Millionen Stücke täglich. Damit ist der Bedarf gedeckt. Aber wir könnten ohne weiteres, von einem Tag auf den andern, die Produktion um das Achtfache steigern. Das ist gar kein Problem!«

Und das ist noch lange nicht alles! Die römische Münze bemüht sich um Aufträge aus dem Ausland und aus der Privatwirtschaft. Sie stellt, in Handarbeit, polierte Silbermünzen für Sammler her, sogenannte »Proofs«. Sie hat eine völlig neuartige bimetallische 500-Lire-Kursmünze entwickelt, deren äußerer Ring aus rostfreiem Stahl, deren Kern dagegen aus Aluminium-Bronze besteht. Ihr Direktor hat außerdem noch Zeit gefunden, um 1980 eine *Kurzgefaßte Münzgeschichte Italiens* vorzulegen, das Museum der Zecca wiederherzustellen und der lang vernachlässigten, traditionsreichen Kunstschule des Hauses zu neuem Glanz zu verhelfen. Dies alles in bestem Einvernehmen mit den Gewerkschaften und mit einem Personalstand, der sich kaum verändert hat... Es handelt sich also um ein italienisches Wunder, das ebenso schwer zu erklären ist wie das jahrzehntelange Desaster, das dem Land eine Kaugummiwährung eingebracht hat.

Herr Nicola Jelpo ist ein höflicher, reservierter Herr unbestimmbaren Alters mit dem dunklen Teint und den schweren Augenlidern des Südländers. Sein Akzent verrät, daß er aus der Basilicata kommt. Er spricht leise, ruhig, überlegt. Großer Römerkopf, starke Nase, brauner Anzug, tipptopp von Kopf bis Fuß... Sein eher melancholischer Blick belebt sich, sobald er auf seine Leidenschaft zu sprechen kommt. Herr Jelpo ist – man kann es nicht anders nennen – ein Münzen-Fetischist. Zärtlich streicht er mit dem Finger über ein Ausstellungsstück aus der Werkstatt von Giuseppe Bianchi, und befriedigt verweilt sein Blick auf einer alten Spindelpresse aus der Zeit des Kirchenstaates, die er im Treppenhaus hat aufstellen lassen. Von Haus aus Ingenieur, ist er 1967 als Techniker in den Dienst der Münze getreten und wurde im Juni 1978 zu ihrem Direktor ernannt.

»Das Problem der Münze«, sagt er, »war unlösbar, solange sie direkt vom Schatzministerium abhängig war und keinerlei Bewegungsfreiheit hatte. Die staatliche Bürokratie ist einfach nicht in der Lage, einen Industriebetrieb zu führen. Die Vorschriften waren erdrückend. Ein paar Beispiele: Unsere Werkstätten glichen einem Schrottlager, weil wir die riesigen alten Maschinen weder auslagern noch verkaufen durften; zwei Ministerialbeamte stritten sich jahrelang darüber, ob es sich um bewegliche oder unbewegliche Güter handelte; bis dieser Streit entschieden war, kam eine Änderung nicht in Betracht. Wir hatten kein eigenes Budget. Maschinen aus dem Ausland durften wir nur zu einem Festpreis kaufen. Der Entscheidungsprozeß im Ministerium dauerte aber Jahre. War der Kauf genehmigt, so hatten sich die Preise durch die Inflation verändert, und der ganze Aktengang begann von neuem. 1976 arbeiteten unsere Prägemaschinen vier Stunden am Tag, heute sind es 14. Das Tarifabkommen mit der Gewerkschaft des öffentlichen Dienstes erlaubte damals keine Schichtarbeit. Für Überstunden war kein Geld vorhanden. Dazu kamen die Lärmprobleme. Wir hätten zwar ganz genau gewußt, wie diese Probleme zu lösen waren, aber man ließ uns nicht. Ich war oft nahe daran, meinen Hut zu nehmen... Sehen Sie, ich hätte damals nie und nimmer Direktor der

Münze werden können. Die Vorschrift schloß die Ernennung eines Fachmanns kategorisch aus. Die Direktoren mußten aus der Verwaltung kommen. Sie kamen und gingen, alle 4–5 Jahre ein neuer. Sie hatten keine Ahnung davon, wie man Münzen schlägt, und sie hatten auch keine Zeit, es zu lernen, denn bevor es soweit hätte kommen können, wurden sie pensioniert.«

»Also wer«, fragte ich den Ingenieur Jelpo, »war nun eigentlich an dem ganzen Debakel schuld?«

»Niemand«, antwortete er. »Niemand oder alle.«

Am 20. April 1978 beschloß das italienische Parlament ein Gesetz, demzufolge die Münze aus dem Staatsapparat herausgelöst und als autonome Sektion der Staatsdruckerei angeschlossen werden sollte. Mehr war nicht nötig, um der institutionalisierten Sabotage, der idiotischen Schlamperei, der endemischen Unfähigkeit ein Ende zu machen: Innerhalb eines Jahres waren die Minischecks und die Suppenwürfel verschwunden, und zwar, wenn es nach dem Ingenieur Jelpo geht, der sich auf die nächsten zwanzig Jahre an seinem Schreibtisch freut, für immer.

Ich frage mich, haben die Politiker, die der infernalischen Mißwirtschaft in der Via Principe Umberto jahrzehntelang mit der größten Indifferenz zugesehen hatten, an jenem Frühlingstag des Jahres 1978 plötzlich einen lichten Moment erlebt, eine Art zen-buddhistischer Erleuchtung? Oder haben sie, im Gegenteil, nicht aufgepaßt? Haben sie die Münze etwa *aus Versehen* aus ihrer lähmenden Vormundschaft entlassen?

Bezahlt hat keiner für sein Versagen. Das steht fest. Die zuständigen Minister, Staatssekretäre, Unterstaatssekretäre, Generaldirektoren und Direktoren sitzen samt und sonders, wenn sie nicht gestorben sind, auf ihren Landhäusern und verzehren ungestört ihre Pensionen. Keiner ist abgesetzt, bestraft oder auch nur zur Rechenschaft gezogen worden. Man sagt den Italienern zu Unrecht nach, daß sie ein boshaftes und rachsüchtiges Volk sind. Das Gegenteil trifft zu: sie verzeihen alles, und ihre Gutmütigkeit kennt keine Grenzen.

Aber schließlich ist die Geschichte, die ich hier erzähle, eine höchst erbauliche Parabel. Sie hat nicht nur ein *happy end*, sie hat auch eine Moral. Es war also gar kein Neubau nötig... Es fehlte nicht an Subventionen, an Rohstoffen oder an Maschinen... Das war nicht das Problem... Es waren auch nicht die Schweizer oder die Japaner, die an allem schuld waren, oder die Banken oder die Gewerkschaften... Und auch das vielzitierte *paese di merda* war nur eine Ausrede!... Die Münze hatte alles, was nötig war, Können, Intelligenz, Initiative. Sie lag nur am Boden wie ein gefesselter Gulliver, dem die Liliputaner der Politik jede Lebensregung ausgetrieben hatten. Kaum waren die Fäden gekappt, so setzte sich dieser Gulliver in Bewegung und ging an seine Arbeit.
Dazu brauchte er auch keine österreichische Tradition; ja, er kam sogar ohne die bekannten lombardischen Tugenden aus. Denn der Ingenieur Nicola Jelpo kommt schließlich aus dem tiefen Süden, aus einer Kleinstadt in Lukanien. Und während ein beträchtlicher Teil der Bevölkerung damit beschäftigt war, sich gegenseitig ins Knie zu schießen, einander die Ohren abzuschneiden, mit Eisenstangen, Fahrradketten und Maschinenpistolen aufeinander loszugehen oder wenigstens darüber zu *diskutieren*, ging Herr Jelpo, kein Angehöriger der »neuen dynamischen Mittelklasse«, kein »postindustrieller Sozialisationstyp«, sondern ein eher altmodischer, rundli-

CARL A. RUDISILL LIBRARY
LENOIR RHYNE COLLEGE

cher Herr... vielleicht wählt er sogar die Christdemokraten... in aller Ruhe seiner Lieblingsbeschäftigung
nach, die darin besteht, Münzen zu schlagen.
Einverstanden: Es gibt wichtigere Dinge als das Kleingeld, das in der Jackentasche klingelt. Aber solange es
Leute wie Nicola Jelpo gibt, ist Italien nicht verloren.

Modell Italien

Schlagzeilen der Woche
Bonn (dpa). Alkohol-Skandal. Der Bundespräsident hat
am Montag erklärt, er gedenke nicht zurückzutreten,
habe aber auch nicht die Absicht, gegen das Nachrich-
tenmagazin *Der Spiegel* gerichtlich vorzugehen. Die Zeitschrift hatte in großer Aufmachung behauptet, der Bundespräsident sei in eine internationale Alkoholschmug-
gel-Affäre verwickelt und habe dabei im Lauf der letzten
Jahre Gewinne in Höhe von rund 180 Millionen Mark
gemacht, die auf ein Schweizer Konto geflossen sein sollen.
Amsterdam (ANP). Rentner machen Randale. Mehr als
30000 Rentner haben am Dienstag das Gebäude der
staatlichen Rentenkasse gestürmt und verwüstet, nachdem die Verwaltung ihre Zahlungen mit der Begründung
eingestellt hatte, die zum Monatsersten fälligen Mittel
seien »einfach nicht angekommen«. Das Sozialministe-
rium lehnte eine Stellungnahme zu diesen Vorfällen
ab.
Hannover (AP). Zufriedene Gesichter auf der Hannover-
Messe. Nach dem Zusammenbruch mehrerer deutscher
Großkonzerne zeichnet sich eine Sensation ab. Die
größte Industriemesse Europas wurde diesmal völlig von

kleinen und mittleren Betrieben beherrscht, die hervorragende Exporterfolge zu verzeichnen hatten. Puddingpulver, Porzellan, Krawatten und Spielzeug erwiesen sich als die großen Verkaufsschlager. Die Steuerbehörden stellten zu ihrer Überraschung fest, daß ihnen die meisten der ausstellenden Firmen völlig unbekannt waren.

Stockholm (TT). Die Briefmarkenkrise. Briefe, die mit Kaugummi frankiert sind, sollen in Zukunft nicht mehr befördert werden. Darauf hat die schwedische Post ihre Kunden hingewiesen. Wegen des seit Jahren herrschenden Briefmarkenmangels sind zahlreiche Firmen dazu übergegangen, eigene Marken zu drucken. Die Legalität dieser Faksimiles ist jedoch umstritten. Die Druckerei der Kgl. Postverwaltung sieht sich außerstande, genügend Marken herzustellen, da ihre Maschinen verrostet sind. Der Plan, private Firmen mit der Lieferung der Wertzeichen zu beauftragen, ist bisher am Widerstand der Gewerkschaften gescheitert.

London (Reuters). Verschwörung aufgedeckt. Die britische Öffentlichkeit wird von immer weiteren Enthüllungen über den »Club zur Rettung des Vaterlandes« erschüttert. Es kann nunmehr als erwiesen gelten, daß dieser geheimen Organisation, die einen Staatsstreich geplant haben soll, der Schatzkanzler, der Verteidigungsminister, der Erste Lord der Admiralität, der Herausgeber der *Times*, der Chef des militärischen Geheimdienstes und 200 führende Industrielle angehört haben. Der Vorsitzende des Clubs ist ein gewisser Mr. Jelly, der in Macclesfield (Chester) eine Marmeladenfabrik besitzt.

Oslo (NTB). Trotz des Zusammenbruchs der Ölpreise und des Ölexports hat sich der Champagnerkonsum in Norwegen im letzten Jahr verfünffacht.

Brüssel (AFP). Selbstmord oder Mord? Bob Kalvén, der Vorstandsvorsitzende der größten schwedischen Bank wurde am Donnerstagmorgen gegen 4 Uhr vergiftet auf der Toilette des Brüsseler Hauptbahnhofs aufgefunden. Er war wegen Devisenbetrugs zu drei Jahren Gefängnis verurteilt worden und vor 14 Tagen aus dem Hochsicherheitstrakt der Haftanstalt Malmö ausgebrochen.

Wiesbaden (dpa). Ein Opfer der Anarchie. Der Chef des Statistischen Bundesamtes hat sich am Wochenende in seinem Amtszimmer erschossen. Aus seinem Abschiedsbrief geht hervor, daß der Beamte an der Bereitschaft der deutschen Bürger verzweifelt war, wahrheitsgemäße Auskünfte zu geben. »Unsere Zahlen sind ein einziges Chaos«, heißt es in dem Brief. »Alle lügen. Unsere Statistiken sind weniger zuverlässig als die Horoskope in der Boulevard-Presse.«

Kopenhagen (RB). Beamter entlassen. Von den rund 122000 Dänen, die wegen Blindheit eine 100%ige Invalidenrente beziehen, verfügen 84000 über einen Führerschein und einen eigenen Wagen. Das haben die privaten Recherchen eines dänischen Polizeibeamten ergeben. Der übereifrige Polizist wurde wegen Eigenmächtigkeit und Übertretung der Dienstvorschriften fristlos entlassen.

Frankfurt am Main (AP). Aufschwung mit Fragezeichen. Die Deutsche Bundesbank steht vor einem Rätsel. Obwohl alle objektiven Daten ihres neuesten Monatsberichts auf eine katastrophale Situation hinweisen, herrscht in der westdeutschen Wirtschaft eine optimistische Stimmung vor. Der Präsident der Bundesbank erklärt, die Stärke der DM und das gute Konsumklima seien wahrscheinlich auf die Schwarzarbeit zurückzuführen, deren Anteil am Sozialprodukt auf 45% geschätzt wird.

Typisch italienisch. Was denn? Die Oper oder die Mafia? Der Cappuccino oder die Bestechlichkeit? Macchiavelli oder Missoni? Jedesmal, wenn einer behauptet, dies oder jenes sei »typisch italienisch«, möchte man aufspringen vor Ungeduld, den Stuhl umwerfen und aus dem Zimmer laufen. Gibt es etwas Öderes als die »Völkerpsychologie«, diesen verschimmelten Müllhaufen von Stereotypen, Vorurteilen, *idées reçues*? ... Und doch sind sie nicht auszurotten, die traditionellen Gartenzwerge mit den naiv bemalten Nationalgesichtern: der schweigsame Skandinavier, blonder als Stroh; der stiernackige Deutsche mit dem Bierglas in der Hand; der rotgesichtige, schwatzhafte Ire, der immer nach Whiskey riecht; und natürlich der schnurrbärtige Italiener, sinnenfroh bis dorthinaus, aber leider unzuverlässig, genial aber faul, leidenschaftlich aber intrigant ...

Auch für den Hausgebrauch ist der Begriff des Typischen offenbar unentbehrlich, zum höheren Zweck der Selbstkritik, eines Genres, in dem italienische Autoren Hervorragendes geleistet haben. In Alberto Arbasinos furioser Kapuzinerpredigt *Un paese senza*, Mailand 1980, liest man:

»Im Verhalten der Italiener gilt es, unabhängig von allen Befragungstechniken, Verhaltensmustern, Erklärungsversuchen und Rastern, die Herrschaft einer uralten, archetypischen und abgefeimten Erbärmlichkeit zu erkennen ... Die Anomalien, die Abnormitäten, die Enormitäten, die Wahnsinns- und die Freveltaten des heutigen Italien, ja sogar die ›typisch italienischen‹ Horrorgeschichten – sie können gar nicht anomal oder abnorm oder entsetzlich sein, verglichen mit ihrem ›normalen‹ Umfeld.«

Wie haben Arbasinos Landsleute auf diese 350 Seiten lange, gnadenlose Publikumsbeschimpfung reagiert? Sie haben den Verfasser drei Jahre später ins Parlament gewählt!

Dagegen die ahnungslosen Ausländer! Solange ihnen nicht die Handtasche vom Leib gerissen und das Auto aufgebrochen wird, sind sie begeistert. Zum Beispiel die arbeitslose Lehrerin Gisela C. aus Münster in Westfalen. Sie hat sich in die Einsamkeit zurückgezogen, d.h. auf den obligaten Bauernhof in der Toscana. Ein paar deutsche Aussteiger, frühere Marketing-Experten aus Düsseldorf, haben sich die umbertinische Villa auf dem Hügel ausbauen lassen. In der ehemaligen Schule haust, zwischen leeren Ballonflaschen und schmutzigem Geschirr, eine Kommune von Berliner Freaks. Ein paar Häuser weiter hat sich eine obskure »Studiengruppe für transpersonale Therapie« niedergelassen; dort werden, gegen ein Wochenend-Honorar von 600 Mark, müde Filialleiter und Sportjournalisten wiederaufgerüstet für den Frankfurter Daseinskampf. Und das Herrenhaus auf der anderen Seite des Flusses soll neulich ein Schweizer Photograph gekauft haben.

Gisela C. also schreibt mir, und ich weiß gar nicht, was ich ihr darauf erwidern soll: »Lieber M., du tust mir leid! Ich begreife nicht, wie du es aushalten kannst in diesen ›geordneten‹ deutschen Verhältnissen, mit denen ich schon längst nichts mehr anfangen kann. Der Norden, das ist doch nur der Terror des Geldes, der Terror der Technik, der Terror der Disziplin. Zuviel Besitz, zuviele Neurosen. Hier ist das Leben einfacher, natürlicher, menschlicher. Nicht so anonym, nicht so kalt – und das ist durchaus nicht nur eine Frage des Klimas. Ich kümmere mich um den Garten, ich treffe auf der Piazza die Leute aus dem Dorf... Ich bin einfach glücklicher hier.«

Um so besser, liebe Gisela! Herzlichen Glückwunsch. Nur daß dein treuherziger Brief ein Plagiat ist, eine Blütenlese, eine Sammlung von Gemeinplätzen, die seit zweihundert Jahren durch die europäische Literatur geistern... Überhaupt ist deine toskanische Romanze nur eine matte Reprise. Die große Liebe zu Italien hat sich im empfindsamen Gemüt einzelner Besucher um die Mitte des 18. Jahrhunderts entzündet. Seither ist sie zur Geschäftsgrundlage einer Milliarden-Industrie geworden. Unerwidert war sie von Anfang an. Kein Italiener käme auf die Idee, freiwillig, ohne zwingenden praktischen Grund, nach Münster in Westfalen oder nach Trelleborg oder nach Hoek van Holland zu ziehen...

Zu Hause, liebe Gisela, hast du dich ja immer mächtig über den Sauren Regen und über den Rüstungswettlauf aufgeregt; aber in der Toscana läßt du alle Fünfe grade sein. Oder ist dir noch nicht aufgefallen, daß den Italienern der Umweltschutz schnurzegal ist, und daß sie den Pazifismus für eine Marotte halten? Du beschwerst dich über den Reichtum und die Habgier des Nordens – aber wehe, wenn der monatliche Scheck ausbliebe, der aus der Kälte kommt, und wenn du dir dein Brot in Poggibonsi verdienen müßtest! Die Leute aus der Gegend meinen es gut mit dir, solange du zahlen kannst. Sie tolerieren dich, so wie das ganze Land die permanente Invasion aus dem Norden hinnimmt, und ich bewundere ihre Geduld. Ich finde es normal, daß sie dich ausnehmen wie eine Weihnachtsgans, liebenswürdig, nach allen Regeln der Kunst, und mit einer Ironie, von der du keine Ahnung hast.

Übrigens verstehe ich dich nur allzugut, denn ich teile deine hartnäckige Liebe zu Italien. Wir kommen ohne diesen Zufluchtsort nicht aus. Er ist unsere Lieblings-Projektion, unser Freilichtkino, unser Allerwelts-Arkadien. Hier können wir, heute wie vor zweihundert Jahren, unsere Defekte kompensieren, hier tanken wir Illusionen, hier stochern wir in den Trümmern einer alten, halbvergessenen Utopie herum.

Meinetwegen! Aber warum muß diese Liebe so ignorant sein, so dümmlich, so borniert? Warum übersieht die gute Gisela beharrlich alles, was in Italien zum Himmel schreit? Wenn sie nach Hause käme in das kühle, langweilige Münsterland, und fände dort Zustände wie in Mestre oder Avellino vor – sie wäre außer sich über soviel Härte, Grausamkeit, *menefreghismo*.

Jede Affenliebe hat ihre Kehrseite. Es gibt keinen Tourismus ohne doppelte Moral. Wenn der Besucher aus dem Norden seine letzte Lira ausgegeben hat, wenn er wieder zurückgekehrt ist in den deutschen oder belgischen oder schwedischen Herbst, dann stößt er eben doch einen heimlichen Seufzer der Erleichterung aus und freut sich, daß im Norden alles so herrlich funktioniert, die Zentralheizung, der Staat und das Telefon; und wenn er dann die Zeitung aufschlägt und liest die neuesten Horrorgeschichten aus Italien (Chaos, Camorra, Korruption), dann lehnt er sich zurück und denkt: So was wäre bei uns undenkbar. Und diese fromme Zuversicht ist der endgültige Beweis dafür, daß er nichts kapiert hat.

Die Italianisierung Europas. Symptome gibt es genug, man muß sie nur zu deuten wissen. Was die politische Korruption betrifft, so hat sie in den letzten Jahren erhebliche Fortschritte gemacht, besonders in Westdeutschland. Bei ihren Ermittlungen gegen den Wirtschaftsminister sind die Staatsanwälte auf ein Beweismaterial von tropischer Üppigkeit gestoßen. Das ist kein Einzelfall. Die Liste der Inkriminierten liest sich wie »ein Gotha der deutschen Politik«. (So devot drückt sich das Hof-Bulletin der Regierungsparteien aus, die *Frankfurter Allgemeine Zeitung.*)

Auch in den Ländern Nordeuropas haben die politischen Parteien das öffentliche Leben weitgehend parzelliert;

wie Grundstücksspekulanten teilen sie die Institutionen unter sich auf und schanzen ihren Schützlingen, vom Aufsichtsrat bis zum Müllkutscher, alle möglichen Pfründe zu. Die großen Fernsehanstalten in Köln und Paris, in Mainz und Stockholm können es, was Opportunismus und Blaumacherei angeht, längst mit der römischen RAI aufnehmen; und die staatlichen und halbstaatlichen Industrieunternehmen, die Schwarzen Löcher der italienischen Ökonomie, berühmt für ihren Schlendrian und für ihre Vetternwirtschaft, haben in ganz Europa gelehrige Schüler. Die Steuerhinterziehung, begünstigt, um nicht zu sagen erzwungen von einer Gesetzgebung, die ohne Rücksicht auf die Folgen bald dieser, bald jener Klientel Gefälligkeiten erweisen will, ist überall zum Nationalsport geworden, sogar in Skandinavien, wo der Vorrat an Engelsgeduld und Schafsmoral, den althergebrachten Tugenden, allmählich zur Neige geht.

Überall dasselbe Bild: verluderte Parteien, parasitäre Verwaltungen, Subventionsbetrug, Patronagefilz, Schwarzarbeit, Immobilismus... Überall aber auch neue Strategien des Überlebens, der Selbsthilfe und der Improvisation. In einer solchen Perspektive kann Italien nicht länger als exotische Ausnahme gelten. Hie und da wird sogar, hinter vorgehaltener Hand, die Hypothese laut, der fußkranke Nachzügler könnte sich als Vorbote einer riskanten und problematischen Zukunft erweisen.

Daß die Friesen eines schönen Morgens als Sizilianer aufwachen könnten, die Schotten als Venezianer, ist, selbst wenn an solchen Vermutungen etwas Wahres sein sollte, kaum zu befürchten. Das italienische Paradigma ist keine Frage des »Volkscharakters«, sondern eine unter mehreren denkbaren Reaktionen auf eine neuartige hi-

storische Lage, eine mögliche Antwort auf eine Heraus-
forderung, die ganz Europa betrifft. Es handelt sich also
nicht um eine »typisch italienische«, sondern um eine
sehr allgemeine Problematik, mit der bisher noch niemand fertiggeworden ist und für die auch keine brauch-
bare Theorie zur Verfügung steht.

Ich werde also vereinfachen. Zuerst zähle ich, an den
Fingern einer Hand, ein paar der kritischen Momente
her, mit denen wir es zu tun haben. Dann möchte ich,
von Fall zu Fall, die naheliegendsten Indizien dafür an-
führen, daß die Italiener, aufgrund ihrer historischen Erfahrungen, auf das Schlamassel besser als andere vorbereitet sind. Ich sehe in ihnen gewissermaßen alte Hasen:
Experten der Krise, Facharbeiter des Zusammenbruchs.

1. Die Krise der Souveränität. Den Nationen Europas
fällt heute in der Weltpolitik nur noch eine subalterne
Rolle zu. Zwischen den Supermächten eingeklemmt und
erpreßt nicht nur von ihren Gegnern, sondern auch von
ihren Verbündeten, sind sie zu einer eigenständigen Außenpolitik nicht mehr fähig. Auch wenn sie es nicht
wahrhaben wollen (wie die Franzosen), kommt ihnen
nur noch der halbkoloniale Status von Protektoraten zu.
Auch ihre wirtschaftliche Kraft dürfte auf die Dauer
nicht mehr ausreichen, um auf dem Gebiet der Großtech-
nologien mitzubieten; sie müssen dann ihr Auskommen
in den Nischen des Weltmarktes finden und auf wei-
chere, kleinere, flexiblere Produktionen ausweichen.
Den Italienern ist diese Lage nicht neu. Ihre nationalen
Ambitionen sind oft genug gescheitert. Schon gegen Ende
des 18. Jahrhunderts schrieb Pietro Verri: »Bei all unserer Schlaumeierei sind wir heute nur noch der Ramsch
Europas, das wir einst beherrscht haben.« Solche bitteren Klagen ziehen sich durch die ganze italienische Lite-

ratur. Erst seit dem Ende des kolonialen Abenteuers und seit der Niederlage des Faschismus haben sich die Italiener damit abgefunden, daß die römische Größe der Vergangenheit angehört. Die Außenpolitik des Landes wird seitdem in Washington gemacht.

2. Die Krise der Regierbarkeit. Je mehr die zentralen politischen Apparate sich von der Gesellschaft isolieren, die Bürokratien mit ihren eigenen Wucherungen beschäftigt sind, die Parteien zu mafiosen Selbstbedienungsläden verkümmern, desto dümmer, hilfloser, unbeweglicher wird der Staat. Die Gesellschaft verliert den Glauben daran, daß er imstande wäre, die Probleme zu lösen. Sie versucht sich auf eigene Faust durchzuschlagen und die zentralen Systeme zu unterlaufen. Ein buntes Patchwork von streitenden Einzelinteressen, von disparaten Kulturen und Subkulturen bildet sich aus, Untergrund- und Schattenökonomien beginnen zu blühen. Auch diese Lektion haben die Italiener beizeiten gelernt. Das Land war immer eine Polyarchie, »ein Sammelsurium von Völkern, von Staaten, von Institutionen und Herrlichkeiten, die der Zufall zusammengeworfen hat« (Giuseppe Ferrari, 1858). Das Volk hat den Zentralstaat stets als einen Ausbeuter betrachtet, den es nach Kräften auszubeuten gilt. 84% aller Italiener halten die Nomenklatura ihres Landes, die Politiker und ihre Vasallen, für unehrlich und unfähig – ein europäischer Rekord. Sie ziehen daraus den Schluß, daß man sich im Zweifelsfall selber helfen muß. Das wirtschaftliche Ergebnis dieser Strategie ist klar. Während staatliches Handeln nur die Großruinen einer verspäteten Schwerindustrie hinterlassen hat, ist spontan eine effiziente kleine und mittlere Industrie entstanden, vom Möbelbau bis zum Tourismus, von der Mode bis zur Feinmechanik. Auf diesem Gewimmel heterogener Initiativen beruht der heutige Wohlstand des Landes.

3. Die Krise der Planbarkeit. Soziale und ökonomische Prozesse lassen sich, je komplexer sie werden, um so weniger prognostizieren. Das liegt nicht nur an der Ignoranz der Verantwortlichen. Es hat auch prinzipielle Gründe. Globale Lösungen lassen sich unter solchen Umständen nicht mehr theoretisch »ableiten« oder einwandfrei begründen. Man sieht sich gezwungen, *ad hoc* zu handeln, indem man Einbrüche bereinigt, Löcher zustopft, Reparaturen vornimmt. Veränderungen können nicht mehr durchgeplant und dekretiert, sondern nur noch in einem stochastischen Prozeß, per *trial and error*, durchgesetzt werden.

Auch diese Einsicht dürfte die Italiener weniger als andere treffen. Abgesehen von einigen Professoren haben sie nie an die Vorzüge umfassend aufgebauter Systeme geglaubt, und die Freuden der Inkonsequenz braucht man ihnen kaum anzupreisen. Ihre historische Erfahrung besagt: je größer ein Apparat ist, desto weniger funktioniert er; sie haben sich von jeher lieber auf Umwege, Improvisationen, spezifische und experimentelle Lösungen verlassen.

4. Die Krise der Arbeit. Die schrumpfende Beschäftigung ist für alle Industriegesellschaften eine traumatische Erfahrung. Die Arbeitslosigkeit ist nicht nur ein ökonomisches Problem, das durch die Umverteilung der Erträge zu lösen wäre. Es gibt Millionen von Menschen, die das Ethos der Arbeit, der Leistung und der Disziplin derart verinnerlicht haben, daß sie den Verlust des »Arbeitsplatzes« einfach nicht ertragen können. Er bedeutet für sie nicht nur eine ökonomische, sondern auch eine psychische und kulturelle Katastrophe.

Eine solche Haltung hat sich in Italien nie durchsetzen können, und zwar nicht, weil die Italiener fauler als andere wären, sondern weil die Sozialgeschichte des Landes nie längere Perioden der Vollbeschäftigung gekannt hat. So verfügen die Italiener über eine außergewöhnlich reiche Kultur des Parasitentums. Unproduktive »Schmarotzer«, Bettler und Prälaten, Zauberer und Gangster, Narren und Barone, Schwindler und Touristen, Huren und Bonzen sind hier eigentlich nie verachtet, ausgeschlossen und verurteilt worden; man hat sie immer geduldet, ja sogar akzeptiert. Diese große Tradition der *fannulloni* war eine schwere Hypothek für die Industrialisierung des Landes. In Zeiten schwindender Beschäftigung bietet sie vielleicht ein Rückzugsgebiet für jene Menschen, denen das Industriesystem mit dem Stigma der Überflüssigkeit droht.

5. Die Krise der Gerechtigkeit. Drohender Bankerott des Sozialstaats, zunehmende Verteilungskämpfe, Sparprogramme auf Kosten der Schwachen: es sieht ganz so aus, als gerieten »linke«, egalitäre und »moralische« Auffassungen darüber, wie eine gerechte Gesellschaft auszusehen hat, in ganz Europa zunehmend unter Druck, und zwar ziemlich unabhängig davon, welcher Couleur die Parteien sind, die die jeweilige Regierungsmehrheit ausmachen. Nicht nur dort, wo die Neo-Konservativen das Heft in der Hand haben, verschärfen sich die Gegensätze zwischen armen und reichen Stadtvierteln und Regionen. Die Idee der Solidarität erscheint als bloße Floskel. Luxuskonsum und Verelendung, Misere und Verschwendung treten in obszöner Symbiose auf und bilden ein explosives Gemisch.

Der Schock, den eine solche Entwicklung hervorrufen kann, wird sich südlich des Brenners in Grenzen halten. Die Gleichheit hat dort stets als unerfülltes Postulat, wenn nicht als Illusion gegolten. Werden auch die Bewohner des Nordens sich an jene »alltägliche Koexistenz mit dem Chaos« gewöhnen müssen, »die Italien soviele

Jahrhunderte hindurch begleitet hat, und die den sublimsten Äußerungen der Kunst und des Handwerks nie im Wege stand, auch dann nicht, wenn, unter den gleichgültigen Blicken der Mitwelt, die Leute auf den Straßen massakriert wurden«? (Alberto Arbasino, 1978.)

Kopf oder Wappen. Angenommen, es gäbe so etwas wie ein »italienisches Modell«: was wäre davon zu halten? Hätten wir es mit einer Verheißung zu tun oder mit einer Drohung? Mit einem Ausweg oder mit einer Sackgasse? Die Meinungen darüber sind geteilt. Das vielzitierte Censis-Institut in Rom hat sich oft und gern über die italienischen Aussichten geäußert. Die Grundhaltung seiner Berichte ist ein strahlender Optimismus. Sein führender Kopf, Giuseppe de Rita, wird nicht müde, die Elastizität der italienischen Gesellschaft zu preisen, ihre anscheinend unbegrenzte Fähigkeit, mit jedem Schock und jedem Handicap fertigzuwerden: mit der staatlichen Mißwirtschaft und mit dem Terror, mit der Inflation und mit der Bürokratie, mit Ölkrisen, Verschwörungen, Haushaltsdefiziten. Tatsächlich grenzen die Leistungen der italienischen Ökonomie ans Übernatürliche. Mit den »objektiven Daten« allein sind sie jedenfalls nicht zu erklären. Offensichtlich gibt der Durchschnitts-Italiener mehr Geld aus, als er verdient. Er lebt immer noch, Gott weiß wie, gut, ja er lebt besser denn je. Deshalb machen auch die apokalyptischen Warnungen und die Billionen-Defizite keinerlei Eindruck auf ihn. Arbasino beschreibt diese pathologische Gelassenheit mit einigem Sarkasmus: »Heute steht das Land vor dem Bankerott, vor dem Ruin, vor dem Chaos, doch am andern Morgen heißt es: Aber woher denn! Es geht aufwärts! Alles in Butter!«
Ist Italien wirklich ein ultrastabiles Stehaufmännchen, ein »Laboratorium der Postmoderne«, das eben vermöge

seiner relativen Zurückgebliebenheit, mit Hilfe seiner prämodernen Restbestände, in der Lage ist, jeden Zukunftsschock zu verdauen? Die Letzten werden die Ersten sein – wer sich dieser biblischen Verheißung anvertraut, wird ohne eine Spur von Wunderglauben kaum auskommen. Die gelernten Marxisten haben für diese Vorstellung nichts übrig. Giulio Bollati sieht in ihr ein ideologisches Abfallprodukt für den Massenkonsum: »Das Naturtalent triumphiert über die Methode, der Einfallsreichtum über die Disziplin des Lernens... Das alles mündet schließlich in die Illusion, als wäre ausgerechnet unsere Kultur dazu ausersehen, zwischen Altertümlichkeit und Science Fiction zu vermitteln.«

Aber selbst wenn die Italiener auf ihre Art über die Runden kämen, mit einer Methode, die darin besteht, jeder Methode zu spotten, so bliebe immer noch die Frage zu stellen: Um welchen Preis? Es ist eine Sache, die segensreichen Wirkungen der Schattenwirtschaft zu preisen; es ist eine andere, die Kinderarbeit in den Kellern von Grumo Nevano in der Campagna zu goutieren. (Camilla Cederna hat sie beschrieben: Acht- bis Zehnjährige vor schwere Karren gespannt, über Nähmaschinen gebeugt; an Schulbesuch ist nicht zu denken; die einzige Alternative ist eine kriminelle Karriere.)

Nein, mit den milden Träumen der alten Anarchisten hat das italienische Kuddelmuddel ebensowenig Ähnlichkeit wie mit den starren Utopien der Sozialdemokratie. Seine naturwüchsige Grausamkeit ist von kannibalischen Zügen nicht frei. Die Artisten der Krise machen manchmal den Eindruck, als litten sie an einer Art von *moral insanity*.

Ich habe nie ein italienisches Gefängnis von innen gesehen. Was über Rechtsprechung und Strafvollzug in den Zeitungen zu lesen ist, genügt mir. 70000 Gefangene vegetieren in überfüllten Zellen. Weitere 40000 werden alljährlich wegen irgendwelcher Bagatellen festgenommen, meist ohne richterlichen Haftbefehl. Nach ein, zwei Nächten läßt man sie wieder frei, aus Platzmangel. Wer in Untersuchungshaft gerät, kann, wenn der Richter das Verfahren »versanden« läßt, im Knast vergessen werden, bis man ihn nach vier Jahren, weil die vorgeschriebene Frist abgelaufen ist, auf freien Fuß setzen muß, ohne Urteil und ohne Entschädigung. Wenn es sich um einen Faschisten handelt, der im Käfig sitzt, weil man ihm terroristische Handlungen vorwirft, kümmert sich ohnehin niemand um seine Rechte; so einer ist selber schuld, er braucht kein faires Verfahren. Überhaupt verfährt man am liebsten nach dem Grundsatz: Wenn es mir in den Kram paßt, handelt es sich um Gerechtigkeit; wenn es mir nicht in den Kram paßt, ist es Barbarei. Übrigens soll die italienische Justiz zehn Millionen unerledigter Prozesse vor sich hinschieben. Das bedeutet, daß der bürgerliche Rechtsstaat nur noch eine Fassade ist.

Mit einem Wort, das italienische Modell hat seine Schattenseiten. Höflicher kann man es wirklich nicht ausdrükken. Wenn mir jemand so etwas als Vorbild anpreisen würde, ich riefe: Lieber nicht!

Aber die Geschichte ist kein Supermarkt, kein Selbstbedienungsladen, in dem sich das Publikum nach Belieben eindecken könnte. Auch die Italiener haben sich nicht aus freien Stücken für die Gesellschaft entschieden, in der sie leben. Sie mußten sich, im Guten und im Bösen, durchschlagen, so gut es eben ging. Sie wurden nicht gefragt.

Auch mit unseren Optionen ist es vielleicht nicht so weit her, wie wir glauben. Wenn es um gesellschaftliche Praxis geht, sind der Nachahmung ohnehin enge Grenzen gesetzt. Selbst wenn sie wollten, wären die Deutschen, die Engländer oder die Finnen gar nicht in der Lage, es den Italienern gleichzutun. Dazu sind sie nämlich nicht schlau genug, nicht zynisch genug, nicht begabt genug; zu stur, zu festgefahren, zu dilettantisch, zu verklemmt. Sie haben zuviel Kraft in ihre wohlgeordneten Systeme investiert, zuviele Ressourcen, Aufgaben, Hoffnungen an den Staat delegiert. Sie sind aus der Übung gekommen, wenn es darum geht, auf eigene Faust vorzugehen und zu sagen: Ich und mein Clan, meine Familie, mein Laden, wir kommen durch, auch wenn die anderen verrecken. Sie glauben immer noch an die Chimäre der Sicherheit, sie hängen immer noch einer Ordnung an, die vielleicht schon zum Anachronismus geworden ist.

Keine Angst, wir werden es nie soweit bringen wie die Italiener. Oder sagen wir lieber: vorläufig nicht. Nicht in absehbarer Zeit. Niemand lernt freiwillig. Erst wenn uns nichts anderes mehr übrig bleibt, werden wir, mehr schlecht als recht, die eine oder andere Nummer aus dem italienischen Repertoire übernehmen. Das Modell Italien aber, das gar kein Modell ist, sondern ein unkalkulierbarer, produktiver, phantastischer Tumult, werden wir weiter mit gemischten Gefühlen betrachten, mit Angst und Bewunderung, Entsetzen und Neid.

Ungarische Wirrungen

Ein Achtel-Paradies

»Wo meine Heimat ist«, singt György Petri, unter den vielen begabten Dichtern Ungarns vielleicht der schwärzeste, »wo meine Heimat ist, im Wilden Osten,/auf den lieblichen/im Licht gleißenden/Comecon-Inseln./Dort gibt es/Luft!/Und was für welche…!/Und es gibt sie!/So sieht sie auch aus!/(Noch.)/Bei uns kann man/sie beißen, die Luft!/Bei uns kann man/die Luft beißen!/Dieses/köstliche Gemisch!/Bezaubernder Wilder Osten, / sternklare / Comecon-Inseln, / gewöhnen kann man sich nicht/an euch!«

Alle lieben Ungarn. Das ältere Ehepaar zum Beispiel aus Rapid City, South Dakota, bescheidene Leute, sie war Kindergärtnerin, er Tennislehrer, beide pensioniert, ist begeistert, ja verblüfft; so hätten sie sich den Kommunismus nicht vorgestellt; nirgends lauert der Kommissar im langen Ledermantel, kein Panzer rasselt über den Engels-Platz; vergebens sucht das Auge des Besuchers nach den verhärmten Frauen, die um eine Handvoll Kartoffeln Schlange stehen. Die sowjetische Hockey-Mannschaft im Goldnen Stier zu Debrecen will gar nicht mehr ins Bett vor lauter Übermut. Die Tafel biegt sich, die Disco-Musik dröhnt, der Pflaumenschnaps fließt in Strömen. Und am Wechselschalter zählt der Schweizer Photograph stillvergnügt seine Forint nach und stellt fest, daß sich seine Franken wundersam vermehrt haben. Kunststück bei einem offiziellen Kurs, der die Kaufkraft eines jeden, der aus dem westlichen Ausland kommt, verdoppelt, verdreifacht, versiebenfältigt! Der livrierte Diener am Eingang des Duna Intercontinental reißt die Tür auf vor seinem Landsmann, der 1956 emigriert ist, arm wie eine Kirchenmaus; in Kalifornien hat er es zum Multimillionär gebracht (Schlager- und Videobranche), und jetzt macht er eine empfindsame Reise im Straßenkreuzer, sucht das Dorf in der Tiefebene auf, wo er geboren ist, und kauft sich eine Villa auf dem Rosenhügel, um hier, in Budapest, zu sterben.

Zufrieden sind die Gemüse-Importeure und die Badegäste, die Filmproduzenten und die Aufpasser vom Internationalen Währungsfonds. Sogar die Polinnen, die auf den Vorstadt-Märkten, unter den gleichmütigen Blicken der Miliz, ein paar armselige Handtücher feilbieten, machen gute Miene zum trüben Spiel. Auch die Schwarzhändler aus Krakau, die zu sechst und illegal in einem unmöblierten Zimmer im alten Ghetto hausen, Nähe Gutenbergplatz, Spezialität: Taschenrechner und falsche Diamanten, lassen keine Klage laut werden, ganz zu schweigen von den milchgesichtigen Rekruten der Roten Armee, die Abend für Abend, kurz vor neun Uhr, am Ostbahnhof in den Nachtzug Budapest-Moskau ihre enormen Pappkartons wuchten: ihr Deputat, ihre Beute, 50 Kilo pro Monat. Ebenso glücklich steigen ältere Ehepaare aus Dessau und Güstrow in ihre Reisebusse, die Salami unterm Arm, die rosigsten Rüschenblüschen unterm Pullover, damit in Zinnwald an der Grenze nichts passiert.

Und auch ich bin keine Ausnahme. Es gefällt mir bei den Ungarn. Ich bewundere sie. Aber ich weiß nicht genau, warum. Ich brauche keine Taschenrechner und keine Salamis, keine Schwefelbäder, keine Zigeunermusik; mit dem Jugendstil habe ich nicht viel im Sinn, und die Folklore kann mir gestohlen bleiben. Es muß an etwas anderm liegen, daß ich mich dem Zauber dieses Achtel-Paradieses sowenig entziehen kann wie Millionen anderer, die als Ausbeuter und Devisenbringer, Okkupanten und Schaulustige hierher kommen, nach Magyarország.

Nicht einmal den Namen des Landes können sie aussprechen, und dennoch fühlen sie sich alle, alle wohl, als wären sie mit dem, was sie hier finden, einverstanden.

Nur Sándor nicht. Unter meinen ungarischen Freunden ist er der strengste. Aber das sieht ihm niemand an. Er lacht dröhnend; seine Herzlichkeit ist gefürchtet; er gibt vor, ein Bonvivant zu sein. Nur Eingeweihte wissen, daß ihm die Stalinisten im Gefängnis für immer die Leber kaputtgeschlagen haben. Er ertappt mich bei Gedanken, die ich noch gar nicht zu formulieren Zeit gefunden habe. Manchmal denke ich, er hat zuviel mit der Zensur, mit der Polizei zu tun gehabt in seinem Leben. Davon ist ihm die Neigung geblieben, andere zu durchschauen. Er ist ein ideologischer Hellseher, ein Gedankenleser. Dem Igel des Märchens gleich, sitzt er immer schon da und wartet gelassen auf die neuesten Dummheiten.

»Du bist auch einer von denen!« ruft Sándor. »Ich sehe es dir an! Genau wie alle andern wirst du behaupten, Ungarn sei ›die fröhlichste Baracke im östlichen Lager‹. Diese Journalisten aus dem Westen sind alle gleich. Schamlose Idioten. Ein paar Caféhauswitze, ein bißchen Reformgulasch, und zum Schluß summen sie dann ihren Lesern die Operette vom schlauen Kádár János vor, der mit dem besoffenen Ivan beim Klang des Csárdás um die Freiheit der Puszta würfelt und gewinnt. Und du, mein Lieber, bist auch nicht besser!«

Der zarte Biedermeierstuhl bebt unter seiner Last. Sándor wirft sich zurück und lacht mich aus.

»Ich werde dich zitieren«, sage ich. »Damit ist mein Soll erfüllt. Und ich werde keinen Zweifel daran lassen, wer mir meine Stichwörter geliefert hat.«

Er schenkt mir einen verwundeten Blick. Diesmal war ich dem Igel um eine Länge voraus.

»Im Ernst«, sagt er, »es ist unglaublich, zu welchem Renommé es unser Regime bei euch gebracht hat. Ich wüßte keine Public-Relations-Firma zwischen Frankfurt und Los Angeles, die das besser hingekriegt hätte.«

»Natürlich nicht. Ein gutes Klischee«, behauptete ich und trat damit die Flucht nach vorne an, »ist eine Gottesgabe. Was uns an Ungarn gefällt, ist vielleicht nur das Körnchen Wahrheit, ohne das die Lüge nicht funktionieren kann.«

Und zu meinem Erstaunen ließ mir mein Freund Sándor das letzte Wort.

Der letzte Mohikaner

Jetzt sitzt er schon siebenundzwanzig Jahre lang auf diesem Stuhl. Man sieht es ihm an. Er ist müde, so müde wie der Türhüter unten, am Eingang des Pressehauses, in seinem Glaskasten, müde wie der knirschende Paternosteraufzug. Es sind die alten Schreibtische, die alten Kaffeekannen, die alten Schreibmaschinen. Ein Grauschleier liegt über dem Büro des Chefs wie über den Spalten der Parteizeitung, die er redigiert. Andere Thesen, andere Programme, aber die Sätze sind geblieben, wie sie waren, lang, verwickelt, bildlos. Umständliche Titulaturen, gewundene Versprechungen, verhüllte Drohungen, faustdicke Andeutungen: wir verstehen uns schon. Der alte Redakteur ist ein abgebrühter Mann. Ich stelle mir die Sitzungen vor, die er mitgemacht, die Säuberungen, Kursänderungen, Denunziationen, die er überlebt hat. Dazu gehört eine Klugheit, so dünn, so geschmeidig, so dehnbar wie das Rotationspapier, das im Keller durch die Maschinen läuft. Ein alter Fuchs, oder ein alter Hase?

Es ist Samstagvormittag. Er hat sich Zeit genommen für seinen Gast, er ist gut vorbereitet, er hat sich entschlossen, liebenswürdig zu sein. Seine Amphibienaugen hinter den starken Brillengläsern sind immer noch lebhaft. Er kennt die Welt, er weiß Bescheid, sein Deutsch ist vorzüglich. Er ist zählebig, aber erschöpft. Was mag ihn aufrechterhalten? Der Beruf? Die Routine? Die Macht? Gewiß, er gehört zu den Privilegierten, er ist es gewohnt, Einfluß auszuüben. Aber etwas fehlt. Die Überzeugung, daß die Zeit für ihn arbeitet, die Zuversicht, daß er siegen könnte, ist ihm abhanden gekommen. Er hält die Stellung, seine Stellung, das ist alles.

Oh, er gibt sich keine Blöße, auf keinen Fall. Er ist nicht neugierig. Er weiß ja alles. Dennoch gibt er auf keine Frage eine direkte Antwort. Er holt weit aus, er leitet ab, er erwähnt »unsere Prinzipien«. Die erste Person Plural ist seine Identität, sein Bekenntnis. Es ist der *pluralis majestatis* der Partei. Schwer zu sagen, ob in dieser Redeform das Hochtrabende oder das Mafiose überwiegt. Auf der anderen Seite darf der diskrete, um Verständnis werbende Hinweis auf »gewisse äußere Bedingungen« nicht fehlen. Die Höhere Gewalt, der Große Bruder, mit einem Wort: die Russen. Eigentlich gar nicht schlecht, diese letzte Instanz, der man alles, wofür man selbst nicht haften will, in die Schuhe schieben kann. Einerseits die festen Prinzipien, andererseits die lockere Ausrede. Wo zwischen dem einen und dem andern noch eine Erklärungslücke bleibt, wird sie mit dem Mörtel der Selbstkritik verkleistert. Mein Gastgeber spricht fließend von Mängeln, Fehlern und Irrtümern. Aber seine Konzessivsätze münden nie in den Zweifel. Ganz im Gegenteil, die Selbstkritik dient nur dazu, die Unentbehrlichkeit dessen festzuklopfen, der auf eine unabsehbare Serie von Fehlern zurückblicken kann.

Dabei wollte ich nur ein paar Kleinigkeiten wissen. Warum die Ärzte in Ungarn so miserabel bezahlt werden, daß sie gezwungen sind, Trinkgelder von ihren Patienten zu nehmen; wie es mit der rechtlichen Absicherung der privaten Kleinunternehmer bestellt ist; was es kostet, in den unrentablen Großbetrieben die althergebrachten Pfründe warmzuhalten; ob der unsinnige Bau eines Kraftwerks an der Donau noch zu stoppen sein wird. Aber diese konkreten Fragen lösen sich wie Zuckerstücke in einem Wasserglas auf. Mein Gastgeber erklärt mir, wie wichtig der Dialog sei, die Verständigung, der Frieden. Ich höre zu, halb betäubt, wie auf einem Friseurstuhl, eingenebelt von der Monotonie dieser endlosen, verwickelten Erläuterungen, unter denen alles, was der Fall ist, verschwindet. Eine unzerbrechliche, monströse Geduld äußert sich in diesen Communiqués; sie ist das einzige, was meinem Gastgeber vom Bolschewismus geblieben ist.

»Bitte«, sagt er dann, »zitieren Sie mich nicht!« Keine Angst! Denn das vertrauliche Herrschaftswissen, das er mir anbietet, besteht aus leerem Stroh. Die Spatzen pfeifen von den Dächern, was er mir unter dem Siegel der Verschwiegenheit ans Herz legt. Auch die Gemeinsamkeiten, an die er appelliert, existieren nur in seiner Einbildung. »Sie als Linker werden das verstehen...« Vergebens leert der alte Taschenspieler seine Trickkiste vor mir aus. Die Papierblumen sind zu einer pappigen Masse geworden und öffnen sich nicht, und die weißen Tauben aus dem Hut steigen nicht in die Lüfte. Ich bin drauf und dran, den Künstler zu bedauern.

Da kommt er, gerade noch rechtzeitig, auf die Bösewichter zu sprechen, die dunklen Kräfte, die den Fortschritt des Landes sabotieren. Die Opposition, ein lichtscheues, undankbares Gesindel! Diese Leute wollen sich nur profilieren. Wichtigtuer, die es auf Publizität und Dollars abgesehen haben. Dahinter steckt natürlich die CIA. Letzten Endes sind die Dissidenten Kriminelle, sie stiften zum Terrorismus an.

Auf den Korridoren des Pressehauses herrscht Stille. Vom Chef bis zum Botenjungen ist die ganze Belegschaft aufs Land gefahren. Wir sind allein mit den Gespenstern der Vergangenheit. Es wundert mich nicht, von meinem Gastgeber zu hören, daß die Aufständischen von 1956 Ungarn an den Rand des Faschismus gebracht haben. Mein Mitgefühl mit diesem Veteranen der alten Schule hält sich in Grenzen.

Nicht alles, was er sagt, ist falsch. In seinen byzantinischen Sätzen tauchen auch vernünftige Argumente auf. Das läßt sich gar nicht vermeiden. Aber selbst dort, wo er vielleicht recht hat, ist es unmöglich, ihm zu glauben. Vorsicht, Berechnung, Taktik – wenn es nur das wäre! Aber für diesen ergrauten Redakteur hat die Lüge längst aufgehört, Mittel zum Zweck zu sein; sie ist zum Habitus geworden, zur zweiten Natur. Was er sagt, ist wasserdicht, leblos, jenseits aller Hoffnung.

Ich verabschiede mich. Unten auf dem Blaha-Lujza-Platz fliegende Händler, Gedrängel an den U-Bahn-Schächten. Die Wirklichkeit hat mich wieder. Vielleicht bin ich an diesem Samstagmittag dem letzten Mohikaner begegnet, denke ich; vielleicht verkörpert dieser alternde Funktionär eine Partei, die es gar nicht mehr gibt.

Er wird seinen Stuhl nicht mehr lange behaupten. Die Angst des Verlierers steht ihm auf der Stirn geschrieben. Man wird ihn nach Hause schicken, mit einem Orden und einer guten Pension. Er wird seine Villa behalten. Die Partei läßt die Ihrigen nicht im Stich. Andere, geschicktere, zeitgemäßere Leute werden ihm folgen. Aber ich bin ihm dankbar, denn mit seinen durchsichtigen

Lügen hat er mir doch eine simple Wahrheit verraten: »Wir« lassen über alles mit uns reden, nur über eines nicht: die Macht. Zugeständnisse, Reformen, Kompromisse, soviel ihr wollt, soviel die Russen schlucken, aber von unserer Macht geben wir keinen Zipfel aus der Hand, nicht einen Millimeter!

Die Verwitterung

Die Kreuzblumen und Fialen der Neogotik, die Pfauen und Lianen des Jugendstils: alles bröselt, zeigt Risse, schwärzt sich mit Ruß. Die Weintrauben und Füllhörner aus Gips, die Harfen und die Löwenköpfe sind zerbrochen, die Engel und die Jungfrauen stehen als Torsen da. Aber sie stehen da. Der Fortschritt, dieser große Bulldozer, hat sie nicht fortgeräumt. Es war ja kein Geld da, und um die Welt zu verwüsten, ist viel Geld nötig. Die Planer haben anderswo zugeschlagen, weit draußen in der Ebene, wo die grauen Reißbrettkäfige für die Arbeiterklasse stehen, in Pestimre und auf der Csepel-Insel, nicht hier im Herzen der Stadt.
Hier wachsen auf dem Dachstuhl der alten Börse, über dem Figurenfries, Bäume, wie auf einem Maja-Tempel, wie in Angkor Wat. Enorme Holzgerüste stützen die baufälligen ägyptischen Türme des riesigen Gebäudes, das schneeweiß als »Palast der Television« wiedererstehen soll. Schräg gegenüber blättern Lapislazuli und Gold von den Mosaiken der Nationalbank. Dort kann man Aktien kaufen, Volksaktien, Anteile an vergesellschafteten Betrieben. Aber die Papiere haben keinen Kurs und tragen keine Dividende, es sind Phantom-Aktien, Ornamente aus dem Stuck-Repertoire der Wirtschaftsreform.

Erst in seiner Vergänglichkeit zeigt sich die Würde des Ornaments, erst der Verfall enthüllt sein Pathos.

Auch der Stern über dem Polizeirevier war einmal rot, bevor seine gläsernen Strahlen zerbrochen sind, und er hat in seinem stalinistischen Glanz auf dem Dach gestrahlt, bis die letzte Birne ausgebrannt war. Niemand klettert mehr hinauf und schraubt eine neue ein.

Seit ein paar Jahren wird in Budapest fleißig renoviert. Die Renaissance-Höfe auf dem Burgberg werden, unter sachkundiger Anleitung von Kunsthistorikern, angepinselt. Auch die Bürgerhäuser der Gründerzeit an den breiten Straßen von Pest kommen zu neuen Ehren. Aber der Denkmalschutz in seiner ungarischen Version hat keine Ähnlichkeit mit seinem westdeutschen Gegenstück. Er ist zaghaft, nicht radikal. Er ist nicht aus dem Überfluß, sondern aus der Not geboren. Er tüncht, statt zu entkernen. Er bringt keine nagelneue Vergangenheit hervor, sondern höchstens ein weiteres Provisorium. In diesem halbherzigen, lässigen Umgang mit der alten Substanz drückt sich nicht nur die Schlamperei der Behörden aus oder der Mangel an Ressourcen, sondern auch die Überzeugung, daß das Hinfällige am längsten währt, und daß es ein vergeblicher Ehrgeiz wäre, das Gedächtnis eines ganzen Volkes zu verputzen.

Die Fassaden von Budapest verleugnen ihre Narben nicht. Kein Fremder kann sie entziffern. Diese zersprungene Rosette hier kündet vielleicht von einem englischen Bombenangriff. Die Karyatide dort, der die Nasenspitze fehlt, erinnert an die Belagerung vom Winter 1944/45. Die Spuren einer MG-Salve an der Balkonbrüstung – war es ein SS-Mann oder ein Rotarmist, der sie hinterlassen hat? Die Maschinenpistole eines Aufständischen oder ein russischer Panzer vor dreißig Jahren? Das ist schwer zu entscheiden. Vielleicht war es auch nur der Regen, der

Hagel, das Eis, was das Gesims gelockert, die Stuckpilaster angegriffen hat, der Schlendrian, die Zeit... Es ist diese allgegenwärtige Erosion, die das Geheimnis, den Schrecken und den Zauber der Metropole an der Donau ausmacht – eine unaufhaltsame, naturwüchsige, höhere Kraft: die Entropie. Der Maler, der seine Bürste in den Eimer taucht, weiß, daß seine Arbeit vergeblich ist, und daß nur auf eines Verlaß ist, auf die real existierende Zeit, die alles ergreift und konserviert, indem sie zermürbt. Die Geschichte ist ein Verwitterungsprozeß. Das, was man Sozialismus nennt, ist nur ihr Statthalter.

Man hat oft genug bemerkt, daß der westliche Besucher, wenn er in das östliche Mitteleuropa kommt, eine Reise mit der Zeitmaschine erlebt. Regimes, die angetreten sind mit der Entschlossenheit, das Alte zu liquidieren, konservieren seine zerbrochenen Reste. Das gilt nicht nur für Dächer und Mauern, sondern auch für die Menschen und ihre Verkehrsformen.

Am Rákóczi-Platz, vor der alten Markthalle, wo die Blumenfrauen ihr Palaver halten, neben dem vergitterten Fußballplatz mit seinem Kindergeschrei, sitzen Rentner und Arbeiter und Herumtreiber mit Schiebermützen auf den zerbrochenen Bänken, und die Skatkarten werden auf den mürben Tisch geknallt. Die bescheidenen Huren mit den altmodischen Handtaschen, die seit unvordenklichen Zeiten hier ihren Stammplatz haben, sollen neuerdings allesamt eingetragene Mitglieder einer landwirtschaftlichen Produktionsgenossenschaft geworden sein. Ansonsten aber hat sich kaum etwas verändert. Die gestopften Joppen könnten auch aus dem Jahr 1932 stammen. Eine halbvergessene Kategorie fällt einem angesichts dieser grauen Idylle ein: »das Volk«. Hier existiert es noch, »wie früher«, unauffällig, nüchtern, bescheiden, ohne Illusionen. Es ist auf alles gefaßt, und es hat nichts vergessen. Was bei uns längst aufgegangen ist im Mischmasch der Anpassung, im Schmelztiegel irgendeiner fiktiven *middle class*, hier begegnet es einem auf Schritt und Tritt, wie auf den Photographien eines August Sander: Bauerngesichter, Proletariergesichter, Lumpengesichter, die Physiognomien der Berufe und der alten Klassen. Sie sind verwittert, aber nicht zerstört.

Die beiden Oppositionen

Wenn es dunkel wird in Budapest, ist die Stunde der *buli's* gekommen. Ein *buli* ist eine improvisierte Party, laut, verworren, ohne jeden Aufwand. Einladungen gibt es nicht; ein System von lautlosen Buschtrommeln sorgt dafür, daß alle, die es angeht, pünktlich erscheinen. Die Wohnungseinrichtung zeugt von längst verblichenem bürgerlichen Glanz. Meist handelt es sich um eine gute Adresse, an einem Donaukai oder auf den Hügeln. Es herrscht eine asketische Unordnung. Überall Manuskripte, Skulpturen, Sperrmüll, Pappschachteln auf Schrankungetümen. Auf einer Jugendstil-Konsole ein Radio von 1950 mit magischem Auge, in der Küche ein ehrwürdiger Gasherd, in den Regalen Bücher in fünf Sprachen. Lederjacken, abgeschabte Sonntagsanzüge, Punkerfrisuren. Ein Hauch von Bohème, eine Spur von Größenwahn, eine stupende Gelehrsamkeit.

Ein *buli* ist der beste Weg, um die Binnenwelt der ungarischen Opposition kennenzulernen, ihre Normen und ihren Sarkasmus, ihren Code, ihre Solidarität, ihren Klatsch, ihre Obsessionen, ihre Müdigkeiten, Selbstvorwürfe, Kräche, Versöhnungen, ihre Triumphe und ihre

Neurosen. Hier wird jeder Komfort verachtet, hier gilt der materielle Erfolg nichts, hier zählt nur der Protest, die Haltung, das Outsidertum, der Wodka, die Integrität. Hier herrscht ein Rigorismus, der nur durch Selbstironie gebrochen ist.

Genau genommen, gibt es in Ungarn zwei Oppositionen: die der Mitteleuropäer und die der Volkstümler. Es mag sein, daß ich die falschen *buli's* besucht habe; doch es fällt mir schwer, den Populisten gerecht zu werden. Ihr Ideal ist das »universelle Ungartum«. Leider habe ich nie verstanden, was darunter zu verstehen ist. Ich habe mir sagen lassen, daß mir dazu die »Luftwurzeln« fehlen. Nur wer von Kindesbeinen an ungarisch spricht, kann das »Vaterland in der Höhe« begreifen, und damit die Sorgen, die sich die Volkstümler um den Bevölkerungsschwund, die Überfremdung der einheimischen Kultur, den Niedergang der Volkskunst und die liberalen Abtreibungsgesetze machen.
Die Demokratie scheint nicht ihr Problem zu sein. Sie wären bereit, mit jeder »guten ungarischen Regierung« zusammenzuarbeiten, die einsähe, daß das »historische Unrecht«, das alle Welt an Ungarn begangen hat, wiedergutgemacht werden muß. Auch sagt man ihnen eine gewisse Abneigung gegen die Juden nach. Ihre *bêtes noires* sind jedoch die Rumänen.
Und hier gewinnen ihre Argumente eine politische Brisanz, die nicht zu unterschätzen ist; denn in Transsylvanien, das einst ein Kernland der ungarischen Kultur war und das 1919 und 1945 an Rumänien fiel, leben heute noch zwei Millionen Ungarn unter demütigenden Bedingungen. Es ist daher kein Wunder, daß die Argumente der Populisten nicht nur in der Bevölkerung, sondern auch in der Partei Resonanz finden. Außerdem haben die

Volkstümler eine Reihe von sozialen Problemen aufgegriffen, die das Regime lieber mit dem Mantel des Schweigens bedeckt sähe: die hohe Selbstmordrate, die Mißstände in der Psychiatrie, die Armut der Rentner und den zunehmenden Alkoholismus.

Auf diesem Terrain und in der Frage der Menschenrechte kann sich die rot-weiß-grüne Opposition der Volkstümler mit ihrem traditionellen Widerpart, den »Westlern«, den »Kosmopoliten«, den »Mitteleuropäern« einigen. Ansonsten aber trennt die beiden Fraktionen ein tiefer Graben. Die urbane Intelligenz verlangt vor allem eine radikale Demokratisierung der ungarischen Gesellschaft. Sie verdankt ihre ungewöhnliche geistige Potenz nicht zuletzt der Tatsache, daß Eichmann die »Endlösung« in Ungarn nur zum Teil vollstrecken konnte. In diesem Land leben heute wieder weit über hunderttausend Juden. Ohne sie wäre weder die Partei noch die Opposition zu denken. Daß Budapest bis heute den Rang und das Flair einer Metropole behauptet hat, liegt gewiß nicht nur an ihnen, aber ohne sie sähe das »universelle Ungartum« doch erheblich provinzieller aus.

Wie dem auch sei, es ist der Kreis der demokratischen Opposition, in dem die endlose Diskussion über das Los des Landes vorangetrieben wird. Sie ist zu reich und zu widersprüchlich, als daß sie sich auf ein paar simple Sätze reduzieren ließe.

Gesprächsfetzen: »Wir sind keine Dissidenten. Wir sind die Normalität. Wir haben keinerlei Appetit auf die Macht. Wir haben nicht mehr und nicht weniger zu leisten als das, was im Westen die Medien tun. Allerdings verfügen wir nur über zwei Dutzend Leute und ein paar Vervielfältigungsgeräte. Das bedeutet freilich, daß wir unersetzlich sind – wenn auch nur aus Zufall.«

»Hören Sie nicht auf ihn! Wir sind längst besiegt und hundertfach gespalten durch die Feinsteuerung des Regimes, das uns durch Reiseprivilegien, Jobs, Publikationsmöglichkeiten korrumpiert. Wir sind alle miteinander Staatsparasiten, direkt oder indirekt. Uns fehlt der Fanatismus der Russen.«

»Unsinn. Zwischen dem Regime und uns herrscht eine Art Arbeitsteilung. Die Partei braucht uns. Wir sagen, was sie nicht sagen darf. Wir produzieren die Ideen, die ihr fehlen. Wenn es uns nicht gäbe, müßte die Partei uns erfinden. Und umgekehrt.«

»Wenn das so ist, dann sind wir Sowjetmenschen geworden, ohne es zu merken, alle miteinander.«

»Kein Wunder, nach vierzig Jahren. Die historische Substanz ist aufgezehrt, wir haben unsere Identität verloren, eine Perspektive ist nicht vorhanden.«

»Irreversible Prozesse gibt es nicht, das ist Aberglauben. In Ungarn bedeutet vernünftig sein, die schreiende Unvernunft akzeptieren; unvernünftig sein dagegen heißt: auf dem, was alle fordern, herumreiten bis zur Schmerzschwelle.«

»Wir haben das Avantgardeproblem der Partei geerbt. Darin liegt eine gewisse Ironie. Wir gehen voran, aber niemand will uns folgen. Nur mit dem Unterschied, daß wir weder die Macht noch die Lust haben, mit der Polizei nachzuhelfen.«

»Wir definieren uns an dem Regime, das wir bekämpfen. Wenn einer von uns seinen Job verliert, machen wir daraus ein Problem von nationaler Tragweite. Jeder von uns bildet sich ein, er sei paradigmatisch.«

»Ungarn ist ein Laboratorium. Jedem von uns werden dieselben Fragen gestellt: Sollen wir vernünftig oder anständig sein? Mitmachen oder draußenbleiben? Aber wer ist der Experimentator? Wer *sieht* uns?«

»Das ist eine unpolitische Frage. Nach seiner Verfassung ist Ungarn ein Rechtsstaat und kein Institut für Verhaltensforschung. Es gibt Gesetze, die bestimmen, was eine Behörde zu tun und zu lassen hat, oder eine Gewerkschaft, oder eine kommunale Institution. Aber was ist die Partei? Sie operiert in einem rechtsfreien Raum. Es gibt kein Gesetz, das ihre Aufgaben, ihre Pflichten, ihre Praxis regelt. Das heißt aber, daß sie letzten Endes illegal ist, und daß wir die Hüter der Verfassung sind.«

»Das ist ein formalistisches Argument. Außerdem finde ich es etwas zu großspurig. Wir verachten alles Offizielle. Ein Staatspreis gilt in unseren Kreisen als Schande. Darin steckt ein Moment von Rassismus. Wir halten die Funktionäre für vulgär, linkisch, langweilig und dumpf. Das ist zu einfach. So kommen wir nicht weiter.«

»Darum geht es nicht. Es geht um die Gesetzlichkeit, das heißt aber auch, um die Rehabilitierung bürgerlicher Ideen. Das ist unsere einzige Hoffnung.«

»Aber das Bürgertum war in Ungarn nie mehr als ein Phantom.«

»Im Gegenteil. Es wurde nur verdrängt, und das Verdrängte kehrt wieder. Wir haben es nie zu einer zivilen Gesellschaft gebracht. Diese Aufgabe liegt vor uns. Wir müssen die Theoretiker der *civil society* studieren. Die Engländer des 17. Jahrhunderts sind von höchster Aktualität. Die Rehabilitierung des Bürgertums bedeutet auch die des Privateigentums, natürlich in gewissen Grenzen. In Ungarn ist das eine linke Forderung. Wer der Partei oder dem Staat alles verdankt, ist wehrlos. Er ist ein Leibeigener, auch wenn er in einer Villa sitzt.«

»Balsam für die Ohren unserer aufstrebenden Jungunternehmer!«

»Das ist kein Einwand. Das ist Demagogie!«

Und so weiter, bis in die frühen Morgenstunden, rund

um den Küchentisch. Bis die letzte Zigarette ausgedrückt und die letzte Flasche geleert ist.

Die praktischen Erfolge der ungarischen Opposition sind nicht zu verachten: eine Samizdat-Literatur von beträchtlicher Reichweite, die Durchsetzung ökologischer Forderungen, die Aufdeckung skandalöser Zustände im Gesundheitswesen... Aber ihre eigentliche Leistung liegt darin, daß sie den moralischen Lebensstandard des Landes verteidigt, um nicht zu sagen spürbar gehoben hat. Beobachter aus dem Westen sind meist außerstande zu ermessen, was das bedeutet. Unter den Bedingungen der Okkupation und der Einparteienherrschaft wird jeder Schritt, auch der gewöhnlichste, zu einer Prüfung. Bei jeder Transaktion mit dem Regime steht unausgesprochen etwas anderes auf dem Spiel. Es ist kein Zufall, daß der Begriff des »ehrlichen Menschen«, der bei uns ausgestorben ist, in Ungarn auf Schritt und Tritt und mit der größten Unbefangenheit verwendet wird.

»Natürlich ist er in der Partei, aber du kannst offen mit ihm sprechen, er ist ein ehrlicher Mensch.« – »Nimm dich in acht! Er gibt sich sehr verständnisvoll, aber er ist ein Lügner und ein Dieb.« Keine Gesellschaft entwickelt freiwillig solche Kriterien. Je größer der Wirrwarr, desto feiner die Nuancen, die nötig sind, um zu überleben. Die moralischen Urteile, die unter dem Druck der Verhältnisse gewonnen werden, sind nur scheinbar simpel. In Wirklichkeit setzen sie ein äußerst subtiles Unterscheidungsvermögen voraus. Die Opposition hat die Moral der ungarischen Gesellschaft nicht gepachtet; sie ist auch nicht daran interessiert, sie zu kodifizieren. Aber sie bringt sie jeden Tag von neuem auf den Begriff, und sie verfährt dabei mit einer Trennschärfe, wie ich sie in keiner westlichen Gesellschaft angetroffen habe.

Lenin-Ring (I)

Mein Losverkäufer, der jeden Morgen, auch sonntags, gegen neun Uhr sein Faltdach über dem grüngestrichenen Eisenkasten aufklappt, in dem seine Schätze liegen, den Stuhl, der nachtsüber gefesselt im Regen stand, von der dicken Sicherheitskette löst und auf der Tischplatte seines Standes das Angebot ausbreitet, – mein Losverkäufer ist kein Invalide, sondern ein kräftig gebauter Mann von fünfzig Jahren. Die Totoscheine beschwert er mit einem gußeisernen Gewicht, damit der Wind sie nicht davonträgt. Die Zigaretten bahrt er in einem Kistchen auf; sie sind hier stückweise zu haben, ein Zeichen dafür, daß seiner Kundschaft das Geld nicht locker in der Tasche sitzt. Auch Trambahnkarten, das Stück zu einem Forint, fünf bis sechs Pfennig, sind hier zu haben, und rosa Lutscher am Stiel. Doch das sind alles nur Dreingaben. Das Hauptgeschäft meines Bekannten – nach drei Tagen kennt er mich nämlich auf den ersten Blick – besteht darin, ein preiswertes Glück zu verkaufen, das in Gestalt winziger Briefchen aufgezogen an einer Schnur in der Luft schwebt. Mein Losverkäufer trägt einen Norwegerpullover, gelbe Schuhe und einen dicken Siegelring. Er ist immer zu einer Plauderei aufgelegt. Eile kennt er nicht. Während er zur großen Schere greift, um das Los, auf das der Kunde tippt, abzuschneiden, läßt er vor den Neugierigen, die gespannt darauf sind, ob in dem kleinen Umschlag ein Hauptgewinn steckt, gleichmütig, ohne Schadenfreude, die neueste Nachricht aus dem Zentralkomitee fallen. Er weiß mehr als die Zeitungen. Er ist ein Augur, der schon viele Briefchen geöffnet hat. Jeden Morgen zieht er ein Los für mich, eine Niete nach der andern.

Er hat seinen Stand am Lenin-Ring aufgestellt. Dort, wo

einst ein toter Donau-Arm das alte Pest einschloß, wurde vor hundert Jahren ein großer Boulevard angelegt. Im Jahre 1896, genau ein Jahrtausend nach der Gründung des ungarischen Reiches, wurde dieser Große Ring fertiggestellt. Er war als ein Monument der k.u.k. Monarchie gedacht, und seine Teile trugen die Namen Leopold, Theresia, Elisabeth, Joseph und Franz. Allerdings sollte sich das Jubiläums-Denkmal auch rentieren. Diese doppelte Bestimmung sieht man dem Teil der Straße, der heute Lenin-Ring heißt, immer noch an: hervorgegangen aus einer Orgie der Selbstdarstellung und der Grundstücksspekulation, sind seine Häuser zugleich Paläste und Mietskasernen. Der Architektur dieses lauten, gewöhnlichen, prosaischen Boulevards haftet etwas Märchenhaftes an. Die rücksichtslose Poesie der Weltstadt lebt von solchen Symbiosen. Am Lenin-Ring sind Ausbeutung und Ornament, Schäbigkeit und Prunk, Krach und Idylle eine Verbindung eingegangen, die man nicht so leicht vergißt.

Das Palais New York, heute Hungaria, beherbergt ein berühmtes, scheußliches Café und ist ein Beispiel jenes architektonischen Größenwahns, den die stolzen Bürger von Budapest Eklektizismus nennen. Der Turm des Gebäudes bezeichnet den Anfang des Lenin-Rings. Dieser zieht sich eineinhalb Kilometer weit hin bis zu der herrlichen Konstruktion des Westbahnhofs, die nach Eiffels Plänen errichtet wurde, und endet, mit einer Antiklimax, an einem jener Plätze, die der Städtebau unserer Tage zur Anbetung der Banalität ausgesonnen hat: Zwei Gottheiten geweiht, dem Verkehr und dem Konsum – links ein schwarz verglastes Warenhaus, rechts eine Autobahn-Hochbrücke –, ist dieser Platz, mit einem objektiven Hohn, der in diesem Lande eine Selbstverständlichkeit ist, auf den Namen des armen Propheten Dr Karl Marx getauft.

Man kann den Lenin-Ring in einer guten Viertelstunde abschreiten, aber nur ein Narr käme auf diese Idee. Ich habe ganze Tage damit zugebracht, von seinen Türen, Mauern und Schildern die Wunden und die Herrlichkeiten der Stadt Budapest abzulesen. Er kommt mir vor wie ein zweideutiges, rätselhaftes, schmutziges Panorama. Jede Inschrift in ungarischer Sprache verheißt dem Flaneur, der aus dem Ausland kommt, ein Geheimnis und schärft ihm ein, daß er dazu verurteilt ist, ein Idiot, ein Analphabet zu bleiben.

Zum Beispiel *gyógyszertár*. Wer wollte ein solches Wort entziffern? Und doch verbirgt sich hinter dem Milchglas und der Holztäfelung nichts weiter als eine ganz gewöhnliche Apotheke. Der Lenin-Ring ist eine Straße wie jede andere. Der Weg führt an Garküchen und Eisenwarenläden vorbei. In kleinen muffigen Büros sitzen essende Männer in Hosenträgern vor irgendwelchen Akten. In den Schaufensterdekorationen an der Straßenfront ist die Zeit stehengeblieben. Die in Cellophan gehüllten Waffeln sehen aus, als wären sie vor dreißig Jahren gebacken. Schleifchen in rosa, gold und resedagrün sind um den Hals einer Wermutflasche gewunden, Papierrosen liegen auf vergilbten Schachteln, und der Schreibwarenladen bietet neben Bleistiftspitzern verschämt ein paar rosige Aktphotos an.

Neben der provinziellen Unschuld aber macht sich die Farbenblindheit der Diktatur breit, die Ostblockmöblierung der Kioske, Amtsstuben und Hotelhallen, der brutale Ersatz, die kasernierte Sturheit, die unterentwickelte sowjetische Ästhetik, das Schäbige einer Gesellschaft, in der das Neue immer schon als greisenhaftes Edikt zur Welt kommt.

Das wahre Leben des Lenin-Rings freilich läßt sich nicht an der Straßenfront ablesen. Wer an seinen Toreingängen vorbeigeht, versteht von seinen Verlockungen nichts. Jedes Haus hier birgt eine Traum-Passage aus Benjamins Repertoire. Unter den Bögen, die zu den Eingeweiden Budapests führen, leuchten verheißungsvoll bunte Glühbirnen, mit Stanniolpapier ausgelegte Vitrinen. Wenn der Abend dunkelt und der Regen auf die Platanen des Rings prasselt, wirken diese Eingänge unheimlich und märchenhaft zugleich. Sie gleichen Sackgassen, die in Hinterhöfe führen, weiter nichts; aber während die eine in einem finstern Lichtschacht endet, führt die andere an ausladenden Treppenhäusern vorbei auf den Hof eines verfallenden Renaissance-Schlosses oder einer Ritterburg. Hier findet man Pawlatschen und Arkaden, von gußeisernen Säulen getragen, Gefängnishöfe, Karawansereien, Gärten, in allen Nuancen von der auftrumpfenden Prunksucht bis zur trübsinnigen Misere.

Im Durchgang qualmt neben dem verstaubten, leeren Pförtnerhäuschen ein Mülleimer. Man hört den ächzenden Lift. Ein Haufen Ziegelsteine oder ein Zementsack wartet unter den Sicherungen. Der Ring des Zählers dreht sich in einem Holzkasten, der vor neunzig Jahren maßgeschneidert wurde, und der mit einem Vorhängeschloß gesichert ist. Aber die Glasscheibe ist vor Jahren eingeschlagen worden, und kein Glaser hat sie repariert. Im Treppenhaus gilben sorgfältig eingerahmte Bekanntmachungen, der »Auszug aus den einschlägigen Bestimmungen« von 1959, und daneben eine Vorschrift zur Verhütung von Bränden, die auf den 1. Oktober 1956 – ausgerechnet 1956! – datiert ist.

Dann die Namen auf den zahllosen Briefkästen: durchgestrichene, unleserliche, mit Filzschrift geschmierte, verblaßte, vom Automaten gestanzte, in brauner Tinte hingeschnörkelte Namen. Sie verraten mehr als jede Statistik: daß es nicht genug Wohnungen gibt in Budapest, daß jeder Quadratmeter hier mit abenteuerlichen Mitteln erobert und mit zähem Geschick festgehalten werden muß; die wuchernden Namensschilder reden von Tausch, von Zuteilung, von Korruption, von Erbschaften, Trennwänden, Scheidungen, von den Odysseen der Landflucht und der Emigration, von illegalen Geschäften und mühsamen Reparaturen, von den unbesiegbaren Wünschen und vom erfinderischen Chaos dieser Stadt.

Die herrschende Klasse

Rotes Csepel, eisernes Csepel: die Donauinsel im Süden von Budapest ist die Geburtsstätte der ungarischen Schwerindustrie. Vor dem Ersten Weltkrieg war dieses flache, rußige Gelände eine der wichtigsten Waffenschmieden der k.u.k. Monarchie; heute gehört das Eisenwerk von Csepel zu den Sauriern der sozialistischen Planwirtschaft.

Die grüne Vorortbahn, auf der sich kein Tourist sehen läßt, führt durch öde Hafenanlagen und Verladestraßen bis vor die Schlote, aus denen Tag und Nacht roter, gelber, schwarzer Rauch quillt; der leise Donner der Walzstraßen ist bis an die Haltestelle am Tanácsház-Platz zu hören, wo die Arbeiter der Spätschicht aussteigen. Von dort sind es nur ein paar hundert Meter bis zum großen Werktor der Csepel Eisen- und Metallwerke. Es ist mit einem roten Stern, mit Hammer und Sichel geschmückt, und unter den Insignien der Sowjetmacht findet sich die einzige russische Inschrift, die ich in Budapest gefunden habe. »Oktjabrskaja revolucija« steht dort geschrieben, und ein überlebensgroßer Lenin in Jackett und Weste bewacht mit ausgestreckter Hand den Eingang zum Fabrikgelände, unterstützt von einer weißhaarigen Frau, die in die Taschen der Arbeiter, die von der Schicht kommen, einen mißtrauischen Blick wirft. Vertrauen ist gut, Kontrolle ist besser.

In der Geschichte des ungarischen Industrieproletariats spielt das rote Csepel eine legendäre Rolle, von den Tagen der Räterepublik bis zum Budapester Aufstand von 1956. Und bis auf den heutigen Tag ist die Donauinsel ein proletarisches Freilichtmuseum, das mehr über die Realität der Klasse verrät als die offizielle Ausstellung hoch droben auf der Burg von Buda, die der Geschichte der Arbeiterbewegung geweiht ist.

Rechts der Vorortbahn, unmittelbar neben dem Werkgelände, im Gestank der Immissionen, an löchrigen Straßen voller Pfützen, in einem Gewinkel von kleinen Läden, schmutzigen Kneipen, Kohlenlagern und Schrebergärten, stehen heute noch die niedrigen, baufälligen, einstöckigen Bruchbuden, die vieltürigen Baracken, in denen einst die landflüchtigen Proletarier der Jahrhundertwende hausten.

Vom Geschmack und von der Geschmacklosigkeit Budapests ist hier nichts mehr zu spüren. Hier herrscht kein Stil mehr und kein Ornament, hier gibt es keine Devisenschieber und keine Konditoreien, nur die alte Misere. Hinter den ergrauten Vorhängen ist manchmal eine alte Frau zu sehen, die die Aloen und die Fleißigen Lieschen auf dem Fensterbrett gießt, bevor der Bulldozer kommt, und oft gibt nur die Wäscheleine darüber Auskunft, oder ein schlafender Hund, ob hinter den verwitterten Holzwänden noch jemand wohnt.

Links der Bahn dagegen erheben sich die riesigen zehnstöckigen Wohnblocks, die in den frühen sechziger Jahren, nach dem Aufstand, hochgezogen worden sind, aschgrau und unwirtlich, aber wohlversehen mit Aufzügen, Balkonen, Warmwasserleitungen und Kanalisation. Die Architektur demonstriert, daß die hegemoniale Klasse zugleich die unterdrückte ist: sie führt den Käfig als Errungenschaft vor.

Auch in der Logik der Wirtschaftsreformer erscheint das rote Csepel als ein symbolischer Ort. Der verstaatlichte Großbetrieb gilt ihnen nicht mehr als Motor, sondern als Bremsklotz der Ökonomie, als ein unrentables, unbewegliches Relikt des Stalinismus. Die Maschinen stammen zum Teil noch aus den vierziger Jahren, Ausrüstung und Infrastruktur sind veraltet. In der Tat ist die Krise am Staub der Wege, an der Resignation der Gesichter, am Rost der Hallen förmlich abzulesen. Das klassische Proletariat ist in die Defensive geraten. Der ungeschriebene Vertrag zwischen dem Regime und den Arbeitern soll auf einmal nicht mehr gelten. Er garantierte diesen den sicheren Arbeitsplatz, die billige Wohnung, die subventionierten Lebensmittel, den Studienplatz für die Kinder und die stillschweigende Duldung des alltäglichen Diebstahls in der Fabrik (»Lohnraub«). Im übrigen galt die Parole: sowenig Arbeitsdisziplin, sowenig Anstrengung, sowenig Verantwortung wie möglich. Die Partei erkannte diesen Besitzstand an, auch dort, wo es um die Verteidigung negativer Interessen ging; dafür fand sich die Arbeiterklasse umgekehrt mit der Macht der Funktionäre ab. Diesen alten Kompromiß, der durchaus noch Reste des alten Klassenbewußtseins verrät, wollen die Wirtschaftsreformer nun einseitig aufkündigen.
Als ersten Schritt hat die Führung den Csepel-Konzern in ein gutes Dutzend kleinerer Einheiten aufgeteilt. Innerhalb der Fabriken wurden freiwillige Arbeitskollektive

auf genossenschaftlicher Basis gegründet, die außerhalb der vertraglichen Arbeitszeit, aber mit dem Maschinenpark des Werks, auf eigene Rechnung produzieren. Manche dieser Teams stehen sogar in einem Vertragsverhältnis zum eigenen Betrieb, liefern Teile zu, besorgen dringende Reparaturen oder leisten bei Termindruck für ein Mehrfaches ihres normalen Lohnes Überstunden. Die Folge ist eine bessere Auslastung der Kapazitäten und eine höhere Produktivität, aber auch die Spaltung der Klasse und die Selbstausbeutung der Aufsteiger. Arbeitszeiten von zwölf Stunden, auch am Wochenende, sind keine Seltenheit. Die Schicht der neuen Spitzenverdiener kann sich alles leisten, aber ihr Leben ist miserabel.

Der Widerstand gegen die Reformen kommt daher nicht nur von Dogmatikern, die der Moskauer Linie sklavisch anhängen; er ist sozial stark verwurzelt und hat tiefere Gründe. Die Technokraten haben eine vorsichtige, aber zähe Diskussion über die Frage eröffnet, ob Arbeitslosigkeit und Sozialismus miteinander wirklich so unvereinbar sind, wie die orthodoxe Lehre behauptet. Hinter vorgehaltener Hand preisen sie die Vorzüge der Flexibilität, den Abbau der Subventionen, die Beweglichkeit der Arbeitskraft, und sie fordern ganz offen ökonomische Sanktionen gegen den Schlendrian in der Industrie.

Auf dem Fernsehschirm erscheint der alte János Kádár, der selbst jahrelang als Schlosser gearbeitet hat, im Gespräch mit einer Delegation von Arbeitern. »Genosse Kádár«, sagt eine vierzigjährige Fräserin, »wie kann das sein? Ich gehe auf den Markt und will einkaufen. Die Händler haben alles in Hülle und Fülle, aber für ein Kilo Tomaten verlangen sie 60 Forint. Dafür muß ich zwei Stunden lang arbeiten. Wenn das die Reform ist, dann lieber keine Reform!«

Der Erste Sekretär der Ungarischen Sozialistischen Arbeiterpartei schluckt. Die Logik einer marktorientierten Wirtschaft ist ihm klar, er hat sie oft genug gegen seine Widersacher vertreten; aber hier, wo er mit ihren Kosten konfrontiert wird, kann er sich zu ihrer Verteidigung nicht aufraffen. Er gibt der Arbeiterin recht. Seine Begleiter notieren den Standplatz des Gemüsehändlers, der als Sündenbock herhalten muß. Vielleicht wird er mit einer Geldstrafe davonkommen. Die Springprozession der Reformen wird ihren Weg weitergehen: zwei Schritt vorwärts, einen Schritt zurück. Die Arbeiter von Csepel wissen, was sie von ihr zu erwarten haben: höhere Preise, sinkende Reallöhne, mehr Streß, mehr Ungleichheit und die Aussicht darauf, arbeitslos zu werden.

Gleichwohl hat ihr hinhaltender Widerstand keine Chancen. Eine fossile Industriestruktur läßt sich nicht konservieren. Eben darin besteht das Dilemma des Regimes: Die ökonomische Reform ist lebensnotwendig, aber ohne politische Kosten ist sie nicht zu haben. Die Manager verlangen freie Hand, die Arbeiter brauchen freie Gewerkschaften. Hier wie dort müßte die Partei einen Zipfel ihrer Macht aus der Hand geben. Solange dieser Gedanke nicht gedacht werden darf, bleibt die ungarische Reform eine Chimäre.

Das Haus der Lüge

Da sind sie wieder, die Habermans aus Rapid City, Dakota. Sie erledigen ihr Pensum. Sympathische Leute. Ihre Geduld grenzt ans Wunderbare. Die fette ungarische Küche finden sie faszinierend, die Sitten und Gebräuche geheimnisvoll, das Gedrängel an den Trambahn-Haltestellen pittoresk. Aber jetzt sind sie der Verzweiflung nahe.

Draußen vor der Tür steht der Bus, der sie zu einer historischen Sehenswürdigkeit ersten Ranges fahren soll, mit laufendem Motor, und sie haben immer noch keine Reservierung. An den Schaltern des staatlichen Reisebüros aber findet sich keine Seele, die ihnen erklären könnte, weshalb der Bus einerseits ausgebucht, andererseits halbleer ist. Die Habermans ahnen nicht, daß die Reise von der Kettenbrücke bis zum Ziel des Ausflugs, dem Parlamentsgebäude, nur fünf Minuten dauern wird, und daß man die paar hundert Meter ebensogut zu Fuß zurücklegen könnte. Zwei Dollarnoten wechseln den Besitzer, und das Dilemma löst sich in Wohlgefallen auf.

Die Touristen sind vom ungarischen Parlament begeistert. Geduldig hören sie sich, in fünf Sprachen, an, daß es 268 Meter lang, 123 Meter breit und 96 Meter hoch ist, daß es zehn Höfe und 27 Tore hat, daß es über 29 Treppen verfügt, daß seine Mauern mit 233 »gotischen« Statuen geschmückt sind, und daß die Dekoration 40 Kilogramm Blattgold verschlungen hat. Hier wird selbst der wütendste Reagan-Anhänger zum frommen Pilger.

Das monströse Gebäude, um die Jahrhundertwende gebaut, halb Windsor-Schloß, halb Petersdom, ist eine feudal-religiöse Imitation, ein steingewordenes Digest der ungarischen Geschichte, die, wenn man den Staatskünstlern, welche hier am Werke waren, Glauben schenkt, aus einer endlosen Folge von Ruhmestaten besteht. Auch die Revolution von 1848 ist hier als koloriertes Andachtsbild zu besichtigen. Das Volk, ein biederer Trachtenverein, steht in den Korridoren: der Posthalter, der Hufschmied, der Hirte, jeder unter seinem kleinen Baldachin.

In der Architektur dieses Parlaments dominieren die Hohlräume: funktionslose Treppenaufgänge, Wandelhallen, Säle, die nur durch ihre Leere Eindruck machen.

Respektvoll stehen die Touristen unter der 24 Meter hohen Zentralkuppel. Vor jeder der goldenen Säulen steht ein leerer, goldener Aschbecher, der das Rauchverbot unterstreicht.

Nach Arbeit sieht es hier nicht aus. Büros für die Abgeordneten gibt es nicht. Dieses Gehäuse verfügt zwar über die erste Klimaanlage, die in Europa installiert worden ist, aber eine demokratische Vertretung der Ungarn hat es nie beherbergt. Das Wahlrecht, das bis zum Ersten Weltkrieg galt, schloß 94 % der Bevölkerung vom Stimmrecht aus; bis zum Zweiten Weltkrieg herrschte das autoritäre Regime Horthys.

Heute spricht die Fremdenführerin, ohne mit der Wimper zu zucken, von den »freien und geheimen Wahlen«, aus denen dieses Parlament hervorgehe. Doch die Volksvertretung tritt nur viermal im Jahr zusammen, für ganze zwei Tage. 51 von 52 Wochen dient der Saal dem Fremdenverkehr. In der Geschäftsordnung des Parlaments ist die Abgabe von Nein-Stimmen nicht vorgesehen.

Im Foyer ist ein Modell des Gebäudes zu sehen. Ein Ehepaar, das nichts besseres mit seinem Leben anzufangen wußte, hat es in dreijähriger Arbeit aus 100000 Streichhölzern gebaut. »Das Haus der Lüge« – so hat es ein ungarischer Dichter genannt – ist nichts weiter als eine Vergrößerung dieser Bastelarbeit, eine monumentale Nippesfigur.

A Member of the Management

Er empfing mich mit offenen Armen, vor der Drehtür des Duna Intercontinental; er war um die fünfzig, seine Krawatte war exquisit, sein Lächeln bezaubernd, die Armani-Jacke eine Spur zu eng, die Umhängetasche mit den vielen Reißverschlüssen aus hinreißend weichem Leder; und noch ehe wir den reservierten Tisch erreicht hatten, ließ er mich wissen, warum er der Partei angehört:

»Die Partei ist unsere soziale Rolltreppe, besser als die Harvard Business School! Die Partei ist in dieser Hinsicht konkurrenzlos, Alternativen gibt es nicht. Sie glauben doch nicht im Ernst, daß irgend jemand im Westen auch nur einen Finger für die Ungarn krumm machen würde? In dem Augenblick, wo die Amerikaner ihre GIs nach Budapest schicken, werde ich der erste sein, der sagt: Ich pfeife auf den ganzen Leninismus! Aber darauf können wir lange warten...«

Ich sah mich nervös um, aber er sprach unbekümmert weiter. Der Gedanke, daß er sich um Kopf und Kragen reden könnte, schien ihm fernzuliegen. Seine Desinvolture war atemberaubend. Obwohl er meine Diskretion mit keinem Wort in Anspruch nahm, habe ich nicht die Absicht, seinen Namen zu nennen, und ich werde mich hüten, seine Ämter und Funktionen auch nur anzudeuten. Er war, mit seinen eigenen Worten, ganz einfach »*a member of the management*«: klug, seriös, witzig, zynisch und erhaben. Ein Apparatschik? Kaum. Ein Blender? Vielleicht. Aber dieser Mann hätte es auch in Schweden oder in Frankreich weit gebracht, und in Texas hätte er sich wie zuhause gefühlt.

»Aber Sie sind mit den Positionen der Partei im großen und ganzen einverstanden?«

»Niemand ist mit der Partei einverstanden, mein lieber Freund. Die Partei besteht aus Abweichlern. Wir haben den Stalinismus auf den Kopf gestellt. Jeder ist ›persönlich‹ anderer Auffassung, respektiert aber die Linie der Partei, die nur den einen Nachteil hat, daß niemand sie

vertritt. Sie ist bloß die labile Resultante eines fortwäh-
renden Tauziehens. Das ist taktisch vorteilhaft, denn auf
diese Weise bleiben alle Optionen offen. Nur von einer
Strategie kann unter diesen Umständen keine Rede sein.
Der alte Satz: ›Die Partei hat immer recht‹ nimmt bei uns
eine sonderbare Bedeutung an: er besagt, daß sie außer
dem, was sie beschließt, immer zugleich auch schon das
Gegenteil vertritt.«
Es war schwierig, mit diesem Mann zu streiten. Er nahm
jeden Einwand vorweg. Er entwaffnete mich, indem er
alles zugab.
»Es wimmelt in Budapest von Leuten, die mich für einen
Opportunisten halten. Ich bin aber ein Überzeugungstä-
ter. Ich sehe mich als radikalen Reformer. In diesem
Punkt bin ich mit der Führungsspitze einig. Der Unterschied ist nur, daß ich das ausspreche, was sie denkt. Es
sind die mittleren und die kleinen Kader, die die Reformen sabotieren, weil sie Angst um ihre Sinekuren haben.
Sie sind zugleich die Basis der Partei. Aus zarter Rücksicht auf diese Nullen wird der Umfang der Privatwirtschaft heruntergespielt. Die Statistiken sind getürkt. In
Wirklichkeit ist mehr als die Hälfte der Bevölkerung an
der zweiten Ökonomie beteiligt, legal oder illegal.«
»Es sieht aber nicht so aus, als wäre der erhoffte Zünd-
Effekt eingetreten. Man hat eher den Eindruck einer gewissen Stagnation.«
»Weil die Partei Angst vor der eigenen Courage hat, weil
sie nicht weit genug geht. Wir haben seit langem Pläne in
der Schublade, 56 der größten staatlichen Betriebe zu
schließen, weil sie schlicht pleite sind. 5000 Manager
sollten nach Hause geschickt werden wegen totaler Unfähigkeit. Aber wer stimmt über eine solche Maßnahme
ab? Dieselben Trottel, die es loszuwerden gilt. Alles
bleibt beim alten, wir produzieren weiter Verluste. Jetzt

haben wir die Krise, die Realeinkommen sinken, die Infrastruktur ist miserabel, unser Rückstand, beispielsweise in der Elektronik, ist nicht mehr aufzuholen. Alle schimpfen über Preistreiberei, Unterbeschäftigung, Raubkapitalismus. Niemand will einsehen, daß das notwendige Übel sind, die man in Kauf nehmen muß. Daher die Zickzack-Linie, die Zweideutigkeit aller ökonomischen Entschlüsse. Das Resultat nennt man Übergangserscheinungen. Aber was heißt das? Wie lange soll das so weitergehen? 14 Tage oder 100 Jahre? Alle wollen Garantien, die Arbeiter, die Russen, die Unternehmer, die Partei. Aber die simple Wahrheit ist, daß es in dieser Welt keine Garantien gibt, und damit basta!«

»Und was halten Sie von den Russen?«

»Die Armen! Sie können einem leid tun. Voller Minderwertigkeitskomplexe. Und dabei ahnen sie gar nicht, was auf sie zukommt.«

»Wie meinen Sie das?«

»Die Satelliten, mein Lieber! Nein, ich spreche nicht von den Spielzeugen der Militärs, ich meine das Fernsehen. Hochfrequente Sendungen aus dem Weltraum, die überall beliebig zu empfangen sind, ohne Parabolantenne. Das ist eine Frage von fünf, sechs Jahren. Dagegen ist kein Kraut gewachsen. Dallas in Taschkent, die Lebensmittelabteilung des KaDeWe in Irkutsk! Die Wirkung wird absolut verheerend sein. Mit der Isolierung der Sowjetbevölkerung ist es aus und vorbei. Die Amerikaner können sich zurücklehnen, die Zeit arbeitet für sie. Damit Sie mich nicht falsch verstehen: Ich habe nichts gegen die Russen. Man muß sie zu Europäern machen, die Ärmsten, das ist alles.«

»Und wie halten Sie es mit der Opposition?«

»Alles Traumtänzer. Über das Gefasel vom ›Ungartum‹ kann ich nur lachen. Das Gewinsel unserer Nationalisten ist doch unerträglich. Sie fühlen sich immer als unschuldige Opfer. Man hat diesem Lande übel mitgespielt, sagen sie, seit Jahrhunderten: erst die Türken, dann die Österreicher, dann die Siegermächte von Versailles, in den vierziger Jahren die Deutschen und schließlich die Russen. Vielleicht! Aber was diese Leute nicht kapieren wollen, ist die schlichte Tatsache, daß wir zwei Kriege verloren haben. Dafür muß man bezahlen. Wir werden die verlorenen Territorien nicht wiedersehen. Den Ungarn in Transsylvanien geht es schlecht. Den Rumänen übrigens auch. Darüber zu jammern ist sinnlos. Das sozialistische Elend verschont keinen, der dort lebt. Rumänien ist politisch und ökonomisch bankerott. Wir nicht. Also bringen wir unsere Wirtschaft auf Trab, und bieten wir Ceauşescu ein paar Milliarden an! Menschenrechte gibt es nicht umsonst. Sie als Deutscher müssen das doch wissen!«

»Und die sogenannte demokratische Opposition? Sie werden doch nicht bestreiten, daß man in ihren Reihen die intelligentesten Köpfe des Landes findet?«

»Wenn sie nur nicht so bescheiden wären! Ein Intellektueller muß seine Hände im Teig haben, und ich backe keine kleinen Brötchen. Ich habe nicht die Absicht, zu den Verlierern zu gehören. Ich liefere eine Arbeit, die nützlich ist, nützlich für Ungarn und nützlich für mich. Und deshalb bin ich in der Lage, Bedingungen zu stellen.«

»Aber wenn das Regime eines Tages keine Lust mehr hat, Ihre Bedingungen zu erfüllen?«

»Ganz einfach! Dann werde ich demissionieren. Wer sich auf die Partei und auf den Staat verläßt, ist selber schuld. Ich habe mich beizeiten in der zweiten Ökonomie engagiert und eine Art GmbH gegründet, die der Dollarschöpfung dient – übrigens mit Hilfe des kommunistischen Jugendverbandes, alles ganz legal. Die Verträge sind gut, die Produktionskosten niedrig. Mit einem Devisenkonto im Rücken kann ich mehr riskieren als andere Leute. Eines Tages werde ich vermutlich fliegen, aber ich habe dafür gesorgt, daß ich nicht allzu hart lande.«

Er blickte auf die Uhr, entschuldigte sich und verschwand mit beschwingtem Schritt in der Dunkelheit. Ich habe ihm lange und fassungslos nachgesehen.

Ferne Dörfer

Im Inneren des Landes, abseits der großen Straßen, ein josefinisches Schloß, venezianischroter Putz, riesiges Kuppeldach, Zopfstil. Am Eingang ein aufgeschwemmter Rentner, der am Stock geht, im Gespräch mit einem kleinen, drahtigen, schnurrbärtigen Mann in grün-braun gestreiften Reithosen, der wie ein Jockey aussieht.

Das Schloß, erklärt der aufgedunsene Portier, sei heute ein Fürsorgeheim für verwahrloste Kinder. »Alles Zigeuner«, fügt er verächtlich hinzu. »Die Ungarn sind nicht so blöd, ihre Kinder dem Staat zu geben.« Er kann sich kaum auf den Beinen halten, er stottert, eine Schnapsfahne umgibt ihn. Und wie war es früher?

»Oh«, sagt der Drahtige, »früher hat der Graf hier gewohnt. Das war noch ein richtiger Herr! Heute bilden sich ja alle ein, sie könnten befehlen.« Er möchte nicht behaupten, daß er die alte Herrschaft vermisse; das wäre zuviel gesagt. Aber so blöd wie die, die heute den Ton angeben, sei der Herr Graf nicht gewesen. Einmal seien die Herrschaften zu Besuch gekommen, aus Österreich, das war 1975; und damals habe der Graf das heruntergekommene Heim renovieren lassen, auf seine Kosten –

noblesse oblige! Der Bürgermeister ließ ein Festessen auftragen, zur Einweihung, im Nebengebäude, wo früher die Pferde standen, und als er den Grafen hineinkomplimentieren wollte, sagte dieser ganz ruhig: »Nach Ihnen, mein Lieber! Sie sind mein Gast! Ich bin hier zuhause.«

Der kleine energische Mann mit den lebhaften schwarzen Augen ist über sechzig, und er war Bauer sein Leben lang. »Wir waren immer freie Leute.« Nach dem Krieg sagte er zu den Kommunisten: »Ihr könnt mir alles abnehmen, aber in die Kolchose gehe ich nicht.« Sie haben ihn verprügelt, aber er wollte nicht nachgeben; nach seiner Enteignung hat er sich ein Jahrzehnt lang als Brunnenbauer durchgeschlagen. Nach und nach, als die Reformen kamen, hat er sich sein Land zurückgekauft, ein Stück nach dem andern; heute baut er Mais und Wein an und züchtet Schweine. Er hat drei Pferde, einen Traktor will er nicht, die Arbeit ist hart, die Grundstücke sind klein und liegen weit verstreut. Die säkularen Klagen des Bauern über die Teuerung, die schlechten Preise, die Steuern, die Beamten aus der Stadt. »Die Leute, die in der Partei sind, dürfen Sie nicht fragen. Ich habe vier Regimes erlebt, schlecht waren sie alle, aber unter Horthy war es noch am besten.«

Dann die rituelle Einladung. Der Neubau, sein ganzer Stolz, mit eigenen Händen errichtet, Bad, WC, Zementfußböden, vollgestellt mit Möbeln, Spiegeln, Geräten, zwei Stockwerke hoch, ein Statussymbol, ein Monument des Eigensinns, wirkt kalt und unbewohnt. Tatsächlich haust der Bauer mit seiner Frau in der alten Holzhütte nebenan, wie eh und je, bei seinen Schweinen. Die winzige Küche mit dem Kohlenherd ist gemütlicher als die neue, fremde Pracht. Selbstgebrannter Schnaps, die alte Etikette der Gastfreundschaft, die Technik der Beschä mung: er schenkt mir einen ganzen Kanister voll Wein. Bezahlen kommt nicht in Frage.

»Ich spare«, sagt er, »ich gehe nicht in die Kneipe, wie die andern, ich trinke wenig, drei, vier Liter Wein am Tag, meinen eigenen.« Von Leuten wie ihm schweigen die Romane und die Reportagen. Sie sind selten, aber unzerbrechlich, und sie überdauern alles.

In Budapest hatten mir wohlmeinende Freunde Statistiken über die Landwirtschaft in die Hand gedrückt; Experten hatten mir die labyrinthische Geschichte der Strukturreformen auf dem Lande erklärt; einen ganzen Abend lang war mir ein bärtiger Volkstümler auf die Nerven gegangen, der die »Zerstörung der bäuerlichen Kultur in Ungarn« beklagte. Auch an mißgünstigen Stimmen fehlte es in der Hauptstadt nicht. Alte Vorurteile tauchten im Gewand neidischer Legenden von neuem auf: die Mär von der Genossenschafts-Vorsitzenden, die nach Paris flog, um sich ihre Kleider bei Dior zu kaufen, von den zwei Klavieren, die sich ein tauber Großverdiener in der guten Stube aufgestellt hätte, und die Geschichte vom Schweinezüchter, der sich auf dem Friedhof eine Marmor-Krypta gebaut haben soll. Der Konsumrausch auf dem Lande wurde beklagt, die Bauwut der Bauern angeprangert; kaum jemand schien sich daran zu erinnern, daß es vor dem Zweiten Weltkrieg in Ungarn Millionen von land- und rechtlosen Agrar-Proletariern gab, die unter dem Existenzminimum lebten. Viele suchten damals ihr Heil in der Auswanderung, Hunderttausende endeten als Bettler.

»Leer, öde, wüst«, heißt es unter dem Stichwort *Puszta* im ungarischen Wörterbuch, »Heide, Wüste, Landgut«; und das Wörterbuch hat recht. Mit der berühmten Filmkulisse, mit dem musealen Naturschutzpark, den man den Touristen zeigt, einschließlich Ziehbrunnen, Zigeunermusik und Reitturnier, hat die Welt der Puszta, die heute verschwunden ist, nichts zu tun.

Selbst die Bücher, zu denen man greifen muß, um sich ein Bild von ihr zu machen, sind schon halb vergessen. Der Dichter Gyula Illyés hat vor fünfzig Jahren ein solches Buch geschrieben: Autobiographie, poetische Reportage, politisches Pamphlet, Sozialgeschichte – seine Schrift ist all das, und zugleich ein ergreifendes Memorial für seinen Geburtsort und dessen Bewohner. Was er schildert, ist eine Dritte Welt im Herzen Mitteleuropas. Ein paar Eisenbahnstunden östlich von Wien gab es bis in die dreißiger Jahre unseres Jahrhunderts hinein Menschen, die wie im Mittelalter lebten. In der Puszta existierten keine freien Bauern. Ihre Bewohner waren faktisch Leibeigene, ihrem Gutsherrn auf Gedeih und Verderb ausgeliefert; sie kannten keine Wasserleitung, keine Post, keine Schule, keine Elektrizität, keine Läden und keine Zeitungen. Ich beschloß, den Ort, den Illyés beschrieben hatte, aufzusuchen.

»Aber was willst du dort? Das alles ist längst dem Erdboden gleichgemacht worden«, sagten meine Budapester Freunde. »Und überdies ist ein solches Nest mit dem Auto gar nicht zu erreichen.«

»Dann gehen wir zu Fuß«, sagte ich.

In der Tat war Rácegrespuszta in keinem Autoatlas verzeichnet, und erst nach langem Suchen fand ich auf einer Spezialkarte, zwischen den Tolnai-Hügeln und dem Sió-Fluß, in winziger Schrift eine Variante des verschollenen Namens.

Ein schöner alter Hohlweg, der in der Tat fast unpassierbar war, von Birken gesäumt, voller Lerchen, führte durch tiefen Morast, an Bienenstöcken und liegengebliebenen Karren vorbei zu einer Senke, und dort lag das alte Gut, das ich suchte: die Stallungen, aus Lehm gebaut, mit Stroh bedeckt; die Wohnhäuser des Gesindes, finstere Löcher, die sich nur durch die vielen ausgehängten Türen von Schweineställen unterschieden; in der Mitte das baufällige Verwalterhaus.

Eine fast archäologische Suche fördert zutage: hier einen Brunnen mit verrostetem Laufrad, dort die Reste einer Latrine, ferner ein eisernes Türmchen, dessen verschwundene Glocke einst die Landarbeiter beim Morgengrauen aufs Feld rief; schließlich das »Schloß« des Gutsbesitzers.

In der Erinnerung des Schriftstellers Illyés erscheint das Gebäude als der Sitz einer geheimnisvollen, unumschränkten Macht, ebenso unnahbar wie Kafkas Schloß in Böhmen. In Wirklichkeit ist es ein armseliger, einstöckiger, gelb verputzter Bau mit Spuren alter klassizistischer Gipsverzierungen, winzig, verwahrlost, von namenloser Schäbigkeit. Die Fenster eingeschlagen, die Türen mit Spinnweben verhängt, zerrissene Matratzen auf den Fußböden, zerbrochene Kachelöfen. Offenbar hatte das Schloß nach dem Krieg als Behelfsschule gedient. Ein paar kaputte Schulbänke zeugen von diesem Gebrauch, in der Ecke steht ein verbeulter Abakus und hinter flatternden Plastikplanen sind die Reste einer armseligen Kapelle zu finden. Der »Park« ist ein handtuchgroßes, verwildertes Grundstück mit ein paar mageren Robinien. Nach ihrer Hinterlassenschaft zu urteilen, war die berühmte ungarische Gentry, der sogenannte »Sieben-Zwetschgenbaum-Adel«, schon zu ihren Glanzzeiten eine unfähige, korrupte, idiotische Klasse, deren Hinschied nicht einmal ihre Nachkommen bedauern.

Heute ist die ehemalige Puszta eine Genossenschaft. Abseits vom alten Gut haben die Bauern an der Straße ein Dorf gegründet. Die Häuser sind gut gebaut und sauber, die Gittertore liebevoll bemalt; die privaten Gärten blühen; es herrscht ein bescheidener, eintöniger, mittlerer Wohlstand.

Kádárs Regime hat, nach bitteren Konflikten und endlosem Hin und Her, die Schere zwischen Stadt und Land definitiv geschlossen und eine arbeitsteilige Landwirtschaft ermöglicht, die hohe Überschüsse erzielt. Die Lautlosigkeit der Dörfer täuscht darüber hinweg, daß der ungarische Sozialismus hier, hinter diesen schläfrigen Zäunen, wo nur manchmal ein Köter die Mittagsstille stört, dem Elend und der Knechtschaft ein Ende gemacht und seine umwälzendsten Erfolge erzielt hat.

Lenin-Ring (II)

Wer den Verheißungen der Passagen folgt, tritt aus dem Tageslicht des Boulevards in die Höhlen und Schlupfwinkel der Privatinitiative ein. Im Tor dieses Bürgerhauses, in dem Gustav Mahler gewohnt hat (der unvermeidlichen Marmortafel zufolge von 1888 bis 1891) – oder war es das Haus nebenan? –, leuchtet ein Schaukasten, in dem Knöpfe ausgelegt sind, handgedrechselte, plissierte, geschnitzte Knöpfe, 15 bis 60 Pfennig das Stück; »Der Sportangler« kann mit Fliegen, Haken und Fischfutter dienen, ein Briefmarkenhändler betreibt seine zähen Geschäfte, und auf einem selbstgemalten Reklameschild offeriert ein »Elektronikus« seine Handreichungen. Ein armseliger Überfluß bietet sich in diesen Hinterhöfen an, eine Ökonomie, die die Vitalität eines Kranken hat, fieberhaft, uferlos, gierig; eine trübe Produktivkraft, die sich ihre Kanäle und Rinnsale gräbt, wo sie kann.

In der Belétage hat eine Werbeagentur aufgemacht: »Reklám – Propaganda«, und auch noch ein Reisebüro dazu; aber ich treffe den Unternehmer nicht an; er ist nur zweimal die Woche da, von 12–15 Uhr. Wo sitzt er in der übrigen Zeit? In einem Ministerium, einer staatlichen Druckerei, einem Postamt?

Der »Pop-Shop« nebenan, ein illegaler Bau, der den Lichthof verdunkelt, zusammengenagelt aus Wellblech und Spanplatten, wirbt in sechs Sprachen, auf ungarisch, jugoslawisch, englisch, polnisch, deutsch und russisch, und tatsächlich sind vor dem Schaufenster sächsische Stimmen zu hören. Gewissenhaft vergleichen die Landsleute aus der DDR die Preise. Der einfache Büstenhalter ist schon für sieben Mark zu haben, das raffiniert bestickte Modell dagegen kostet doppelt soviel. Auch Strumpfhalter und Strapse für Kiev, Dessau und Łódź hat der Pop-Shop anzubieten.

Die Schattenwirtschaft, die Untergrund-Ökonomie kennt keine Tabus. Auf einem Glasschild, das einen fleischig roten, grausam mit Draht vernähten Kiefer zeigt, einem Meisterwerk des unfreiwilligen Surrealismus, lädt der Meister der künstlichen Gebisse zu einer Konsultation ein, und die Bettfedern-Reinigung von Imre Elfenbein empfiehlt sich mit einer toten Gans, die gelblich und zerzaust aus einem Fenster grüßt.

Kilometerlang kann der Flaneur auf dem Lenin-Ring diese Wallfahrt auf den Spuren der unterdrückten Begierden, der fragwürdigen Wünsche fortsetzen. Die zweideutig flackernden Lämpchen lassen an okkulte Sitzungen, an Stundenhotels und Opiumhöhlen denken, aber am Ende ist es immer derselbe harmlose Trost, der hier gereicht wird: Aufkleber, die TEXACO feiern oder KUNG FU, oder NINA HAGEN, Korsetts, Videokassetten, Mickymäuse, Kerzenhalter, Jeans, Kuckucksuhren, und als schrecklichster der Schrecken die unerbittliche Folklore: der süße Müll als Opium fürs Volk.

Sind es die Überreste der Vergangenheit, wie die Partei immer noch zu hoffen vorgibt, oder tritt hier, konfus und zaghaft, gräßlich und rührend, Das Neue ans Licht der farbigen Glühbirnen?

Ich weiß, die ungarische Wirtschaftsreform ist kein Thema für einen Spaziergänger, sondern eine Geduldsprobe für Experten, eine wirre Wissenschaft. Die Gesetze, Dekrete und Verordnungen füllen ganze Bände, und jede Woche werden sie ergänzt, widerrufen, modifiziert und erweitert. Eine Springprozession auf schwankendem Terrain, deren Teilnehmer sich geheimnisvolle Abkürzungen zurufen. GMK zum Beispiel, »ökonomisches Arbeitskollektiv«, ein Gebilde, mit dem man im Laufe weniger Monate Millionär werden oder Bankerott machen kann. Dem Ausländer steht hier kein Urteil zu. Hunderttausende spielen mit in dieser Lotterie, schnurrbärtige Nomaden in Lederjacken und italienischen Schuhen, ehemalige Künstler, Techniker, Bastler, Beamte; die Übergänge zum Schieber, zum Trickbetrüger sind fließend.

Die neuen Unternehmer werden mit gemischten Gefühlen betrachtet. Dem NEP-Mann schlagen Neid und Bewunderung entgegen, aber auch eine gewisse Verachtung muß er zu ertragen lernen. Die Rechtsunsicherheit ist groß. Langfristige Garantien gibt es nicht. Daher der Hang zum schnellen Geld. In teure Kapitalgüter will niemand investieren. Wer weiß, wie lange der Staat bei seiner Duldung bleibt? In diesem Milieu wird viel Plunder produziert, ein Hauch von Orient, von Bazar liegt über der Szene. Kritiker von links sprechen von einer neuen Form des Raubkapitalismus. Ein jüdischer Schriftsteller sagt: Es liegt eine gewisse Ironie darin, daß der Sozialismus hierzulande mehr Kapitalisten hervorgebracht hat als jede bisherige Gesellschaftsform, die in Ungarn existiert hat; ein paar hunderttausend sind es schon; die Ungarn merken es nicht, aber sie nehmen dabei gewisse Züge an, die sie früher den Juden zugeschrieben haben.

Eine Therapie für die Sklerose der Planwirtschaft; eine armselige Droge, um der Verbitterung Herr zu werden; ein Stimulans, das neue Kräfte mobilisiert; ein Ersatz, eine Hoffnung, ein Palliativ: das alles, sonderbar vermischt, ist die Wirtschaftsreform; geduldet, ermutigt, gebremst, ist sie zu einer riesigen, aber feinverteilten Tatsache geworden.

Am Lenin-Ring liegt sie in der Luft. Der Wallfahrer begreift sie nicht, aber er kann sie riechen. Grübelnd steht er im Hinterhof und lauscht. Er hört eine Sängerin üben, ein Radio spielt einen Tango, draußen rumpelt die Straßenbahn vorbei. Unter den Stützbalken, die den baufälligen Laubengang vor dem Einsturz bewahren, stehen Topfpflanzen in einer ausrangierten Badewanne, ein Wasserhahn rostet vor sich hin, und gleich daneben offeriert Vera Kozmás ihre zauberhaften Kreationen, Hüte mit erbsengrünen Schleiern und handbestickte Dessous in sündhaft tiefem Rot.

Immer dasselbe. Doch dann, kurz bevor der müde Spaziergänger alle Hoffnung fahren läßt, geht eine Tür auf, von der blasig die Farbe springt, und eine alte Dame erscheint, hält inne, auf den Stock mit dem Elfenbeingriff gestützt, und blickt hinunter in den Hof, ein Faktotum grüßt, – oder es kommt die breite Treppe herunter, wie aus einem Vorkriegsfilm, hoheitsvoll lächelnd, die mondänste Blondine von Budapest, ganz *grande dame* mit ihrer Wasserwelle, irgendeinem fernen *happy end* entgegen, und daß um sie herum alles bröckelt, merkt sie nicht.

Die Zigeuner

Die kleine Stadt Esztergom an der Donau, früher auch Gran genannt, wird von einem einzigen, gigantischen Gebäude beherrscht: der Basilika auf dem Festungsberg. Hier residiert der Primas von Ungarn. Die Kuppel, die sich siebzig Meter hoch in die diesige Luft erhebt, verrät mit ihrem imperialen Gestus die alte Herrschsucht der Kirche.

Die weißen Säulen des Rundbaus sind von allen Seiten zu sehen, auch von dem Fabrikgelände aus, das westlich der Stadt in der Flußniederung liegt. Die Russen haben hier ein Gasflaschen-Depot. Verrostete Gleisanschlüsse, Brennesseln, Herbstfeuer. Der Fußweg führt über einen kleinen Damm, fern der Straße, ins Gestrüpp, zur Zigeunersiedlung. Die niedrigen Häuser stehen im Karree, wie in einem Lager. Sie wirken verlassen. Die Latrinen stehen offen, die Türen schlagen im Wind, die eingeschlagenen Fenster sind mit flatternder Plastikfolie notdürftig abgedeckt. Wie soll einer hier den Winter überstehen? Wasser gibt es nur auf dem Hof. Die Pumpe wird bald einfrieren. Zwischen verstreuten Lumpen steht ein Herd im Freien, auf dem ein Suppentopf kocht. Er ist das einzige Lebenszeichen.

Eine 78jährige Frau mit dem Gesicht einer Indianerin, auf zwei Krücken gestützt, öffnet uns. Das Haus besteht aus zwei Räumen. Möbel gibt es nicht, nur in den Ecken liegen schmutzige Strohsäcke. Hier ist vom ungarischen

Wunder nichts mehr zu spüren. Wir sind in Bhopal angekommen, in Luanda, in La Paz.

Nach und nach drängeln sich die Töchter durch die Tür
und die Enkelkinder. Nicht einmal die Großmutter weiß,
wie viele es sind. Das erste Kind kommt, wenn die Mädchen vierzehn sind. Kontrazeptiva sind unbekannt. Viele
der Neugeborenen sind taubstumm. Die alte Frau wurde
nach dem Tod ihres Mannes zum Häuptling gewählt,
aber sie kann nicht mehr. Sie zeigt auf den verrotteten
Rollstuhl auf dem Hof, damit wird sie zum Arzt gefahren, eine knappe Stunde weit. Sie hat Gelenkrheumatis-
mus. Sie spricht stark und selbstbewußt. Sie klagt nicht,
sie konstatiert. Es sind die Überschwemmungen, die ihr
das Leben schwer machen, die Frosteinbrüche, die
Krankheiten, die Überfälle. Man kann das Holz nicht im
Schuppen stapeln, es wird gestohlen. Die Fenster und der
Stromzähler sind bei der letzten Schlägerei zu Bruch gegangen, seitdem gibt es kein Licht mehr in der Siedlung.

Die Männer sind irgendwo in der fernen Großstadt auf
Arbeit, oder sie sitzen im Knast; die Kinder gehen in
Zwerg- oder Sonderschulen, wo es statt des Klos nur
einen Eimer gibt. Die Jüngeren, sagt die Häuptlingsfrau,
taugen nichts, die Männer denken nur an Messerstecke-
reien, sie kennen die alten Regeln nicht mehr, und neue
gibt es nicht. Woher sollen neue Regeln kommen? Von
den Behörden? Wer den Behörden glaubt, ist selber
schuld. Sie verlangt ja kein Geld, nur Schuhe, Schuhe
müßte man haben … Drei der sechs Hütten stehen leer,
wer fliehen kann, flieht.

Die Zigeuner sind die bei weitem größte ethnische und
kulturelle Minderheit im heutigen Ungarn. Ihre Zahl
wird auf 350000 geschätzt. Während aber die anderen

Minoritäten, die im Land verbliebenen Deutschen, die Slowaken, Kroaten und Serben und nicht zuletzt die 37000 Rumänen sich einer gewissen Autonomie erfreuen – sie haben eigene Kindergärten und Schulen und eigene Zeitungen, und zuweilen hat man sogar den Eindruck, daß sie, wohl aus außenpolitischem Kalkül, förmlich gehätschelt werden –, wird das Zigeunerproblem geleugnet und verdrängt. Nachdem die Assimilationsprojekte der Nachkriegszeit gescheitert waren, griff man zu absurden Sprachregelungen, taufte die Sinti und Romani in »Neubürger« um oder erklärte sie zu einer »besonderen sozialen und ethnischen Schicht« und verweigerte ihnen jedes Recht auf eigene Assoziationen. Gnadenloser als die offizielle Diskriminierung trifft die Zigeuner jedoch das Ressentiment der Bevölkerung. Die meisten Ungarn sind davon überzeugt, daß die Zigeuner schmutzige, arbeitsscheue Kriminelle sind, denen die Behörden mit unbegreiflicher Nachsicht begegnen. In der Zigeunerfrage kommt auch das moralische Defizit der Volkstümler zum Vorschein, die sich über die Behandlung der ungarischen Minderheit in Rumänien ereifern, die totale Marginalisierung der Sinti aber und den ökonomischen, kulturellen und sozialen Abgrund, der sie von der Mehrheit trennt, ganz normal finden.

Der Zigeunerslum von Esztergom versinkt in der Dämmerung. Ein paar hundert Meter weiter lebt ein Alteisen- und Lumpensammler, der es zu etwas gebracht hat. Er besitzt ein Pferd und einen Wagen, ein paar Schweine und ein selbstgezimmertes Haus mit vielen Anbauten. Einer seiner Söhne sitzt dick und fahl in einem alten Lehnstuhl; er ist mit 28 Jahren Rentner; er hat Leukämie und muß jeden Monat zum Bluttausch ins Hospital gebracht werden; ein anderer ist zur Diskothek unterwegs;

er hat sich den Graner Punkern angeschlossen. Der Hausherr hat ein gutes Gedächtnis; er erzählt von der Deportation seiner Eltern; in seinen langen ungarischen Sätzen kommt ein einziges deutsches Wort vor, das Wort *Gaskammer*. Das Ritual der Gastfreundschaft ist unumstößlich. Es wird Wein angeboten, Küsse und Zigaretten werden getauscht. Die Wände des Wohnzimmers sind mit Reklamebildern, Familienphotos und Pin-up-Girls bedeckt; eine ganze Schrankwand ist vollgestopft mit Stofftieren, Porzellanfiguren und Nippes. In einer Vitrine, die mit Goldfolie ausgeschlagen ist, steht eine Schar von Heiligen, in ihrer Mitte die schwarze Madonna aus Gips. »Wir glauben an Gott und an die Jungfrau Maria«, sagt die Frau des Lumpensammlers. »Vielleicht glauben wir zu sehr.«

Eine Sozialhelferin von der Stadtverwaltung klopft an die Tür. Sie ist kühl und korrekt; der ausländische Besuch hat nicht ihren Beifall. Sie kommt, wie sie sagt, um die Familie des Lumpensammlers zu »agitieren«, und lädt zu einem Vortrag über die Wichtigkeit der Erziehung ein. Ihre Rede wird höflich, aber beharrlich überhört. Sie geht, wir bleiben. Es wird spät. Unter der Tür, nach vielen Umarmungen, ruft uns der Herr des Hauses nach: »Fleißig muß man sein, sauber muß man sein, ehrlich muß man sein.« Der Krebskranke schweigt. Die Kinder starren uns nach. Die Beteuerungen des alten Zigeuners klingen auf dem dunklen Hof wie der Schrei eines Verurteilten nach Gnade.

Die Geisterbahn

»Personenkult, Verstöße gegen die sozialistische Legalität, Stalinismus: ja, so steht es in den Büchern. Aber darunter kann sich heute schon niemand mehr etwas vorstellen. Meine Enkelkinder zucken nur mit den Achseln, wenn die Rede darauf kommt; sie wollen nichts davon hören. Auch wenn die Polizei allgegenwärtig war und alles grau: wir haben doch gelebt. Jeder wußte von den Verhören, den Deportationen, den Zuchthäusern, aber wir hielten uns an die Fiktion, daß es so etwas gäbe wie Normalität. Wir hatten ja alles verloren, die Villa, das Besteck, die Teppiche. Sehen Sie, mit diesen Händen mußte ich zwei Jahre lang Kartoffeln hacken und Mist schaufeln. Heute möchte ich nicht einmal behaupten, daß mir das geschadet hat. Dann durften wir zurückkehren nach Budapest. In der Stadt fanden wir überall die alten Kellner, die alten Möbel, die alten Verkäuferinnen. Viel hatten sie ja nicht zu verkaufen, aber sie erkannten mich wieder. Es war doch Frieden, der Rückzug ins Private begann, ein langer, mühsamer, heroischer Rückzug. Jede Serviette war ein stiller Triumph. Die Leute sammelten Briefmarken, aßen Kuchen, spielten Bridge. Manchmal gingen wir ins Theater. Diesen Kandelaber da hat mir eines Tages die Portiersfrau zurückgebracht, sie hatte ihn im Keller versteckt. Sonntags gingen wir mit den Kindern in den Vergnügungspark am Stadtwäldchen.

Ja, dort müssen Sie hingehen, wenn Sie etwas von der Stimmung, von der Melancholie der fünfziger Jahre spüren wollen. Für mich ist es ein ergreifender Ort, ich weiß nicht, ob Sie das verstehen können. Sie gehen am Eingang rechts bis zur hintersten Ecke, wo das alte Karussell steht. Der Platz ist ganz ausgestorben. Die Kioske mit den schrägen, silbernen Glitzerfassaden stehen leer, die rosa Plastikinschriften leuchten nicht mehr, die Märchenbahn mit der künstlichen Mühle, den kleinen Booten, den Zelluloidschwänen, die durch das Dunkel glitten, ist trockengelegt. Nur die alten Frauen sitzen noch da wie Zerberusse mit Stricknadeln, und die alten Mechaniker, die nichts mehr zu tun haben, wachen mit ernsten Gesichtern in ihren verschlissenen Monturen über die Ruine. Wie armselig das alles war!

Aber das Schönste werden Sie nicht mehr zu sehen kriegen. Das war die Geisterbahn. Die Kinder konnten nicht genug davon bekommen, sie schrien vor Angst und Entzücken. Es war eine marxistisch-leninistische Geisterbahn, wahrscheinlich die einzige auf der ganzen Welt. Sie zeigte den Gang der Weltgeschichte nach den Gesetzen des dialektischen Materialismus, selbstverständlich unter besonderer Berücksichtigung Ungarns.

Zuerst die Affen, wie sie aus dem Urwald kamen, die Entdeckung des Feuers, dann die Sklavenhaltergesellschaft, ächzende Gestalten in schweren Ketten, Spartakus, blutige Hinrichtungen, höhnische Ausbeuter. Der Magnat, der Großgrundbesitzer im goldenen Rock schwang höchstpersönlich die Peitsche über dem nackten Rücken der Leibeigenen. Damit waren natürlich wir gemeint. Es war schwer, sich in diesen gräßlichen Puppen wiederzuerkennen. Gleich daneben die Kapitalisten, dicke Bankiers mit Zylinderhut und Zigarre, und die Leiden des Proletariats, alles sehr blutrünstig in der Finsternis, und dann ratterte das Wägelchen ins Freie, in der Frühlingssonne glänzte die herrliche Zukunft des Sozialismus. Das war ein Triumph, ein Leben in Saus und Braus, alle hatten Schuhe, Waschmaschinen, Seife, es war eine Lust zu leben!

Schade, vor zwei Jahren ist sie ausgebrannt, die Geisterbahn, die Figuren waren dahin, die Maschinerie kaputt, und kein Mensch denkt daran, sie wieder aufzubauen.«

Der Schmied

»Ich habe ihn selber gar nicht mehr gekannt, den Schmied von Berettyóújfalu«, sagt mein Freund György Konrád, der Romancier, der selber aus Berettyóújfalu stammt, »denn der Schmied von Berettyóújfalu ist schon lange tot. Er ist im Bett gestorben, Anfang der sechziger Jahre. Seine Werkstatt hatte er dort hinten, nicht weit vom Eisenwarenladen meines Vaters, hinter der Synagoge, in der heute Rasenmäher, Säcke und Ersatzteile lagern. Die Fenster der Synagoge sind eingeschlagen, und von dem Davidstern über dem Portal ist nur noch ein Rest zu sehen. Es war eine große Synagoge für diesen abgelegenen Ort, der heute nah an der rumänischen Grenze liegt. Heute braucht Berettyóújfalu keine Synagoge mehr, nur noch einen großen jüdischen Friedhof, hinter einem Drahtzaun, abgeschlossen, von Unkraut überwuchert. Hinter der Synagoge also, dort, an diesem kleinen, staubigen Platz, hatte der Schmied seine Werkstatt.

Er hatte viel zu tun, der Ort hatte zwölftausend Einwohner, war Marktflecken und Sitz des Komitats, und für die Bauern, die Händler und die Handwerker war das Pferd das wichtigste Transportmittel. Die Esse glühte den ganzen Tag, die Funken flogen. Der Wagenschmied war ein breiter, starker Mann mit schwarz verbranntem Gesicht, ein Riese. Lesen und Schreiben konnte er kaum, aber er war sein eigener Herr. Er war älter als das Jahrhundert, so alt wie mein Vater.

Obwohl die Werkstatt immer von Leuten umlagert war, hat er nicht viel gesprochen. Er hörte den Pferdeknechten und den Kutschern zu und erfuhr alles, doch sein einziger Kommentar war eine sarkastische Bemerkung zwischen zwei Hammerschlägen. Freundlich war er nicht, aber jedermann wußte, daß er der beste Schmied war weit und breit.

Im Jahre 1919, als das alte Regime zusammenbrach und in Budapest die Räterepublik proklamiert wurde, nahm nun Balog der Schmied die Sache in die Hand, und keiner dachte daran, ihm den Vorsitz des Stadtsowjets streitig zu machen. Nicht nur, weil er zwei Meter groß war, sondern auch, weil es in der Tiefebene keine Industrie gab; die plutonische Kraft der Arbeiterklasse steckte einzig und allein in den Schultern des Schmieds.

Schon der zweite Tag der Räterepublik brachte die allgemeine Sozialisierung von allem und jedem. Die Großgrundbesitzer, die Viehhändler, die Schnapsbrenner wurden mit einem Federstrich enteignet. Aber das hatte keine praktischen Auswirkungen, denn zugleich wurden sie als kommissarische Verwalter ihres früheren Besitzes eingesetzt, also blieb alles beim alten. Budapest war weit, niemand studierte die Dekrete der Regierung, die Straßen waren schlecht, Züge fuhren nicht mehr, und wenn es ein Emissär aus der Hauptstadt dennoch schaffte, nach Berettyóújfalu zu kommen, dann war das meist ein Caféhaus-Jüngling, der einen Hut trug und einen allzu hellen Anzug. Er hatte keine Ahnung und wurde von Balog dem Schmied nach Hause geschickt.

Nur die Waren verschwanden fast über Nacht aus den Schaufenstern, und auf dem Wochenmarkt gab es kaum mehr etwas zu kaufen. Die Sowjets fingen an, alles zu rationieren. Ein schrecklicher Wirrwarr war die Folge. Wenn ein Bauer in den Laden kam, um ein Kilo Nägel zu kaufen, sagte mein Großvater: Du brauchst ein Papier vom Rathaus, und schickte ihn zum Schmied. Der schrieb mit ungelenker Hand auf einen Zettel: Gut für ein Kilo Nägel, und schickte ihn zurück in den Laden. Aber der Schmied verstand sich besser auf den Hammer als auf den Kopierstift. Das Schreiben ging ihm langsam von der Hand, und so stand vor dem Rathaus bald eine lange Schlange. Da schrieb er endlich einen Brief, in dem stand: Lieber Konrád, Sie sollen es genauso halten wie früher, das ist das Einfachste.

Die Räterepublik von Berettyóújfalu dauerte nur einen Monat. Dann sind zuerst die Rumänen einmarschiert, und dann die weißen Truppen. Die Gendarmen holten den Schmied aus dem Rathaus, er wurde geschlagen, interniert, verurteilt, und nachdem er seine Strafe abgesessen hatte, kam er zurück und fing wieder an, wo er aufgehört hatte, in seiner Werkstatt.

In der Horthy-Zeit rührte sich wenig. Ein Radiomechaniker, ein Arzt, ein Schuhverkäufer – das waren die »Linken« am Ort. Aber mit diesem Milieu wollte der Schmied nichts zu tun haben, er hatte nichts für die Diskussionen im Hinterzimmer übrig, er blieb für sich, blickte verächtlich drein, war mit allem unzufrieden. Ich habe die wirkliche Arbeit getan, die andern haben mit ihrem Quatsch das Land zugrunde gerichtet; sollen sie hierherkommen, in meine Schmiede, da können sie sehen, wie es wirklich ist. Das war seine Haltung.

Im Februar 1945 kam ich aus Budapest zurück nach Hause. Meine Eltern waren deportiert worden. Die Verwaltung war geflohen, der Staat zusammengebrochen, in Debrecen hatte sich eine provisorische Regierung gebildet. Jeder wußte: bald ist die Rote Armee da. Jeder wußte auch: die Stunde des Schmieds ist gekommen. Er nahm alles in die Hand, er brauchte keine Gesetze, er wartete auf keine Anweisungen. Die alten Rätekommunisten wollten sofort die proletarische Diktatur einführen, sie machten ihn zum Vorsitzenden des Ortskomitees und ignorierten die ferne Obrigkeit.

Aber so war die Befreiung nicht gemeint. Die Beschlüsse wurden in Moskau und in Budapest gefaßt. Alles mußte genehmigt werden. Das neue Regime sandte wieder Emissäre aus. Diesmal trugen sie keinen Hut, und an Erfahrung fehlte es ihnen nicht. Der Schmied verstand nicht, was los war. Von den Broschüren, die sie hervorholten, wollte er nichts wissen, und er weigerte sich, die Verordnungen, die sie mitbrachten, zu Ende zu lesen. Überall im Land wurden die Ungehorsamen, die sich der Normalisierung widersetzten, entfernt; viele alte Kommunisten sind damals verhaftet worden. Der Schmied hatte Glück. Er trat zurück, er war beleidigt, er wurde wieder Schmied, aber passiert ist ihm nichts.

In den letzten Oktobertagen des Jahres 1956 kam es überall in der ungarischen Provinz zu Demonstrationen. Auch auf der Hauptstraße von Berettyóújfalu herrschte Bewegung. Der Schmied ging in der ersten Reihe, er trug die Fahne. Wieder wurde ein revolutionäres Komitee gebildet. Wieder hieß der Vorsitzende Balog. Er war damals schon sechzig Jahre alt. Die Leute auf dem Land waren gebrannte Kinder, sie waren vorsichtig geworden. Sie gingen erst vier Tage später als die Budapester auf die Straße. Auch war die Grenze nah, die russischen Panzer hatten es nicht weit, und so hat es diesmal nur fünf Tage gedauert, bis alles vorbei war. Die Geheimpolizei holte den Schmied ab und schlug ihm die Knochen entzwei. Nach ein paar Monaten im Internierungslager war es mit seiner Gesundheit nicht mehr weit her. Er kehrte zurück, aber die Esse in seiner Werkstatt hat er nicht mehr angezündet. Berettyóújfalu und Umgebung konnte den Verlust verschmerzen, denn es gab von Jahr zu Jahr weniger Pferde. Ein paar Jahre später ist der Schmied in seinem Bett gestorben.

Eine legendäre Figur? Das wäre zuviel gesagt. Seine Geschichte ist eine normale Geschichte, wie tausend andere auch.

Der Sohn des Schmieds ist übrigens in die Stadt gezogen. Er hat studiert, ist der Partei beigetreten und Ingenieur geworden. Für den Kommunismus hat er sich nie interessiert.«

Das Panoptikum

»An Historikern«, sagt der Historiker, »fehlt es uns nicht, Stoff haben wir nur allzuviel, das Interesse ist enorm. Die Ungarn sind stolz darauf, daß es sie schon so lange gibt. Ob diese hohe Meinung von der eigenen Geschichte gerechtfertigt ist, das steht auf einem anderen Blatt. Jedenfalls: vergessen wird hier nichts und niemand. An unsern Häuserwänden wimmelt es von Gedenktafeln, auf unsern Plätzen von Denkmälern. Jedes Dorf erinnert sich seiner großen Söhne, wenn es auch nur ein Turnlehrer oder ein Schachspieler war. Im Zweifelsfall war es Petöfi, unser Nationaldichter, der in der einen oder andern Bruchbude übernachtet hat. Er war in seiner Jugend Kulissenschieber und ist viel herumgekommen.

Aber zugleich war und ist es hierzulande unmöglich, Geschichte zu schreiben. Wir haben zu viele Leichen im Keller. Nehmen Sie 1956. Gewiß, man darf wieder davon sprechen, aber wie? War das eine Revolution? Eine Konterrevolution? Ist das Volk auf die Straße gegangen? Der

Mob? Die Arbeiter? Der Pöbel? Am besten, man spricht einfach von ›den tragischen Ereignissen‹. Die Vergangenheit ist wie ein Vexierbild, man liest heraus oder hinein, was einem paßt. Der eine findet Ähnlichkeiten zwischen Deák und Kádár, der andere zwischen Kádár und Horthy. Manche behaupten, 1956 hätte sich das Jahr 1848 wiederholt, manche werfen 1919 und 1945 in einen Topf. Selbst mit unsern Vergleichen tappen wir im dunkeln.

Ich ging noch in die Volksschule, da hat mich meine Mutter schon vor dem Labyrinth der Vergangenheit gewarnt. Sie meinte die kilometerlangen Gänge und Stollen im Karstgestein unter der Burg von Buda. Früher hatten dort die Weinbauern ihre Keller. Ende der dreißiger Jahre ließ Horthy die Höhlen zu Schutzräumen und Bunkerstellungen ausbauen, und es war streng verboten, diese unterirdische Welt zu betreten.

Nach dem Krieg bin ich einmal auf eine Öffnung im Mauerwerk gestoßen, in den verwahrlosten Gärten hinter der Festung. Ich konnte nicht widerstehen und bin eingestiegen, nur mit einer Schachtel Streichhölzer bewaffnet. Nach ein paar Metern bin ich über einen Stahlhelm gestolpert, dann fand ich Skelette. Die Wände waren schwarz, mit Ruß bedeckt. Der Gang öffnete sich zu einer Galerie, in der es tropfte. Jemand hustete. Ich schlich weiter und kam an einen unterirdischen See. Ein alter Mann trieb in einem Kahn auf dem Wasser. Er trug eine Karbidlampe auf der Stirn und stocherte mit einer Stange in den Fluten. Als er mich sah, ruderte er mir fluchend entgegen. Es war ein Arbeiter, der die Leichen deutscher Soldaten aus dem Wasser fischte.

Die Russen hatten Pest im Januar 1944 besetzt. Buda wurde von den Deutschen bis Mitte Februar verteidigt. Sie hatten in den Höhlen unter der Burg ein Lazarett eingerichtet. Als die Nazi-Truppen den Rückzug antraten, haben sie ihre Schwerverwundeten, die nicht mehr gehen konnten, statt sie den Russen zu übergeben, mit Flammenwerfern getötet.«

Heute sind die Höhlen unter der Burg über bequeme, gut beleuchtete Treppen zu erreichen – ein Triumph der ungarischen Wirtschaftsreform, die es möglich gemacht hat, die nationale Geschichte zu privatisieren. Eingang Uri utca Nr. 9, Eintritt 70 Forint. Das *Budavári Panoptikum* ist ein staatlich lizenziertes Unternehmen, zu dem auch eine Galerie, ein Pantomimentheater und eine Weinstube gehören. In der Keller-Boutique verkaufen bärtige Künstler abscheuliche Keramik-Vasen, Jugendstil-Imitationen, mittelalterliche Heiligenfiguren und rustikalen Modeschmuck. Sie gehören einer Genossenschaft an, die fünfzig Mitglieder zählt. Ihr Gründer ist der Mime, Geschäftsmann, Theaterdirektor und Advokat Miklós Köllö, dem es gelungen ist, den unterirdischen Teil der historischen Altstadt von Buda zu pachten. Er hat in sein Unternehmen kräftig investiert. Die Kellergänge sind trockengelegt, gepflastert und angestrahlt. Überall armdicke Kabelstränge, Schaltuhren und Lautsprecher, die die ganze Anlage mit Lautenklängen und elektronischer Programm-Musik beschallen. Das Dekor besteht aus schmiedeeisernen Geländern, imitierten Gaslaternen und nagelneuen Wappenschildern. In heraldischen Lettern steht über der Treppe: »Mind your head!«

Das Panoptikum stellt die ungarische Geschichte als ein Gulasch aus sagenhaften Brocken aus. Sechzig selbstgebastelte Figuren aus Holz, Gips und Farbe, zu 24 »Kompositionen« geordnet, bevölkern dieses patriotische Disneyland. Hostessen in Webröcken, die ein vages Studium mit dieser künstlerischen Tätigkeit vertauscht haben, erklären dem Besucher unbarmherzig und in gebrochenem Englisch, worum es sich handelt: Dies ist der grünbeleuchtete Lebensbaum, das der Tatarenzug, hier ist der Gevierteilte, dort der Flagellant zu sehen. Am Ende wird dem erschöpften Gast, zur Erinnerung an diese Ausgeburt des Dienstleistungssektors, ein Prospekt in die Hand gedrückt, in dem er schwarz auf weiß lesen kann, was an der Geschichte Ungarns zu beherzigen ist:

»Das mischende Blut hatte eine besondere Bedeutung: es sollte einen zauberhaften Kraft zwecks Zusammengehörigkeit haben. Nach der Legende haen die 7 Fürste der ungarischen Stämme damit einen Bund für die Landnahme abgeschlossen... Alle die Försten haben ihr Blut in einen Humpen fliessen lassen... Nach der Chronsik von Anonymus sowie nach welchen Legenden über die Landnahme haben die Ungarn das derzeitige Land mit einem Fraus erobert... Das gestern noch blühende Reich, das weltbrühmtes gesitliches Leben geschafft geschafft hat, zerfiel... Die Hände, die die auf den leeren Tron liegeden Krona erreichen wollen lassen schon die später erfolte traurige Zukunft ahnen...«

Envoi: Fünf Kurzgeschichten

1. In dem alten Haus auf dem Rosenhügel, das heute ganz vom wilden Wein überwuchert ist, hat früher ein Bankier gewohnt. Heute müssen sich zehn Mietsparteien die hohen, stuckgeschmückten Räume teilen. Durch die dünnen Trennwände ist den ganzen Tag Musik zu hören: der alte Mann nebenan hat nur noch einen Plattenspieler, der ihm Gesellschaft leistet. Er ist krank.

Unter dem Bett verwahrt er vier Koffer mit geheimen Papieren: Protokolle aus dem Zentralkomitee. Er ist schon etwas wirr im Kopf, Arteriosklerose; er stammelt; man begegnet ihm mit Nachsicht; auch der Haß auf ihn hat sich erschöpft; soll er ungestört sterben. Er heißt Márton Hórvath. Vor dreißig Jahren war er der Diktator der stalinistischen Kultur. Die Musik, mit der er heute seine Nachbarn peinigt, die Musik von Béla Bartók, hat er damals verboten.

2. Der erfolgreiche Kameramann, ein eher ausgelassener Mensch von vierzig Jahren, schaut sich beim Rasieren in den Spiegel, hört auf zu singen und sagt nach einer kleinen Pause:
»Wir Ungarn sehen alle miteinander fünf Jahre älter aus als die Leute im Westen. Weißt du warum? Daran sind die Russen schuld.«

3. György Aczél versteht es, viele Rollen zu spielen. Er ist zugleich der mutige Pionier, der weit in die Zukunft blickt, der raffinierte Zyniker, der weise Staatsmann, das Arbeitstier, der müde Wanderer, der es satt hat, durch die Wüste zu pilgern. Vor allem aber ist er der Übervater der ungarischen Kultur, eine legendäre Figur, bewundert und verhaßt; im übrigen ist er Mitglied des Politbüros. Er zitiert die halbe Weltliteratur, er formuliert gut, er versteht sein Metier; unvergeßlich aber bleibt mir ein Satz, den er ganz nebenbei fallenläßt, wie eine Selbstverständlichkeit: »Ich pflege im Gefängnis zu sitzen.«

4. Ein scharfsinniger Freund, der mir gerade geholfen hat, mein Anmeldeformular auszufüllen, bleibt vor dem Postamt stehen, mitten im Gewühl, sieht mich argwöhnisch an und sagt:

»Vielleicht sind wir alle dumm geworden. Können wir überhaupt noch denken? Die Fragen, mit denen wir uns herumschlagen, hat sich der Westen schon vor zweihundert Jahren gestellt. Unsere Kämpfe sind anachronistisch. Wir sind bestenfalls Stellvertreter. Wenn wir an die Macht kämen, wüßten wir nicht, was wir damit anfangen sollten.«

5. Sie ist ungefähr 33, sieht aber jünger aus, klug, schön, bleich, erbittert und eine Spur hochmütig, vielleicht auch nur selbstbewußt. Man merkt ihr an, daß sie sich in allen Metropolen der Welt zuhause fühlt. Sie sagt:
»Wir sind auf der Straße, mein Vater hat mich auf den Arm genommen, es ist ein trüber Tag. Aus dem Nebel kommt ein riesiges, lautes Auto auf uns zu. Es gab damals nicht viele Autos auf den Straßen von Budapest. Ich hatte Angst. Das Geräusch war schrecklich. Vielleicht verwechsle ich dieses Dröhnen, diese Erschütterung auch mit dem Erdbeben, das wir damals erlebt haben, im Herbst 1956. Aber ich glaube nicht. Ich glaube, es war ein Panzer. Das ist meine erste historische Erinnerung. Es ist zugleich meine letzte. Denn seitdem ist nichts mehr passiert. Immer nur Kádár. Und, solange ich denken kann, die Lüge.« Rasch, mit einem schiefen Lächeln, fügt sie hinzu: »Meinetwegen kann es dabei bleiben. Die Weltgeschichte und ich – wir kommen ohne einander aus.«

Portugiesische Grübeleien

Robinsonade

Selber schuld, wer seinen Augen traut, sagte der Monsignore. Tatsachen sind etwas Schönes, doch den Portugiesen ist mit ihrer Hilfe nicht beizukommen. Ein schwieriges Terrain. Nach wie vor viel Frömmigkeit, wenn auch von der abergläubischen Sorte. Aber versuchen Sie einmal, dieses Volk zu missionieren! Sie beißen auf Watte.

Er wußte genau, daß ich nichts dergleichen im Sinn hatte, und daß ich seinen Rat nur in weltlichen Dingen suchte. Als ich ihn um Erlaubnis bat, das Interview mitzuschneiden, lächelte er druckreif.

Ihren Auto-Atlas, fuhr er fort, können Sie vergessen. Die Landkarten lügen.

Wie meinen Sie das, Eminenz?

Portugal, sagte er, ist wie Irland, mit dem es viel gemeinsam hat, eine Insel. Ja, ganz im Ernst: eine Insel, die am westlichen Horizont verschwimmt, ein Überrest des sagenhaften Atlantis. Genau genommen sogar ein Archipel; denn in der Ferne, weit jenseits der Hesperiden, tauchen noch weitere portugiesische Eilande auf. Ich habe sie vor Jahren einmal besucht. Es gibt dort nur Bomberkommandos, Pauschalreisende und Wetterfrösche. Ein ultramarines Europa, mein Freund, das den Hotelköchen ihren Madeira liefert und den Bewohnern des Festlandes ihre Hochdruckgebiete.

Ich habe Leute getroffen, wandte ich vorsichtig ein, die behaupteten, sie hätten die Ufer Portugals trockenen Fußes erreicht, per Eisenbahn oder nach grauenvollen Fahrten mit ihren Camping-Anhängern. Er wischte solche Zweifel vom Tisch.

Das sind Gerüchte, erwiderte er. Diesen phantastischen Geschichten von schwankenden Brücken, abgelegenen

Zollstationen und staubigen Saumwegen haftet etwas Übertriebenes an. Fragen Sie doch die angeblichen Nachbarn! Die Spanier aus Andalusien und Estremadura schauen einen nur verständnislos an, wenn man sich erkundigt, ob es jenseits der Berge, auf der anderen Seite des Guadiana, festes Land gebe, und wer dort wohne. Umgekehrt wollen die Portugiesen von den Spaniern nichts wissen. Wenn die beiden Länder tatsächlich eine gemeinsame Grenze hätten, dann müßte es doch möglich sein, auf einer Oberschule in Porto oder Lissabon Spanisch zu lernen. Aber davon kann keine Rede sein. Englisch gern, Französisch meinetwegen, sogar Deutsch oder Latein. Nur Spanisch, Spanisch gibt es nicht.

Alles, was Portugal braucht, wird, wie es sich für eine Insel gehört, per Schiff oder Flugzeug eingeführt, von der Erdnuß bis zum schlüsselfertigen Chemiewerk. Das gleiche gilt für die Ausfuhr. Der Kontinent ist fern, so fern wie Brasilien oder Indien. »Mein Sohn hat in Europa studiert.« – »Der arme Caetano, er hat keine Arbeit gefunden, und so mußte er acht Jahre in Europa zubringen.« Es hört sich an wie eine Expedition. Ein gewisser Stolz schwingt mit, aber die Klage überwiegt. Die Auswanderung ist ein alter Fluch des Landes, und Europa ist für die meisten ein Ort der Verbannung. Wer verläßt schon aus freien Stücken die heimische Küste?

Außerdem kostet Reisen Geld. In Lissabon wird Sie jeder, absolut jeder, der flüchtigste Bekannte, zum Essen einladen, die Restaurants sind immer überfüllt, aber täuschen Sie sich nicht! Es ist kein Geld vorhanden. Neulich las ich irgendwo eine Statistik. Nur jeder dritte Portugiese verläßt seine Wohnung, um Ferien zu machen, und nur 3 % der Inselbewohner haben im vergangenen Jahr fremden Boden betreten.

Das ist nicht nur eine physische Tatsache. Dieses Inseldasein prägt auch das historische Bewußtsein der Portugiesen, ihre Mentalität. Die Abgeschiedenheit fördert eine übernatürliche Ruhe, die bis zur Schlafkrankheit, und eine Geduld, die bis zur Resignation gehen kann. Liebe alte Gewohnheiten halten sich länger als anderswo, zum Beispiel das Heidentum. Ich könnte Ihnen Dinge erzählen, die Sie nicht für möglich hielten...

Auch eine gewisse Empfindlichkeit und ein gesundes Mißtrauen zeichnen den Insulaner aus. *»Orgulhosamente sós«*: Wir stehen allein da, und wir sind stolz darauf – kaum eine Losung der alten Diktatur hat bei den Portugiesen soviel Anklang gefunden wie diese. Naja, wer keine Nachbarn hat, der neigt zum Monolog. Was hat man den Portugiesen nicht alles nachgesagt. Selbstgerecht seien sie und selbstvergessen, selbstgenügsam und selbstgefällig... Immer diese fatale Vorsilbe *Selbst.* Weder ihr Mitleid noch ihre Quälerei, weder ihr Lob noch ihre Verachtung, weder ihre Kritik noch ihr Betrug kommt ohne sie aus.

Eine kleine Pause trat ein. Der Monsignore zündete sich eine Zigarette an und ließ seine Blicke auf dem blühenden Oleander draußen im Garten ruhen.

Aber nicht nur im Raum gibt es Inseln, sagte er endlich. Auch die Zeit hat ihre Archipele.

Wie meinen Sie das?

Er nahm einen Bleistift zur Hand und zeichnete ein paar konzentrische Kringel aufs Papier.

Das könnte ein Höhenrelief sein, oder eine Wetterkarte, fuhr er fort. Nicht daß Sie denken, ich hätte etwas gegen die Geographen. Im Gegenteil, manchmal träume ich von Baum- und Packeisgrenzen. Linien gleicher Regenmenge oder gleichen Springtidenhubs – wissen *Sie,* was das ist? So entstehen abstrakte Gebirge und Täler, aus denen zu ersehen ist, wieviel Schnee in einer Gegend fällt, oder wie hoch der Anteil der Katholiken ist. (Hier lächelte der Monsignore.)

Oft habe ich mich gefragt, wie wohl eine Topographie der Zeit aussehen würde. Denn die Jahreszahl auf dem Kalender, was besagt sie schon? Es gibt viel Ungleichzeitigkeit in unserer Welt. Warum immer nur Isothermen und Isobaren? Viel interessanter wäre es, Linien zu finden, an denen sich ablesen ließe, welche Zeitzonen wir durchwandern, wenn wir reisen... Linien, die die Risse und Verwerfungen der Geschichte zeigten... Man könnte sie Isochronen nennen. Nehmen wir einmal an, Sie und ich, wir lebten tatsächlich im Jahre 1986 – eine kühne Voraussetzung! –, und wir besuchten eine Kleinstadt in Mecklenburg, so käme es uns vielleicht vor, als schriebe man dort das Jahr 1958. Eine Siedlung am Amazonas ließe sich auf das Jahr 1935 datieren, und ein Kloster in Nepal auf die napoleonische Zeit. Auf einer solchen Karte, darauf wollte ich eigentlich hinaus, würden große Teile Portugals als Zeitinseln erscheinen.

Ich habe immer das Gefühl gehabt, es sei dort »wie früher«. Ein äußerst ambivalentes Gefühl. Kennen Sie das? Ein Hauch von *ancien régime*, eine Mischung von Verlockung und Grauen. Damals, als die Menschen noch anspruchsloser, kleiner, ärmer an Worten waren. Die Würde ging mit dem Elend, die Frömmigkeit mit der Unterdrückung Hand in Hand. Diese alten Frauen, einen Meter fünfzig groß, mit ihren Eierkörben, ganz in Schwarz gekleidet... Diese Dreiräder, die bergauf durch enge Gassen dröhnten... Diese Ziehharmonikas, wie in einem Fellini-Film... In Portugal kann es Ihnen heute noch passieren, daß ein Lieferant oder ein Bittsteller einen Brief mit den Worten unterzeichnet: *com a maior consideraçâo de V.ª Ex.ª atto. ven.dor e obgdo.*, das heißt: in tiefster Hochachtung Euer Exzellenz aufmerksamer und dankbarer Verehrer... Abgetragene Sonntagsanzüge, Mützen von früher, Relikte von alten Klassen: Gutsbesitzer, Schaffner, Landarbeiter, die wie Gutsbesitzer, Schaffner, Landarbeiter aussehen... Achten Sie auch auf die Uhren, die vielen Uhren an den Türmen, den Markthallen, den Ladenecken. Sie stammen aus einer Zeit, da die Uhr etwas Seltenes, Kostbares war. Nur Apotheker, Direktoren, Geheimräte konnten sich eine eigene Uhr leisten. Sie werden feststellen, daß all diese öffentlichen Uhren falsch gehen, besser gesagt, sie sind stehengeblieben. Es zieht sie niemand auf. Ich erinnere mich auch an den Gerichtsschreiber in seinem lichtlosen Büro, der den Bindfaden, mit dem er seine Akten zusammenheftet, zwischen den Zähnen festhält, damit er die tintenblauen Finger frei hat, und an den blinden Geiger auf der Fähre nach Cacilhas. Er stochert mit seinem weißen Stock die Gangway hoch, er hat das Futteral eines alten Fotoapparats umgehängt, in dem, während er die Violine stimmt, die Münzen klappern. Abends werden Sie ihn in der Oberstadt wiederfinden, vor den Nachtlokalen, ohne sein Instrument. Dann brabbelt er vor sich hin, er ist betrunken, er murmelt etwas von Salazar, und die jungen Mädchen am Eingang der Diskothek weichen zurück vor seinem ausgelaufenen Auge.

In New York habe ich einmal ein Geschäft gesehen, das *Second Childhood* hieß. Im Schaufenster lagen verbeulte Blechspielsachen aus den dreißiger Jahren. Doch was der Laden seinen Kunden bot, und zwar zu exorbitanten Preisen, war kein Spielzeug, sondern ein Trip, eine Reise in die Vergangenheit. Nun, solche Zeitreisen sind in Portugal gratis zu haben. Zugegeben, auch in Lissabon bricht die Außenwelt ein, manchmal sogar sehr plötzlich und brutal, aber es ist schwer, die Insel gleichzuschalten, plattzuwalzen, zu sanieren. Überall finden Sie Enklaven, die still vor sich hinmodern. In den Kramläden finden Sie Schachteln, die vor fünfzehn Jahren abgefüllt wurden, und selbst den Müll durchsucht immer noch ein junger Arbeitsloser oder ein struppiger alter Mann auf der Suche nach brauchbaren Resten. Und auch die Gedanken sind zurückgeblieben.

Ich sage das ohne Herablassung. Es liegt eine gewisse Unschuld in dieser Zurückgebliebenheit. Vielleicht ist auch die Kirche in Portugal nur ein Relikt. Diejenigen, denen es zu langsam ging, sind schon lange fort. Die Ehrgeizigen, die Ungeduldigen, die Habgierigen haben, in immer neuen Wellen, das Land verlassen. Dieser Exodus hält seit fünf Jahrhunderten an. Jeder dritte Portugiese lebt im Ausland. Den andern, den Zurückgebliebenen verdankt die Insel ihren Charme und ihren Jammer. – Verzeihen Sie, ich bin ins Plaudern geraten.

Der Monsignore warf einen Blick auf seine Armbanduhr. Sie ging exakt. Die Audienz war beendet.

Eléctrico

Ein Rillendraht aus hartgezogenem Elektrolytkupfer, der sich kreuz und quer, bergauf und bergab durch die blaue Luft zieht, ist der Faden, der den Fremden am sichersten durch das labyrinthische Lissabon führt. Ich spreche vom Fahrdraht der Linie 28.

Die Reise beginnt im Zentrum, nicht weit vom Rossio, am Largo Martim Moniz, einem wüsten, turbulenten, schmutzigen Platz, auf dem sich Bretterbuden, Kofferschnäpper und Baugruben breitmachen. Sie kostet weniger als eine Mark und dauert fast eine Stunde.

Wir vertrauen uns einem herrlichen Verkehrsmittel an: der Straßenbahn in ihrer ursprünglichen Gestalt, wie sie anderswo längst ausgestorben und nur noch in Museen als Kostbarkeit zu finden ist. Über ein solides Trittbrett besteigen wir die Plattform, die durch ein Scherengitter gesichert ist, und öffnen die Schiebetür. Im Innern des Wagens erwartet uns ein unvergleichlicher Komfort: Sprossenfenster aus honigfarbenem Holz, die sich bei schönem Wetter öffnen lassen, Rouleaus aus braunem Wachstuch, die man, je nach Sonnenstand, höher oder tiefer ziehen kann, Armlehnen aus massiver Eiche und grünbezogene Sitze. Ein lederner Riemen, der durch Messingösen läuft, erlaubt es uns, dem Wagenlenker zu signalisieren, wann wir aussteigen wollen.

Kerzengerade, heute wie vor einem Menschenalter, steht er vor seiner Fahrkurbel, und ernst blickt er auf die Geleise, Spurweite 65 cm, sowie auf den Kuhfänger vor ihm, der im Notfall unvorhergesehene Hindernisse beiseiteräumen und dem Fahrzeug freie Bahn schaffen kann. Auf der Nickelhaube des Schaltbretts sind die Patente, denen wir dieses elektrische Wunder zu verdanken haben, aufgelistet und datiert (1889 bis 1916). Auch die Erbauerin hat sich hier verewigt: The British Thomsen & Houston Co. Ltd., Rugby, England. Ihr Erzeugnis hat sich als unverwüstlich erwiesen. Sein Gebrauchswert hat das Empire überlebt, und mit ihm auch den traditionellen »Einfluß« der Briten, die Portugal im neunzehnten Jahrhundert als Halbkolonie traktiert haben.

Endlich ertönt das Klingelzeichen. »Ein Drehen der Fahrkurbel nach rechts (von der Nullstellung aus) bewirkt ein Fahren des Wagens mit wachsender Geschwindigkeit; ein Drehen nach links hat die elektrische Bremsung mit wachsender Stärke zur Folge.« So heißt es in der Betriebsvorschrift, in der neben der Schaltwalze, der Hilfswalze, der Handkurbel auch die Druckluftbremse, das Manometer, der Abblendgriff und die Warnglocke ausführlich gewürdigt werden.

Singend setzt sich der Eléctrico in Bewegung. Rechts fliegen die düsteren Treppengänge der Mouraria an uns vorbei. Dann beginnt der Fahrer den kühnen, steilen Aufstieg zum Graça-Viertel. Spielend meistert er riskante Ecken, schärfste Kurven, gefährliche Schieflagen im Unterbau. Dann donnern wir durch die kopfsteingepflasterten Gassen der Alfama, bis eine jähe Bremsung uns gegen die Lehne des Vordermanns schleudert. Der Wagen hält aus gutem Grund; an zweigleisigen Verkehr ist, wo die Trambahn fast die Balkone streift, nicht zu denken. Eine umsichtige Verwaltung hat deshalb ein Schilderhäuschen installiert. Ein buckliger Veteran hält hier Wache, und sobald sich ein Wagen aus der Gegenrichtung, unsichtbar für uns, nähert und uns zu zerschmettern droht, streckt er eine rote Kelle aus seinem Unterschlupf, um unseren Fahrer zu warnen.

Es riecht nach Stockfisch und Röstkaffee, und man sieht, wie einst Neruda, »in manche Winkel, manche feuchte Gebäude, in Krankenhäuser, aus deren Fenster Gebeine fliegen, in manche Flickschustereien, wo es nach Essig riecht, in Gassen, die schrecklich wie Erdspalten sind.« Säcke voll Mehl und Hirse, Kisten voll Datteln, Nüssen und Oliven drängen auf den schmalen Gehsteig, und aus der Tiefe des höhlenartigen Kramladens dringt eine fremdartige Musik. Man glaubt in Neapel zu sein, in Istanbul, in Jerusalem. Hier ist der Orient nicht fern. Ein paar Häuser weiter hält die Trambahn wieder, der gewissenhafte Lenker nimmt aus einer Art Schirmständer zu seiner Rechten einen stählernen Schlüssel, steckt ihn in die passende Öffnung im Pflaster, stellt die Weiche, steigt wieder ein und setzt seine Fahrt fort, während der

Schaffner winzige grüne Fahrscheine knipst und die ab-
gegriffenen Banknoten, die von Jahr zu Jahr weniger
wert sind, in seiner Geldkatze verschwinden läßt.

Die Aufteilung der Städte in reiche und arme Viertel ist
eine Erfindung des neunzehnten Jahrhunderts. Vorbür-
gerliche Gesellschaften kannten diese Form der sozialen
Apartheid nicht. Deshalb stehen im alten Kern Lissabons
elende Mietshäuser neben prächtigen Klöstern, aristo-
kratische Palais neben armseligen Spelunken. Auch die
Linie 28 führt an Gefängnissen, Palästen und Slums vorbei. Aber es ist unmöglich, sich auf die Sehenswürdigkeiten zu konzentrieren. Gewiß, der Blick über den Terreiro
do Paço mit seinen rosa Fassaden auf den breiten Fluß ist
herrlich, die Delikateßgeschäfte und die Eisenwarenläden sind bemerkenswert, aber immer wieder ertappen
wir uns dabei, daß die *musique concrète* der Trambahn
uns ablenkt, eine Darbietung, neben der sich Honeggers
Pacific 231 wie ein schüchterner Leierkasten ausnimmt.
Der triumphierende Singsang des Motors geht im Ras-
seln, Ächzen und Rumpeln des Fahrgestells unter, das
über die Abzweigungen poltert; die Warnglocke bellt
und scheppert, der Kompressor jault und rappelt, die
Bremsen zischen, während der unerschrockene Fahrer
bald umsichtig, bald mit virtuosem Brio neue, unge-
heuerliche Steigungen erklimmt, am alten Hauptquartier
der Geheimpolizei vorbei, an der verblichenen Eleganz
des Chiado, am Parlament, am üppigen Grün des
Estrela-Parks, bis, nach einer ruhigeren Strecke, das Ziel,
die Endstation erreicht ist.
Während die fleißigen Straßenbahner sich keine Ruhe
gönnen – sie holen die Rillenrolle von der Oberleitung,
wenden sie um, lassen sie wieder nach oben federn und
binden sie fest mit einem Kälberstrick; dann müssen die

grünen Sitzbänke umgeklappt werden, das neue Fahrziel wird ins Fensterchen gekurbelt, der Rückspiegel aus der Halterung genommen und an die Stirnseite gesteckt –, während all diese Handgriffe gewissenhaft ausgeführt werden, wenden wir uns einem neuen Vergnügen zu; denn so heißt die Endstation der Reise: Prazeres, Vergnügungen, Freuden.

Der Prazeres-Garten, hoch über dem Tejo-Fluß gelegen und umgeben von hohen weißen Mauern, ist die Nekropole Lissabons. Der Friedhof ist die verkleinerte, aber exakte topologische Abbildung einer Hauptstadt mit all ihren Gebäuden, Straßen, Kirchen, Plätzen, Palästen, säuberlich in Viertel gegliedert, aber kaum bevölkert. Nur hie und da sieht man eine alte Frau, einen Gärtner oder eine streunende Katze. Den Häusern oder Mausoleen steht oft ihr portugiesischer Name auf die Stirn geschrieben: *jazigo ossuário*, zu deutsch Knochengruft; sie sind aus soliden Quadersteinen errichtet, offenbar für die Ewigkeit; haltbarer wirken sie jedenfalls als die baufälligen, bröckelnden Behausungen der Lebenden. Eindrucksvoll ist ihre architektonische Vielfalt. Die Pyramide steht neben der Kapelle, die Burg neben dem Tempel, die Villa neben der Pagode. Viele dieser Totenhäuser sehen geradezu bewohnt aus. Die Fenster aus buntem Glas sind mit Spitzenvorhängen verziert, die Türen aus Bronze, Gußeisen oder Messing mit Sicherheitsschlössern versehen. Im Innern erspäht der zudringliche Blick einen Hausaltar voller Blumenvasen, die auf gestickten Deckchen stehen. Manchmal ist der Salon sogar mit Stühlen für seltene Besucher oder wohlwollende Gespenster versehen. Immer aber sind links und rechts marmorne Liegeplätze zu erkennen, stockwerkartig übereinander gestapelt wie in einem Kinderschlafzimmer.

Dort ruhen die prächtig geschmückten Särge. Fast in jedem Mausoleum sind noch ein paar Plätzchen frei. Die älteren Häuser sind neo-gotisch, neo-manuelinisch oder im Stil der Neo-Renaissance gehalten; die Neubauten allerdings sehen eher wie Transformatorenhäuschen oder Banktresore aus. Statuen sind kaum zu finden. Eine Art von Bilderverbot scheint hier zu gelten. Die lasziven Göttinnen, Genien und Musen, die man auf anderen Friedhöfen findet, fehlen ganz; dafür spricht aus den Inschriften eine entfesselte Rhetorik, die vor Superlativen nicht mehr aus und ein weiß. Ich weiß nicht, wie dieser Ort zu seinem Namen gekommen sein mag, aber das Gemeinwesen der Gebeine zeugt, alles in allem, von einem höchst lebendigen Totenkult.

Zeichen und Wunder

Der Doktor ist schon lange tot. Neunzig Jahre ist es her, daß man ihn begraben hat. Aber seine Armenpraxis hat er bis auf den heutigen Tag nicht geschlossen.

Dr José Tomás de Sousa Martins war ein Fortschrittsmann, den die somnambule Phantasie seiner Landsleute in einen Wiedergänger verwandelt hat. Zum erstenmal ist er mir in einem Schaufenster an der Rua da Madalena entgegengetreten. Eine angemessene Umgebung für Begegnungen der zweiten Art; denn diese Straße ist das Reich der Sanitätshäuser. Beklemmende Reliquien bieten sich dort den Blicken der Passanten dar: Rathgeber's Zehenspreizer zum Beispiel, ein ekelhafter rosa Gegenstand, der dem Kaugummi eines Riesen gleicht, oder ein leichenhafter Wachsfuß, der mit Hühneraugen und Hornhäuten übersät ist: eine Fundgrube für New Yorker

SM- und Bonding-Freunde, nur daß die Halsbänder aus Nickel und Gummi, die Schnürleiber und Suspensorien nicht der Lust, sondern dem Wohle der leidenden Menschheit geweiht sind.

Mitten in diesem Jahrmarkt des Fetischismus, in dieser Parade von Gebrechen hat sich ein Devotionalienge-schäft eingenistet mit Neon-Madonnen, Rosenkränzen und armdicken Kerzen, auf denen blutrot das Heilige Herz lodert, und dort fand ich ihn, den armen Doktor, aus Gips, immer nach ein und demselben Model gebil-det, als Büste oder als Statuette, angetan mit einem schwarzen Wams, die kurzen Puffärmel gefältelt und ge-bauscht, und mit einer fuchsroten Perücke versehen. Sein bleistiftschmaler Mongolenschnurrbart hing ihm bis aufs Kinn, und der Blick, mit dem er mich ansah, war be-trübt. Für 325 Escudos aufwärts war Dr Sousa Martins, der sonderbare Heilige, in verschiedenen Formaten zu haben.

Als ich ihn ein paar Tage später wiedertraf, stand er in übernatürlicher Größe vor mir, auf einem enormen Pie-destal, am Campo dos Mártires da Pátria, aus massiver Bronze, gleich vor dem Portal der Medizinischen Fakul-tät. Ich begriff ohne weiteres, daß ich es nicht mit einem gewöhnlichen Denkmal zu tun hatte. Um das Rondell herum war ein Kommen und Gehen, ein ständiges Ge-wimmel, ein eifriger Betrieb. Der Doktor blickt von sei-ner Säule aus auf ein Meer von Marmortafeln herab, in die bald nur das schlichte Wort »Danke« eingemeißelt ist, bald längere Legenden und ausführliche Krankheits-geschichten. Paßfotos und Püppchen künden von seinen mystischen Erfolgen; denn Dr Sousa Martins ist zustän-dig für alles, er unterhält eine Allgemeinpraxis für hoff-nungslose Fälle. In einem Blechkasten zu seinen Füßen brennen Dutzende von Kerzen. Eine wachsbleiche Hand, ein Krückstock, eine Plastikbrust, ein Glas voller Nierensteine zeugen von wunderbaren Heilungen. Eine robuste Sechzigjährige führt einen schwunghaften Handel mit Gegenständen, die dem Kult des Doktors dienen.

»O Geist des Dr Sousa Martins«, lese ich auf einem der Heiligenbildchen, die sie vertreibt, »erhöre mich, steh mir bei, erbarme dich meiner! Gebenedeit sei deine Mutter Maria der Schmerzen dafür, daß sie der Welt einen solchen Sohn geschenkt hat!«

Niemand wußte genau, wo Borotse, Matabele und Mashona liegen, aber jeder wollte diese unwirtlichen Gegenden im ostafrikanischen Busch sein eigen nennen, auch die armen Portugiesen. Man schrieb das Jahr 1890, und der Kolonialwarenhandel stand in voller Blüte. Da richtete das perfide Albion an seinen treuesten Verbündeten Portugal ein Ultimatum, und als die britische Flotte vor der Tejo-Mündung aufzog, stellte sich leider heraus, daß die portugiesische Kriegsmarine nur aus ein paar schrottreifen Dampfern bestand. Eine Demütigung sondergleichen, die auch den patriotischen Dr Sousa Martins nicht kalt ließ. Er stellte sich einem Komitee zur Verfügung, das Spenden für den Bau eines leichten Kreuzers sammelte, und als er sieben Jahre später das Zeitliche segnete, war das große Werk vollbracht: der *Adamastor*, Portugals schimmernde Wehr, lag auf der Reede von Lissabon und verrostete langsam. Und so waren es auch nicht die Slumbewohner, die Krüppel und die abergläubischen Bäuerinnen aus dem Hinterland, die auf die Idee kamen, dem Gründer der Pharmazeutischen Gesellschaft ein Denkmal zu setzen, sondern Herren in Gehrock und Zylinder. An einem Märztag des Jahres 1900 nahm Seine Majestät König Carlos persönlich die Enthüllung vor. Was aber unter der blau-weißen Fahne zum Vorschein kam, rief bei den versammelten Honoratioren Schreie der Empörung hervor.

»Denn anstelle der Figur des hervorragenden Professors zeigte sich eine fast hockende Gestalt in ganz und gar nicht akademischer Haltung, ihr zu Füßen eine winkende Kokotte, die ganze Gruppe eingerahmt von zwei Wasserspeiern, und ganz oben ein plumpes Wappen, das einer Echse glich.«

Klar war nur eines: dieses »Werk eines kranken Gehirns« mußte entfernt werden. Aber wie? Ein zweites Erdbeben von Lissabon war nicht in Sicht. Der Vorschlag, das »unförmige Monstrum« mit Hilfe einer Dynamitladung in die Luft zu sprengen, wurde nach heftiger Diskussion verworfen. Schließlich einigte man sich darauf, das Monster abzureißen und an seiner Stelle das heutige Monument zu errichten, über dessen Schönheiten sich der Ausländer kein Urteil erlauben wird. Die Vernunft hatte gesprochen. Aber ihr Triumph sollte sich als Scheinsieg erweisen. Denn zuerst verstohlen und kaum bemerkt, dann aber zum wachsenden Ärger der kirchlichen und weltlichen Behörden, bekam die Statue Zulauf, immer mehr Zulauf. Eines Tages hatte sich der brave Atheist in einen spiritistischen Wundertäter, der Kliniker in einen Schamanen, der Freimaurer in einen Geistheiler verwandelt.

Ich konnte den Verdacht nicht loswerden, daß es mit dem übernatürlichen Sanitätsgeschäft des Dr Martins eine eigentümlich portugiesische Bewandtnis haben müsse, und ich beschloß, meine Bekannten an Ort und Stelle danach auszufragen.

»Das ist doch ganz einfach«, sagte der erste, ein Arzt, der in einer Schlafstadt vor den Toren Lissabons praktiziert. »Ich hoffe natürlich, daß Ihnen hierzulande nichts zustößt; sollten Sie aber je ein portugiesisches Krankenhaus von innen kennenlernen, so werden Sie rasch begreifen, warum die Leute nach Fátima oder zu Dr Sousa Martins pilgern. Man wartet lieber auf ein Wunder, als daß man auf dem Korridor stirbt.«

Die zweite Auskunft, die mir zuteil wurde, ist etwas allgemeiner gehalten. Es handelt sich um eine Lesefrucht. Der Historiker António José Saraiva sagt, die Portugiesen seien davon überzeugt, »daß sich die Probleme nicht durch menschliche oder logische Mittel lösen lassen, weil es in den Dingen keine Vernunft gibt, sondern nur Zufälle und Wunder.«

Mein dritter Zeuge lachte mich aus. »Was wollen Sie? Das Phantastische ist eben unser tägliches Brot! Haben Sie nie von Dona Branca gehört? Ich habe eine ganze Artikelserie über diese Dame geschrieben. Dona Branca dos Santos war bereits hoch in den Siebzigern, als sie in ihrer bescheidenen Privatwohnung eine Bank eröffnete. Sie versprach den Einlegern eine Verzinsung von monatlich 10%. Ich habe keinen Taschenrechner da, aber ich glaube, das macht, mit Zinseszinsen, über 300% pro Jahr. Bald war ihr Treppenhaus überfüllt, die Leute kamen und brachten ihr ganze Säcke voller Banknoten. Die Regierung wußte nicht, was sie machen sollte, denn Dona Branca zahlte monatelang pünktlich. Gegen Ende ihrer Laufbahn hatte sie Milliarden von Escudos kassiert. Aber sie versteht bis auf den heutigen Tag nicht, warum ihr Kartenhaus zusammengebrochen ist, und ihre Kunden, Tausende von braven Portugiesen, verstehen es noch viel weniger. Die Milliarden haben sich einfach in Luft aufgelöst.

Hier, ich habe Ihnen ein Konkurrenzblatt mitgebracht. Portugal ist, soviel ich weiß, das einzige Land, das ein Zentralorgan für das Wunderbare besitzt. Mit 50 Escudos, das sind 80 Pfennig, sind Sie dabei: ›Die Erde öffnet sich und ein dämonischer Hund frißt 22 Arbeiter. – Beweise für die Existenz der Engel gefunden. – Vom Raumschiff Entführter kehrt nach elf Jahren zurück – um keinen Tag gealtert. – 105jährige, dreimal gestorben, erfreut sich bester Gesundheit. – Neun Meter hohe Hohlpyramide heilt Frigidität und Impotenz. – Ein Wunder: Chinesische Mutter trennt siamesische Zwillinge auf dem Küchentisch.‹

Wie gesagt, das *Journal des Unglaublichen* ist unsere Konkurrenz, aber ich bin süchtig danach. Ich lese es jede Woche.«

»Ich finde die Wunder, über die du dich wunderst, äußerst bescheiden«, sagte mein Freund, der Romancier Almeida Faria. »Wir haben in dieser Beziehung weit Besseres zu bieten. Darf ich dich an Dom Sebastião erinnern, dessen Gespenst uns bis auf den heutigen Tag heimsucht?« In solchen Fällen halte ich es für das Gescheiteste, die eigene Unkenntnis schamlos zu gestehen.

»Er ist der einzige portugiesische König, der heute noch im Gedächtnis des Volkes fortlebt. Das Interessante daran ist, daß er diese Beliebtheit nicht seinen Erfolgen verdankt – Erfolge hatte er kaum –, sondern seinem Scheitern. Sebastião war ein ausgesprochener Pechvogel: sein Vater starb vor seiner Geburt, seine Mutter hat sich nie um ihn gekümmert, die Jesuiten, die ihn erzogen, setzten ihm allerlei mittelalterliche Ideen in den Kopf, und seine Heiratspläne scheiterten daran, daß er an einer venerischen Krankheit litt.

Gegen den Willen seiner Ratgeber entschloß er sich, einen verspäteten Kreuzzug nach Nordafrika zu starten. Leider spielten die bösen Heiden nicht mit. Im August

1578, mitten in der Wüste – seine Gäule waren noch seekrank von der Überfahrt und seine Ritter brieten in ihren Rüstungen – erlitt er eine katastrophale Niederlage. Fast der ganze Adel Portugals ging in dieser Schlacht zugrunde, und das Lösegeld für die Überlebenden ruinierte das Land. Ein Thronerbe war nicht vorhanden, und so fiel die portugiesische Krone an die Spanier. Der König selbst ist in irgendeinem gottverlassenen Wadi versunken – oder sagen wir lieber, er ist seit über vierhundert Jahren verschollen.

Denn wie jeder Portugiese weiß, wird er demnächst, ›an einem nebligen Morgen‹, wieder auftauchen, um seinem unterdrückten Volk Gerechtigkeit zu verschaffen und das Fünfte Imperium zu gründen.«

Almeida Faria muß mir meine Verblüffung angesehen haben; denn er kam mir sofort mit einigen Erläuterungen zu Hilfe.

»Du weißt offenbar nicht, daß die Vorsehung mit Portugal noch allerlei vorhat? Ja, mein Lieber, wir sind die Träger einer geheimen Botschaft und dazu ausersehen, einen zukünftigen Gral zu tragen. Es hat sich nur noch nicht überall herumgesprochen.

Um es kurz zu machen: Das Fünfte Reich ist uns in den Prophezeiungen eines analphabetischen Schusters aus dem 17. Jahrhundert versprochen worden. Aber keine Angst! Wir werden den Rest der Welt nicht mit Waffengewalt unterwerfen. Wir sind zwar das auserwählte Volk, daran ist kein Zweifel möglich, aber unsere Aufgabe besteht lediglich darin, das Universum geistig zu erneuern. Wir wollen also nicht über euch herrschen, wir wollen euch nur zur Einkehr bringen.

Und nicht daß du denkst, dieser Wahn wäre nur bei provinziellen Spinnern zuhause! Früher war die Erwartung des sebastianischen Messias ein volkstümlicher

Glaube. Im zwanzigsten Jahrhundert ist sie zur Ideologie geworden. Der größte Dichter der portugiesischen Moderne, Fernando Pessoa, hat mit ihr geflirtet, in den fünfziger Jahren hat die mit Recht so genannte ›Filosofia portuguesa‹ die trübe Mär von der angeblichen Mission unseres Landes salonfähig gemacht, und salonfähig ist sie geblieben, bis auf den heutigen Tag. Nicht wenige Intellektuelle klammern sich an die Hoffnung, es werde uns schon jemand aus unserem Schlamassel heraushelfen, einem Schlamassel, das so alt ist wie die Sebastian-Legende. Wer dieser Messias ist, Salazar, Otelo oder die Heilige Jungfrau, das ist nicht so wichtig. Hauptsache, wir haben jemanden, an den wir uns halten können.«

Abends saß ich allein an der Bar. Portugal kann sehr kalt sein. Die Feuchtigkeit steigt in den alten Mauern hoch, die Bettlaken fühlen sich klamm an, und eine Heizung ist gewöhnlich nicht vorhanden. Außerdem hatte mich die sonderbare Hoffnung auf die Wiederkehr einer königlichen Leiche ziemlich deprimiert. Der Barmann dagegen war bei bester Laune. Er war höchstens fünfundzwanzig Jahre alt. Als er mir erzählte, daß er ein abgebrochenes Ethnologie-Studium hinter sich hatte, fragte ich ihn, was er vom Sebastianismus und vom Fünften Reich halte. Er lachte. »Dieser Nonsens verrät immerhin eine rege Phantasie«, sagte er, während er fortfuhr, seine Gläser zu trocknen. »Auf irgendeine Art und Weise müssen wir schließlich unsre eigene Ohnmacht kompensieren. In dieser Kunst haben wir es weit gebracht. Was geschieht, hängt nicht von uns ab, sondern wer weiß von wem, von den Sternen, von Gott, vom Ausland. Das ist jedenfalls unsere historische Erfahrung. Die höhere Gewalt, mit der wir es zu tun haben, kann die unglaublichsten Gestalten annehmen, zum Beispiel die eines obskuren Professors der Finanzwissenschaften namens Salazar. Oder nehmen Sie den Gemeinsamen Markt mit seinen unbegreiflichen Gleitklauseln und Ausgleichskassen. Man könnte von einem portugiesischen Cargo-Kult sprechen, nur daß wir nicht recht wissen, welche Fracht die fernen Götter bringen. Denn nicht nur das Gute, auch das Böse kommt von oben, von außen. Nie ist unser Unglück hausgemacht. Immer sind andere daran schuld, die Franzosen, die Engländer, vor allem aber die Spanier. Es kann freilich auch Moskau sein, oder der Tourismus, oder die CIA. Dafür, daß ich hier stehe und Gläser spüle, ist vermutlich die Weltbank verantwortlich, aber wie Sie sehen, trage ich es mit Fassung. Möchten Sie noch einen Drink? Nein? Eines steht jedenfalls fest: Es hat keinen Sinn, die Dinge selber in die Hand zu nehmen.«

Lobotomie

Aber da war doch was... Ich suche, ich stochere, wie es in der Nationalhymne heißt, »im Nebel der Erinnerung«... War da nichts? »*O esplendor de Portugal*...« Natürlich, die Fernsehbilder gingen um die ganze Welt, die Zeitungsausschnitte sind noch nicht vergilbt. Ein Aufbruch war das, ein Tumult: Nelken in Gewehrmündungen, aufgesprengte Gefängnistore, Unterdrücker auf der Flucht, Freudentränen, Friedensschlüsse... Das alles ist noch gar nicht lange her, keine fünfzehn Jahre, und scheint doch sonderbar entfernt, unvorstellbar, verdunstet und verweht. Etwas Unvergeßliches, das vergessen ist.
Ich war sogar dort, ich habe es selbst gesehen. Ein Zungenreden war das, ein politisches Pfingstfest! Die Welt

rieb sich die Augen. Ein Traum, den damals viele hegten, schien plötzlich eingelöst, über Nacht, dort, wo man es zuallerletzt erwartet hatte. Das abgelegene, das zurückgebliebene Portugal leuchtete wie eine Fata morgana, eine Insel der Zukunft. Es sah ganz so aus, als hätte sich der ewige Verlierer über Nacht an die Spitze gesetzt, und ein Strom von Zaungästen setzte ein, um dieses dialektische Wunder zu betrachten.

Ja, ich erinnere mich, es war ein anderes Lissabon. Mit einem Mal war das alles wie fortgeblasen: die alte stockfleckige Ergebenheit, das bescheidene, abgeschabte Duldertum, der klägliche Fatalismus. Auf dem Rossio herrschte ein Taumel bis in die späte Nacht, Verbrüderungen, Demonstrationen, Gerüchte, Streitgespräche – merkwürdig gewaltlos das Ganze, keine eiserne Faust zeigte sich, die Akten der Geheimpolizei wurden auf die Straße gekippt, die Fabriken in der Hand der Arbeiter, die Waffen blieben gesenkt; und was das Tollste war: die Mauern der Millionenstadt füllten sich über Nacht mit farbigen Zeichen und Bildern. Jeder malte und schrieb, was er wollte. Und es waren keine Schablonen, keine Klischees, was da stand. Nicht die stereotypen Lügen der Bürokraten bedeckten die Mauern, nicht die trostlosen Graffiti der analphabetischen Null-Stars von New York, denen immer nur eines einfällt: Ich Ich Ich; sondern gemalte Träume stiegen auf, Utopien, so hoch die Arme reichten, wucherten über die Fassaden: es war ein politischer Rausch, bunt, tropisch, psychodelisch, hemmungslos. Kein Monolog, sondern ein Stimmengewirr, eine rasende Vielfalt von Wünschen: die Kunst für alle, die Gerechtigkeit für alle, das Testbild einer besseren Welt, auf den brüchigen Putz einer alten Stadt geworfen ...

Ich weiß nicht, ob eines Tages Putzkolonnen mit Eimern und Bürsten aufgetaucht sind, um dieses semiotische Gesamtkunstwerk zu entfernen, aber ich glaube es kaum. Eine so gründliche, so systematisch arbeitende Verwaltung ist in Portugal nicht vorhanden. Ich glaube, das Bildermeer ist von selbst verschwunden. Die Gleichgültigkeit, der Regen, die Enttäuschung haben die Schrift getilgt, die Spuren abgewaschen.

Heute scheint sich keiner mehr an das, was da stand, zu erinnern. An den Mauern Lissabons sind nur noch lustlose Slogans zu lesen: »Soares raus!« »Eanes raus!« »Cavaco Silva raus!« Von den »Errungenschaften« der Revolution will niemand mehr etwas wissen. Die Agrarreform wurde beerdigt. Im fernen Alentejo überleben noch ein paar Kooperativen, sie haben kein Geld für Maschinen, sie kämpfen um Kredite, sie haben sich unter die Fittiche der Kommunistischen Partei geflüchtet, einer Partei ohne Projekt, die sich in ihre historischen Festungen zurückgezogen hat und dort auf eine Zukunft wartet, die nur noch eine nostalgische Ruine ist. Die verstaatlichten Betriebe schleppen sich hin, proletarische Enklaven ohne Rendite, von Pleiten bedroht, von sinnlos aufgeblähten Verwaltungen geleitet, denen man Sabotage, Korruption und Unfähigkeit nachsagt.

Die radikalen kleinen Parteien, die 1974 den Konfettiregen ihrer Abkürzungen über die politische Szene niedergehen ließen, sind heute unauffindbar. In einer Seitenstraße am Campo de Ourique fand ich noch ein baufälliges Haus, von dessen Fassaden ein paar ausgebleichte Transparente riefen: Alle Macht dem Volk! und: Die Reichen sollen zahlen! Aber das Büro war verlassen, die Fenster zerbrochen, die Glühbirnen herausgeschraubt, und die Fensterläden klapperten im Wind.

Francisco Veloso, ein kluger, optimistischer Bankier, sagte mir: »Nur wer vor der Revolution gelebt hat, weiß, wie süß das Leben sein kann. War es nicht Talleyrand, der das gesagt hat? Aber damit er es sagen konnte, brauchte es eben eine Revolution. Allerdings, zwei Minus ergeben noch lange kein Plus. Wenn Sie mich fragen, war Salazars Diktatur nur das erste Verbrechen, das uns in diesem Jahrhundert heimgesucht hat. Das zweite war die berühmte Nelken-Revolution. Wir sind mit knapper Not davongekommen. Sie sehen mich so ungläubig an... Wissen Sie, was Cunhal, der Chef der Kommunisten, 1975 gesagt hat? ›Ich verspreche allen, die es hören wollen: ein Parlament wird es in Portugal nicht geben.‹ Gott sei Dank, daß dieser Alptraum vorbei ist. Ich setze auf unsere kleine und mittlere Industrie, das sind die einzigen, die hierzulande etwas leisten, und ich setze auf die Demokratie.«

Dann machte ich mich auf die Suche nach den Protagonisten von 1974. Aber das war schwieriger, als ich gedacht hatte. Otelo Saraiva de Carvalho, der charismatische Haudegen, saß im Hochsicherheitstrakt von Monsanto und erschien nur selten vor den Richtern, die in einem endlos verschleppten Verfahren darüber entscheiden sollten, ob er ein Terrorist war oder nicht. Die roten Generäle und Admiräle hatten sich in ihre Villen zurückgezogen und waren nicht zu sprechen. Mancher Ultralinke hatte sich nach Paris, mancher Spinolist nach Brasilien abgesetzt. Schließlich machte ich einen der studentischen Wortführer des großen Tumults ausfindig, einen ehemaligen Maoisten, der mich bat, seinen Namen nicht zu nennen.

»Ja, natürlich, ich erinnere mich an unseren Streit, auf der Rückfahrt von Setúbal, im Auto... Aber worüber wir uns gestritten haben«, sagte er, »das habe ich vergessen... Diese Bilder, diese Schriften an der Wand, die du so bewundert hast, waren nur eine träumerische Übermalung der Realität, das ist klar. Unsere Revolution war überhaupt mehr Tünche als Substanz. Oh, ich habe mitgetüncht, das weißt du, und es reut mich nicht. Und das Ergebnis war, trotz allem, ein irreversibler Bruch mit der Vergangenheit. Natürlich haben wir keine Utopie verwirklicht, den Kapitalismus nicht abgeschafft, die ökonomische Basis nicht umgewälzt. Aber wer kann sich heute noch vorstellen, wie es vorher war? Ein ganzes Land vierzig Jahre lang einbalsamiert wie eine Mumie! Das war die Leistung Salazars. Die Zeit stand still. Alle abgedankten Könige der Welt fanden hier, hinter den Mauern des Regimes, ihre heile Welt. Es wimmelte von Dienstboten, zu den Festen der Bourgeoisie wurden Pianisten aus aller Welt eingeflogen. Ein Paradies der Parasiten, und für alle anderen das soziale Koma. Auf seine Art und Weise war auch Salazar ein Utopist. Er wollte eine Welt, in der sich nichts bewegt, die totale Hypnose.

Und dann das jähe Erwachen. Plötzlich, von einem Tag auf den andern, sollte alles ganz anders werden, eigentlich ohne Arbeit, ohne was zu tun. Die Diktatur auf den Kopf gestellt. Das Pfingstwunder. Aber im Grunde hat sich das Ganze *en famille* abgespielt. Die Offiziere waren unter sich. Die Portugiesen haben zugesehen. Das Volk hat die Resultate geschluckt, so wie es zuvor die Republik geschluckt hat, dann die Unterdrückung, dann den Kolonialkrieg.

Wie gesagt, ich bin froh, daß ich dabei war. Niemand kann das, was 1974 geschehen ist, rückgängig machen, auch wenn es nicht an Leuten fehlt, die das versuchen. Aber eine Revolution war das Ganze nicht, sondern eine Scharade, an der die Mehrheit der Portugiesen keinen Teil hatte. Sie war einfach abwesend, geistesabwesend. An ihrem guten Gewissen hat sich nie etwas geändert. Vorher war es das gute Gewissen des Regimes, dann das revolutionäre gute Gewissen, und heute ist es das gute Gewissen der Demokratie. Was die kompakte Majorität betrifft, so hätten wir damals auf dem Rossio ebensogut ein Fußballspiel diskutieren können wie das Absterben des Staates.

Im übrigen führt man in Portugal bekanntlich nie etwas zu Ende. In Belem steht eines unserer größenwahnsinnigen Nationalmonumente, der Denkstein der Entdeckungen, eine faschistische Angelegenheit, 50 Meter hoch. Aber dummerweise kann man es zu Fuß kaum erreichen, weil ein Schienenstrang und eine Autobahn daran vorbeiführen. Also mußte man eine Fußgängerunterführung bauen. Sie zu benutzen, ist eine halsbrecherische Sache, denn die Treppen sind bis heute nicht fertig. Schwer zu sagen, ob die Bauarbeiter die fehlenden Marmorstufen geklaut haben oder ob der Stein bereits vom Zahn der Zeit zernagt ist. Aber niemand wundert sich darüber. Schließlich ist auch der Ajuda-Palast bis heute nicht fertig, obwohl mit dem Bau anno 1802 begonnen worden ist. Unsere Staatsempfänge finden also in einer Ruine statt. Und so ist auch unsere Revolution ein einstürzender Neubau geblieben, der Aufstand als Relikt.«

Später, in einem dunklen Café, traf ich einen Portugiesen, der kürzer angebunden war. Er zeigte mir einen alten Mann, der eine dunkle Brille trug und apathisch vor seiner leeren Tasse saß. »Das ist ein alter Geheimpolizist, ein PIDE-Mann. Er spricht mit niemandem, er verzehrt, wie alle seinesgleichen, eine Staatspension, 40000 Escudos werden es sein, gar nicht schlecht für portugiesische Verhältnisse. Er hat damals meinen Vater verhaftet und verhört. Aber mein Vater, der drei Jahre lang im Gefängnis saß, sagte: Ich bin ihm dankbar, andere wurden gefoltert, ich nicht, es hätte schlimmer sein können. Sehen Sie, wir haben nie mit diesen Leuten aufgeräumt. Wir sind keine guten Hasser. Wir haben kein Gedächtnis, wir haben nur Phantasien...«

Dr Pereira da Costa ist ein weißhaariger, mit seinen sechzig Jahren schon leicht gebeugter Herr, dem man seine Energie nicht ansieht, es sei denn, man ließe sich von seiner Habichtsnase beeindrucken. Sie weist vielleicht auf seine Herkunft hin; denn Dr Pereira ist auf den Azoren, zu deutsch: den Habichtsinseln, geboren. Er trägt einen jener grauen Anzüge, an denen die Zeit spurlos vorbeigeht und an denen jede Mode scheitert, weil sie seit zwanzig Jahren vom selben Schneider angefertigt werden.

1970 hat sich, nach jahrelangem Warten, der Traum seines Lebens erfüllt. Er übernahm damals die Leitung des Nationalarchivs von Portugal, genannt Torre do Tombo und hervorgegangen aus dem Königlichen Hausarchiv, das 1378 zum ersten Mal erwähnt wird. Dr Pereira fand, er kann es leider nicht höflicher ausdrücken, einen Saustall vor. Unschätzbare Codices von Ratten und Würmern zernagt, Akten chaotisch in schmutzigen Kellern verstreut, wasserfleckige Faszikel und geborstene Kisten. Ein ganzes Album voller Fotos zeigt, wie Salazars Herrschaft es mit jener Tradition hielt, auf die sie sich berief. Wir sitzen im Büro des Direktors in einem Seitenflügel des Palastes von São Bento. Dr Pereira läßt seinen Blick über den prächtigen, aber geschmacklosen Thron Manuels II., des letzten portugiesischen Königs schweifen; er streift einen eingelegten Zahltisch aus Goa und ruht auf einem Tintenfaß der Heiligen Inquisition aus, das seine letzte Ruhestätte auf seinem Schreibtisch gefunden hat.

»Berichte, Intrigen, Eingaben, Manöver, Proteste«, sagt er. »Sie können sich gar nicht vorstellen, wieviel Hartnäckigkeit und Geduld es brauchte, bis das Archiv einigermaßen desinfiziert, geordnet und katalogisiert war. Jedes Regal, jeder Tresor, jeder Lichtschalter eine Staatsaktion! Die Minister kommen und gehen, aber die Probleme bleiben. Überhaupt die Politik! Wie Sie wissen, müssen wir den Palast mit dem Parlament teilen. Ich habe nichts gegen das Parlament, wenn es auch vierzig Jahre lang nur Staffage war; aber man behandelt uns als Untermieter. Dabei sind wir seit 1757 hier, und die Politiker sind erst 1834 eingezogen. Eine gräßliche Nachbarschaft! Nichts wie Störungen, solange ich denken kann. 1974 wurde sogar geschossen, sie kamen mit Panzern, sie standen praktisch vor der Tür, stellen Sie sich das vor! Sollen sie ihre Revolutionen machen, meinetwegen, aber doch nicht hier! Ich habe damals schlaflose Nächte im Magazin zugebracht, aus Angst, sie würden an die Bestände gehen.«

Die Bestände sind unabsehbar. Sie reichen so weit wie die unerhörten Entdeckungsreisen der Portugiesen, so weit wie ihr chimärisches Weltreich. Ob ich die Briefe der Vizekönige von Indien oder die Papiere der Companhia do Pernambuco sehen möchte? die Schubladen der portugiesischen Faktorei in Antwerpen? die Zuchtbücher der königlichen Viehherden? die Bücher der Monsune oder die Protokolle der Tabak-Junta?

Ich habe die Qual der Wahl. Aber ich entscheide mich für die Prozeßakten des Heiligen Offiziums, die in einem riesigen düsteren Raum aufbewahrt werden. Wir blättern die handschriftlichen, sauber abgehefteten Protokolle durch. Sie geben die Aussagen von 44000 Angeklagten wieder, und zwar so genau, daß man ihre Lebensläufe bis ins Detail rekonstruieren kann.

Auch vor den eigenen Leuten machten die Ermittlungen der Kirche nicht halt; im Gegenteil, gegen jeden, vom

Inquisitor bis zum letzten Schreiber, wurde ein förmlicher Prozeß geführt. Das Archiv kann 13000 dieser theologischen Sicherheitsüberprüfungen dokumentieren. Die Verhöre wurden so mustergültig geführt, daß sich heute noch, nach vierhundert Jahren, KGB und CIA ein Beispiel daran nehmen könnten.

Ich frage meinen Gastgeber nach den Papieren der PIDE, der Geheimpolizei des Diktators Salazar. Ah! das ist eine ärgerliche Geschichte, um nicht zu sagen eine Wunde, denn das vorhandene Material wurde der Nationalbibliothek zugesprochen und nicht dem Archiv. Unbegreiflich. Andererseits handelt es sich um bloßen Papierkram, denn die brisanteren Dokumente sind nicht dabei. Sie sind zerstreut, geraubt, verschwunden. Man munkelt, die Kommunisten hätten manches davon beiseitegebracht, wer weiß, zu welchen dunklen Zwecken. Auch die lokalen Kaziken haben zugegriffen und viel Belastungsmaterial vernichtet. Alles sehr traurig.

»Aber bald wird alles besser«, sagt Dr Pereira, »wenn wir unser neues Haus beziehen, 1989 vielleicht, wenn nichts dazwischenkommt. Wir geben nicht auf. Hier wird gearbeitet, mein Herr. Auch wenn es nur ein paar Gelehrte sind, die davon Gebrauch machen: Wir verteidigen die Bestände, wir sind das Gedächtnis Portugals.«

Nicht genug mit Dr Martins, Dr Salazar und Dr Pereira, komme ich auf einen vierten und letzten Vertreter der portugiesischen Wissenschaft zu sprechen, einen eitlen, skurpellosen Tausendsassa, dessen Lebenslauf in jedem Lexikon zu finden ist. Unter seinen vielen Veröffentlichungen nenne ich nur die *Geschichte der Spielkarten*, das *Leben Johannes XXI.* und eine Reihe von Aufsätzen über Hypnose. 1917 wurde er zum Botschafter seines Landes in Madrid ernannt, und ein Jahr später brachte er es sogar, wenn auch nur für ein paar Wochen, bis zum Außenminister. Nach seiner Entlassung beschloß er, Neurologe zu werden. Im Jahre 1935 ergriff den Professor António Caetano Egas Moniz – denn so hieß er – die fixe Idee, er sei dazu berufen, den fixen Ideen der Geisteskranken ein Ende zu machen. Zuerst spritzte er seinen Patienten reinen Alkohol ins Großhirn, um ihre Wahnvorstellungen auszumerzen. Aber bald kam er zu dem Schluß, daß dieses Verfahren zu milde war. Um das Übel mit Stumpf und Stiel auszurotten, griff er zu radikaleren Mitteln. Obgleich Dr Moniz keinerlei chirurgische Erfahrung besaß – er konnte gar nicht operieren, weil seine beiden Hände verkrüppelt waren –, ging er dazu über, blindlings in der grauen Substanz herumzusäbeln, bis die frontalen Gehirnlappen seiner Patienten zerstört waren. Für diese medizinische Großtat nahm er 1949 den Nobelpreis entgegen. Zehntausende in aller Welt wurden zu Opfern seiner Methode, der Lobotomie (auch Leukotomie genannt), bevor es sich herumgesprochen hatte, daß es keinerlei wissenschaftliche Begründung für diesen Eingriff gab. Nach der Verstümmelung ihres Gehirns soll die Unruhe der Kranken abgenommen haben. Alle Aggressionen fielen von ihnen ab, sie wurden passiv und fügsam. Und noch eine Last hatte der Arzt ihnen abgenommen: ihr Gedächtnis war ausgelöscht.

Phantomschmerz

Im Morgengrauen wirkt der Schuppen, in dem die ankommenden Passagiere auf ihr Zollgepäck warten, trist und kahl wie eine Turnhalle. Es ist kurz vor sieben, die Maschine aus New York ist soeben gelandet. Ein Pulk von

Turnschuhen und T-Shirts aus der Touristenklasse, die rosenblättrige *Financial Times*, der Gucci-Koffer und die Rolex-Uhr aus der Ersten.

Keine zehn Schritt weiter fördert das endlose Band die Requisiten einer anderen Welt zutage: notdürftig verschnürte Körbe, Netze voller Lumpen, aufgerollte Bettdecken, Pappschachteln, Windeln, aufgeplatzte Fiberkoffer – Strandgut wie nach einer Schiffskatastrophe. Aber das Wrack ist glücklich gelandet. Es trägt die Flugnummer TM 704, und die Schiffbrüchigen kommen aus Maputo. Säuglinge schreien, schwarze Frauen wickeln sich in große Tücher, ein Mann mit einem Holzbein wühlt in seiner Tasche, eine Greisin drückt ihre Habseligkeiten an die Brust, und selbst der Mulatte mit seinen viel zu großen gelben Schuhen, vielleicht ein Diplomat oder ein hochgestellter Funktionär, sieht benommen aus, als wäre er einem Unglück entkommen. Die Passagiere, die hier gestrandet sind, sprechen allesamt Portugiesisch. Das Land, aus dem sie kommen, Moçambique, gehört zu den ärmsten der Welt. In der Hauptstadt Maputo fehlt es an allem: an Eiern, an Trinkwasser, an Ärzten, an Brot, Strom und Seife. Die Ankunftshalle, dieser trübbeleuchtete Schlauch, wirkt auf einmal einladend, wie das Tor zum Paradies.

In keiner Stadt Europas sieht man so viele braune, schwarze, gelbe Menschen wie in Lissabon. Nirgends tritt die Dritte Welt selbstverständlicher auf. Der Zustrom aus den früheren Kolonien hat in den letzten Jahren abgenommen, aber noch immer treffen in Portugal Tausende von sogenannten Rückwanderern ein. Heute kommen die meisten von den Kapverdischen Inseln, aber hartnäckigen Antragstellern gelingt es auch in Angola oder Moçambique immer wieder, durch Bestechung oder mit Hilfe von Beziehungen, die begehrten Ausreisepapiere zu erlangen. Seit 1974 sollen, nach offiziellen Angaben, etwa 700000 *retornados* ins Mutterland gekommen sein. Asiaten, Afrikaner, Protugiesen? Wer das unterscheiden könnte! Niemand scheint sich über diese Frage den Kopf zu zerbrechen, nicht einmal die zuständigen Behörden. Die Einwanderungspolitik des Landes ist von einer achselzuckenden Großzügigkeit. Feste Regeln scheint es nicht zu geben, und die Praxis gibt sich lässig. Dies, obwohl die Wohnungsnot drückend, die Kriminalität beängstigend und die Arbeitslosigkeit unvorstellbar ist. Man unternimmt nichts gegen die Einwanderer, aber man tut auch wenig für sie; der Wohlfahrtsstaat steht für die meisten Portugiesen ohnehin nur auf dem Papier. Die Neuankömmlinge gehen auf den Bau, viele arbeiten schwarz, bei extrem niedrigen Löhnen, andere werden Dealer oder landen in der Prostitution. Aber die meisten haben es im Lauf der Jahre geschafft, die Wellblechhütten der Peripherie hinter sich zu lassen. Was ist erstaunlicher, die zähe Energie der *retornados* oder die mürbe Toleranz der Portugiesen?

»Du redest wie ein Journalist!« Mit diesen Worten wies mich eine deutsche Freundin zurecht, die seit Jahren in Lissabon lebt und auf deren Rat ich immer höre. »Was du über das Flüchtlingsproblem sagst, ist oberflächlich, arrogant und falsch. Der staatliche Gesundheitsdienst funktioniert schlecht, und die Renten sind erbärmlich niedrig. Aber das heißt noch lange nicht, daß der Wohlfahrtsstaat bloß auf dem Papier steht! So etwas kann nur ein verwöhnter Westdeutscher behaupten. Vor 1974 kannten die Portugiesen überhaupt kein soziales Netz. Das ist ein kleiner Unterschied! Und was meinst du eigentlich mit ›mürber Toleranz‹?

In dem Haus dort drüben, gleich gegenüber, haben jahrelang Weiße und Schwarze unter einem Dach kampiert.

Ich kann mich an keinen einzigen Krawall erinnern. Ein paar Straßen weiter standen vor einer Zahlstelle des Flüchtlingskommissariats immer lange Schlangen an. Von den Leuten aus dem Viertel, die weiß Gott selber hilfsbedürftig sind, habe ich nie eine hämische Bemerkung gehört.

Portugal hat Milliarden für den Unterhalt der *retornados* ausgegeben, in manchen Jahren bis zu 11% des Staatshaushaltes. Man hat die Leute in Lagerhäusern untergebracht, in leerstehenden Wohnungen, sogar in Luxushotels, wenn es nicht anders ging. Ja, sie schlugen monatelang ihr Lager im Ritz und im Avenida Palace auf. Man gab ihnen billige, langfristige Kredite, man sammelte Kleider für sie und bevorzugte sie, wo es um die Verteilung staatlicher Posten ging.

Sicher, manche haben in ihren Koffern und Kisten auch Marihuana mitgebracht und es auf dem Rossio verkloppt, aber wer hat dir weisgemacht, daß das kriminelle Milieu aus Flüchtlingen besteht? Fest steht nur eines: daß es den *retornados* heute nicht schlechter geht als den übrigen Portugiesen auch, und daß die ärmste aller Kolonialmächte das Problem relativ gut und erstaunlich schnell gelöst hat.«

Das alles ließ ich mir gesagt sein, sogar den Sergeanten der Nationalgarde versuchte ich zu überzeugen, mit dem ich an einem schläfrigen Sonntagnachmittag ins Gespräch kam. Er langweilte sich in seiner Wachstube am Largo do Carmo. Die Fliegen summten, und er hatte nichts zu tun.

»Siebenhunderttausend? Die Zahl ist ja zum Lachen. Jeder weiß, daß es wenigstens zwei Millionen sind. Von wegen Rückkehrer! Das sind gar keine richtigen Portugiesen. Ich war in Angola als Rekrut, ich weiß Bescheid. Und überhaupt, welcher ehrliche Mensch ist schon freiwillig nach Übersee gegangen? In den Kolonien gab es doch von Anfang an nur Sträflinge, Taugenichtse und Lakaien! Es ist nicht ihre Hautfarbe, was mich stört – ich bin doch kein Rassist –, es ist ihre Kultur. Sie wollen nicht arbeiten, sie essen lauter Abfall, sie stehlen, was das Zeug hält, schleppen Krankheiten ein, und ich weiß aus sicherer Quelle, daß manche von ihnen kleine Kinder fressen. Wir werden noch viele Probleme mit ihnen haben.«

Das alles brachte er treuherzig vor, gewissermaßen vernünftig, im heitersten Ton. »Dann sind Sie also dagegen, daß man sie aufnimmt?« fragte ich. »Was schlagen Sie vor? Soll man sie rausschmeißen?«

»Um Gotteswillen«, sagte der Sergeant. »Die Leute können doch nichts dafür! Das ist alles Salazars Schuld. Er hat diesen idiotischen Krieg geführt, er wollte nicht verhandeln. Dafür müssen wir jetzt die Rechnung zahlen. Das kommt davon, wenn man Kolonien hat. Früher brachten sie Gold ins Land und heute Kriminelle. Tja, so leicht wird man ein Weltreich nicht los!«

Und zumindest mit diesem letzten Satz hatte der Sergeant die reine Wahrheit gesagt.

Auch die junge Historikerin gab ihm in diesem Punkte recht, die mir eine Woche später die wunderbare Bibliothek von Coimbra zeigte. »Es stimmt nicht, daß wir kein Gedächtnis haben«, sagte sie. »Sehen Sie, diese Tische zum Beispiel mit den Intarsien sind aus indischem und brasilianischem Holz gemacht, und die Chinoiserien der Paneele weisen diskret auf unsere alte Kolonie Macao hin. Natürlich, jedes Volk redigiert die eigene Vergangenheit. Was uns betrifft, wir verstehen uns weder auf die Kosmetik, wie die Amerikaner, noch auf die Selbstzensur, wie die Russen. Auch die aggressive Amnesie der

Deutschen liegt uns nicht. Dafür sind wir Spezialisten der Schattenbeschwörung. Die Geschichte ist für uns eine Art Seelenkino. Gespielt wird immer derselbe alte Film, ›Das verlorene Imperium‹.

Bekanntlich war den Helden kein *happy end* beschieden. Aber wir schauen ihnen fassungslos zu. Waren das wirklich wir? Eine knappe Million Bauern, Hirten und Fischer, mehr waren es nicht, in einem abgelegenen Winkel der Welt, von niemandem beachtet – und dann, sozusagen von einem Tag auf den andern, dieser kollektive Wahnsinn, dieser Taumel, auf eigene Faust und ich möchte sagen blindlings, alles zu entdecken, was es überhaupt zu entdecken gab. Gut, das ganze hat nur fünfzig, höchstens hundert Jahre lang gedauert, aber wir haben uns nie davon erholt und wir sind außerstande, es zu vergessen.

Nur an die Massaker, die wir verübt haben, können wir uns beim besten Willen nicht erinnern. Jeder Portugiese wird Ihnen sagen, daß wir nicht wie die andern waren, grausam und berechnend. Nein, wir haben den Rassismus immer verabscheut, wir wollten für Brasilien, Afrika und Asien immer nur das Beste. Die reinsten Heiligen waren wir, verehrungswürdig und unantastbar. In Timor beispielsweise haben die Häuptlinge ihren Leuten bei Todesstrafe verboten, den Schatten eines Portugiesen mit Füßen zu treten. Solche Geschichten können Sie hierzulande immer noch hören, und sie werden geglaubt, auch von ernsthaften Leuten. Wir hegen die schmeichelhafte Illusion, daß man uns liebt. Auch die Revolution von 1974 hat diesen Traum weitergeträumt. Sie sah Portugal als Wortführer der Dritten Welt, dazu berufen, sie von ihren Übeln zu erlösen. Heute noch trifft man hier auf Schritt und Tritt Leute, Ökonomen, Politiker, Manager, die sich einbilden, wir verfügten über ein geheimnisvolles Know-how, über privilegierte Beziehungen zu den Afrikanern, das sei unser unsichtbares Kapital, da liege unsere Zukunft. Es wäre allerdings eine Art Ausweg. Wenn wir schon in Europa keine besondere Rolle mehr spielen, so könnten wir doch als Beschützer und Fürsprecher von anderen auftreten, die noch ärmer sind als wir. In ihren Augen wäre wir nach wie vor die Größten... Sehen Sie, so erkläre ich mir den süßen Phantomschmerz der Portugiesen, der nicht verschwinden will.

Oder, um eine andere Metapher zu gebrauchen: Wenn Sie in einem hellen Zimmer das Licht ausschalten, sehen Sie im Dunkeln das Zimmer noch einmal, sein Nachbild auf der Netzhaut. So geht es uns mit dem verlorenen Kolonialreich. Zu Zeiten der Diktatur gab es eine Landkarte, von irgendeinem Propagandisten des Regimes entworfen, die damals an allen Wänden hing. Auf dem Hintergrund war der Umriß Europas zu sehen. Ein einziges Land war mit kräftigen Konturen eingezeichnet: Portugal, eine Insel. Aber daneben waren andere, viel größere Inseln zu sehen, über den ganzen Kontinent verstreut. Das waren unsere sogenannten Übersee-Provinzen. Der äußere Zipfel dieses imaginären Archipels reichte bis tief in die Ukraine. Dieses halbvergessene Bild haben viele von uns heute noch vor Augen. So groß sind wir einmal gewesen!«

Ich weiß nicht, wer Xavier Pintado ist, ich habe ihn nie gesehen. Auf dem briefmarkengroßen Foto in der Zeitung sieht er wie ein hoher Beamter aus. Aber er schreibt nicht wie ein Technokrat. Seinen Artikel, den ich in der größten Lissaboner Tageszeitung, dem *Diario de Noticias* fand, trug den Titel »Der Rest«. Niemand scheint ihn zur Kenntnis genommen zu haben, eine Diskussion darüber hat nicht stattgefunden. Das ist ein schlechtes

Zeichen. Ich erlaube mir, ein paar Passagen aus diesem Text zu übersetzen:

»Ich bin in Genf gewesen, auf einer Dienstreise in die Schweiz, das Land mit dem höchsten Durchschnittseinkommen der Welt. Als ich wieder in Lissabon landete, hatte Portugal soeben feierlich und mit großem Zeremoniell das Beitrittsabkommen zur Europäischen Gemeinschaft unterzeichnet.

Um halb acht Uhr abends sah ich in der Unterstadt eine erleuchtete Kirche. Ich trat ein. Unter der Pforte, vor dem Windfang, lagen zwei Bettler. Der eine streckte, halb kauernd, die Hand aus; der andere, auf den weißen Stein der Schwelle hingelagert, zeigte eine Wunde an seinem entblößten Bein.

Im Innern der Kirche hatten sich etwa dreißig Personen eingefunden, fast alles ältere Leute. Die meisten trugen schwarz. Rentner, Dienstboten, Arbeitslose, alles bescheidene Leute. Ein kleingewachsener Mann, der schon über siebzig Jahre alt war, las mit schwacher Stimme aus der Bibel vor, ein Kapitel aus Jeremia: ›Der Herr hat seinem Volk geholfen, dem Rest Israels! Siehe, ich will sie aus dem Lande des Nordens bringen und will sie sammeln von den Enden der Erde, auch Blinde und Lahme, Schwangere und Mütter.‹

Ich hörte nicht länger zu, denn ich war ins Grübeln geraten. Es war das Wort vom ›Rest‹, das mir zu denken gab.

Ich sah die Szene in ihrem historischen Kontext. Israel lag am Boden. Die Jugend, die arbeitsfähigen Männer und Frauen war deportiert worden. Übriggeblieben war ›der Rest‹: die Alten, die Blinden, die Lahmen und die Schwangeren. Dieser ›Rest‹ hat dann später eine symbolische Bedeutung gewonnen. Die Armen Jehovas, die *anawin*, waren jene, die keine Stimme und keinen Status hatten, und die deshalb ihre ganze Hoffnung auf den Herrn richteten. Er würde eines Tages Israel befreien. Das war das Wesen der messianischen Erwartung.

Heute, dachte ich bei mir, sind die Portugiesen dieser ›Rest‹ in jenem reichen Europa, in das wir eben eingetreten sind, und in dem wir immer die Letzten sein werden, ganz gleich, welchen Maßstab wir anlegen, den des Einkommens, den der Produktivität, den der Löhne. Vor unserm Beitritt hatte die Spannweite zwischen den ärmsten und den wohlhabendsten Regionen 1 : 7 betragen. In Zukunft würde dieses Verhältnis bei 1 : 12 liegen, und zwei portugiesische Distrikte würden das Schlußlicht sein: Bragança und Beja. Dort, wie in jener elenden Kirche mitten in Lissabon, konzentriert sich die neue Armut Europas, die den Klagen des Jeremias zuhört, ohne ihren Sinn zu verstehen. Und ich fragte mich: Was bedeutet für diese Menschen der Eintritt in die Europäische Gemeinschaft? Was hat er mit ihren Hoffnungen zu tun?

Ich erinnere mich an einen Vortrag, den Michael Emerson, einer der glänzendsten Ökonomen der Europäischen Kommission, vor Jahren in Lissabon gehalten hat. Er sprach über die verschiedenen Entwicklungsmodelle, die heute in Europa anzutreffen sind. Das portugiesische Modell, sagte er, kennt nur kurzfristige Maßnahmen; es ist unbestimmt, widersprüchlich, inkohärent, unvernünftig, und es läßt alle strukturellen Probleme links liegen.

Haben wir es überhaupt auf Stabilität, auf Effizienz, auf realistische Strategien abgesehen, wie die anderen Europäer, oder ziehen wir die Unbeständigkeit, die Ideologie, die träumerische Flucht aus der Realität vor?

Wenn wir die falsche Wahl treffen, kann uns Europa nur noch einen letzten Dienst leisten. Es wird ein schlechter Dienst sein. Nach einer Übergangsperiode, wenn innerhalb der Gemeinschaft die volle Freizügigkeit gilt, wird der Norden unsere Arbeitskraft aufnehmen; dann wird emigrieren, wer emigrieren kann. Zurückbleiben wird, in einem zurückgebliebenen Land, der ›Rest‹. Die Portugiesen werden die *anawin* Europas sein.«

Lärmexport

In einer alten Reisebeschreibung heißt es: »Die Stadt Beja ist ein entsetzliches Loch, mitten auf einer von der Sonne verzehrten Ebene. Ihre Straßen liegen verlassen da; alles schläft.« So weit würde ich nicht gehen, obwohl ich zugeben muß, daß die Ruhe, die hier herrscht, von der Verzweiflung schwer zu unterscheiden ist.

Barfuß geht niemand, die winzigen Auslagen bersten vor ledernen Schuhen. Wie überall auf der Welt zeigt ein häßliches Kastell seine nackten Mauern und seine öden Kanonen vor. Der einsame Bahnhof aus dem Jahr 1940 sieht aus, als wäre er 1912 erbaut, wie seine dunkelgrüne, gußeiserne Uhr, ein Erzeugnis von Paul Garnier, *horloger mécanicien, Rue Taibout 6 et 16, Paris.* Auch der Stadtpark mit seinem Musikpavillon und seinem Ententeich stammt aus einem vergilbten Album. Die Kinder kriegen, wenn sie keine Mädchen sind, immer noch ein Eis und dürfen alles. Wie überall auf der Welt gibt es zu viele Banken. Die schwarzgekleidete Alte mit dem hohen schwarzen Filzhut, klein wie ein Kind, schleicht gebückt, mit einem Reisigbündel beladen, an der Wand entlang, aber ihre Enkelin trägt knallgelbe Jeans. Beim Friseur prächtige Rasierpinsel, heiße und kalte Tücher, der mechanische Stuhl chromblitzend wie beim Zahnarzt, Papierrolle im Nacken, weit ausladende Fußstütze. Auf dem Finanzamt hängt eine Verordnung aus, datiert auf das Jahr 1954: ›Die Stube darf nur mit entblößtem Haupt betreten werden.‹ In einer altertümlichen Veterinär-Apotheke riesige Spritzen für das Rindvieh. Der Kreuzgang des Klosters eine modrige Ruine; im Zellentrakt hat sich eine Kaserne eingenistet, in der alten Pförtnerloge dämmert eine Schreibstube. Der Installateur ist im Nebenberuf Vogelhändler, unter seinen Rohrzangen breiten sich Futtertüten aus. Wie überall auf der Welt ist das Kino die letzte Zuflucht: im »Esplanade« *Alcatraz* mit Clint Eastwood, *Erotische Zuckungen* in der »Schönen Aussicht«. Die Arbeitslosen spielen Domino im Café Bienenkorb, gegründet am 1. Juli 1951 von Carlos Augusto Lança, sieht aber eher nach 1921 aus. Frauen gibt es hier nicht, dafür einen schwirrenden Ventilator, einen ausgestopften Falken, eine herrenlose Personenwaage. Zur Feier des 1. Mai kündigt ein Plakat Hunderennen an. Die Windspiele hängen mit erhobenen Pfoten in der Luft. Auf dem Boden rascheln Zuckerpapierchen, Brotreste und Erdnußschalen. Kleine schneeweiße Adelspaläste beherbergen Partei- und Gewerkschaftsbüros. Das Haus der Kommunistischen Partei ist ausgestorben. Alle Türen stehen offen, im Regal gilben Breschnew-Reden und lachende Traktoristinnen. Endlich kommt ein Invalide aus einem Holzverschlag geschlurft. Er weiß von nichts. An seltenen Boutiquen trottet selten ein Esel vorbei. Ab und zu ein Moped, winziger Motor, ohrenbetäubender Krach, Stille.

Weiter draußen, an der Umgehungsstraße, liegt hinter Kabelrollen und verfallenden Schuppen ein kleiner, halbwilder Park. Dort hausen seit Menschengedenken die Zigeuner. Sie sind so arm, daß sie nicht einmal Zelte besitzen. Sie schlafen auf Säcken im Gras, und wenn es regnet, spannen sie eine Plane auf. Auch üben sie kein Handwerk aus, schleifen keine Scheren und flicken keine Pfannen. Nur ein paar Maultiere und struppige Pferde haben sie mitgebracht, denn am Montag wird in Beja der Viehmarkt abgehalten.

Ein paar Schritte hinter ihrem Lager beginnt, mitten im Alentejo, die Bundesrepublik Deutschland. Nagelneue Mercedes-Limousinen und VW-Busse mit Surfbrettern stehen, frisch gewienert, vor blanken Neubauten. Keine Wäsche hängt von den Balkonen, und zwischen den ordentlich betongefaßten Blumenbeeten führt eine blonde Frau ihren Dackel spazieren.

Im deutschen Viertel wohnt das Personal des DtLw ÜbPlKdo Beja. So drücken es, mit ihrer alten Vorliebe für taktische Abkürzungen, die Militärs aus. In einer der ärmsten Provinzen Portugals hat sich eine Basis der deutschen Luftwaffe eingenistet. Die blonde Dame, mit einem Brandmeister verheiratet, der auf dem Flugplatz Dienst tut, vertraut mir arglos und auf Schwäbisch ihre Sorgen an. Man kann ja keinen Liegestuhl und keinen Turnschuh vor der Tür lassen. Über Nacht kommt alles weg, sogar der Flokati-Teppich. Die Zigeuner nehmen mit, was nicht niet- und nagelfest ist. Dann die Portugiesen, alle so schlaff, man versteht gar nicht, worauf sie hinauswollen. Die Putzfrau zum Beispiel. Freundlich ist sie, das muß man ihr lassen, billig auch, aber hundertmal habe ich ihr gesagt: Man muß die Bluse anfeuchten, bevor man sie bügelt – und immer wieder vergißt sie es. Dann sind natürlich die Ärmel voller Falten. Wie sieht denn das aus?

Beja gilt bei der Bundeswehr als Einöd-Standort. Wo soll man abends hingehen? Die Wirtschaften sind schmutzig, man wird auch als Deutsche komisch angesehen, hier soll es ja viele Kommunisten geben. Dann die Sache mit den

Bomben, der Schreck sitzt einem heute noch in den Gliedern. Vor einem Jahr sind mitten in der Nacht zwölf Autos in die Luft gegangen. Die Versicherung mußte zahlen. Am Wochenende heißt es nichts wie weg, alle setzen sich ins Auto und fahren an die Algarve. Die Hotels sind viel zu teuer, da schläft man lieber im Camping-Anhänger. Die Frau des Feuerwehrmannes kennt sich aus. Der Tag ist heiß, die Unterhaltung ist geruhsam, und der Dackel läßt sich Zeit.

Das Flughafengelände ist achthundert Hektar groß, 14 Kilometer Zaunlänge, gewaltiger Apparat. Der Kommandeur, Oberstleutnant Michen, ein tüchtiger, weltläufiger Mann im orangeroten Battle-Dress der Piloten, zeigt mir Hangars, Prüfstände, Flugsicherung, Such- und Rettungsdienst, Elektronik-Werkstatt, Sattlerei, Klinik, Munitionsdepot, Einsatzzentrale. Sogar ein Duty Free Shop ist vorhanden, nur eine Sporthalle und ein Swimming-Pool werden bitter vermißt. Die Basis macht den Eindruck eines gutgeführten Industriebetriebs. High Tech statt Kommißton, Spezialistentum statt Kadavergehorsam. Abschreckung als Spitzenprodukt, *made in Germany*. Beja, erklärt mir der Kommandeur, diene nicht als logistische Basis, es gehe hier nur um Schieß-, Bomben- und Tiefflugtraining. Im Alentejo könne man ungestört auf hundert Meter heruntergehen; bei der Verständnislosigkeit, die bei der deutschen Bevölkerung für die Belange der Luftwaffe herrsche, bleibe einem ja nichts anderes übrig. Unbefangen wird das entscheidende Wort ausgesprochen: Lärmexport.

Nein, mit den Portugiesen gebe es keine Probleme. Die Kontakte mit dem Bürgermeister seien gut, das Verhältnis zur Bevölkerung im großen und ganzen positiv. Schließlich sei die Basis der größte Arbeitgeber weit und breit. Privat habe man leider wenig Kontakt mit den portugiesischen Militärs. Zeitdruck, Streß, und dann die Sprachbarriere... Ein anderer Offizier, der uns zugehört hatte, offenbar ein NATO-As, mischt sich ein. Er kenne praktisch jeden Platz zwischen Arizona und Anatolien, aber was die portugiesische Luftwaffe betreffe, könne er nur sagen: Alles Schrott, technisch und fliegerisch ein einziger Kindergarten, im Ernstfall können Sie die Portugiesen vergessen! – Der Kommandeur setzt eine steinerne Miene auf. Der Kamerad eben, sagt er mir beim Abschied, ist auf diesem Platz nur zu Gast. Wir dagegen... Wie soll ich sagen? Mit einem Wort, wir schätzen solche Töne nicht.

Abends dann im Deutschen Haus. Es gibt Jägerschnitzel und Kasseler Rippchen. Die Kath. Militärseelsorge teilt mit: Hl. Messe der Militärgemeinde 19 Uhr, Kapelle Basis, Block 111, Pater Dr F. Hildebrand. Anschließend gemütliches Beisammensein.

Nach dem dritten Bier kommen die Geschichten. Zum Beispiel das Problem mit der schwarz-rot-goldenen Fahne. Auf portugiesischem Boden darf nämlich nur die portugiesische Flagge wehen. Das hat man uns wenigstens mit allem Nachdruck erklärt. Ob das irgendwo geschrieben steht? Formell steht die Basis nämlich unter portugiesischem Kommando. Selbst der Staatssekretär aus Bonn, der neulich hier war, konnte die Herren aus Lissabon nicht von ihrer Auffassung abbringen. Was sollten wir machen? Schließlich haben wir unsere Fahne einfach aus dem Fenster gehängt. Und dann die berühmte Sache mit dem Hund. Nein, es war kein Dackel, sondern ein neurotischer Collie. Seine Herrin, die Frau eines Unteroffiziers, war selber etwas labil. Anpassungsschwierigkeiten, hieß es, psychische Belastungen. Jedenfalls ist ihr die Hand ausgerutscht, als sich ein kleiner Junge an ihrem Liebling vergriff. Da hätten Sie die Eltern aber sehen sollen! Portugiesen. Kindesmißhandlung, hieß es, die Polizei wurde gerufen, der Prozeß ist heute noch anhängig, bis das Gericht zu einer Entscheidung kommt, kann es Jahre dauern, bis dahin ist die Täterin längst wieder zu Hause, im Sauerland oder in der Oberpfalz. Trotzdem, unangenehme Geschichte. Ich würde das einen Kulturkonflikt nennen: den Deutschen ist der Hund heilig, den Portugiesen das Kind. Aber sonst haben wir hier keine Probleme.

Seelenforschung

Die kürzeste Nacht des Jahres war fast wolkenlos. Eine schwache Brise zog vom Fluß her über die Terrasse, wo wir gegessen hatten. »Alle gängigen Wittgenstein-Interpretationen«, sagte Lourenço, mein neuester Bekannter, »scheitern an diesem springenden Punkt.« Wahrscheinlich hatte er recht, aber leider kann ich die Beweise, die er mir vortrug, nicht der Mitwelt überliefern. Ich war zu sehr damit beschäftigt, den rosa Schimmer zu bewundern, den die letzten Sonnenstrahlen auf die rosa Mauer warfen, vor der wir saßen. Es war nichts Milchiges oder Trübes an diesem Licht. Lourenço Vaz hatte mir auf Anhieb gefallen. Altklug, schüchtern und nonchalant, keinen Tag älter als 22, wirkte er wie ein Wunderkind auf mich. Er studierte Mathematik. Obwohl er keinen Pfennig Geld hatte – sein Vater war ein gescheiterter Arzneimittelvertreter und lebte von einer kleinen Pension –, bewegte Lourenço sich, als läge ihm Lissabon zu Füßen: halb Dandy, halb *enfant terrible*. Ich bat ihn, mich durch die nächtliche Stadt zu führen.

In den winzigen Tavernen hinter dem Nationaltheater

herrschte ein unaufhörliches Gedränge. Der Trester-
schnaps, den man hier kippte, war scharf und billig.
Lourenço sprach ein lupenreines Deutsch. Nach dem
dritten *bagaço* brachte ich ihn durch eine gezielte Frage
von Gödel, Tarski und den Antinomien der Axiomatik
ab, und wir machten uns auf den Weg in die Oberstadt.
Es war inzwischen dunkel geworden. Vor einem kleinen
Haus, dessen Fassade mit Brettern vernagelt war, blieb er
stehen. »Das ist das Lokal«, erklärte er, »in dem man,
frag mich nicht warum, gewesen sein muß. Angeblich
trifft sich hier die junge Intelligenz. Sieh dir das an.«
Tatsächlich war der Eingang von Figuren aus der Mo-
deszene umlagert, und die Gesichtskontrolle war unerbittlich. Zu meiner Überraschung durfte Lourenço sofort
passieren, und auch ich kam in den Genuß von lauwar-
mem Whiskey und dröhnender Musik. Eine Unterhaltung war nicht möglich. Wir ergriffen bald die Flucht.
Draußen schwärmten alte Schauspieler, Taschendiebe,
Damen in teuren Fummeln, kleine Dealer, Touristen
durch die schmalen Gassen. Der Luxus hatte sich im
Slum eingenistet.
In der Rua Diário de Notícias drang aus einem Keller
eine heiser wimmernde Frauenstimme. »Ich war noch nie
in einem Fado-Lokal«, sagte ich. »Eigentlich höchste
Zeit, daß ich mir das anhöre. Würdest du mitkom-
men?«
Lourenço starrte mich an, als hätte ich ihn mit einem
Messer bedroht. »Ausgeschlossen«, rief er. »Das kannst
du nicht von mir verlangen. Ich halte es für meine
Pflicht«, fuhr er feierlich fort, »dich vor dieser klebrigen
Zumutung zu schützen. Hier« – das folgende brachte er
leiernd vor, mit verstellter Stimme –, »hier findet die
Seele des Portugiesen ihren musikalischen Ausdruck, im
Fado, der so herrlich traurig macht. *Yes Sir!* Die Sucht

nach dem unauslöschlichen Schmerz, der Genuß eines unnennbaren Unglücks, die Hoffnung auf die Verzweiflung. – Ich zitiere nur, was dir jeder Reiseführer, der je über Portugal geschrieben wurde, ins Ohr raunt. Und in der nächsten Zeile folgt dann das berühmte Wort, von dem nur eines feststeht: daß es unübersetzbar ist. *Saudade*! Der Urgrund der portugiesischen Seele! Das ist es, was dir die Damen in der Adega Mesquita vorjammern, mit ekstatisch zugedrückten Augen. Melancholie! grausames Schicksal! *o gosto de ser triste*! Und du mußt es dir, ehrfürchtig schweigend, anhören, und wehe dir, wenn du nicht mit den Gitarren weinst. Welche Tiefe! Welcher Schwachsinn! Darauf müssen wir noch einen trinken.« Wir waren in einer gähnend leeren Bar gelandet. Außer uns saß nur ein tuschelndes Liebespaar in dieser schummrigen, mit rotem Plüsch ausgeschlagenen Höhle, die einen gruftähnlichen Eindruck machte.

Lourenço war noch nicht zu Ende mit seiner Tirade. »Portugal ist das einzige Land der Welt, in dem sich erwachsene Menschen heulend an ihrer eigenen Nichtigkeit erbauen. Ich weiß, was du sagen willst! Alle Völker haben ihren Kitsch und halten ihn in Ehren. Aber niemand glaubt so inbrünstig an den Nonsens wie wir. Der Kitsch ist unsere Religion. Und warum, wenn man fragen darf? Weil ihn niemand nötiger hat als wir. Der Fado, das ist der Heiligenschein für unsere Ignoranz, die Gloriole, die wir unserem Elend aufsetzen. Kein Wunder, daß *saudade* unübersetzbar ist. Auf der ganzen Welt ist niemand außer uns stolz darauf, daß er im Eimer ist! Prost!«

Er war jetzt völlig entfesselt. Aus dem coolen Mathematiker war ein Amokläufer geworden. Er ließ sich die Flasche auf den Tisch stellen und trank methodisch weiter.

»Na und?« wandte ich vorsichtig ein. »Was ist daran so ungewöhnlich? Jede Lebenslüge hat einen wahren Kern.«

»Um so schlimmer! Wenn es stimmt, daß unsere Seele ein feuchter Lappen ist, soll ich darüber vor Rührung in Tränen ausbrechen? Ich pfeife auf diese Seele! Jeder Gangster ist mir lieber, jeder Spekulant, jeder Strichjunge!«

Ich sah aus dem Augenwinkel, wie das Liebespaar in der Ecke hastig aufbrach. Der schüchterne, höfliche Lourenço war nicht wiederzuerkennen. »Gelobt seien die Multis!« Jetzt schrie er fast. »Willkommen in Portugal, IBM! Willkommen die deutsche Brutalität und der amerikanische Bulldozer! Das ist normal! Die Geldgier, der Krebs, die Ausbeutung, alles normal. Oder meinetwegen der Real Existierende! Alles lieber als diese Seifenoper, die sich für Seelentiefe hält!« Er hielt inne und blickte mich höhnisch an. Für das, was dann kam, kann ich mich nicht verbürgen. Ich war allmählich selber nicht mehr ganz klar im Kopf.

»Ich will dir mal was sagen«, – so ungefähr fing er wieder an –, »eine portugiesische Seele hat es nie gegeben. Ich habe diese Frage studiert. Alles nur Literatur! Eine Erfindung von Ausländern, die im 19. Jahrhundert hier ihre Renten verzehrt haben, Zivilisationsmüde, Romantiker aus zweiter Hand... Die haben sich das aus den Fingern gesogen. Und wir sind darauf hereingefallen! Nicht einmal unsere dümmsten Einbildungen sind auf dem eigenen Mist gewachsen. Ihr habt den Fortschritt und das Geld, aber dafür ist euer Leben kalt, leer und seelenlos. Wir haben nichts zu fressen, aber dafür haben wir die Menschlichkeit gepachtet. Die Armut ist ein großer Glanz von innen. Das ist das Schöne an Portugal, *saudade*, die man in jedem Reisebüro buchen kann.

Einfach ergreifend! Genau das, was ihr zu Hause meidet wie die Pest, hier gefällt es euch: unsere Ochsenkarren, unsere Töpferei, unsere ›Ursprünglichkeit‹ und unser Seelenjammer.«

Ich habe ihn schließlich nach Hause gebracht, zu Fuß, an ausgestorbenen Plätzen vorbei, über steile Treppen. Einmal mußten wir den Wasserstrahlen eines Wagens ausweichen, der die Straßen wusch, und mir ist, als wären wir auf einer abschüssigen Gasse dem blinden Geiger begegnet. Ich erinnere mich, wie er mit seinem weißen Stock fuchtelte, und an die helle Höhle seines ausgelaufenen Auges – aber vielleicht bilde ich mir das nur ein.

Vor dem Hauseingang standen zwei blutjunge Huren, kindliche Chinesinnen, aus den offenen Fenstern einer schäbigen Pension kamen Fetzen einer afrikanischen Musik, das Treppenhaus war ein dunkler, endlos hoher Schacht. Endlich waren wir vor Lourenços Tür angelangt. Er legte den Zeigefinger auf den Mund, weil er es vermeiden wollte, seine Eltern aus dem Schlaf zu wekken. Die Wohnung glich einem Möbellager. Sie war vollgestopft mit unförmigen Schränken und weiß verhüllten Sesseln. Auf einem kleinen Tisch im Wohnzimmer stapelten sich Bücher über mathematische Logik. Ein großväterlicher Geruch nach Bohnerwachs und Mottenkugeln lag über dem Raum. Es herrschte wattige Stille. In einer Vitrine, die über und über mit dunklem Schnitzwerk verziert war, lagen patriotische Schaumünzen aufgebahrt. Ich fühlte mich mit einem Mal stocknüchtern. Im Schein einer Lampe, die in Gestalt einer riesigen Porzellaneule auf einer Kommode hockte, war eine Reihe von Trophäen und Fetischen aus Timor zu erkennen, die an der Wand hingen. Lourenço saß direkt unter ihnen auf einer hölzernen Bank. Er war eingeschlafen. Auf Zehenspitzen verließ ich das Zimmer.

Kahlschlag

Bis tief ins zwanzigste Jahrhundert, grob gesprochen bis zum Ausbruch des Ersten Weltkriegs, waren die portugiesischen Baumeister, soweit das menschenmöglich ist, unfehlbar. Von der Kapitale, die sie nach dem großen Erdbeben wiederaufbauten, bis in die entlegensten Dörfer haben sie im achtzehnten und neunzehnten Jahrhundert eine Architektur geschaffen, die zugleich glanzvoll und bescheiden, elegant und brauchbar war. Ich spreche nicht von den berühmten Architekten, deren Werke die Reiseführer mit ihren Sternchen schmücken. Wer zwischen Größenwahn und Größe unterscheiden kann, wird für den monströsen Sarkophag von Mafra und für die neo-manuelinischen Scheußlichkeiten von Sintra und Buçaco nur ein Achselzucken übrig haben. Namenlosen verdankt das Land seine einzigartige Substanz: Bauernhöfe und Quintas, Paläste und Mietshäuser von untrüglichem Geschmack, von einem handwerklichen Können und einer Sicherheit der Proportionen, wie man sie in keinem andern Land Europas findet.

Wer ein paar Ferientage in der paradiesischen Gartenlandschaft des Nordens verbringt, sieht dem Minho seines jahrzehntelange Auszehrung nicht an. Die Parzellenwirtschaft in dieser Region beruht auf einer Jahrhunderte währenden Zellteilung des Grundbesitzes durch ein Erbrecht, das schließlich handtuchgroße Äcker hinterließ. Zehn-, ja Hunderttausenden blieb keine andere Wahl, als auszuwandern. Die Spuren dieser Misere sind nicht mehr zu übersehen; denn in den letzten zwanzig Jahren sind zahllose Arbeitsemigranten in ihre Heimat zurückgekehrt, und sie haben, zwischen den alten Bauernhäusern und Landsitzen, eine Horror-Kulisse aufgebaut. Im Minho sind heute die häßlichsten Häuser der

Welt zu besichtigen: lila, pink und giftgrün gefliste auf-
gedonnerte Buden mit abenteuerlich geschwungenen
schmiedeeisernen Treppen, die auf überdimensionalen
Garagen kauern; eine spontane Architektur, die sich
durch Imitation und Selbstimitation in einen rauscharti-
gen Alptraum hineingesteigert hat, und die inzwischen
ihre Vorbilder bei weitem übertrifft. Kein westdeutsches
oder französisches Neubauviertel kann mit dieser kleinbürgerlichen Variante der Science-fiction konkurrieren.
Für diese Bauwerke werden Menschenopfer gebracht. Eigentlich sind sie funktionslos. Viele von ihnen sind zu
groß, um bewohnt zu werden, und stehen leer. Mit her-
untergezogenen Rolläden warten sie auf ihre Besitzer, die
sich auf unabsehbare Zeiten verschuldet haben und in
Stuttgart oder Amiens Frondienste für ihre steingewordenen Träume leisten. An dem Land, das sie nicht ernähren
konnte, haben sie schreckliche Rache genommen.

Das professionelle Gegenstück zu dieser Architektur
ohne Architekten findet sich in Lissabon. Wer zu Schiff
oder mit der Fähre ankommt, der sieht hoch über der
berühmten Silhouette der Stadt, über Türme und Hügel,
eine Reihe von gigantischen Pappschachteln aufragen,
brutale Kuben, die mit bonbonrosa und himmelblauen
Versatzstücken notdürftig kaschiert sind. Das Centro
Comercial Amoreiras ist der Stolz der portugiesischen
Postmoderne. Der terroristische Kindergartenonkel, der
hier seine Bauklötzchen aufeinandertürmt, heißt Tomás
Taveira, ein Name, den man getrost vergessen könnte,
wäre sein Träger, der einst als linker Schreihals auftrat,
nicht zum Hätschelkind der Neuen Rechten in Portugal
geworden.
Den Namen seines Auftraggebers dagegen wird man sich
merken müssen. Krus Abecasis, ein begabter Demagoge,

ist 1979 zum Bürgermeister von Lissabon geworden. »Am Ende meiner Amtszeit«, rief er den Bürgern zu, »werdet ihr eure Stadt nicht wiedererkennen!« Diese Drohung hat Abecasis, soweit es in seinen Kräften stand, wahrgemacht. Daß er der Stadtgärtnerei die Anpflanzung von Nelken verboten hat, weil er jede Erinnerung an die Revolution von 1974 tilgen möchte, ist nur eine Anekdote. Daß er eine der elegantesten Straßen von Lissabon, die Rua do Carmo, in eine Fußgängerzone verwandeln ließ, die einer Kleinstadt im Ruhrgebiet oder in den Midlands würdig wäre, ist nur eine Geschmacksverirrung. Daß er keinen Grund sieht, sich an die geltenden Gesetze zu halten, ist ein Charakterdefekt. Sein zentrales Projekt dagegen, die zielbewußte Zerstörung Lissabons, ist ein Verbrechen, das nicht nur die Portugiesen angeht.

Möglich gemacht wird ein solches Unternehmen durch die autoritäre Führung der kommunalen Geschäfte, die im zentralistischen Portugal üblich ist. Selbstverwaltung der Gemeinden und Mitspracherecht der Bürger haben dort kaum historische Wurzeln. In die Lücke springen die lokalen Mafiosi. Ganze Quartiere am Ufer des Tejo-Flusses werden Baulöwen zur Zertrümmerung überlassen. Die Prachtstraße der Stadt, die Avenida da Liberdade, im neunzehnten Jahrhundert als Gegenstück zu den Champs-Elysées entworfen, wird der Barbarei der Banken ausgeliefert. Ganze Straßenzüge fallen der Spitzhacke anheim. Die Strategie des Bürgermeisters ist der Zangenangriff. Auf der einen Seite läßt man die Stadt verfaulen. Dabei stützt man sich auf die Mietgesetze, die es fast unmöglich machen, die historische Substanz zu erhalten; eine weitere Waffe, die auf die Dauer flächendeckender wirkt als jeder Bulldozer, ist der Schlendrian. Auf der anderen Seite wird die Spekulation mit allen

Mitteln gefördert. Das Ziel der Operation ist die Zwangsmodernisierung der Hauptstadt, das ästhetische Ideal die sklavische Imitation, das unerreichbare Vorbild Houston, Texas.

Wäre Architektur eine Frage des guten Geschmacks oder des Denkmalschutzes und weiter nichts, so könnte man es bei solchen Feststellungen bewenden lassen. Aber die Wände, in denen eine Gesellschaft sich einrichtet, sagen mehr über sie, als ihre Erbauer sich träumen lassen. Was also bedeutet der spektakuläre Zusammenbruch der Baukunst, und wie ist er zu erklären? Das sind Fragen, die sich nicht allein in Lissabon und im Minho stellen. Portugal ist nur ein Extremfall.

Den Häusern der Deutschen ist ihr kleinbürgerlicher Reichtum, denen der Schweden die Ideologie ihres Wohlfahrtsstaates, denen der Italiener ihr produktives Chaos auf die Stirn geschrieben. Doch den Portugiesen fehlt die paradoxe Vitalität der einen so gut wie die sozialdemokratische Kultur der andern, und schon gar nicht kann davon die Rede sein, daß sie ihren gemeinsamen Nenner im Konsum gefunden hätten. Woher kommt es dann, daß sie sich im Unbewohnbaren einmörteln?

Das liegt doch auf der Hand, rufen meine gescheiten Gastgeber. Sieh dir unsere Bourgeoisie doch an! – Ich verstehe nicht ganz. Man kommt mir mit Auskünften zu Hilfe, die von Verwünschungen kaum zu unterscheiden sind. Das sei von Anfang an eine parasitäre Klasse gewesen. Andere auszubeuten, dazu habe es gerade noch gereicht, aber das sei schließlich nicht alles, was man von einer nationalen Bourgeoisie erwarten dürfe; der erbeutete Mehrwert müsse gespart, akkumuliert und in die Produktion gesteckt werden. Das sei dieser Klasse aber nicht im Traum eingefallen. Kein Wunder, daß sie es nicht weit gebracht hätte. Erst Arschkriecher der Monarchie, dann Möchtegern-Aristokraten. Jeder Marmeladehändler habe sich einen Titel gekauft, aber was noch viel schlimmer sei: die ganze Bande habe die Haltung der Großgrundbesitzer übernommen. Dabei sei selbstverständlich nur eine schäbige Parodie herausgekommen, nichts als sinnlose Verschwendung und Angeberei. Gerade im Nichtstun habe diese Lumpen-Bourgeoisie den Beweis für ihre eigene Vorzüglichkeit gesehen. Maklertum, Zwischenhandel, Spekulation – alles, nur keine produktive Tätigkeit! Eine kleine, radikale Minderheit von ewigen Aufsteigern, von Scheckbetrügern, nicht nur im übertragenen Sinne. Konkurrenz hielten sie für eine Gemeinheit, Protektion für selbstverständlich, Leistung für überflüssig, Qualifikation für nebensächlich. Nur Dummköpfe kämen, in ihren Augen, auf die Idee, zu arbeiten.

Und dabei sei es natürlich nicht geblieben; denn so wie die Bourgeoisie am Adel, so hätten die Kleinbürger sich wiederum an diesen besseren Herren ein Vorbild genommen, nach dem Motto: Wenn der, warum nicht ich? Die parasitäre Haltung sei eine ansteckende Krankheit. Über seine Verhältnisse zu leben, gelte hierzulande als kategorischer Imperativ. Noch in den einfachen Mietshäusern der sechziger Jahre gebe es keine Wohnung ohne Dienstbotenzimmer, weil sich selbst der kleinste Angestellte als Herr aufführe. Und seit 1974 habe diese Haltung praktisch die ganze arbeitende Bevölkerung ergriffen. Eine so hybride, funktionslose und desorientierte *middle class*, wie sie in Portugal entstanden sei, müsse man mit der Lupe suchen. Allein das Landwirtschaftsministerium füttere 18000 Mitarbeiter durch, die alle in Lissabon säßen und einander auf Staatskosten zum Mittagessen einlüden – und das in einem Land, das die Hälfte seiner Lebensmittel importieren müsse, obwohl jeder vierte Portugiese in der Landwirtschaft beschäftigt sei.

Ja, um auf die Architektur zurückzukommen: das alles sehe man ihr eben an. Portugal sei ein Land, das sich von außen statt von innen, durch Konsum statt durch Produktion modernisiere. Unterentwickelt seien nicht die armen, sondern die reichen Portugiesen, vom Multimillionär bis zum letzten Kleinbürger.

Wir sprachen noch lange über diese und ähnliche Gegenstände. Die Bilder an der Wand waren geschmackvoll gerahmt, die Sessel bequem, und in den Whiskygläsern klingelte das Eis.

Die Unvernünftigen sterben nicht aus

»Ich weiß nicht warum«, schrieb vor hundert Jahren die Prinzessin Rattazzi in ihr Reisetagebuch, »aber ich habe die tiefste Sympathie für dieses kleine Land, das sich nicht unterkriegen läßt, obwohl alle Welt behauptet, es liege im Schlaf, um nicht zu sagen in den letzten Zügen.«

Oh, ich habe nicht den Ehrgeiz, die Klagen, Bekenntnisse und Attacken meiner Gastgeber zu widerlegen. Sie kennen Portugal besser als jeder flüchtige Besucher. Aber wenn sie recht haben, woher kommt dann ihre kritische Energie? Was treibt ihren Widerspruchsgeist hervor? Und wie erklärt es sich, daß es, außer Portugiesen, niemanden zu geben scheint, der die Portugiesen verabscheut? Wer das Land kennt, kommt wieder. Alles nur eine Postkarten-Offenbarung? Alles nur Nostalgie, Kitsch, Mystifikation? Das glaube ich kaum.

Schon die alte, in Jahrhunderten des Niedergangs geübte

Kunst des Überlebens spricht dagegen. Wenn es nach der Statistik ginge, wären die meisten Portugiesen tot. Arbeiter, denen ihr Lohn mit neun, zwölf, fünfzehn Monaten Verspätung ausgezahlt wird, Rentner, die mit hundert Mark im Monat auskommen müssen, Arbeitslose ohne Versicherung, Bauern, die auf winzigen Parzellen ihr Dasein fristen: alle Indikatoren deuten auf eine Misere hin, die in Europa nicht ihresgleichen hat. Wovon leben diese Menschen? Niemand schreit, niemand schießt, niemand verhungert. Das ist das eigentliche portugiesische Wunder: ein negatives Mirakel.

Die Statistik ist verheerend, aber nach der Statistik geht es nicht. Es zeigt sich, daß der Sinn der Portugiesen für das Phantastische nicht nur eine romantische Verirrung ist. Er greift mächtig in ihren Alltag ein und wird dort zur Lebenspraxis. Mit ihr verglichen, wirkt das Brutto-Sozialprodukt wie eine abstrakte Chimäre, und die offizielle Volkswirtschaft, an die man in Brüssel oder bei der Weltbank glaubt, wie ein bloßer Schatten. Man lebt von drei- und vierfachen Berufen, in den weiten Zonen einer proteischen Schwarzarbeit, man lebt von Gärten, die nirgends registriert sind, vom Naturalientausch, von einem altertümlichen, familiären Geben und Nehmen. Nebenbei stellt sich heraus, daß das Realitätsprinzip, dem sich andere Gesellschaften mit Haut und Haar verschrieben haben, nicht ganz so realistisch ist, wie seine treuen Diener glauben.

Der hohe europäische Beamte, den ich in Lissabon traf, ein händereibender Holländer, schien zu glauben, man müsse nur Geduld haben mit den Portugiesen, sie seien bloß noch nicht ganz soweit; es käme nur darauf an, sie zu ermutigen und zu loben wie ein guter Pädagoge, dann würden sie schon Vernunft annehmen. Das möchte ich bezweifeln.

Denn was sie, die Portugiesen, der kapitalistischen Rationalität entgegensetzen, ist nicht allein Unfähigkeit. Es ist Widerstand. Schwer genug, das eine vom andern zu unterscheiden. Das Resultat jedenfalls ist eine Art von stiller Sabotage, die nicht, wie anderswo, aus Wut, aus Überzeugung, aus Groll, aus Ideologie, aus Trotz verübt wird. Der effizient durchorganisierte Kapitalismus wird nicht bekämpft, er wird vermieden, naturwüchsig, »nur so«, weil er den Portugiesen nicht einleuchtet, weil die Tugenden, die er verlangt, nicht die ihrigen sind.

Sie halten an den eigenen fest: an ihrer pathologischen Toleranz, an ihrer Skepsis, die nur vor dem Wunder haltmacht, an ihrer nachlässigen Großzügigkeit; an Tugenden, die vielleicht utopisch sind, und die, weil sie einer fortschrittlichen Welt als Todsünden gelten, schwere Bußen auf sich ziehen. Aber vielleicht werden sie eines Tages noch gebraucht? Darüber ist das letzte Wort noch nicht gesprochen. Was die Portugiesen verteidigen, manchmal dumpf und unwillkürlich, aber immer zäh, ist kein Besitzstand; es sind ihre Wünsche; es ist mithin das, was niemand besitzt. Die Vernunftkritik ist in diesem Volk Fleisch geworden. Nehmen wir an, Politik wäre mehr als Rüstung und Produktion; nehmen wir an, es gäbe ein Europa der Wünsche, so wäre Portugal, in *diesem* Europa, kein peripheres Anhängsel, sondern eine Großmacht, und wie alle Großmächte würde es seine Nachbarn enervieren, aber auch mit Neid erfüllen.

In seinem *Buch der Unruhe* legt der Hilfsbuchhalter Bernardo Soares das folgende Geständnis ab: »Zuweilen überfällt mich mitten im tätigen Leben, in dem ich selbstverständlich so bestimmt über mich verfüge wie alle andern, eine sonderbare Empfindung des Zweifels; ich weiß dann nicht, ob ich existiere, ich halte es für durchaus möglich, der Traum eines anderen Wesens zu sein... Ich bin fast davon überzeugt, daß ich niemals wach bin. Ich weiß nicht, ob ich nicht träume, wenn ich lebe, ob ich nicht lebe, wenn ich träume, oder ob Traum und Leben bei mir nicht vermischte, einander überlappende Dinge sind.«

Niemand weiß, ob der Hilfsbuchhalter Soares noch unter den Lebenden weilt; sein Erfinder und Doppelgänger jedenfalls, der Dichter Fernando Pessoa, ist schon über fünfzig Jahre tot. Aber auch heute noch läßt, mitten in der Besprechung, der Ingenieur Soares, mit einem halben Lächeln, die Computerliste, der Tuchhändler Soares, kurz vor dem großen Abschluß, den Stoffballen sinken. Eben war er noch eifrig bei der Sache; nun wirkt er plötzlich so reserviert, so in sich gekehrt. Ist er zerstreut? Ist er müde? Geistesabwesend? Woran denkt er? Welchen Grübeleien hängt er nach? Hat er uns vergessen?

Norwegische Anachronismen

Die Leiter

Die Leiter hinunter, sagte die alte Anna, das war der einzige Weg. Schon mit vier oder fünf sind wir die Leiter aus Holz hinuntergeklettert, mit dem Korb auf dem Rükken, mit der Kanne in der Hand, dann am Steilhang einen Fuß vor den andern, bis zum Bootshaus unten am Fjord. Und wenn etwas geschah, das ihm zuwider war, oder es kam einer, dessen Gesicht ihm nicht gefiel, dann zog der Vater die Leiter in die Höhe. Es war ein hartes Leben, doch wer auf dem Einödhof saß, der war sein eigener Herr.

Die alte Anna erzählte ihre homerischen Geschichten am liebsten im Winter, beim Kaffee, am frühen Nachmittag, während es draußen schon zu dämmern anfing. Sie war vierundachtzig. Der Kaffeekessel zischte leise auf dem Herd. Ich hatte Mühe, ihren altertümlichen Dialekt zu verstehen. Ihre Rede war mit ausgestorbenen Wendungen und verschwundenen Vokabeln gespickt. Jeder Heureiter, jeder Griff in der Korbflechterei hatte seinen eigenen Namen.

Die alte Anna hatte den Einödhof, der vierhundert Meter über dem Fjord in schwindelnder Höhe lag, längst verlassen – sie wohnte im Altersheim –, aber sie hatte nichts vergessen, und ihre gleichmäßige Stimme zählte die Namen der Toten her, die Hochzeiten, die dort oben gefeiert, die Kinder, die zur Welt gebracht worden waren, die Mahd auf den handtuchgroßen Wiesen der Hochalm, die Schulwege durch die Dunkelheit, die Erdrutsch- und Lawinenunglücke, die Kirchfahrten durch den Nebel und die Motorbootvisiten des Doktors im Schneesturm. Die Höfe hießen Skjortnes oder Fausa, Skrenakken oder Espenhjelle. Alles, was von außen kam, die Lämmer, das Bauholz, die Nähmaschine, mußte an

Gleitseilen, mit der Drahtseilwinde hochgehievt werden, und den umgekehrten Weg ging alles, was man zu verkaufen hatte, manchmal wohl auch ein krankes Kind im Korb, oder sogar eine Leiche, und wurde dann über den Fjord in die nächste Ortschaft gerudert. Manche dieser Höfe waren seit tausend Jahren bewohnt, von anderen waren nur Wüstungen übrig. Die Leute lebten von der Schafzucht und von der Käserei, waren Holzfäller und Köhler, Teersieder und Lachsfischer zugleich, und ihr Ruderboot, ihr gras- und rindengedecktes Haus bauten sie mit eigner Hand.

Als der gute König Haakon, sagte die alte Anna, auf seiner ersten Reise durch das Westland hier vorbeigekommen ist, zeigte er auf den Hof und fragte, ob da droben immer noch Leute wohnten. Ja, war die Antwort, aber sie haben es schwer, denn sie haben sechs Kinder und kein Geld, um sich ein paar Ziegen zu kaufen. Da zog der König einen Fünfzig-Kronen-Schein aus der Tasche des Adjutanten. Als er aber, einen Weltkrieg später, wieder durch den Fjord fuhr, sei der Hof noch immer bewohnt gewesen, und der Bauer habe dem König, zum Dank und zur Erinnerung, einen großen Ziegenkäse gesandt; dieser aber soll den Käse probiert und gesagt haben: seiner Lebtage habe er keine fünfzig Kronen so wohl angelegt.

Das alles ist schwer zu glauben, zu schön um wahr zu sein; es klingt wie eine fromme Legende, wie ein Wandermärchen. Aber daß mir die alte Anna lauter Lügen aufgetischt hätte, ist ein Ding der Unmöglichkeit. Das wird jeder zugeben, der sie gekannt hat. Außerdem habe ich selber die Lichter auf den Einödhöfen brennen sehen, und einmal, im Hotel, bei einer Kindstaufe, habe ich ein paar solcher Bergbauern leibhaftig kennengelernt, entfernte Verwandte, stumme Leute, die mit der ganzen

Höflichkeit und dem ganzen Argwohn der Einsiedler zögernd, nach dem Essen, anfingen, von der neuen Kreissäge zu sprechen, von ihrem Kampf um die Stromleitung, von den Milchpreisen, von dem Motorboot, das sie sich, nach langem Hin und Her, anschaffen wollten.

Ihr Dasein und ihre Reden muteten damals schon, am Ende der fünfziger Jahre, anachronistisch an. Denn mit dem kleinen Marktflecken am Storfjord, wo die Taufe gefeiert wurde, ging es unaufhaltsam aufwärts. Der Sägemüller hatte ein Möbelwerk aufgemacht und fühlte sich als Großunternehmer; der Schreiner war auf die Idee gekommen, kleine Salontische zu bauen, je drei Stück, die sich ineinander stapeln ließen, und er träumte vom ganz großen Exportgeschäft, denn er hatte einen Vetter in Michigan, der ein Versandhaus besaß; auch die kleine Hemdenfabrik ging gut; und der lokale Clan der Krämer war auf dem besten Wege, die bescheidene alte Kirchgemeinde mit seinen widerwillig bewunderten, abscheulichen Neubauten kaputtzumachen. Die Kaufleute bauten klotzig, ohne Gefühl für das Hergebrachte, dumm, großspurig und engstirnig, und verabschiedeten sich lautlos von allen Tugenden dieses Landes.

Fünfundzwanzig Jahre später, als ich wieder nach Sunnmøre kam, schien auf den ersten Blick alles beim alten geblieben zu sein: das Landemanöver der Fähre, der Geruch nach Dieselöl und altem Holz, die Launen des Wetters, die Regenschauer, die die Passagiere in den verräucherten »Salon« jagten, die trockenen Sandwiches und der abgestandene Kaffee an der Theke. Ich nahm meinen Feldstecher, ging an Deck und sah hinauf zu den unheimlich ragenden Hängen, von denen monatelang der Schatten nicht weicht. Diese Landschaft leuchtet auf den Plakaten der Reisebüros, aber wirtlich ist sie nicht, sondern düster und karg.

Was ist aus den Einödhöfen und ihren Bewohnern geworden? Halten sie immer noch dort oben aus? Oder sind sie heruntergekommen über die alten Leitern und Saumpfade und in den Kleinstädten an der Küste untergetaucht? Ich richtete mein Glas auf die Flanken des Fjords, aber aus dem, was ich erkennen konnte, wurde ich nicht klug. Hier eine verfallene Scheune und dort eine neue Telefonleitung; am Strand ein frischgemaltes Bootshaus, aber weiter oben verrostete Drahtseile; auf der einen Seite eingestürzte Dächer, auf der andern gemähte Wiesen.

Nur der Marktflecken hatte sich nach seiner eigenen Logik verändert. An der Stelle des windschiefen Kiosks, der den Ort früher mit allen Segnungen der Zivilisation versehen hatte, mit Obst, Zeitungen, Schokolade, Eiskrem und Benzin, stand ein riesiger Supermarkt; die Sparbank hatte neu gebaut und Datensichtgeräte für die Schalterhalle angeschafft; das Hotel trumpfte mit einer riesigen Lobby auf; die Krankenkasse hatte ihre Bürofläche verdreifacht; die schönsten und ältesten Holzhäuser waren abgerissen; das Möbelwerk war der Pleite nahe; die Hemdenfabrik hatte aufgegeben; und der allgemeine Wohlstand hatte sich vermehrt.

Die alte Anna war längst gestorben. Ihre Enkelin, eine Studentin der Fischmedizin, lud mich zu einer Spazierfahrt in ihrem alten Mini ein. Unterwegs wurde ich in die Geheimnisse der neuesten Wachstumsindustrie des Landes eingeweiht: der Aquakultur, und ich erfuhr einiges über die bakteriologischen Probleme, die bei der Lachs- und Dorschzucht in den norwegischen Fjorden auftreten. Wir fuhren eine neue Straße, die über ein Hochmoor zu einem jener Einödhöfe führte, die früher keine Wegverbindung zur Außenwelt hatten. Sie war gesäumt von kleinen, neuen Sommerhütten und von Touristenkabinen, die in Reih und Glied auf ihre Mieter warteten. Bunte Schilder wiesen auf nahe Skilifts und Parkplätze hin. Reklametafeln warben für »Berg-Zentren«, »Jugend-Zentren« und »Freiluft-Zentren«. Sonnenanbeter, weiß wie Brotteig, hatten sich in der Nähe ihrer Volvos niedergelassen. Vor einer nagelneuen Bretterbude, die die kuriose Bezeichnung »Lesothek« im Schilde führte, legten wir eine Pause ein. Ich hatte genug über die Stoffwechselkrankheiten und Allergien der Lachse gehört und fragte meine Gastgeberin, was aus den legendären Bergbauernhöfen geworden sei.

»In Åkernes haben sie schon 1958 aufgegeben. Auf Espenhjelle und Skjortnes hielten sie bis in die sechziger Jahre durch. Vidhammer war, glaube ich, bis 1968, und Nedsteholmen bis 1970 bewohnt. Aber der hartnäckigste von allen war der junge Bauer auf Skrenakken. Als die andern alle ins Tal zogen, baute er sich noch einen neuen Kuhstall, und 1973 hat er sich aus lauter Trotz einen Hubschrauber gemietet und einen Traktor auf den Hof fliegen lassen. Dann ist ihm das Geld ausgegangen. Er war der letzte. Seinen Traktor und seine Ölfässer hat er dalassen müssen.«

»Aber manche der alten Höfe sehen tadellos frisch gemalt aus, und da und dort habe ich ein Boot am Steg liegen sehen.«

»Ja, weißt du, die meisten von uns kommen heute noch jeden Sommer hierher. Ich auch. Wir haben einen Verein gegründet. Alle Jahre wird einer der Einödhöfe restauriert. Wir wollen nicht, daß das alles zugrunde geht.«

»Aber was macht ihr denn mit euren Höfen?«

»Die einen haben ein altes Fischrecht, die andern ein paar Kartoffeln, ein paar Schafe, oder sie pflücken Beeren und kochen sie ein. Manche, die in die Stadt gezogen sind, kommen von weit her.«

»Und was machen sie in der Stadt?«

»Der eine ist Sozialarbeiter geworden, der andere Heizungsingenieur, und der Sohn unseres Nachbarn hat einen Videoladen aufgemacht. Wir treffen uns jeden Sommer. Ich habe das Gefühl, als hätten wir hier oben etwas zurückgelassen. Nein, ich weiß nicht, was es ist! Schau mich nicht so blöde an! Fahren wir weiter?«

Wir fuhren weiter, aber von der alten Leiter fanden wir keine Spur.

Gemischte Gefühle

»Das Ölfeld Statfjord A produziert Geld für Norwegen in einem derartigen Tempo, daß die Nationalbank kaum mit dem Drucken nachkommt.« Unter dieser Schlagzeile ließ der amerikanische Mineralölkonzern Mobil in der größten Osloer Tageszeitung eine ganzseitige Anzeige erscheinen. Sechs große Farbfotos zeigen den Ablauf eines Tages auf einer riesigen Ölplattform in der Nordsee. Am Fuß der Seite wenden sich die Werbetexter direkt an den Leser: »Stell dir vor, dieses Ölfeld wäre eine Notenpresse, die Hundert-Kronen-Scheine druckt. Pro Sekunde kommen sieben neue Hunderter aus dieser Maschine, schneller als du mit den Fingern auf der Tischplatte trommeln kannst. An einem Tag spuckt sie 64 Millionen Kronen aus, in einem Jahr zwanzig Milliarden. In den nächsten dreißig Jahren wird diese Notenpresse 24 Stunden am Tag ununterbrochen arbeiten... Statfjord A ist die produktivste Ölplattform der Welt und zugleich die bedeutendste einzelne Einnahmequelle, über die Norwegen verfügt.«

Daß sich die Manager der Mobil mit dieser Jubelbotschaft viele neue Freunde erworben habe, möchte ich bezweifeln. Im Finanzministerium, wo man seit Jahren versucht, der Inflation Herr zu werden, sah man diskret hochgezogene Augenbrauen. Im Haushaltsausschuß, wo seit Jahr und Tag nur noch von Kürzungen und Engpässen die Rede ist, zuckte man resigniert die Achseln.

Die P.R.-Leute der Ölmultis sind um ihre Aufgabe nicht zu beneiden. Denn obwohl es nun schon fast fünfzehn Jahre her ist, daß das erste Faß Öl aus dem Ekofisk-Feld vor der norwegischen Küste kam; obwohl die nachgewiesenen Öl- und Gasreserven auf dem Festlandssockel einen Wert von 5400 Milliarden Mark erreicht haben; obwohl die ganze Welt das Land beneidet, sieht es ganz so aus, als würden die Norweger ihres plötzlichen Reichtums nicht recht froh. Eine kleine private Umfrage, die ich veranstaltet habe, lieferte jedenfalls eigentümlich zwiespältige, süßsaure Antworten:

So tief sind wir also gesunken, daß wir dieses Zeug brauchen! (Landwirtschaftsstudentin)
Das Öl bringt alles durcheinander, aber es löst keines unserer Probleme. Wenn es hoch kommt, sind zwei Prozent aller Norweger in dieser Industrie beschäftigt. Und was wird aus den andern? (Exportkaufmann)
Eine Sauerei, die auf die Dauer unsere natürlichen Lebensgrundlagen zerstört. In zwanzig Jahren wird die Nordsee eine einzige Kloake sein. (Lehrer)
Glück muß der Mensch haben! Die Funde kamen genau im richtigen Augenblick. Ohne das Öl wäre Norwegen nämlich längst pleite gegangen. (Steuerberater)
Die Arbeit auf den Plattformen ist lebensgefährlich. Die Leute werden gut bezahlt, aber dafür leben sie in der Hölle. (Gewerkschaftler)
Die Leute im Ölgeschäft verdienen zuviel Geld. Mit der

Gleichheit in diesem Land, auf die wir so stolz waren, ist es vorbei. (Apothekerin)

In fünfzig Jahren, wenn wir die Nordsee leergepumpt haben, stehen wir mit leeren Händen da. (Bauer)

Zum ersten Mal kann uns das Ausland nicht mehr auf der Nase herumtanzen. Unser Gewicht in der Welt hat zugenommen. Ein ganz neues Gefühl! (Postbeamter)

Wir brauchen mehr Altersheime und Krankenhäuser. Ohne die Öleinnahmen könnten wir das gar nicht finanzieren. (Gemeinderat)

Die multinationalen Konzerne machen doch, was sie wollen. Die Norweger sind so dumm, daß sie gar nicht merken, wie sie aufs Kreuz gelegt werden! (Schüler)

Im Vergleich zu den Ländern der Dritten Welt geht es uns ohnehin viel zu gut, und jetzt bereichern wir uns noch, indem wir ihnen das Geld aus der Tasche ziehen. (Hausfrau)

Die norwegische Gesellschaft ist süchtig, ohne es zu wissen. Das Öl ist unser Heroin, und unser Staat ist ein Fixer, der dauernd seine Dosis steigert. Bis zum Ende des Jahrhunderts wollen unsere Politiker die Produktion verdreifachen! (Psychiater)

Ich verstehe die Leute nicht! Aber was wollen Sie, so sind die Norweger: puritanische Grübler, voller Masochismus und Gewissensskrupel. Statt daß sie sich freuen, daß es endlich wieder aufwärts geht! Wir haben alles unter Kontrolle. (Rechtsanwalt)

Alles ein ausgemachter Schwindel! In den Zeitungen schreiben sie von Milliarden und Billionen, und ich kann meine Miete nicht zahlen! Ein Liter Benzin kostet eine Mark achtzig, und neulich habe ich gehört, daß sie den Preis schon wieder raufsetzen wollen! Im Fernsehen zeigen sie wunderbare Diagramme, die beweisen, daß wir in Geld schwimmen, und dann tritt einer dieser Poli-

tiker-Clowns vor die Kamera, setzt eine Leichenbitter-
miene auf und verkündet: Liebe Landsleute, wir müssen
den Gürtel enger schnallen! (Sozialhelferin)

Was alles norwegisch ist

Auszug aus dem Telefonbuch von Oslo:
Norwegischer Kompost AG
Norwegische Krawatten AG
Norwegisches Balalaikaorchester
Der norwegische Damen- und Herrenfriseur
Die norwegische Froschmännerschule
Norwegische Säcke Co.
Norwegisches Hundefutter AG
Norwegischer Glücksspiel-Service
Norwegisches Nähzubehör AG
Norwegischer Pflanzenleim AG
Norwegisches Unterwäsche-Magazin

Ein norwegischer Dichter, der so norwegisch wie nur
möglich war – er hat die Nationalflagge seines Landes
entworfen, und kein Ausländer kennt seine merkwürdigen Schriften –, Henrik Wergeland also hat dazu bemerkt: »Es kommt darauf an, Norwegen so norwegisch
wie nur möglich zu machen.«

Wohin mit dem Geld?

»Wer ohne den Luxus des modernen Lebens nicht aus-kommen kann, der tut gut daran, Skandinavien zu mei-den«, schrieb Richard Lovett, ein englischer Geistlicher, in seiner Reiseschilderung *The Kingdom of Norway* (London 1885). Im Lauf der letzten hundert Jahre hat diese Warnung von ihrer Gültigkeit wenig eingebüßt.

Schon der Flughafen von Oslo gibt mit seinen trüben Katakomben-Gängen und seinen schäbigen Abferti-gungshallen dem Reisenden zu verstehen, daß er in die-sem Land vor falschem Glanz und üppigen Versuchun-gen gefeit sein wird. Schluß mit der Verweichlichung und mit der Dekadenz, die anderswo herrschen! Nur ein Greenhorn käme auf die Idee, hier ein Auto zu mieten. Terroristische Parkverbote und drakonische Geldstrafen würden ihn alsbald eines Besseren belehren. Im Inneren des Landes erwarten ihn zugige Bahnhöfe und spartani-sche Hotels, die ihm meist schlichte Kost und Logis zu schreckenerregenden Preisen bieten. Deshalb sind es in der Regel wetterharte, stoische Touristen, die Norwegen bevorzugen, trainierte Naturfreunde, die sich von den Zumutungen der Konsumgesellschaft erholen wollen.

Reisende, die in der Nationalökonomie beschlagen sind, werden sich hingegen, wenn sie hierher kommen, die Augen reiben. Ich gehöre nicht zu ihnen, und so wüßte ich nicht mit Sicherheit zu sagen, ob Norwegen das zweit-, das dritt- oder das viertreichste Land der Erde ist. Die Einstufung hängt im übrigen auch von den Moden der Indexbildung, vom Kurs des Dollars und von den Launen der Statistiker ab. Gleichgültig, welchen Platz Norwegen auf dieser Skala beanspruchen kann, so er-hebt sich doch die Frage, wo dieser sagenhafte Reichtum eigentlich zu finden ist. Sicherlich verbirgt er sich nicht in

den Speisen, die an den sogenannten Straßenküchen feil-
geboten werden, in der robusten Kleidung der Bewohner
oder in den Eistüten, die sie zur Sommers- wie zur Win-
terzeit in großen Mengen verzehren. Auch ziehen die
meisten Norweger Kleinwagen vor, eine Wahl, in der sie
eine weise Regierung bestärkt, die dafür gesorgt hat, daß
Kraftfahrzeuge hierzulande doppelt so teuer sind wie
anderswo.

Nein, der private Konsum gilt in Norwegen eher als ein
notwendiges Übel, und nur eine haarfeine Grenze trennt
ihn von lasterhafter Ausschweifung. Wo das Erlaubte
endet und die Sünde beginnt, das ist ein Problem, zu
dessen Klärung viel moralisches Feingefühl nötig ist.
Eher wird der wohlhabende Bürger in einer versteckten
Bucht eine 200000-Kronen-Yacht vertäuen, als daß er es
riskieren würde, seine Nachbarn mit dem ostentativen
Knall eines Champagnerkorkens zu belästigen. Wer es
nicht lassen kann, wird mit dem Namen eines »sossen«
gestraft, ein Wort, das vermutlich von *society* abgeleitet
ist und den Inbegriff des Verächtlichen ausdrückt. Die
einzige Form der privaten Verschwendung, die allgemein
gebilligt wird, ist der großzügige Umgang mit dem Platz.
Eine durchschnittliche Familie findet nichts dabei, zweihundert Quadratmeter Wohnfläche zu beanspruchen,
und außerhalb der Großstädte spielt die Grundstücks-
größe so gut wie keine Rolle. Glückliches Land, in dem
auf einen Quadratkilometer nur 12,6 Einwohner kommen, und in dem eine gütige Natur dafür gesorgt hat,
daß die Leute nicht aufeinander herumtrampeln!

Tun wir doch nicht so, als wüßten wir, was das Wort
Lebensstandard bedeutet! Die Norweger verwenden
ihren Reichtum für Dinge, von denen sich der Egoismus
der Italiener, der Geiz der Franzosen, die Gier der Ameri-

kaner und die Angeberei der Deutschen nichts träumen lassen. Die Staatsquote, gemessen am Volkseinkommen, die Säuglingssterblichkeit, die mittlere Lebenserwartung, die Zahl der Arbeitslosen, der Kindergärten und der Altersheime – das sind die Größen, an denen man in Norwegen das gute Leben mißt. Nicht der private, sondern der vergesellschaftete Reichtum ist es, der zählt.

Und so können die Bürger mit Befriedigung feststellen, daß sich die Anzahl der Beschäftigten im Gesundheitswesen seit 1970 verdoppelt hat, und daß die Krankenkassen heute dreimal soviel Geld ausgeben wie vor dem Beginn des Ölzeitalters. Auch der öffentliche Dienst hat kräftig zugenommen. Die Umverteilung des Reichtums ist ein mühsames Geschäft, das seinerseits viel Geld kostet. So haben allein die lokalen Verwaltungen innerhalb von zehn Jahren ihren Personalbestand um 74% steigern können, ein schöner Zugewinn an Arbeitsplätzen.

Ein anderer traditioneller Luxus der Norweger ist die Zweisprachigkeit. Obwohl die beiden Schriftsprachen einander außerordentlich ähnlich sind, oder vielleicht gerade deswegen, lieferten sich ihre Anhänger einen jahrzehntelangen, erbitterten Streit, der dazu geführt hat, daß die wachsende Zahl der Verordnungen, ebenso wie die Übersetzung der Odyssee und das Telegrammformular in je zwei Varianten gedruckt werden muß.

Teuer kommt die Norweger auch ihre Entschlossenheit, das ganze Land zu bewohnen. »Sieh dir doch einmal an, was in Schweden passiert ist!« sagte mir in Trondheim ein arbeitsloser Saxophonist. »Dort haben sie ganze Provinzen entvölkert. Kein Wunder, daß die Schweden so demoralisiert sind! Das kann man mit uns nicht machen. Ganz gleich, ob in Oslo oder am Nordkap, wir lassen uns nicht vertreiben. Da, wo die Leute sind, müssen auch Schulen und Krankenhäuser, Busse und Fähren hin.« Die

Infrastruktur, die dazu nötig ist, verschlingt erhebliche Ressourcen: 49 Flugplätze, die regelmäßig angeflogen werden, sind kostspieliger als zwei oder drei.

Kleinlichkeit ist das letzte, was man den Norwegern in dieser Hinsicht nachsagen könnte. Private Verschwendung betrachten sie mit scheelen Augen, öffentlichen Luxus mit patriotischem Stolz. In einem kleinen Ort in der Provinz Østfold sah ich, zusammen mit zwölf anderen Zuschauern, einen alten amerikanischen Film. Er lief in einem kommunalen Kino, das über 1200 herrlich gepolsterte Plätze verfügte. Und die vollklimatisierten, mit Mosaiken reich geschmückten Rathäuser, die ich in den entlegensten Teilen des Landes besucht habe, waren schlechterdings monumental.

Die Lehre, die sich aus alledem ziehen läßt, ist ebenso einfach wie beruhigend: Jede menschliche Gesellschaft, jede Kultur entwickelt ihre eigene Methode, den Reichtum, über den sie verfügt, zum Fenster hinauszuwerfen. Es muß nicht immer Kaviar sein.

Macchiavell in Oslo

»Was uns in diesem Hause fehlt«, sagte Sverre Jervell, »ist eine gesunde Portion Zynismus.«

Ich traute meinen Ohren nicht; denn wir saßen in der Kantine des Königlich Norwegischen Außenministeriums, und der Mann, der vor mir saß, trug den schönen Titel eines *Special Adviser for European Affairs*.

»Darf ich Sie zitieren?« fragte ich. Der junge Beamte, ganz in Tweed und englischen Schuhen – ich tippte auf Harvard oder Cambridge –, lehnte sich genüßlich zurück und sagte: »Selbstverständlich. Der pausbäckige Idealismus, der hier herrscht, ist ja nicht nur mein persönliches Problem. Er ist eine Konstante der norwegischen Außenpolitik, ein Handicap, das uns auf die Dauer hilflos und unbeweglich macht. Ein französischer Politiker wird immer französische, ein Amerikaner amerikanische Interessen vertreten, schamlos, zäh und ohne Skrupel. Nur wir fühlen uns dazu berufen, die Rolle des Unschuldslammes zu spielen. Wir sind für das Gute. Wir versuchen es zu lokalisieren, und sobald wir uns einbilden, wir hätten es gefunden, tragen wir ihm unsere selbstlose Unterstützung an. Wir boykottieren südafrikanische Orangen und israelische Kartoffeln, das kostet nicht viel und bringt uns das Gefühl ein, die Welt zu verbessern.

Dagegen ist natürlich nichts einzuwenden, nur ist es kein Ersatz für Außenpolitik. Ich habe nichts gegen Missionare, aber ich glaube nicht, daß ein Außenministerium der richtige Arbeitsplatz für sie ist.

Warum setzen wir uns z.B. nicht mit den Russen zusammen und sagen ihnen: Wir verkaufen Gas, und ihr verkauft Gas. Wir sind Konkurrenten, aber wir haben auch ein gemeinsames Interesse, nämlich möglichst gute Preise zu erzielen. Es muß ja nicht gleich ein Kartell daraus werden. Wenn ich solche Überlegungen vortrage – und das ist schließlich mein Job hier –, dann hört man mir etwas betreten zu, als hätte ich etwas Unanständiges gesagt.

Dafür geben sich meine Kollegen mit einer gewissen Inbrunst dem Umgang mit den internationalen Organisationen hin. Unser früherer Chef hier im Hause fragte einmal Lord Carrington, der damals britischer Außenminister war, wieviel Zeit er für die Vereinten Nationen aufwende. Die Antwort war: ein paar Stunden. Das norwegische Protokoll ergänzte: ein paar Stunden pro Tag.

Der Engländer, der die UNO etwas nüchterner sah, hatte natürlich gemeint: ein paar Stunden pro Monat.

Ein anderes Beispiel: unser Verhältnis zu Deutschland. Es liegt in unserm langfristigen Interesse, unsere Verbindung mit den Deutschen zu verdichten. Diese Interessenlage ist eine historische Konstante, die wir nicht ändern können. Die Vernunft sagt mir also, daß die Feindseligkeit, die 1940 infolge des deutschen Überfalls entstanden ist, den Charakter einer Episode haben wird.

Wenn Hitler uns in Ruhe gelassen hätte, wären wir nie der NATO beigetreten. Die Abkehr von der Neutralität, 1949, war ein traumatischer Einschnitt. Wir mußten einsehen, daß unsere traditionelle Position aus geostrategischen Gründen unhaltbar geworden war. (Den Schweden steht diese Bekehrung noch bevor.)

Seitdem dienen uns die USA als außenpolitische Vaterfigur. Aber an dem Tage, an dem sich die Amerikaner zurückziehen oder auch nur ihre Truppen in Europa verdünnen, ist unser Problem nicht mehr: Wie halten wir die Deutschen militärisch fern? Sondern umgekehrt: Wie spannen wir sie ein, wie halten wir sie fest, wie engagieren wir sie im Norden? Es nützt uns nichts, diese Tatsache zu tabuisieren. Leider neigen wir dazu, uns etwas vorzumachen. Das gilt auch für unser Verhältnis zu Europa insgesamt. Unser Exportanteil liegt bei über 50% des Nationalprodukts, und über die Hälfte davon geht in die Länder der Europäischen Gemeinschaft. Die Mehrheit der Norweger wollte diese Tatsachen nicht wahrhaben. Sie wandte sich 1972, unter der Parole der Unabhängigkeit und der unbegrenzten Souveränität, gegen den Beitritt zur EG. Das war ein Pyrrhussieg. Das Ölgeschäft hat solchen Illusionen definitiv ein Ende gemacht. Die Mentalität der Abschirmung hat keine Zukunft. Natürlich werden wir weiter unseren Vorlieben frönen, uns auf unsere Sommerhäuser zurückziehen und die Außenwelt, die Stadt, den Beruf, so oft es geht, hinter uns lassen. Aber was wir uns individuell leisten, ist als nationale Strategie unmöglich. Wir können uns weder ökonomisch, noch sicherheitspolitisch, noch kulturell vom Kontinent abkoppeln.«

Wir rührten in unseren Teetassen. In dem kleinen Restaurant ging es zu wie in der Kantine einer Werbeagentur oder eines Krankenhauses. Staatssekretäre und Chauffeure standen einträchtig Schlange am Selbstbedienungstresen. Sverre Jervell bekannte sich mit einem Lächeln zur Arbeiterpartei. »Hier im Hause«, sagte er, »gehört der Hausmeister derselben Gewerkschaft an wie der Botschafter. Darauf sind sie beide stolz. Ich habe nichts dagegen. Aber wir können nicht erwarten, daß am Quai d'Orsay oder in Washington dieselben Regeln gelten, ganz zu schweigen vom Moskauer Außenministerium. Unsere Vorliebe für die Gleichheit, unsere Konfliktscheu, unsere Leistungsangst, unser Harmoniebedürfnis – das alles hat seine angenehmen Seiten. Aber unser Wertsystem ist eine Ausnahme. Die norwegischen Tugenden und Defekte sind eine periphere Angelegenheit. Sie lassen sich nicht verallgemeinern. Norwegen ist, so unglaublich das für die Norweger klingt, nicht der Nabel der Welt.«

Altertümer aus dem Norden. Drei Faksimiles

Im Februar 1982 läutete bei dem norwegischen Forschungsreisenden Helge Ingstad das Telefon. Ingstad, der heute über achtzig Jahre alt ist, hat ein abenteuerliches Leben als Pelztierjäger, stellvertretender Gouverneur auf Spitzbergen, Widerstandskämpfer, Archäologe, Jurist, Schriftsteller und Ethnologe hinter sich. Er wohnt ziemlich zurückgezogen auf dem Vettakollen im Norden von Oslo.

Der Anruf kam aus Anaktuvuk Pass, einer Eskimosiedlung tausend Kilometer nordwestlich von Fairbanks, Alaska. Es meldete sich ein Mann, der sich Roosevelt nannte. Er stellte sich als Sohn des Häuptlings Roosevelt Simon vor. Helge Ingstad war mit diesem Häuptling befreundet, seitdem er einen Winter bei den Nunamuits zugebracht hatte, einem Stamm von ungefähr 150 Leuten, die fern jeder Zivilisation als Jäger und Fallensteller in den Brook-Bergen lebten. Das war in den Jahren 1949/50. Der Norweger, der mit dem Flugzeug eines Pelzhändlers gelandet war, hatte eine Filmkamera und ein Tonbandgerät mitgebracht. Den ganzen Winter lang war er damit beschäftigt, die Sprache und die Bräuche, die Kleider und die Jagdtechniken, die Werkzeuge und die Rituale, die Lieder und die Sagen dieses winzigen Volkes minutiös aufzuzeichnen. Sein Buch über die Nunamuits erschien 1951 und wurde in Norwegen zu einem Bestseller.

Ein halbes Menschenalter später verfügten die Nachfahren dieser Eskimos über Farbfernseher und Motorschlitten. Anaktuvuk Pass hatte eine regelmäßige Flugverbindung und war über Richtfunk an das internationale Selbstwahl-Telefonnetz angeschlossen. Roosevelt Paneaq, der Sohn des alten Häuptlings, berichtete dem Norweger von seinem jüngsten Projekt: Er wollte in der neuen Schule, die aus den Nutzungsgebühren für die Alaska-Pipeline finanziert worden war, ein Museum einrichten. Dabei hatte sich allerdings herausgestellt, daß die Dinge, die er dort aufbewahren wollte, im Lauf von dreieinhalb Jahrzehnten bis auf geringfügige Spuren verschwunden waren. Der künftige Museumsdirektor meldete sich zu einem Besuch in Oslo an und konnte dort, aus der Hand des norwegischen Ethnographen, eine komplette Kopie seiner verlorenen Kultur in Empfang nehmen.

Auf dem Ullandhaug, einem Hügel in der Umgebung von Stavanger, gleich neben einem zwölfstöckigen Hochhaus-Wohnblock, dessen Dach eine riesige Parabol-Antenne schmückt, haben norwegische Archäologen eine Siedlung aus der Eisenzeit gefunden. Leider förderten ihre Grabungen nur kümmerliche Reste zutage, und so beschlossen die Wissenschaftler, der Phantasie des Publikums auf die Sprünge zu helfen. Aus groben Steinen errichteten sie ein paar langgestreckte, niedrige Behausungen.

Die Dächer sind mit Erde gedeckt. Ein Loch dient als Rauchabzug. Im Innern wurden die Neubauten aus der Eisenzeit mit einer Feuerstelle und mit kleingehacktem, säuberlich gestapeltem Brennholz versehen. Ein paar einfache Werkzeuge, Webstühle mit steinernen Zuggewichten und mit Fellen ausgelegte Holzpritschen vervollständigen die Einrichtung.

Der Sinn dieser sonderbaren Denkmäler liegt auf der Hand: Hier ist es der Wissenschaft gelungen, den norwegischen Ferientraum vom einfachen Leben in die Vorgeschichte zurückzuverlegen.

Kinder in bunten Anoraks kommen aus der niedrigen Tür hervorgekrabbelt, gefolgt von einer älteren, bebrillten Lehrerin, die stillvergnügt vor sich hinlächelt: Da seht ihr, wie natürlich, wie behaglich, wie *echt* unsere Vorfahren vor 1500 Jahren gelebt haben!

Es war einmal, und das ist schon zweihundert Jahre her, ein Bauernsohn aus dem Hallingdal, der konnte in seiner Heimat kein Auskommen finden, und deshalb ging er in die Stadt Bergen und wurde Postkutscher. Dieser Jørgen Garnaas war von einer merkwürdigen Leidenschaft ergriffen. Er verwandte jede seiner freien Stunden darauf, seine Landsleute, so wie er sie auf den Poststationen traf, in Holz zu schnitzen, und zwar nicht Bischöfe, Kronvögte und Amtsmänner, sondern Bauern und Fischer, je gewöhnlicher desto besser, mitsamt ihren Hüten, Hauben, Bändern, Schürzen, Brusttüchern und Schuhen, ganz genau und getreulich bis auf den letzten Knopf.

Seine Kunst sprach sich herum, und eines Tages kam ein Brief aus Kopenhagen, der an ihn adressiert war, mit der Aufforderung, er möge sich in der Hauptstadt vorstellen. Dort bot man ihm gutes Geld an und bat ihn, mit seinem Werk fortzufahren. Diesmal aber sollte er seine Norweger in Elfenbein schnitzen. Der König aller Dänen, der damals auch der König aller Norweger war, ließ sich die Statuetten zeigen. »Seine Majestät betrachtete«, wie das Protokoll vermerkt, »die Bildnisse seiner treuen und tapferen Norweger mit Vergnügen.« Dann rief er seinen Hofbildhauer zu sich, einen Deutschen namens Johann Gottfried Grund, der nicht sonderlich begabt war, stellte ihm die kleinen Kunstwerke des Postkutschers vor und wies ihn an, nach ihrem Vorbild, so gut er konnte, eine Reihe von lebensgroßen Sandstein-Statuen zu schaffen, einundsechzig an der Zahl.

Unter den hohen Buchen des Parks von Fredensborg in Nordseeland, der Sommerresidenz der dänischen Königin, kann man sie heute noch, im Halbkreis um eine kleine Siegessäule gruppiert, besichtigen. Eine ziemlich rätselhafte Versammlung: Handelt es sich nur um eine Rokoko-Laune – oder um das erste ethnographische

Freilicht-Museum der Welt? Zweifellos hatten die vornehmen Herrschaften ihren Rousseau gelesen, und wenn sie des Hofzeremoniells müde waren, gingen sie wohl gern im Kreise ihrer steinernen Untertanen spazieren, deren einfaches Leben sie für viel »natürlicher« und »ursprünglicher« hielten als ihre eigene Existenz.

Das Norwegertal im Schloßpark liegt heute bemoost und verlassen da, aber im 19. Jahrhundert erfreute es sich einer nicht ganz geheuren Beliebtheit. Die Königliche Porzellan-Manufaktur in Kopenhagen machte sich den Reiz der guten Wilden aus dem Norden zunutze und brachte die Bauern und Fischer des Postkutschers Jørgen Garnaas als bemalte Nippesfiguren auf den Markt, und schließlich sanken die kleinen Hinterwäldler in die Sphäre der Trivialkultur ab und lebten als Spielzeugpuppen und Zinnfiguren in dänischen Kinderzimmern fort. Doch auch damit waren sie noch nicht am Ende ihrer historischen Karriere angelangt.

Wenn am 17. Mai, dem Nationalfeiertag der Norweger, König Olav V. auf dem Balkon des Schlosses wie ein greiser Zauberer seinen Zylinderhut schwenkt, als wollte er die Vergangenheit des Landes aus ihrem Schlafe wekken, kann man in der vielköpfigen Menschenmenge Damen aus der Osloer Gesellschaft, aber auch alternative Teenager sehen, die Bauerntrachten aus dem Trøndelag oder dem Gudbrandsdal tragen. Auch auf mancher Hochzeit, besonders wenn die Braut ökologisch angehaucht, der Bräutigam marxistisch-leninistisch bewegt ist, zeigen sich Paar und Gäste gern in altertümlichen Kostümen.

Nicht um Erbstücke handelt es sich, sondern um nagelneue Kleider, hergestellt in wochen- oder monatelanger Handarbeit, wobei sorgfältig, je nachdem, aus welchem Teil des Landes die Träger kommen, darauf geachtet wird, daß jedes Detail stimmt. Diese Forderung ist nicht immer leicht zu erfüllen. In manchen Fällen müssen volkskundliche Spezialwerke zu Rate gezogen werden; denn es gibt Trachten, die seit langem ausgestorben sind. Einige unter ihnen ließen sich nur an Hand der steinernen Vorfahren aus dem Norwegertal rekonstruieren. Sie verdanken ihr Fortleben einer Kette von merkwürdigen Begebenheiten: dem Eifer eines armen Postkutschers, dem Fleiß eines deutschen Bildhauers und der Grille eines dänischen Königs.

Eine kleine Oslo-Rhapsodie

Alle sind gegen Oslo. Oslo wird kurzgehalten. Oslo ist arm. Oslo hat nichts zu sagen. Die Norweger mögen ihre Hauptstadt nicht. Jeder sechste Einwohner des Landes lebt in ihrem Einzugsbereich. Um so schlimmer! Oslo, das gemütliche Oslo, ist ihnen zu groß. Alles, was zu groß ist, mißfällt ihnen. Zu viele Leute auf einem Haufen, zu hohe Häuser, zuviel Geld, zuviel Macht, zu viele Ampeln, Fremdwörter, Lichtreklamen, Ausländer, Alkoholiker, Beamte und Huren. Haß, das wäre zuviel gesagt. Haß, das wäre zu simpel. Es ist ja nur ein stiller Vorbehalt, ein dumpfer Argwohn, eine pharisäerhafte, neidische, vorwurfsvolle, alte Mißgunst.

Mir allerdings gefällt Oslo. Ich meine nicht die ordentliche, intakte kleine Residenzstadt, die Metropole *en miniature*, die zu Anfang des neunzehnten Jahrhunderts ganze 8000 Einwohner hatte; nicht das berühmte Karree, in dessen Zentrum, genau zwischen dem Schloß auf der einen und dem Parlament auf der andern Seite das Nationaltheater steht, beschützt von der heiligen Dreifaltigkeit der norwegischen Kultur: Holberg Bjørnson Ibsen in Bronze; nicht die beliebte Karl-Johan-Promenade, auf der zwischen der Freimaurerloge und dem besten Restaurant der Stadt Äthiopier trommeln, amerikanische Touristen flanieren und lallende Arbeitslose vorsichtig an den Trauben der *jeunesse dorée* vorbeitaumeln;

ich meine nicht einmal das wohlbehütete Westend-Oslo, die bürgerlichen Mietshäuser und Villen an der Bygdøy-Allé und am Frognerveien, (»die einzige deutsche Stadt der Gründerzeit, die den Zweiten Weltkrieg unbeschädigt überstanden hat«, sagte eine kluge Architekturhistorikerin, mit der ich dort spazieren ging);

und erst recht nicht meine ich das neue Oslo der achtziger Jahre mit seinen Hochhäusern, den Glasklötzen der Hotels und der Ölgesellschaften, der Sozialämter, der Shopping Center, der glitzernden Kulturbunker und der trostlosen Banken;

und am allerwenigsten das Oslo der am Reißbrett entworfenen Vorstadtsiedlungen mit ihren öden Zubringerstraßen und Erziehungsfabriken.

Es ist das ungleichzeitige, das schmutzige, unaufgeräumte, chaotische Oslo, das mir gefällt, eine Stadt, die sich ihrer Haut zu wehren weiß. Hier hat der moderne Städtebau eine Schlappe nach der anderen erlitten. Der Vandalismus der Planer, dem es gelungen ist, die Innenstadt Stockholms auszulöschen, ist an der vitalen Schlamperei, am eigensinnigen Durcheinander Oslos kläglich gescheitert. Hier hatte die technokratische Zwangsvorstellung von der »autogerechten« Stadt nie eine Chance.

Und so findet man heute noch, ein paar Schritte weit von den Zentren der politischen und ökonomischen Macht entfernt, die Relikte einer Lebenswelt, die sich jeder Rationalisierung widersetzt: Altertümliche Läden, die Eisenwaren, Schürzen und Hüte feilbieten; Hinterhöfe mit kleinen Druckereien, deren stampfender Maschinenlärm noch in dem benachbarten Café zu hören ist, das den ehrwürdigen Namen »Christianias Dampfküche« trägt; angestaubte Bingohallen und alte Brauereien und obskure chinesische Restaurants und Spiegel-Magazine mit blinden Fenstern. Ein prachtvoller alter Kinoeingang, der mit einem kupfernen Baldachin geschmückt ist, trägt die verheißungsvolle Leuchtschrift L DORADO, und in den letzten fünfzehn Jahren hat niemand sich die Mühe gemacht, den abgestürzten Buchstaben E zu erneuern.

Vor Prinds Christians Minde, einem Altersheim aus dem 18. Jahrhundert, sitzen auf einer baufälligen Bank stoppelbärtige Rentner, die vielleicht vor dreißig Jahren unter norwegischer Flagge als Heizer oder Maschinisten nach Shanghai und Valparaiso fuhren, und trinken ein Bier nach dem andern aus der Flasche. Beim Goldschmied nebenan kann man immer noch die runen- und rosenbesetzten Tauflöffel im Drachenstil kaufen, die früher in jedem Bauernhaus des Landes zu finden waren. Im Hof eines zweistöckigen Holzhauses führt eine wacklige Treppe zu den Pawlatschen, wo gebrauchte Kleider verkauft werden und ein weißhaariger Zimmermann seine Werkstatt hat. Ein wenig weiter, in der Skippergate, finde ich ein Denkmal ganz besonderer Art wieder: dieser schmuddlige Parkplatz hier erinnert an den Häuserkampf in Oslo, und daran, daß es auch hierzulande stumpfsinnige Stadtväter und brutale Polizisten gibt.

Oslo ist roh, aber es kann auch brav sein. Oslo ist die Sünde, aber auch die Erlösung. Der fromme Besucher braucht nur die Zeitung aufzuschlagen, und er wird, unter der Rubrik »Versammlungen und Unterhaltung«, alles finden, was sein Herz begehrt: das Volkshaus Zion, den Weckruf, das Freie Bethel, das Neue Leben, die Immanuelkirche, die Pfingstfreunde, die Blaukreuzler, das Tabernakel, die Baptisten, die Innere Mission, die Adventisten des Siebenten Tages, Philadelphia und Salem, Saron und Ebenezer, Maran Ata und Bethlehem ...

Mein Lieblingsladen aber heißt »Die Quelle der Freude«. Er liegt schräg gegenüber von dem grauen, hohen, ausdruckslosen Betonriegel, der die norwegische Regierung beherbergt. Es gibt hier Salz aus dem Roten Meer zu kaufen, das gegen Rheuma und Ekzeme hilft, Aschbecher mit aufgedrucktem Vaterunser, Streitschriften, die dem Rock and Roll die Maske vom Gesicht reißen, und was kommt dahinter, für dreißig Kronen, zum Vorschein? Die Fratze des Satans!

Außerdem aber ist »Die Quelle der Freuden« auch noch ein ganz gewöhnlicher Papierladen, und sollten dem Kultusminister drüben im Regierungshochhaus einmal die Kugelschreiber ausgehen, so braucht er nur die Straße zu überqueren, und die beiden alten Damen hinter der Theke werden ihm mit strahlendem Lächeln einen rosafarbenen Stift verkaufen, auf dem mit goldenen Lettern geschrieben steht: »Gottes Frieden«.

Und wenn er spät am Abend sein Büro verläßt, braucht er nur ein paar hundert Schritte weiterzugehen, um im »Altersheim« der Jazzfans aus den fünfziger Jahren ein kleines Helles zu zischen. Dort spielt Chet Baker, das Gesicht von Drogen verwüstet, vor einem gemischten Publikum. Versonnen lauscht die ergraute Bildhauerin seinen Evergreens, Mädchen mit Zöpfen und Rucksäkken stehen an der Theke, langhaarige Freaks in schwarzen bäuerlichen Sonntagswesten vom Flohmarkt tuscheln mit Lolitas im weiß und rosa Freizeit-Look, und der schmale Jüngling dort drüben, der elegisch an seinem Glas nippt, ist vielleicht der norwegische Handke.

Alles in allem wird man, mit einer gewissen Befriedigung, feststellen: dem Projekt einer durchgreifenden Modernisierung Oslos war kein Erfolg beschieden. Kenner des norwegischen Gemüts wird dieses Resultat schwerlich überraschen. Da Städteplaner zur Unbelehrbarkeit neigen, können sie sich allerdings mit solchen Einsichten nicht abfinden. Auch in Oslo klammern sie sich an ihre Bulldozer-Phantasien. Ihr neuester Triumph ist die Errichtung eines neuen Bahnhofs, einer großen dunkelroten Schachtel, deren Inneres mit Rollsteigen versehen ist und an den Flughafen einer lateinamerikanischen Kapitale erinnert. Aber auch in diesem Fall hat das unverwüstliche, vergammelte Oslo über seine Widersacher gesiegt: die Planer konnten zwar ein weites Terrain verwüsten, doch den alten Ostbahnhof mit seiner würdevollen Fassade, seinen gußeisernen Säulen und seiner klassischen Stahl- und Glaskonstruktion mußten sie stehen lassen.

Überhaupt wirken die Leute, die nach wie vor an der unlösbaren Aufgabe arbeiten, aus Oslo eine rationelle Stadt zu machen, lustlos und abgeschlagen. Der Elan und das Pathos ihrer begabteren Vorgänger ist ihnen abhandengekommen. Damals, vor fünfzig Jahren, sah es nämlich eine Weile so aus, als sollte auch in Norwegen der nackte Fortschritt siegen. Die Bannerträger des Funktionalismus (den der Volksmund in Skandinavien »Funkis« nennt), waren entschlossen, durch den Wirrwarr der Stadt breite sozialistische Schneisen zu legen. Sie wollten der Arbeiterklasse Licht, Luft und Sonne, und die Kunst dem Volke bringen. Von diesem Menschheitstraum zeugt nicht nur das monumentale Klinker-Rathaus mit seinen grauenvollen Skulpturen, sondern auch der prächtige Palast der Arbeiterpartei am Youngstorget. Zwei alte Inschriften an der Mittelachse des Turmaufbaus verkünden heute noch das ideologische Programm: »Arbeiterblatt«, und darunter: »Die norwegische Oper«. Aber diese strahlende Zukunftsvision ist nur noch eine Reminiszenz. Die Läden und Fassaden, Schriftzüge und Türgriffe der dreißiger Jahre verwandeln sich langsam, aber sicher in Sehenswürdigkeiten. Das schönste Produkt dieser Zeit, eine Inkunabel der Chrom-Epoche, steht tausendfach, aber unbeachtet an allen Straßenecken vom Osloer Rathausplatz bis zum Nordkap. Es ist die eleganteste Telefonzelle der Welt, krapprot und zinkfarben, entworfen von einem Architekten namens Fasting im Jahre 1936.

Per Marstrander aber, der gute alte Per Marstrander, hat dem großen Staubsauger der Modernisierung bis heute widerstanden. Er ist immer noch da, unscheinbar und schwer zu besiegen wie eine Romanfigur von Kielland, Hamsun oder Kinck. Am Rosenkrantz-Platz, keine zweihundert Meter vom Storting entfernt, steht ein baufälliges, kleines, graues Haus. Die Schaufenster des Buch-Cafés im Erdgeschoß zeigen allerhand revolutionäre Plakate aus Afrika und El Salvador. Auf den Milchglasscheiben im ersten Stock aber liest man in verblichenen Lettern: »Per Marstrander, Falsche Zähne und Gebißreparaturen, Eingang um die Ecke, Geschäftszeit von 8–16 Uhr.«
Die ächzende Treppe aus dem Jahr 1890 ist schon lang nicht mehr frisch angemalt worden, die Türklingel ist kaputt, streng riecht es im Korridor, ein Grafitto mahnt die Besucher: *Lev fritt! Lebe frei!*, und im Zimmer neben der Ordination des Herrn Marstrander hat der Kinder- und Jugend-Gesangverein von Oslo seinen Sitz.

Die Schattenboxer

Der Anblick dieses bescheidenen Türschildes ließ mich nicht ungerührt. So unscheinbar das Hauptquartier des Kinder- und Jugend-Gesangvereins sein mochte – ich habe dort, trotz wiederholter Versuche, nie eine lebende Person angetroffen, weder einen Vorsitzenden, noch einen Kassenwart, ja nicht einmal eine freiwillige Helferin, die sich die Zeit damit vertrieben hätte, Kreuzworträtsel zu lösen, und deshalb wüßte ich nicht zu sagen, was sich hinter der schlichten gelblichen Tür verbirgt –, so sehr gab mir seine Existenz zu denken. Es war ja nicht der einzige freiwillige Zusammenschluß freier Bürger, auf den ich, durch die Hauptstadt spazierend, gestoßen war. Es schien mir in Oslo von solchen Organisationen geradezu zu wimmeln. Manche hielten in prächtigen Sandsteinvillen Hof, andere verbargen sich hinter Briefkästen, die offenbar nie geleert wurden, denn sie steckten voller alter Postwurfsendungen, die sich im Lauf vieler Wochen angesammelt hatten.

Norwegen hat ungefähr so viele Einwohner wie Detroit, Shenyang, Madras oder Bogotá, nämlich rund vier Millionen, aber zugleich verfügt das Land über schätzungsweise dreißig Millionen Mitglieder. Niemand auf der Welt ist besser organisiert. Ihre siebenfache Zugehörigkeit scheint die Norweger zu entzücken. Mindestens aber verschafft sie ihnen Befriedigung und Entlastung. Anders wäre das reiche Angebot an Kirchen und Vereinen, Berufsverbänden und Gewerkschaften, Sportklubs und Logen, Sekten und Gesellschaften zu allen denkbaren Zwecken nicht zu erklären. Ich kann diese Vielfalt nicht erschöpfend beschreiben und muß mich mit einer kleinen Auswahl jener nationalen Vereinigungen begnügen, die ich auf meinen Streifzügen angetroffen habe:

den Verband der christlichen Ärzte, der Hundeführer, der Jagd-, der Schäfer- und der Schlittenhundfreunde; der Seifen- und der Schachtelfabrikanten; der Sportler, der behinderten Sportler, der tauben Sportler, der Gymnastiktreibenden und der weiblichen Gymnastiklehrer; den Verband der Großhändler, in dessen großzügigem Schoß auch die Verbände der Röhren-, Uhren- und Obstgroßhändler Platz gefunden haben; die Landesorganisationen der Parapsychologen, der Ziegenzüchter, der Gegner von Fluorzusätzen im Trinkwasser, der Lärmgegner, der Pendler, der Abstinenzler und der Totalabstinenzler (die einander vermutlich erbittert bekämpfen); je für sich und wohl voneinander zu unterscheiden die Verbände der Filmkritiker, der Literaturkritiker, der Musikkritiker, der Theaterkritiker, der Gefängnisbeamten, der Anhänger des Tae-Kwon-Do (was immer das sein mag), der Verband der Boxer und, wohlgemerkt, der von diesem gänzlich unabhängige Verband der Berufsboxer.

Nur: wieviele Berufsboxer mag es in Oslo geben? Brauchen die ein eigenes Büro, eine Mitgliederkartei, einen Vorsitzenden, einen Schriftführer, einen Briefkopf? Könnten sie sich nicht einfach so treffen, ohne Tagesordnung, am Donnerstagabend, in ihrer Stammkneipe? Naive Fragen! Denn wer sollte dann die Sache der Berufsboxer in die Hand nehmen, ihre Interessen vertreten, ihre berechtigten Forderungen durchsetzen? Das gäbe ja ein schönes Durcheinander, wenn die Hundeführer und die Parapsychologen einzeln, jeder für sich, ihre Ansichten und ihre Wünsche äußern wollten! Wieviel vernünftiger ist es doch, wenn sie sich in einem Verband zusammenschließen, der ihre Meinungen zu einem handlichen kleinen Paket bündelt, ja geradezu in den Stand einer Welt- und Lebensanschauung erhebt! Das ist nicht nur das gute Recht der Boxer und der

Schachtelfabrikanten, es ist die Vorschule der Demokratie, und es hat darüber hinaus noch einen weiteren Vorteil: denn aus dem Munde der Verbände spricht nicht der verpönte Egoismus, die nackte Selbstsucht des Einzelnen, sondern die solidarische Überzeugung eines Kollektivs. Das Mitglied stützt seinen Verein, und der Verein stützt sein Mitglied: einer für alle, alle für einen. Der einzelne Norweger findet es unschicklich, Krach zu schlagen, seine Nachbarn mit Forderungen zu überziehen und auf Privilegien herumzureiten. Um so dringender ist er auf seinen Verband angewiesen, denn der ist immer im Recht. Er darf das Blaue vom Himmel herunter verlangen, und nach Herzenslust auf den Tisch hauen.

Korporativismus nennen die Soziologen das und zucken resigniert die Achseln; Segmentierung der Macht, Erosion des politischen Systems, Gruppenegoismus. Wahrscheinlich denken sie dabei weniger an den Kinder- und Jugend-Gesangverein am Rosenkrantz-Platz, sondern an die mächtigen zentralen Arbeitgeber- und Gewerkschaftsorganisationen. Aber ist es mit denen wirklich so weit her? 60% aller Arbeitnehmer, die gewerkschaftlich organisiert sind, haben mit dem großen Dachverband LO nichts mehr zu tun. Den einst allmächtigen Gewerkschaftsbund nennt der offizielle Schlichter Bjørn Haug »einen Koloß auf tönernen Füßen«, und der Informationschef des staatlichen Ölkonzerns Statoil bezeichnet ihn kurzerhand als einen »Rentnerverein«. Die Ölarbeiter auf dem Kontinentalsockel gehören mindestens siebzehn verschiedenen, voneinander unabhängigen Gewerkschaften an. Auch die Unternehmerverbände hadern gern und oft miteinander.

Ich kann mir natürlich über diese Dinge kein Urteil erlauben, aber ich habe den Eindruck, daß die Norweger ihre Organisationen um so inniger lieben, je kleiner sie sind. Vielleicht ist der Umgang mit ihnen deshalb so angenehm, weil sie ihre sozialen Untugenden an die Vereinigungen delegieren. Als Mitglied kann man seine ganze Verbohrtheit, Streitsucht und Wichtigtuerei an der Garderobe abgeben und sicher sein, sie in der Schlußresolution, in geläuterter Form, wiederzufinden. Nach der Abstimmung gehen sogar die Berufsboxer als bessere Menschen nach Hause, die keiner Fliege etwas zuleide tun wollen.

Die Erfindung Norwegens

Wir saßen zu fünft vor einer gewaltigen *spaghettata*. Der Inhalt der Schüssel verriet mir, welche großen Fortschritte die Zivilisation in diesem Teil der Welt gemacht hatte. Die Spaghetti waren nämlich tatsächlich Spaghetti, nicht jener griesige, klebrige, graue Nudel-Ersatz, der früher im Norden gang und gäbe war; der Weißwein, der auf dem Tisch stand, war gut und kalt; und über der Sauce schwebte ein leichter Duft nach Knoblauch und Oregano.

Die Wohngemeinschaft, in der ich gelandet war, kam mir vergnügt und weltläufig vor. Die Studentinnen, die hier lebten, waren unter dem Namen »Die drei Schwestern« bekannt, obwohl sie miteinander nicht verwandt waren und aus verschiedenen Teilen des Landes kamen. Statt in den hochsubventionierten, aber teuren Kabinen eines Studentenwohnheims zu verkümmern, hatten sie sich ein geräumiges Haus gemietet. Elsa behauptete, sie studiere Sozialanthropologie, ein typisches Arbeitslosenfach. Sie wirkte rosig und gesund, aber wie sich alsbald herausstellen sollte, war sie ein intellektuelles Monster. Ihre

Freundin Tania, aus unerfindlichen Gründen »Bobby« genannt, klein, drahtig und voller common sense, studierte Landwirtschaftstechnik. Die dritte, eine blasse, zappelige Bergenserin, war Literaturhistorikerin und wollte Lehrerin werden.

Unwissend war keine der drei Schwestern. Sie betrachteten es als normal, daß man eine Indienfahrt im VW-Bus oder ein Jahr Entwicklungshilfe in Tansania oder wenigstens eine Tramp-Tour nach Mazedonien hinter sich hatte. Die Hausgemeinschaft hatte sich ganz gemütlich eingerichtet mit ihrer strengen Ideologie, ihren sporadischen Wutanfällen und ihrer kuriosen Ökonomie: ein Viertel Studiendarlehen, ein Viertel Nebenverdienst, ein Viertel Geld von zu Hause und ein Viertel Schwarzarbeit. Die drei Schwestern schimpften auf das Patriarchat und auf die konservative Regierung. (»So was Ekelhaftes!«) Sie waren immer auf dem neuesten Stand der Diskussion. An der Pinnwand in der Küche hing ein schon leicht angegilbtes Plakat, auf dem der Pornographie und der Prostitution der Kampf bis aufs Messer angesagt wurde. Die entsprechende Kampagne hatte vor ein paar Wochen, in bester Methodisten-Manier, alle fortschrittlichen Kräfte unter ihrem Banner versammelt und war soeben wie ein Wackerstein im tiefen Fjord der linken Vergeßlichkeit versunken. Inzwischen stand ein anderes Problem auf der Tagesordnung. Die drei Schwestern waren sich über die jüngste Forderung der Lesbierinnen in die Haare geraten: das Recht auf künstliche Insemination, natürlich mit Hilfe und auf Kosten des staatlichen Gesundheitsdienstes.

Die Dritte Welt, weit davon entfernt, ein bloßes Phantasma zu sein, saß leibhaftig mit am Tisch in Gestalt eines schüchternen Ägypters, der Achmed hieß und mit erschrockener Miene die Auseinandersetzung um jenes neue Menschenrecht verfolgte. Er sprach zwar dem Weißwein ohne Bedenken zu, doch schmeckte er die Spaghettisauce mißtrauisch nach Spuren von Schweinefleisch ab.

»Weißt du was«, sagte Elsa, »die Lesbierinnen können mir den Buckel runterrutschen. Wir sollten lieber *ihm* helfen. Er versteht ja rein gar nichts.«
Damit war ich gemeint.
»Ein Ausländer, der etwas über Norwegen schreiben soll, kann einem nur leid tun«, bemerkte Bobby. »Alles, was sich über dieses langweilige Land sagen läßt, ist von seinen langweiligen Bewohnern fünfhundert Mal gesagt worden.«
»Sag das nicht!« riefen die beiden andern.
»Also wenn ihr mich fragt«, fuhr die Anthropologin fort und schüttelte ihre blonde Mähne, »Norwegen ist eine Erfindung, eine an den Haaren herbeigezogene Fiktion.«
Der schrille Protest ihrer beiden Schwestern wunderte mich nicht.
»Laßt mich gefälligst ausreden«, forderte Elsa. »Vor zweihundert Jahren hat einer, der es wissen mußte, gesagt: ›Es gibt überhaupt keine Norweger.‹ Und der Mann hatte vollkommen recht.«
»Wer war denn dieser Verrückte?« fragte Bobby.
»Høegh-Guldberg, ein dänischer Beamter. Ungefähr 1775.«
»Aha. Der mußte es ja wissen.«
»Allerdings. Du verstehst«, fuhr Elsa, an mich gewandt, fort, »wir waren über vierhundert Jahre lang eine dänische Kolonie. In dieser ganzen Zeit hat Norwegen gewissermaßen nicht existiert, nicht einmal dem Namen nach. Unsere Vorfahren waren arme, heruntergekommene und

geschichtslose Leute, die auf einem riesigen Territorium verstreut lebten, wie ein Haufen von Indianerstämmen, jeder mit seinem eigenen Dialekt, ohne Verkehrsnetz, ohne Schriftsprache, ohne eigene Institutionen.«

»Ich weiß«, sagte ich.

»Und dann, als die Dänen in irgendwelche Schwierigkeiten gerieten, ohne unser Zutun, wegen der napoleonischen Kriege, versammelten sich anno 1814 auf einem entlegenen Gutshof 112 Herren, um die Selbständigkeit ihres geliebten Vaterlandes zu proklamieren und eine Verfassung zu entwerfen.«

»Das sind doch olle Kamellen«, warf Bobby ein.

»Ja, nur wie das Ganze so plötzlich zustandegekommen ist, hat mir bis heute kein Mensch erklären können. Erst jahrhundertelang Schweigen im Walde, die sogenannten ›dunklen Zeiten‹, und dann, mir nichts dir nichts, auf einmal eine neue Nation, aus der Tasche gezaubert von ein paar Dutzend Beamten, Großbauern und Kaufleuten. Das ist doch der reinste Putschismus!«

»Die Bolschewiki«, sagte ich, »waren auch nur ein paar hundert Mann, damals in Petersburg.«

»Ich glaube, dieser Vergleich würde hierzulande auf wenig Gegenliebe stoßen. Übrigens hat die ganze Herrlichkeit nur fünf Monate gedauert. Im Oktober 1814 hatten wir wieder einen ausländischen König auf dem Hals. Diesmal war es ein Schwede. Unabhängig – das vergeßt ihr Ausländer immer –, richtig unabhängig sind wir erst seit 1905.«

»Na und!« gab ich zu bedenken. »Das ist doch nichts Ungewöhnliches. Ihr wart immer noch früher dran als die Finnen, die Tschechen, die Jugoslawen und die Iren.«

»Und die Ägypter«, sagte der Ägypter.

»Fall ja nicht auf Elsas Geschichtsklitterung herein!«

Jetzt mischte sich die Literaturhistorikerin ein. »Die Erfindung Norwegens ist ihr Hobby. In Wirklichkeit sind wir eine uralte Nation.«

»Wir auch«, sagte der Ägypter.

»Lies doch mal unsere Sagas aus dem 13. Jahrhundert.«

»Von einem Isländer geschrieben«, rief Elsa. »Bis vor zweihundert Jahren hat es überhaupt keine norwegische Literatur gegeben! Das solltest du doch wissen!«

Achmed warf mir einen ratlosen Blick zu. Ich ließ die Gabel sinken. Die Schwestern waren drauf und dran, einen ihrer berühmten Schaukämpfe auszutragen.

»Und was war die Hauptbeschäftigung unserer Schriftsteller?« fuhr die gnadenlose Elsa fort. »Der Ahnenkult! Der Aufbau einer Mystifikation! Die Wiederherstellung einer Sache, die längst verschwunden war, wenn es sie je gegeben hat! Unsere besten Köpfe haben jahrzehntelang an diesem Wahnsinns-Projekt gearbeitet. Einer der klügsten und raffiniertesten war Vinje, der einzige geniale Journalist, den dieses Land hervorgebracht hat. Er nannte sich Dølen, und das kannst du getrost mit ›Hinterwäldler‹ übersetzen, obwohl er keineswegs auf dem Dorf lebte, sondern in der Hauptstadt. Und was schrieb er über das norwegische Volk? Daß man es ›instandsetzen oder restaurieren‹ müsse! Bitte beachte die Metapher, meine Liebe! Es ging ihm um eine museale Reparatur. Dieser Vinje schreckte vor nichts zurück. Sogar die Notwendigkeit der Fälschung faßte er kaltblütig ins Auge. Er zitiert das französische Bonmot: ›Si Dieu n'existe pas, il faut l'inventer‹ und kommt zu dem Schluß, wenn es Norwegen nicht gebe, dann müsse man es eben erfinden!«

»Na ja«, sagte die Literaturhistorikerin widerwillig, »das war die Zeit der Nationalromantik.«

»Wenn ich noch einmal das Wort ›Nationalromantik‹ höre«, sagte Bobby und erhob drohend ihr Besteck, »dann schreie ich, daß die Fensterscheiben zittern. Ich kann euch gar nicht sagen, wie mir dieser Quatsch zum Hals heraushängt. Die sogenannte Volksmusik mit ihrem hysterischen Gefiedel, die Bourgeoisie im anachronistischen Kostüm von Bauernburschen und Milchmädchen – das ist doch alles Schwindel!«

»Natürlich. Aber dieser Schwindel war produktiv. Die Leute, die daran beteiligt waren, haben recht behalten. Ihr Projekt war aberwitzig, aber es ist geglückt. Sie haben aus der hohlen Hand heraus eine Nation erschaffen.«

»Unsinn«, schrie Bobby. »Ich halte mich an die Tatsachen. Die Mechanisierung der Landwirtschaft, der Eisenbahnbau, die Handelsschiffahrt. Damit haben es die Norweger geschafft, nicht mit irgendwelchen Spinnereien! Wir waren schon im 19. Jahrhundert die drittgrößte Seenation der Erde!«

»Das ist ja der Witz«, sagte die schlaue Elsa. »Immer vorne dran sein, aber im Hinterkopf einen kollektiven Roman haben, in dem es vor Wikingerhelden und stolzen Telemark-Bauern wimmelt! Das ist unser ganzes Geheimnis: die Ungleichzeitigkeit. Wir sind eine Nation von erfolgreichen Wirrköpfen!«

Den Ägypter und mich hatten die drei Schwestern völlig vergessen. Von Vinje hatten wir nie gehört, und über die Mechanisierung der norwegischen Landwirtschaft konnten wir uns erst recht kein Urteil erlauben.

»Wir mußten das schwarze Loch in unserer Geschichte zustopfen, verstanden? Wir mußten beweisen, daß es uns wirklich gegeben hat, gibt und geben wird, und mit dieser Arbeit sind wir heute noch beschäftigt.«

»Unsinn«, knurrte Bobby. »Das interessiert heute keinen Menschen mehr.«

»Dann schau dir doch mal unser Bücherregal an! *Heimatbuch für Tønsberg und Umgebung. Die Arbeiterklasse in der norwegischen Geschichte. Geschlechterbuch der Familie Strømme.* Und so weiter. Wenn ein Verleger hierzulande ein todsicheres Geschäft machen will, gibt er ein Prachtwerk in Halbleder über die norwegische Geschichte heraus. Je mehr Bände, desto besser. Es darf ruhig ein paar tausend Kronen kosten. Cappelen hat von seinem Mammutwerk in 15 Bänden über 40000 Stück verkauft.«

»Um so besser«, sagte die Literaturhistorikerin. »Eine ausgezeichnete Arbeit!«

»Ich sage ja gar nichts dagegen. Ich frage mich nur, warum es in diesem Land vier Millionen Amateurhistoriker gibt. Und die Antwort ist ganz einfach: Weil wir so wenig Geschichte haben! Frag mal einen Dänen oder einen Franzosen, was er vom 12. Jahrhundert weiß! Gar nichts. Die Schweden, gründlich wie sie sind, haben gleich ihre ganze Geschichte vergessen. Wir dagegen wühlen und flicken und restaurieren und werden nie genug kriegen. Eigentlich hätten wir 1945 damit aufhören können.«

»Wieso 1945?« fragte ich.

»Weil damals die Erfindung Norwegens perfekt war. Bis dahin hat uns noch eine Kleinigkeit gefehlt. Bei unseren Befreiungen ist es nämlich unerhört friedlich zugegangen. Keine Spur von Heroismus! Wenn uns die Deutschen nicht zu Hilfe gekommen wären«, – sie nickte mir mit einem hinterhältigen Lächeln zu –, »hätte uns direkt etwas gefehlt. Ihr erinnert euch doch an das berühmte Foto, auf dem ein norwegischer Arbeiter in Skimütze und Windjacke zu sehen ist, wie er den Okkupanten die Festung Akershus in Oslo entreißt und sozusagen mit bloßen Händen den Zweiten Weltkrieg gewinnt? Das war die Krönung unserer historischen Rekonstruktion!«

»Jetzt wirst du wirklich geschmacklos«, sagte Bobby. »Erst langweilst du unsere Gäste mit irgendwelchen Geschichten aus der Steinzeit...«

»Im Gegenteil! Nichts könnte aktueller sein, als die Art und Weise, wie wir uns eine Geschichte zusammengebastelt haben. Es gibt heute auf der Welt mindestens hundert neue Nationen, die vor dem gleichen Problem stehen. Sie versuchen, aus der kulturellen Scheiße herauszukommen, die ihnen der Kolonialismus hinterlassen hat. Aber dazu müssen sie sich eine Geschichte erfinden, mit allem Drum und Dran: Heldentaten, Traditionen, eine Sprache, eine Literatur. Für so etwas haben wir in Norwegen das allergrößte Verständnis. Deshalb identifizieren wir uns mit diesen Völkern. Leider sieht es nicht so aus, als hätten sie viel Erfolg bei dem Versuch, sich eine Vergangenheit anzuschaffen.«

»Das sind doch alles Lebenslügen«, sagte Bobby ärgerlich. Mit einem Seitenblick suchte sie Unterstützung bei Achmed, dem Ägypter, aber der schüttelte nur ratlos das Haupt.

»Das ist ja das Tolle!« sagte Elsa triumphierend. »Natürlich ist es eine Lebenslüge. Wir sind keine kühnen Wikinger, wir sind die verwöhnten Kinder des Wohlfahrtsstaates. Wir sind auch keine Bauern, sondern Städtebewohner mit allen Macken und Gewohnheiten, die der Kapitalismus mit sich bringt. Wir sind keine Provinzler, sondern Kosmopoliten. Und schließlich sind wir nicht stolz und souverän, sondern eine Nation von kompromißbereiten Händlern, die vom Weltmarkt abhängen wie der Dialyse-Patient von seiner künstlichen Niere.«

»Na also«, zischte Bobby. »Das habe ich doch gleich gesagt.«

»Aber ohne unsere Lebenslügen hätten wir es nie und nimmer geschafft! Versteht ihr, eine Lebenslüge wird zur *self-fulfilling prophecy*, wenn man sie nur stur genug verfolgt. Oder, wie der bärtige Klassiker zu sagen pflegte: Die Idee wird zur materiellen Gewalt, wenn sie die Massen ergreift. Ja, meine Lieben, das ist die norwegische Identität: das reinste Mirakel!«

Eine peinliche Stille breitete sich aus. Die Spaghetti waren längst kalt geworden.

»Also was soll ich nun, wenn es nach dir geht, über Norwegen schreiben?« fragte ich die rosige Elsa.

»Daß wir die Größten sind.«

»Aber das hört sich so ironisch an, Elsa.«

»Nimm dir noch einen Schluck Wein«, sagte sie. »Weißt du, wenn die Norweger ironisch werden, dann kannst du ganz sicher sein, daß sie es ernst meinen.«

Die Sorge des Hausvaters

Das Mahagonny des Öls, die Goldgräberstadt an der Westküste, wo der schnelle Dollar rollt, wo die rauhbeinigen Helden der Plattformen auf Landurlaub gehen, um ihren phantastischen Lohn auf den Kopf zu hauen, halb Dallas halb Klondike, Stavanger, die alte Bischofsstadt, zum Dorado für Spekulanten und Zuhälter geworden, zur Räuberhöhle Norwegens: wer hätte nicht, durch Reportagen, Fernsehbilder und Gerüchte von diesem sagenumwobenen Ort gehört?

Daß das alles gelogen ist, hätte ich mir denken können. Die Hausväter, die für das Wohl dieses Landes zu sorgen haben, sind gute Christen oder brave Sozialdemokraten, und darum war von Anfang an klar, wie sie reagieren würden, als das Unvorstellbare an die Tür pochte: mit einem bedächtigen Wiegen des Kopfes, mißtrauisch, umsichtig und stets darauf bedacht, ihr Gemeinwesen durch das Aufbringen einer dicken Watteschicht vor allen denkbaren Schocks zu bewahren.

So wurde auch ich von peniblen Stadtvätern an die Hand genommen, die mir einen Vormittag lang zeigten, wie sorgfältig sie, lange bevor die ersten ausländischen Konzerne in der Stadt Fuß fassen konnten, schon sauber gemischte, reich begrünte Wohngebiete ausgewiesen hatten. Ich konnte mich davon überzeugen, daß die rührenden Holzhäuschen der Altstadt intakt geblieben waren. Wie eh und je waren sie von Steuermannswitwen und pensionierten Schiffsköchen bewohnt. Nur hie und da hatte sich, erkennbar am Mercedes, der vor der niedrigen Tür stand, ein Reklamefachmann eingenistet oder ein junges Ehepaar aus der Elektronikbranche, das seinen Hauseingang mit den unvermeidlichen Kutscherlampen verziert hatte.

Auch wurde ich darauf hingewiesen, daß die eifrigen Fehler des Fortschritts, öde Hotels, trübsinnige Verwaltungskasernen, Missetaten in Beton, schon allesamt begangen wurden, als das Öl, das Stavanger verbrauchte, noch aus Kuwait kam. Aber nun war man ja klüger geworden, und so sahen sich Elf und Mobil, Shell und Phillips sanft aber unerbittlich dazu gedrängt, hier einen alten Schuppen und dort ein malerisches Lagerhaus so getreu wie nur möglich zu restaurieren. O nein, hier küßt man ihnen nicht die Füße! Ein wenig guten Willen müssen sie schon an den Tag legen, wenn sie in Stavanger reüssieren wollen. Dann allerdings findet sich bestimmt ein Platz für ihre künstlichen Paradiese, irgendwo weit draußen, auf der grünen Wiese. Dort dürfen sie ihre spiegelnden Paläste aufbauen, ihre Ölbasen, Helikopter-

Landeplätze, Zulieferbetriebe, Consulting-Firmen und Data-Zentren. Die dominierende Stellung in dieser *Brave New World* des Öls fällt allerdings dem staatlichen norwegischen Ölkonzern zu. Statoils Hauptquartier ist ein riesiges, futuristisches Treibhaus, zu dem ohne codierte Magnetkarte niemand Zutritt hat. Man könnte fast den Eindruck gewinnen, der Konzern traue keinem über Dreißig, so jung sind die Angestellten, die hier, von einem beängstigenden Optimismus erfüllt, unter Palmen und Computern wandeln. Was aber die Werft betrifft, auf der die gigantischen Ölplattformen gebaut werden, so hat sie sich verpflichten müssen, nach vollendeter Montage der Stadt Stavanger keinen Müllhaufen zu hinterlassen, sondern einen idyllischen Yachthafen. Die Fußgängerzone im Zentrum ist überfüllt, der Einzelhandel blüht, Parkplätze gibt es nicht, vor den Restaurants bilden sich lange Warteschlangen. So könnte es scheinen, als stünde alles zum Besten.

Gewiß, hie und da vermerken die Soziologen eine gewisse Neigung zur Ghettobildung. Der *Petroleum Wives' Club* trifft sich schon am Vormittag, und über seinen enormen Konsum an trockenen Martinis wird in eingeweihten Kreisen die Stirn gerunzelt. Aber die amerikanischen Damen kriegen ja keine Arbeitserlaubnis. Soweit sie ihre Kinder nicht auf Kosten der Firma in eine Schweizerische Boarding-school fliegen lassen, werden die Gören in die sündhaft teure, nagelneue Ami-Schule geschickt, wo das Schulgeld pro Kopf bei 55000 Kronen liegt. Und die Grundstückspreise haben die ausländischen Manager auch in die Höhe getrieben.
Dies alles, und noch weit schlimmere Dinge, habe ich auf dem Sommerfest eines melancholischen Psychiaters erfahren, in der alten Jugendstil-Villa, die er, zusammen

mit seiner Frau, vor dem Verfall gerettet hat. Der reich gedeckte Tisch erinnerte mich an *Fanny und Alexander*, und man unterhielt sich fast wie zu Ibsens Zeiten über die Ehe, die Sehnsucht und das Altern. Nur ganz in der Ferne, zwischen den Bäumen, konnte man die schwachen Lichter der Werft sehen, auf der Tag und Nacht gearbeitet wird.

Ja, unter den finnischen Gastarbeitern, mehr als 2000 sollen es ja nie gewesen sein, hat es wohl ab und zu Krawalle und Messerstechereien gegeben. Man hat sie zunächst auf Booten untergebracht, dann in Containern, acht Mann hoch, weil vorübergehend der Wohnraum leider knapp wurde, jetzt aber sind nur noch ein paar Dutzend da, heißt es, und man will in Zukunft besser für sie sorgen. Das ist ja auch eine Frage der Mentalität. Viele dieser Ausländer sind Wanderarbeiter, hochbezahlte Nomaden, vom Schweißer bis zum Ingenieur, die zwischen Alaska und dem Nahen Osten ein unstetes Leben führen. Der Anlagenbau ist ein schwankendes Geschäft. Da muß man schon froh sein, wenn die moralischen Grundlagen nicht angegriffen werden.

Mit dem Laster in Stavanger ist es Gott sei Dank nicht so weit her, nicht einmal in den gerüchteweise einschlägig bekannten kleinen Hotels. Die Stadtverwaltung hat beschlossen, der Sache auf den Grund zu gehen; denn wenn man auch die Ölhauptstadt des Landes ist, so hat man doch einen guten Ruf zu verlieren, und der ist nicht mit Geld aufzuwiegen. Deshalb verschrieben die Stadtväter sich drei renommierte Soziologen aus Stockholm; bei den Schweden, dachten sie, kann man Gründlichkeit und entsprechende Vorkenntnisse voraussetzen. Die Wissenschaftler machten sich mit ihren Notizblöcken, Taschenrechnern und Tonbandgeräten auf den Weg und suchten drei Monate lang nach der Prostitution, dem Glücksspiel und der Droge. Doch wo sie auch auftauchten, überall herrschte die reinste Luft, und so mußten sie mit leeren Händen, wenn auch unter Mitnahme eines ansehnlichen Honorars, unverrichteter Dinge wieder abziehen. Seitdem kann der Bischof von Stavanger wieder ruhig schlafen, und den Verleumdern der Stadt ist das Maul gestopft.

Das Glück und die Industrie

Das Glück ist in Norwegen keine abstrakte Idee. Es setzt sich aus Holz, Gras, Fels und Salzwasser zusammen, und es läßt sich genau lokalisieren. Das norwegische Glück liegt mindestens zwei Stunden von der nächsten Großstadt entfernt am Fjord. Sein Tempel ist eine möglichst alte Sommerhütte mit Blick auf den Schärengarten. Vor der Tür stehen die Gummistiefel der Familie einträchtig auf der Matte. Grün und abgewetzt müssen sie sein. Der schmale Weg, der zum Bootsplatz hinuntergeht, führt an einem baufälligen Schuppen vorbei, in dem die Angelruten stehen, neben einem alten Motor, einem Gartentisch mit rostigen Werkzeugen und einem Regal voller Ölfarben. Draußen liegt ein vergessener rot und weiß getupfter Gummiball im Gras, der Apfelbaum trägt eine Schaukel, und im Hackstock steckt die Axt, mit der das Kaminholz gespalten wird. Niemals kämen die Bewohner auf die Idee, die alte Kochplatte, die alte Seifenschale, das alte Radio mit dem magischen Auge fortzuwerfen. Auf dem Bücherbord schlummern die Gedichte von Wildenvey, eine dreibändige Geschichte der norwegischen Eisenbahnen, und das *Who's Who* von 1949. In der Ecke liegt ein wunderlich geformtes schwarzes Futteral, und wer es öffnet, findet darin das Waldhorn eines längst dahingeschiedenen Blasorchesters. Die Sonne scheint auf den abgetretenen Afghan-Teppich, der vielleicht ein Erbstück ist. In dieser bukolisch-asketischen Idylle steht die Zeit still.

Mein Gastgeber zieht an seiner kalten Pfeife. Er hat, wie viele seiner vernünftigen Landsleute, das Rauchen schon vor Jahren aufgegeben. Vom Strand hört man das entfernte Tuckern eines Bootsmotors und das beruhigende Geschrei der Kinder.

»Ach ja«, sagt mein Gastgeber, »die Industrie!«, und mit dem Daumen preßt er mechanisch den blonden Tabak in die Pfeife. »Wir können sie nicht ausstehen. Das ist die Wahrheit. Aber bitte zitiere mich nicht. Meine Parteifreunde haben es nicht gern, wenn man die Katze aus dem Sack läßt. Die königlich norwegische Sozialdemokratie versteht in dieser Frage keinen Spaß. Und schließlich habe ich selber das Maul reichlich vollgenommen, damals, nach dem Krieg, im Namen der siegreichen Arbeiterklasse, als gelernter Marxist. Wir werden das Land aufbauen, haben wir gesagt, die Schlöte müssen rauchen, eine anständige Schwerindustrie, das ist die Zukunft. Aluminium, Kunstdünger, Chemie, Stahl und Eisen, Ferrolegierungen, Siliziumkarbid, was weiß ich! Elektrifizierung, Planwirtschaft und Sozialismus. Ein heroisches Zeitalter! Aber heute sehe ich ein, daß wir auf dem Holzweg waren. «

»Wieso denn? Eure Wachstumsraten waren schwindelerregend. Ich kann mir keine Zahlen merken, aber es ist doch völlig klar, daß euer heutiger Wohlstand auf den Leistungen dieser Nachkriegszeit beruht. «

»Natürlich. Eine drehbuchreife Erfolgsgeschichte. So steht es ja auch in allen Schulbüchern. Vor siebzig, achtzig Jahren war Norwegen ein peripherer Rohstofflieferant, eine zurückgebliebene Region. Ein Wirtschaftshistoriker hat es, glaube ich, so ausgedrückt, daß wir eine Art Sizilien am Polarkreis waren. Und heute zerbrechen wir uns den Kopf darüber, wie und wo wir unsere Überschüsse anlegen sollen. Wir unterhalten uns damit, daß wir über die Verteilung des Kuchens streiten, und können uns außerdem noch ein köstlich schlechtes Gewissen leisten.«

»Und das alles habt ihr eurer Industriepolitik zu verdanken.«

»Das höre ich gern. Wie du weißt, hatte ich dabei die Hand im Spiel. Also gut, wir haben das Land industrialisiert, bis zu einem gewissen Grad, mit Ach und Krach, aber uns selber? Haben wir uns selber industrialisiert? Unser Denken, unser Zeitgefühl, unsere Psyche? Keine Spur, mein Lieber.

Ja, bei den Schweden und den Deutschen ist das was anderes. Die *lieben* ihre Industrie. Das war immer ihre Stärke, und das ist heute ihr Problem. Dagegen die Norweger! Die basteln doch nur vor sich hin, improvisieren, gar nicht schlecht übrigens, ziemlich einfallsreich. Aber Arbeitsdisziplin, straffes Management, zack-zack? Du wirst zwar kaum einen finden, der das offen zugibt – schließlich haben wir alle eine panische Angst vor der Arbeitslosigkeit –, aber mit dem Fließband, da kannst du uns jagen... Wenn das der Fortschritt sein soll, dann lieber nicht. Und zwar nicht so sehr, weil wir unfähig wären oder faul, obwohl es oft ganz danach aussieht... Nein, wir wollen einfach nicht, wir haben keine Lust. Strapazen, meinetwegen. Abenteuer, gern. Risiko und Improvisation, warum nicht. Aber die Hegemonie der industriellen Produktion im großen Maßstab, ›auf erweiterter Stufenleiter‹, wie es so schön heißt, die hat uns nie geschmeckt.«

Ich war drauf und dran, diese ketzerische These zu akzeptieren. Sie saß diesem alten sozialdemokratischen Patrioten wie angegossen. Sie paßte zu seiner verbeulten Anglerjacke und zu den verwilderten Himbeerstauden, die ich aus dem Veranda-Fenster sehen konnte. Aber dann fiel mir, weit entfernt, hinter den Schären, der Umriß eines Öltanks auf, und ich sagte: »Du übertreibst! Schließlich arbeitet über ein Drittel aller Norweger in der Industrie.«

»Das war einmal«, antwortete er, »in den sechziger Jahren, die manche Leute die goldenen nennen. Neulich habe ich in einem Buch geblättert, das hieß *Sozialismus auf norwegisch*. Einer von den jungen Leuten aus der Linken hat dort einen sehnsüchtigen Aufsatz veröffentlicht. Er trägt den schönen Titel: »Zurück ins Jahr 1960«. Man sollte es nicht für möglich halten!

Aber im Ernst, heute sind nur noch ganze 18% der Berufstätigen in der verarbeitenden Industrie beschäftigt. Die Produktion liegt unter dem Niveau von 1972. Allgemeiner Katzenjammer bei den Gewerkschaften. Doch ich sage mir: Um so besser!

Wir haben in diesem Land nie ein Ruhrgebiet gehabt, kein Manchester und kein Turin. Industriereviere gibt es in Norwegen nicht. Nur da und dort kommst du in ein entlegenes Tal, und dann ist plötzlich alles weiß, die Häuser, die Bäume, die Felsen, weil da eine Zementfabrik steht, oder irgendwo an der Südküste krepieren die Fische im Fjord, weil eine Titanhütte ihren Dreck ins Wasser schüttet... Arbeitsplätze, heißt es dann.

Aber was sind das für Arbeitsplätze, die nicht nur die ganze Gegend vergiften, sondern uns jeden Monat Millionen an Subventionen kosten? Jeder fünfte Produktionsarbeiter schuftet heute in einem Betrieb, wo die Lohnkosten über 100% der Wertschöpfung ausmachen. Verstehst du, was das heißt? Das ist der helle Wahnsinn. Und wir zahlen. Aber wir zahlen ungern, das kannst du mir glauben. Alle diese weißen Elefanten der Schwerindustrie sind so zukunftsträchtig wie das Mammut. Es ist nur eine Frage der Zeit, daß sie ihr Leben aushauchen. Je früher desto besser! Das denken wir alle, aber wir sagen es nicht laut.«

»Ich sehe nur nicht, wie ihr ohne Industrie überleben wollt.«

»Ich auch nicht. Manche sagen: Warum essen wir nicht einfach unsere Öleinnahmen auf? Das ist natürlich eine kindische Vorstellung.«

»Was denn dann?«

»Du wirst mich für übergeschnappt halten, wenn ich es dir sage – ich, ein alter Bürokrat aus der Arbeiterbewegung: Nicht wir müssen uns der Produktion anpassen, sondern umgekehrt.

Und das heißt: keine riesigen Fabriken, sondern kleine Klitschen, irgendwo auf dem Land, wo die Leute wohnen wollen, wo sie einander kennen, wo sie ihren Garten haben, ihre paar Obstbäume, ihr Boot... Eigentlich gingen sie lieber fischen.«

»Kein Dreck, kein Gestank, kein Großkapital. Zu schön, um wahr zu sein«, sagte ich.

»Du wirst dich wundern. Zwei Drittel aller Produktionsarbeiter in diesem Land sind heute schon in solchen Kleinbetrieben beschäftigt.«

»Und was verstehst du unter Kleinbetrieben?«

»Das sind Firmen mit weniger als zweihundert Leuten, von der guten alten Möbelfabrik bis zum nagelneuen Software-Laden. Unsere Industriestruktur ist immer zerstreut gewesen. Vergiß nicht, daß wir bis zur Jahrhundertwende ein Entwicklungsland waren, das von der Ausbeutung seiner Ressourcen lebte. Wir mußten uns an das Meer halten: Klippfisch und Heringe. An die Wälder: Holz, Papiermasse, Zellulose. Und an die Flüsse: Mühlen und Kraftwerke.

Das kannst du übrigens auch an der Geschichte der norwegischen Arbeiterbewegung ablesen. Zuerst haben sich die Holzfäller und die Lohnarbeiter in den Sägewerken organisiert. Dann waren die Seeleute an der Reihe, die Handwerker und die Arbeiter im Straßen- und Anlagenbau. Und wer war das Schlußlicht? Die klassischen Produktionsarbeiter aus der großen Industrie.

Wir haben uns gesträubt, so lang es ging. Weißt du, wann wir die erste Technische Hochschule eröffnet haben? 1910. Hundert Jahre nach den Polytechnika von Paris und Karlsruhe. Und seit wann haben wir ein Industrieministerium? Dreimal darfst du raten. Ich kann es dir ganz genau sagen, denn ich war dabei. 1947! Wenn das ausländische Kapital nicht gewesen wäre... Die Ausländer haben den entscheidenden Industrialisierungsschub durchgesetzt, in den Jahren vor dem Ersten Weltkrieg: Kraftwerke, Gruben, Karbid, Aluminium. 1909 waren unsere Industrien zu fast 40% in ausländischer Hand. Unsere Großväter waren von dieser Invasion nicht gerade begeistert. Sie haben allergisch reagiert. Es waren nicht wir, die Sozialdemokraten, mein Lieber, es waren die Liberalen, die damals die schärfsten Konzessionsgesetze der Welt eingeführt haben, um den Ausverkauf Norwegens zu stoppen. In den siebziger Jahren, als das Öl kam, haben wir diese Bestimmungen nur ein wenig aufzupolieren brauchen, um die Multis an die Leine zu legen. Aber der Widerwille gegen die große Industrie ist geblieben. Insofern ist auch die Industriepolitik, die wir seit den fünfziger Jahren betrieben haben, letzten Endes an uns selber gescheitert.«

»Aber dein Verein hat das Land immerhin drei Jahrzehnte lang regiert, und die Arbeiterpartei ist nach wie vor die stärkste politische Kraft in Norwegen.«

»In einem Land, das von einer proletarischen Existenz nie etwas hat wissen wollen. Warst du einmal in der Nationalgalerie? Hast du dir angesehen, was da hängt? Gebirgslandschaften, Buchten, Wasserfälle, und dazwischen ein paar Ziegen und Kühe. Die einzigen Menschen, die du zu Gesicht bekommst, sind Bauern, Matrosen und Fischer. Die Industrie fehlt. Das Projekt der Moderne wird mit Verachtung gestraft. Kein einziges Bild zeigt einen industriellen Produktionsvorgang. Die Existenz der Großstadt wird glatt geleugnet. Sie hat in unsern Träumen keinen Platz.«

Glücklicherweise fiel mir eine Ausnahme ein. »Und was ist mit Christian Krohg? Ich erinnere mich an ein Bild von ihm, das eine Straße in Christiania zeigt. Ein großes Format, ich glaube, aus den achtziger Jahren.«

»Und wie heißt dieses Bild?« Er sah mich triumphierend an. »*Der Kampf ums Dasein.* Halbverhungerte Kinder und frierende Frauen im Schnee. Die Industrie ist das Elend! Das ist auch der Grund, warum wir den Kapitalismus nicht leiden können. Er ist uns zu modern. Diesen sonderbaren norwegischen Antikapitalismus wirst du an allen Ecken und Enden wiederfinden, in unserer Moral, in unserer Ökonomie, in unserm Rechtsdenken und in unserer Ideologie. Wenn du dir hier ein Stück Wald kaufst – vorausgesetzt, du kriegst eine Konzession, und als Ausländer kriegst du ohnehin keine, aber einmal angenommen, du bekämst sie –, glaubst du vielleicht, du könntest damit tun und lassen, was du willst? Ganz und gar nicht, mein Freund. Die Idee des unumschränkten Eigentums gibt es hier nicht. Auch das, was ihr Gewerbe- und Vertragsfreiheit nennt, ist unserm Rechtsdenken fremd. Und was die Ökonomie betrifft – für die meisten Norweger ist Rentabilität ein Fremdwort, oder bestenfalls ein drittrangiges Kriterium für ihre Entscheidungen. Unsere Bürokraten haben gar keine Ahnung, was eine Kosten-Nutzen-Rechnung ist.

Aus den gleichen Gründen ist auch unser Marxismus nur eine komische Eselsbrücke. Er ist im allgemeinen fromm und populistisch, und im Gegensatz zu Marx glaubt er an das Gute im Menschen. Er hat eine starke Ähnlichkeit mit jenem utopischen und ›wahren‹ Sozialismus, auf dem Karl Marx schon in den 1840er Jahren so höhnisch herumgetrampelt hat. Übrigens ist es durchaus möglich, daß sich der Alte in dieser Hinsicht getäuscht hat. Er verstand eben nichts von der Landwirtschaft und von der Fischerei...«

»Hör auf!« sagte ich. »Du willst dich wohl über mich lustig machen? Euch möchte ich sehen, wenn ihr von eurem primären Sektor leben müßtet. Wieviel macht er eigentlich aus in eurer Wirtschaft, wenn man alles zusammenrechnet, die Heringe und die Kartoffeln und das Schnittholz und die Butter? Acht Prozent? Sieben? Sechseinhalb?«

»Vier«, sagte mein Gastgeber grimmig. »Vier, und wenn es hochkommt, viereinhalb.«

»Na also«, sagte ich. »Genau wie bei uns.«

»Aber vier Prozent von was? Vom Bruttonationalprodukt. Und, unter uns gesagt, dieses Bruttonationalprodukt besteht zum größten Teil aus Scheiße. Genau wie bei euch! Mir kann doch keiner was erzählen. Ich kenne mich aus. Ein Trottel in einem Ministerium schickt eine Million Formulare in die Gegend, und eine Million von andern Trotteln füllt sie aus, in sechsfacher Ausfertigung. Oder zwei Idioten fahren einander auf der Landstraße über den Haufen. Oder zigtausend Alkoholiker saufen sich die Leber kaputt und werden in irgendeinem Sanatorium wieder zusammengeflickt. Und was blüht und gedeiht bei diesen Transaktionen? Das Bruttonationalprodukt! Dagegen die Makrelen, die wir gleich in die Pfanne legen werden, die Erdbeeren aus dem Garten und das Holz in unserm Kamin – das alles ist für die Statistiker Luft. Nein, nein, mein Lieber, wer an das Bruttonationalprodukt glaubt, ist selber schuld.«

»Du redest wie ein Grüner.«

»Wir brauchen keine grüne Partei in Norwegen«, sagte der alte Sozialdemokrat und klopfte seine ungerauchte Pfeife aus, »weil wir immer Grüne gewesen sind.«

Später, auf der kleinen, weißgemalten Veranda, stand eine Flasche schwarzgebrannten Aquavits auf dem Tisch. Es war ein schöner, heller Sommerabend, und die Makrelen schmeckten vorzüglich.

Die öffentliche Dummheit

»Jedes Land hat die Medien, die es verdient.« Zu dieser Ansicht können sich nur eingefleischte Menschenfeinde bekennen. Ließe sich der geistige Zustand der Deutschen an ihrer *Bild-Zeitung*, der der Russen an der *Pravda* und der der Amerikaner an ihren Fernsehprogrammen messen, so wäre gar nicht zu begreifen, wie die Menschheit bis auf den heutigen Tag überlebt hat. Sie hätte längst an chronischem Kretinismus eingehen müssen. Offenbar hat uns die Natur so ausgerüstet, daß wir auch ein längeres Trommelfeuer von Dummheiten überstehen können, ohne gravierende Schäden davonzutragen.

Der norwegischen Presse bester Teil sind die rührenden, altertümlichen und bizarren Titel, unter denen sie erscheint. Im Kristiansand liest man den *Vaterlandsfreund* und die *Forderung der Zeit*, in Lillehammer den *Zuschauer*, in Tromsø das *Nordlicht*, in Oslo den *Gang der Welt*, in Asker den *Botenstab* und in Horten den *Wiedergänger*. Die Norweger sind stolz darauf, daß in ihrem Land so viele Tageszeitungen erscheinen, nämlich 150. Über diese gewaltige Zahl wundert man sich weniger, wenn man hört, daß es Orte von 10000 Einwohnern gibt, die sich zwei Lokalblätter leisten.

All diese Zeitungen werden gekauft, ja vielleicht sogar gelesen. Doch wozu sie dienen, ist für den, der das Gemüt der Eingeborenen nicht kennt, schwer erklärlich. Sind diese »Botenstäbe« überhaupt dazu da, Nachrichten zu überbringen? Gewiß geben sie Aufschluß über Nilssons Goldene Hochzeit, über das Sonderangebot des Reifenhändlers und über das nächste Treffen der Sanitätsvereinigung. Aber das ist auch schon fast alles. Oder handelt es sich eher darum, einen Standpunkt zu vertreten, eine Weltanschauung zu festigen? Die Redakteure wissen es selber nicht; denn die Trennung von Nachricht und Kommentar ist ihnen unbekannt.

Fast alle norwegischen Zeitungen sind als Parteiblätter gegründet worden. Vielleicht erklärt das die quälend langweiligen Streitereien, die sie sich liefern, und die tantenhaften Wiederholungen ihrer Leitartikel. Niemand läuft Gefahr, daß ihn sein Magenblatt jemals mit einem unabhängigen Gedanken überraschen könnte. Womöglich »hält« man solche Zeitungen nicht, um sie zu lesen, sondern um irgendwelche Parteiprogramme zu unterstützen. Das dürfte auch der Grund dafür sein, daß die Politiker so kräftig in die Staatskasse greifen, um diese Blätter zu retten. Sie wollen ihre Wahltribünen behalten, auch wenn man ihnen nur gähnend zuhört.

Angeblich soll auf diese Weise die Vielfalt der Meinungen garantiert werden. Leider sind diese Meinungen ziemlich uninteressant. Die Einbalsamierung der Presse-struktur hat dazu geführt, daß der Blätterwald zu einem Naturschutzpark für Dilettanten wurde. Die vermeint-liche Mannigfaltigkeit stellt sich als provinzieller Ein-heitsbrei dar. Für viele dieser Blätter ist die Außenwelt inexistent. Selbst die Zeitungen der Hauptstadt räumen den Auslandsnachrichten allenfalls eine einzige Seite ein. Aus dem ruhmreichen *Dagbladet*, das bis in die siebziger Jahre als die letzte Zuflucht der Intellektuellen galt, ist eine Boulevard-Zeitung geworden, die ihr Heil in krank-hafter Personalisierung sucht und keine Mühe scheut, um ihren Lesern die lästige Gewohnheit des Lesens abzu-gewöhnen.

Der desolate Zustand der kritischen Öffentlichkeit hat vermutlich mit dem norwegischen Defizit an Urbanität zu tun. Daß die beste Zeitung des Landes, die *Bergens Tidende*, aus der einzig intakten Stadtkultur des Landes hervorgegangen ist, kann kein Zufall sein. Trotzdem ist die eiserne Gemütsruhe, mit der die Norweger die trau-rige Verfassung ihrer Presse hinnehmen, einigermaßen rätselhaft. Sie sind weit besser ausgebildet als andere Völker. Analphabeten sind hier seltener als in Deutsch-land, Frankreich oder Italien. An den intellektuellen Res-sourcen kann es nicht liegen. Schon im 19. Jahrhundert hat man in Tromsø und in Flekkefjord *The Times* oder *La Presse* gelesen. Schade, daß, wer auch nur eine Ah-nung davon haben will, was in der Welt vorgeht, heute noch gezwungen ist, eine dänische, schwedische oder englische Zeitung zu abonnieren.

Aber nicht nur die Presse, sondern auch die anderen Medien bieten Leistungen, die unter dem kulturellen Ni-veau des Landes liegen, und es ist sehr die Frage, ob sich daran in absehbarer Zeit etwas ändern wird. Nachdem das staatliche Rundfunk- und Fernsehmonopol unter allgemeinem Jubel zu Fall gebracht worden ist, breitet sich in Norwegen ein grenzenloser Medien-Optimismus aus. Schon heute hat Oslo mehr Kabel- als Telefonanschlüsse. Unter dem Banner der Befreiung von der Vormundschaft Oslos werden nun Radiofrequenzen und Fernsehkanäle ausgelobt. Die technischen Voraussetzungen werden eifrig diskutiert, aber dem Palaver über Satelliten, Breitbandkabel und Telematiknetze fehlt jede Besinnung auf den Inhalt.

Niemand scheint sich zu fragen, was auf den neuen Kanälen eigentlich gesendet werden soll. Unter diesen Umständen läßt sich leicht absehen, wer aus dem Medien-Gerangel als Sieger hervorgehen wird: Dilettanten und Geschäftemacher, Lokalpolitiker und Missionare. Die leere Vielfalt des Pressewesens droht sich auf diesem neuen Feld zu wiederholen, und die produktiven Talente des Landes werden, aus dem Feld geschlagen von subventioniertem Populismus und dümmlicher Reklame, nach wie vor im Verborgenen blühen.

Die Ölpolitik auf dem Fahrrad

Nach einer richtigen Kneipe mit bequemen Lederbänken, alten Zapfhähnen und schlagfertigen »Servierdamen«, die ihre Gäste kennen, kann man in Oslo, seitdem die Designer über die Lokale der Stadt hergefallen sind wie ein Heuschreckenschwarm, lange suchen. Das Café Justisen gleich hinter dem alten Regierungsgebäude gehört zu den letzten Überlebenden dieser Gattung. Dort hat mir Petter Nore die Geheimnisse der norwegischen

Ölpolitik erklärt. Der Fünfunddreißigjährige mit dem dichten Schnurrbart ist ein Veteran der Studentenbewegung. Er sieht aus wie ein Nachwuchsdozent für Filmgeschichte oder wie ein lässiger Programmierer, aber er ist weder das eine noch das andere, sondern Chef der Planungsabteilung im Ölministerium.

Mit einem breiten Lächeln faltet er seine *Financial Times* zusammen und fragt: »Was haben New Yorker Psychiater und norwegische Ökonomen miteinander gemeinsam?«

Ich weiß es nicht.

»Beide beschäftigen sich mit den Folgen des Reichtums. Bis jetzt sind wir mit diesen Folgen besser fertiggeworden, als ich gedacht hätte. Wahrscheinlich hatten wir mehr Glück als Verstand. Unsere erste Aufgabe bestand darin, die ausländischen Monopole von ihren schlechten Gewohnheiten abzubringen. Wir mußten ihnen ab und zu die Instrumente zeigen, natürlich so höflich wie möglich. Heute beschäftigen sie bis zu 80% norwegische Arbeitskräfte und kaufen den größten Teil ihrer Dienstleistungen im Lande ein. Wir haben ein System von Bestimmungen ausgearbeitet, das ebenso kompliziert ist wie eine große Raffinerie, und ebenso genau ausbalanciert werden muß: Vergabe von Konzessionen, Steuergesetzgebung, Investitionslenkung, Sicherheitskontrollen, Ausbautempo, Preispolitik – und das sind noch längst nicht alle Variabeln, auf die es ankommt.«

Ich frage Nore, woher es kommt, daß die Regierung Sparmaßnahmen verkündet, während die Ölüberschüsse von Jahr zu Jahr steigen. »Ein sehr interessantes Paradox! Ein Leckerbissen für Theoretiker! Allerdings, für die Politiker ist die Sache weniger erfreulich. ›Wir haben eine Verständnislücke‹, jammern sie, ›eine Erwartungskrise, ein Erläuterungsproblem.‹ Als unsere Bonanza begann, in der ersten Hälfte der siebziger Jahre, sah man es noch anders. Damals fingen die Sozialdemokraten an, mit dem Ölgeld ihr Riesenbaby zu füttern: den öffentlichen Sektor. Das Kind gedieh prächtig, nur konnte es nicht genug kriegen. Die Regierung verpfändete damals sogar ihre zukünftigen Einnahmen, d.h. sie nahm große Auslandskredite auf, die vorwiegend konsumptiv verwendet wurden. Die Ergebnisse konnten sich sehen lassen. Wir hatten eine beneidenswert niedrige Arbeitslosenquote, die Löhne stiegen auf eine erfreuliche Höhe, der Wohlfahrtsstaat blühte. Eine Insel der Seligen, könnte man meinen. Leider wurde dieser Zustand erkauft durch steigende Preise, steigende Subventionen, steigende Zinsen. Reichlich spät warfen erst die Sozialdemokraten, dann die bürgerlichen Regierungen das Ruder herum, um dem drohenden Infarkt der Wirtschaft zu begegnen. Seitdem herrscht eine Rhetorik des Sparens vor. Ich sage: Rhetorik, denn auch die Konservativen sind den Heiligen Kühen der norwegischen Gesellschaft bisher nur mit der Nagelschere auf den Leib gerückt. Immerhin ging die Inflationsrate zurück, die Auslandsschulden sind zurückbezahlt worden, und wir sind zum Netto-Kapitalexporteur geworden.«

»Und was nun?«

»Optionen haben wir genug. Nehmen Sie zum Beispiel die drei folgenden Extremlösungen. Wir könnten mit einem Schlag alle direkten Steuern in Norwegen streichen. Die Folgen wären: in die Höhe schießender Konsum, rapides Wachstum der Importe, enormer Inflationsdruck und letzten Endes der Kollaps unserer Ökonomie. Oder wir stecken unsere Überschüsse in den Sozial- und Gesundheitssektor, der im Prinzip unbegrenzt ausdehnungsfähig ist. Dann expandiert der öffentliche Sektor auf Kosten jeder Art von Produktion (abgesehen vom

Öl). Wir haben eine Monokultur am Hals, und wenn der Energiepreis auf dem Weltmarkt sinkt, sind wir am Ende. Oder wir exportieren unser überschüssiges Kapital, dann steigt unsere Auslandsrendite exponentiell, mit allen moralischen und politischen Konsequenzen, die eine imperialistische Lösung mit sich bringt. Sie sehen schon, hier gibt es keinen Masterplan, hier gibt es nur Kompromisse. Ganz gleich, was wir tun und welchen Mix wir wählen, loben wird uns niemand. Dennoch sehe ich in den Abenteuern, die uns bevorstehen, eine aufregende Aufgabe.«

Mit diesen Worten verabschiedete sich Petter Nore, der heute noch Redakteur einer linksradikalen Zeitschrift ist, und schwang sich auf sein altes Fahrrad. An diesem Fortbewegungsmittel hält er fest; ich glaube sogar, daß es ihm als moralische Stütze dient.

Was die norwegischen Politiker betrifft, so sollten sie sich zu der unerschütterlichen Ruhe beglückwünschen, die ihre Wähler an den Tag legen. Nur ein leises Murren wurde laut, als die Notenbank, auf deren Konten sich die unheimlichen Milliarden sammeln, daran ging, im Herzen von Oslo einen gewaltigen Palast aus Marmor, Glas, Stahl und Kupfer zu errichten – ein Projekt, das der Präsident dieses Instituts, der damals Hermod Skaanland hieß, ein Sozialdemokrat, mit den denkwürdigen Worten begründet hat: »Wir müssen kommenden Generationen wenigstens *ein* Gebäude hinterlassen, das es verdient, unter Denkmalschutz gestellt zu werden.« Die norwegischen Autofahrer aber bezahlen an der Tankstelle, ohne mit der Wimper zu zucken, einen Mondpreis, der in Holland oder in der Bundesrepublik zu einer kleinen Revolte führen würde.

Eßt die Experten auf!

Jenseits des neunundsechzigsten Breitengrads beginnt der Wilde Norden, die *frontier* der norwegischen Gesellschaft. In Tromsø mit seinem Nebeneinander von Bruchbuden und großspurigen Hotels, seiner Geschichte, die zwischen jähem Reichtum und gereizter Depression schwankt, ist die Sommernacht taghell. Der Autokorso in der Storgate reißt nie ab. Während die letzten Gäste das Restaurant verlassen, in dem man lässig dreihundert Mark für ein Abendessen hinblättert, trommeln verstörte Nachtvögel – sind es Penner, Desperados, Arbeitslose, Punker oder Matrosen auf Landurlaub? – mit ihren Bierflaschen gegen die Mülltonnen, oder sie tanzen mit dem Walkmann überm Kopf mitten auf der Straße ihren ganz privaten, trostlosen Karneval. Nur der ordentliche Mann von gegenüber steht um zwei Uhr früh noch mit seiner Bohrmaschine auf der Leiter, um in der geisterhaft weißen Juninacht sein Dach zu reparieren.

»Dieses Land«, sagt Ottar Brox, »ist kein geschlossenes System. Im Norden ist immer noch Platz. Das Polarmeer gehört zu den reichsten Fischgründen der Welt. Wer im Süden kein Auskommen fand, hat hier schon immer ein neues Leben anfangen können. Seit über hundert Jahren fungieren die nördlichen Provinzen als Sicherheitsventil der norwegischen Gesellschaft.«

Wir sitzen in der brandneuen Universität von Tromsø. Das dreistöckige Gebäude bietet seinen Benutzern einen Luxus, von dem Münchener oder Pariser Studenten nur träumen können. Die Bücherbestände stehen jedermann freihändig zur Verfügung. Man schlägt an komfortablen Arbeitsplätzen nach oder nimmt nach Hause mit, was man braucht. Die Ausleihe geschieht elektronisch, Bestellzettel und Wartezeiten sind unbekannt. Musik-, Raucher- und Besprechungszimmer stehen zur Verfügung. Am Bildschirm hat der Benutzer Zugang zu den skandinavischen, europäischen und amerikanischen Datennetzen. Innerhalb von zehn Sekunden liefert der Computer bibliographische Nachweise und Abstracts aus allen Forschungsgebieten.

Professor Brox ist einer der führenden Köpfe dieser nördlichsten Universität der Welt, die erst vor zwanzig Jahren gegründet worden ist; ja, es ist fraglich, ob es dieses Institut ohne ihn überhaupt gäbe. Brox gehört nämlich zu den intellektuellen Urhebern der sogenannten Distriktpolitik, einer militanten Reaktion auf die berüchtigten Tendenzen der Nachkriegszeit, Norwegen nach schwedischem Muster einer »Strukturrationalisierung« zu unterwerfen, was die Entvölkerung riesiger Landesteile bedeutet hätte.

Ottar Brox und die Seinen haben gesiegt. Sie konnten sich auf den Lokalpatriotismus, aber auch auf den elementaren Wunsch des ganzen Landes stützen, jeden Fußbreit bewohnten Bodens zu verteidigen. Heute stehen auf entlegenen Inseln neue Schulen, und am Rande der Arktis verkünden beheizte Schwimmhallen, daß die Gleichheitsvorstellung der Norweger nicht nur eine soziale, sondern auch eine geographische Dimension hat.
Ottar Brox und die Seinen haben gesiegt. Aber es ist ihnen nicht wohl dabei. Er spricht von den unerwünschten Nebeneffekten der Verteilungspolitik, von Planungsironien und Planungskrisen. Er weist an immer neuen Beispielen nach, wie die administrative Gleichbehandlung zu neuer Ungleichheit führen kann. Diese Paradoxien drohen auf die Dauer die Legitimität der Transfer-Leistungen zu untergraben. Und wie immer brechen die Widersprüche am deutlichsten hier im Norden auf.

Brox führt das alles vor einem Publikum von Fachleuten aus. Etwa fünfzig Staatsplaner, Bezirksplaner, Kreis- und Gemeindeplaner haben sich in Tromsø zu einem Seminar versammelt, bei dem es um die Probleme des Sozialstaats geht.

Die Teilnehmer sehen bekümmert aus, obwohl Brox weit davon entfernt ist, den Wohlfahrtsstaat als solchen anzugreifen. Aber sie hören es nicht gern, wenn Brox sagt, die Rolle des Forschers sei die einer Kassandra, und wenn er die Zweideutigkeit als intellektuelle Tugend preist.

Als ein anderer Sprecher es gar für denkbar hält, daß die Bürokratie des Sozialstaats nicht nur die Interessen der Allgemeinheit, sondern auch ihren eigenen Vorteil im Auge haben könnte, fällt es den versammelten Planern schwer, ihre Empörung zu unterdrücken. Ich habe den Eindruck, daß sie beleidigt sind, weil das undankbare Volk eine Regierung gewählt hat, die der Vermehrung ihrer Planstellen Einhalt bieten will. Jedenfalls führen sie eine solche Beschränkung auf rechte Umtriebe und mangelnde Solidarität zurück. Wo es um Altersheime und Kindergärten geht, sind Kostenanalysen nicht gefragt. Da hat die Ökonomie ihr Recht verloren. Einwände gegen eine Politik, die das Volk in Experten und Klienten aufteilt, kann die Mehrheit derer, die hier versammelt sind, nur als reaktionäres Manöver begreifen.

Möglich, daß die Planer recht haben, daß es wirklich ein angeheiterter Millionär war oder ein bezahlter Agent des Kapitals, der mit großen Buchstaben an die Bretterwand eines Tromsøer Lagerhauses die Aufforderung gesprüht hat: »Eßt die Experten auf!«. Möglich ist es, aber ich glaube es nicht.

Der stille Berserker

Eine halbe Tagesreise von Tromsø entfernt, an der Peripherie der Peripherie, wo die Gesichter altertümlicher werden, die Birken kleiner, die Autos älter, die Menschen seltener, wo die Politik des Ausgleichs an ihre Grenzen stößt, wo die Farben schneller verwittern und das Leben härter ist, lebt in einem kleinen, mit alten Flaschen und Puppen sparsam geschmückten Haus am Rande der Wildnis Hartvig Saetra, ein untersetzter Mann in den Vierzigern mit dem harten Schädel eines Häuslersohns aus dem Hallingdal, der sein Brot als Biologielehrer in der Schule von Storslett verdient. In dieser Gemeinde gibt es einen Schulchor mit sechzig Stimmen und vierhundert Schnee-Scooter, die im Winter die Landschaft verwüsten.

In seinem schrottreifen Auto nimmt mich Saetra auf eine Fahrt in das Reisa-Tal mit. Die Reisa, einer der letzten unberührten Wildflüsse des Nordens, glänzt majestätisch in der Mitternachtssonne. Saetra hat ihren Lauf in dreijähriger Arbeit kartiert. Die Rettung dieser Landschaft ist nun, nicht zuletzt dank seiner Hartnäckigkeit, beschlossene Sache. Der Zugriff der Stromunternehmer, der Ingenieure und der Militärs ist abgewehrt. Das ganze Tal steht unter Naturschutz. Menschen sieht man hier kaum. An der staubigen Straße liegen nur ein paar Einödhöfe. Die Bauern sind finnischer Abstammung. Flußaufwärts gehört das Tal den Rentieren und den Lappen.

Wir halten an einer Brücke und blicken auf den reißenden Strom. Saetra spricht erst zögernd und langsam, dann immer heftiger über das, was ihn beschäftigt. Er ist kein verkanntes Genie, kein Missionar, kein Charismatiker, sondern ein ernster, verschlossener Eigenbrödler.

Die westlichen Gesellschaften, sagt er, bestehen aus Verbrechern. Nicht nur die Herrschenden, auch die gewöhnlichen Leute sind kriminelle Verschwender. Ihr Konsum, sagt er, sei moralisch dem Mord gleichzusetzen; die USA seien ein Krebsgeschwür auf dem Gesicht der Erde. Nichts erbittert ihn mehr, als daß es uns so gut geht. Höhnisch spricht er von unserer Freiheit, unserer Demokratie – er spuckt diese Wörter gleichsam aus. Es sei lächerlich, die Sowjetunion zu verurteilen; im Gegenteil, je strenger ein Regime, desto eher verheiße es Rettung; je ärmer, desto besser. Aus diesen Prämissen zieht er atemberaubende Schlüsse. Den Aufständen in Osteuropa spricht er jede Legitimation ab. Für die Dissidenten hat er nur Verachtung übrig. Dabei fällt er besonders über Sacharov her. Ich erinnere ihn an den norwegischen Widerstand gegen die deutschen Okkupanten, aber er fegt jeden Einwand beiseite. Mit einer Raserei, die an Selbsthaß grenzt, fordert er die eiserne Konsequenz, die gewaltsame Begrenzung des Konsums, die ökologische Diktatur.

Es ist beinahe Mitternacht geworden. Wir sehen den Vögeln zu, die über die Reisa hinwegstreichen. Ihre Schreie sind der einzige Laut, der hier zu hören ist. Nach einer langen Pause schüttelt Saetra den Kopf und sagt leise: »Ich weiß, es hat keinen Zweck. Wir sind nicht mehr zu retten.« Er hat seine Ansichten in einem Artikel zusammengefaßt und veröffentlicht. Niemand hat darauf reagiert. Er war in Beirut und in Leningrad. Man hat ihm höflich zugehört. Die Rede vom Krebsgeschwür USA ist mit Beifall aufgenommen worden. Ansonsten aber hat man in Beirut andere Sorgen. Im Grunde interessiert sich Saetra gar nicht für die Politik. Er ist nur einer jener Selbstdenker, an denen es Norwegen nie gefehlt hat, und die mit ihrem moralischen Furor sich und andere über-

fordern. Die Gerechtigkeit, von der sie träumen, trägt ein
härenes Gewand. Phantasien der Rache, der Bestrafung,
des Verzichts sind die Frucht ihrer einsamen Grübelei.

Auf der Rückfahrt gen Westen, der Sonne entgegen,
bricht Saetra sein Schweigen nur ein einziges Mal. Er
zeigt mir ein kahles Gebirge, auf dem sein Lehrmeister,
der Botaniker Meijland, vor Jahren eine neue Subspezies
entdeckt hat, die hier und sonst nirgends auf der Welt
gedeiht: eine kleine gelbe Blume, papaver radicatum M.
Niemand außer ihm und den Lappen soll wissen, wo
dieser arktische Mohn gedeiht. Hartvig Saetra ist ein
wilder Mann, der keiner Maus ein Haar krümmen
könnte.

Der treuherzige Bösewicht

Es ist keine leichte Sache, in der norwegischen Gesellschaft das Böse zu lokalisieren. Jenseits der Landesgren-
zen, wo bekanntlich Kriegshetzer, Geheimdienste und
Ajatollahs wüten, herrscht an Sündenböcken kein Mangel. Aber hier, wo solche satanischen Kräfte allgemein
mißbilligt werden?

Nirgends ist die Inkarnation des Bösen in Sicht. Die kleinen Dealer und die hübschen Rocker, die sich abends an
einer Ecke des Schloßparks von Oslo versammeln, wirken eher als Ornament; die demütigen Pakistaner, die bis
zehn Uhr nachts Hustenbonbons und heiße Würstchen
verkaufen, sind wohlgelitten; das verlorene Häuflein der
alten Großbourgeoisie hat sich verschüchtert hinter die
Gardinen ihrer Holzvillen zurückgezogen; und die ge-
fürchteten Marxisten-Leninisten sind nur noch der tap-
fere Überrest einer zusammengeschmolzenen Sekte...

So ergriff ich die letzte Chance, die ich sah, dem schlechthin Verwerflichen zu begegnen, und bat den Vorsitzenden der Fortschritts-Partei um eine Unterredung. »Den willst du besuchen?« fragten meine Freunde, und in ihr ungläubiges Erstaunen mischte sich ein moralisches Unbehagen, das mir vielversprechend schien. Ja, ich wollte ihn kennenlernen, den norwegischen Poujade, den Chef einer Partei, die niemand mag, von der jeder sich distanziert, mit der zu koalieren als unanständig gilt, obwohl sie es zu einem bescheidenen Wahlerfolg gebracht hat, der natürlich alle ordentlichen Menschen beängstigt. Denn wer in diesem Lande möchte schon als Rassist, als rechtsradikaler Außenseiter gelten?

Carl I. Hagen sitzt in seinem Büro in einer entlegenen Ecke des Storting, dieses kleinen behaglichen Parlaments, und bietet mir einen Schluck Kaffee aus dem Pappbecher an. O ja, er hat ein Stündchen Zeit für mich. Mit großem Eifer erklärt er mir sein Programm. Tapfer klingt seine Stimme, wenn auch stets ein wenig gekränkt, denn man tut ihm Unrecht und betrachtet ihn als Ungeheuer, wo er doch nichts weiter im Sinn hat, als dem gesunden Menschenverstand freie Bahn zu schaffen.

Carl I. Hagen macht keinen dämonischen Eindruck. Er sieht aus wie ein Filialleiter oder wie ein Radio-Großhändler, und in der Tat war er in einer Import-Agentur für Zucker tätig, bevor er beschloß, Politiker zu werden. Auch die Botschaft, die er verkündet, jagt mir keinen Schrecken ein. Der Staat, darauf läuft sie hinaus, soll sich den Bürgern gegenüber genau so verhalten wie ein ehrlicher Kaufmann zu seiner Kundschaft. In diesem Verhältnis ist bekanntlich der Kunde allemal König. Zugegeben, auch dem allmächtigen Verbraucher muß man ab und zu schlechte Gewohnheiten austreiben, rückständige Ideen und übertriebene Ansprüche. Er hat ein Recht auf anständige Bedienung, auf ein reiches Angebot, auf eine saubere Kalkulation. Andererseits muß sich jedoch der Laden rentieren. Alles hat seinen Preis, und umsonst ist der Tod.

So gibt es zum Beispiel Norweger, die wollen partout am Nordkap wohnen, aber sie verlangen einen Lebensstandard wie im Osloer Westend. Andere fordern Lohnerhöhungen, aber von gesunder Arbeitsmoral, von steigenden Leistungen wollen sie nichts wissen. Sie wünschen sich freie Märkte, aber kontrollierte Preise; niedrige Steuern, aber Gratismedizin für alle. So geht es nicht. Das hat Carl I. Hagen erkannt, und er hat auf Abhilfe gesonnen: die Einkommensteuer wird, wenn es nach ihm geht, ersatzlos gestrichen, die staatliche Entwicklungshilfe abgeschafft, die Parteienfinanzierung auf Null gebracht, die Macht der Gewerkschaften gebrochen, der permanente Einwandererstopp verkündet. Alle Staatsbetriebe werden privatisiert, und alle überflüssigen Reglementierungen verschwinden. So entsteht in Norwegen ein Paradies der Konkurrenz, in dem sich alles von selber regelt, unter der Herrschaft zweier hehrer Göttinnen, die da heißen: Angebot und Nachfrage.

Was daran so böse sein soll, versteht Carl I. Hagen nicht, und auch sein ausländischer Besucher fragt sich, was an einer ideologischen Antiquität so schockierend ist, deren Urheber im Manchester des 19. Jahrhunderts zu vermuten sind.

Vielleicht hat der schlechte Ruf der Fortschrittspartei auch gar nichts mit dem Programm zu tun. Vielleicht hat er ganz andere Gründe? Diese Rückfrage trifft, ich sehe es an der gefurchten Stirn des Vorsitzenden, einen wunden Punkt. Ja, es verhält sich in der Tat so, sagt Carl I. Hagen, daß die Partei nicht nur Mitglieder angezogen

hat, die sich über die hohen Steuern und die überflüssige
Bürokratie ärgern, sondern leider auch allerlei Spinner,
ja sogar alte Nazis und andere »unerfreuliche Elemente«.
Einer seiner Anhänger ist zum Beispiel davon überzeugt,
daß die Regierung zielbewußt darauf hinarbeitet, das
norwegische Volk mit dem tückischen Milchfett zu vergiften. Andere verfassen Leserbriefe an Zeitungen, in
denen sie beklagenswerte Absichten über Menschen anderer Hautfarbe äußern. Er aber werde die Partei von
solchen Einflüssen zu reinigen wissen und sie spätestens
1989 zum Siege führen.

Was Carl I. Hagen nicht begreifen will, ist der Umstand,
daß er mit seinem anachronistischen Programm den tu-
gendhaften Vorstellungen seiner Landsleute ganz energisch, wenn auch in aller Unschuld, auf die Zehen tritt.
In Ermangelung anderer Bösewichter erscheint ihnen
schon der Kaufmann an der Ecke, wenn er nur laut
genug »Freie Bahn dem Tüchtigen!« ruft, als gewissenlo-
ser Rohling und gefährlicher Übeltäter, obwohl er nur
über einen Tante-Emma-Laden gebietet.

Das Flekkefjord-Syndrom

In meinem norwegischen Wörterbuch fehlt das Stichwort
Hedonismus. Statt dessen finde ich den Eintrag *ny-
tingssjuk*, zu deutsch: genußkrank. Schon immer hat an
den Einwohnern dieses Landes der Gewissenswurm ge-
nagt. Zunehmender Wohlstand und soziale Errungenschaften haben daran nichts ändern können. Fast ist man
versucht, zu sagen: im Gegenteil. Denn woran liegt es
wohl, daß es in Norwegen, wo man sich soviel Mühe
gegeben hat, diese Übel auszurotten, nach wie vor Unter-

drückung und Verbrechen, Wahnsinn und Drogensucht, Pornographie und Alkoholmißbrauch, Ungerechtigkeit und Rassismus gibt? Das kann nur an dir liegen, wispert das Schuldgefühl. Hingerissen lauscht der Einheimische dieser inneren Stimme und gibt ihr recht.

Die Gewissensbisse haben auch ihre angenehmen Seiten. Zum einen beweisen sie dem, der sie hat, eine gewisse moralische Vorzüglichkeit. Zum andern ersparen sie es ihm, hinter der Fata Morgana der irdischen Pracht, der Chimäre der Eleganz, dem Trugbild der Mode herzujagen. Wer in Norwegen lebte, war noch nie verpflichtet, wie der bedauernswerte Pariser, chic und *à jour* zu sein. Hier braucht man keinen Missoni: der alte bequeme Matrosenpullover tut es auch. Mit großem Erfolg hat sich das Land von den törichten Sitten und Gebräuchen der *middle class* abgekoppelt, deren kulturelle Hegemonie über alle anderen Industrieländer der Welt unbestritten ist. Und dies alles, obwohl die norwegische Bevölkerung überwiegend im sogenannten tertiären Sektor arbeitet und nach ihrer objektiven Klassenlage dem Kleinbürgertum zuzurechnen ist.

Aber werden die Dämme halten? Oder wird der neue Reichtum sie hinwegfegen? An bedrohlichen Zeichen fehlt es nicht. Jede Woche macht in Oslo eine neue Boutique auf. Immer mehr Cafés nennen sich *Fun Pub* oder *Petit Paris*. In den Schaufenstern wimmelt es von »Traumküchen«. Kürzlich wurde der erste Michelin-Stern für einen norwegischen Koch als nationales Ereignis gefeiert, und vor einem andern, weit weniger nennenswerten Lokal hat der Wirt ein Schild mit der barschen Behauptung aufgehängt: »Dies ist kein Restaurant, sondern eine Rôtisserie!« Das sind Alarmsignale. Auch daß man in der Hauptstadt neuerdings, zu Wucherpreisen und mit konvertitenhafter Strenge, den Spätfolgen der *nouvelle cuisine* ausgesetzt wird, gibt zu denken. Immerhin, solange Yves Saint-Laurent keine Filialen in Oslo, Bergen und Stavanger eröffnet, besteht noch Grund zur Hoffnung.

Wie dem auch sei, die Annäherung an den Mischmasch der internationalen Verschwendungsökonomie wird den Norwegern nicht leicht fallen. Ein hartes Training steht ihnen bevor, und ich befürchte, daß ihnen die Rolle des leichtfüßigen Sybariten noch manches schwere moralische Magengrimmen bescheren wird. Parasiten neigen bekanntlich zum Querulantentum und zur Selbstquälerei, und so ist nicht damit zu rechnen, daß die Norweger ihre Öleinnahmen ohne Reue verprassen werden.

Die Fähigkeit zum Überschwang sollte man ihnen allerdings nicht rundweg absprechen. Ihr neuester Versuch, sich des Lebens zu erfreuen, war von Erfolg gekrönt: Zum ersten Mal in ihrer Geschichte haben sie sich daran gewagt, den Karneval zu feiern. Von Oslo bis Tromsø tanzten kostümierte und geschminkte Norweger auf der Straße Samba bis in die tiefe Nacht. Der reinste Südlichkeitswahn machte sich breit, und die Begeisterung kannte keine Grenzen. Erst am andern Tag regten sich die obligaten Skrupel: War der Karneval wirklich *echt*, oder haben uns die Veranstalter manipuliert? Waren wir wirklich spontan? Usw.

Niemand weiß, wie der Kampf der verschiedenen Seelen in der Brust des Nordmanns ausgehen wird. Im allerschlimmsten Fall führt er zum Flekkefjord-Syndrom, einem gräßlichen Unentschieden.

Flekkefjord ist eine kleine Stadt an der Südküste, in der zur Blütezeit der Segelschiffahrt ein reges Leben geherrscht haben muß. Wehe dagegen dem Reisenden, der heute an einem Samstagnachmittag Flekkefjord betritt!

Der ganze Ort ist hermetisch geschlossen. Auch die »Kaffistova«, der alte Treffpunkt der Hausfrauen und der Bauern aus der Umgebung, ist verödet. Selbst die Tankstelle ist zu. Hier ist kein Apfel, keine Zeitung, keine Tasse Kaffee zu haben. Wer sich fragt, was aus den 3500 Einwohnern der Stadt geworden ist, der muß, um eine Antwort zu finden, das Hotel Maritim aufsuchen, ein klotziges Gebäude, in dem sich offenbar das ganze gesellschaftliche Leben dieser Gegend abspielt.

In der Halle grüßt ein fabrikneues, eichenfurniertes Stilmöbel: der Zigarettenautomat. Im Shanty Bistro mit seinen aufgeschlitzten Plastiksitzen trifft man die schmollende Sechzehnjährige an, die aus lauter Verzweiflung Kette raucht. Der dicke Mechaniker im Texashemd brütet über seinem siebenten Bier. Zwei Oberschüler kauern über einem piepsenden Videospiel. Die sklavische Nachahmung des großstädtischen Elends geht bis ins kleinste Detail. Wer Hunger hat, darf für 35 Kronen eine teigige Pizza essen, und zwar mit den Fingern, weil der Wirt sich ausgerechnet hat, daß das Besteck seine Bilanz belasten würde. Aus allen Lautsprechern dröhnt die unvermeidliche Pop- und Disco-Mischung aus der Dose, und am Eingang zu diesem Paradies, das von der Hölle kaum zu unterscheiden ist, verkündet ein Schild den beklagenswerten Gästen die folgende Schreckensbotschaft:

»Ordentlicher Anzug! Mit ordentlichem Anzug meinen wir, daß du zum Ausgehen angezogen bist. Jeans oder typische Freizeitkleidung werden hier nicht akzeptiert. Vom 1. September bis zum 1. Juni herrscht Jakkenpflicht, und am Freitag und Samstag sind Cordjacken nicht zugelassen. Wenn du an den übrigen Tagen Cord trägst, muß der Anzug als Ausgangsanzug geeignet sein. Diese Regeln sind eingeführt worden, damit alle Gäste sich wohlfühlen.«

Der eine sagte: »Das einzige, was ich von der norwegischen Gesellschaft verlange, ist, daß sie meine Fähigkeiten ausbeutet. Und das ist ziemlich viel verlangt.« – Die anderen waren auch nicht auf den Mund gefallen: »Unsere Wirtschaftspolitik? Die schlimmste denkbare Mischung von Plan und Markt. Richtungslose Turbulenz. Der Rest ist Fernseh-Entertainment.« – »Für ein Volk, das von Wikingerhelden und Polarforschern abzustammen glaubt, sind die Norweger bemerkenswert wehleidig. Ihr größtes Risiko besteht darin, daß sie so risikoscheu sind.« – »Daß Marx tot ist, können die Skandinavier verschmerzen. Aber Keynes?« – »Wir leben in einem ideologischen Interregnum. Doch das ist kein Grund, in Tränen auszubrechen.« – »Die Rechte hat nur die Erfahrungen der Leute mit der Bürokratie organisiert. Die sozialdemokratische Politik produziert konservative Wähler am laufenden Band.« – »Viele meiner Landsleute leiden unter der Zwangsvorstellung, der Staat sei dazu berufen, sie glücklich zu machen.« – »Am 1. Mai las ich auf einem Transparent: ›Arbeit für das ganze Volk!‹ Wenn das kein reaktionärer Slogan ist!«

Diese Aperçus stammen von verschiedenen Leuten, aber sie haben mehr miteinander gemein als den ketzerischen Tonfall. Sie drücken exakt die Mentalität einer kleinen, aber äußerst einflußreichen Gruppe aus, die sich, von der Öffentlichkeit kaum beachtet, im Norwegen der siebziger und achtziger Jahre herausgebildet hat. Ich möchte sie die intellektuellen Ratgeber nennen. Man trifft diesen neuen Typus an allen Schaltstellen von strategischer Bedeutung an: in Forschungsinstituten und Ministerien, Konzernleitungen und Banken. Vor allem aber sind sie in

Projektgruppen und ad-hoc-Komitees zu Hause. Das ist kein Zufall; denn diese informellen Gruppen sind meist auf ihre Initiative hin entstanden.

Der typische Ratgeber ist 30 bis 35 Jahre alt. Er ist kein Spezialist. Seine ersten gesellschaftlichen Erfahrungen hat er in den vielfältigen politischen Bewegungen gemacht, die nach 1968 auch Norwegen erfaßten, und er versteht sich heute noch als »aufgeklärter Radikaler«. Allerdings spricht er von seinem Hang zur Rebellion mit einem gewissen Sarkasmus. Überhaupt gehört die Selbstironie zu seinem moralischen Handgepäck. Die norwegische Neigung, sich einzuigeln, ist ihm fremd. Er legt eine leichte Weltläufigkeit an den Tag und fühlt sich durchaus als Europäer. Sein gesundes Selbstbewußtsein grenzt gelegentlich an Arroganz. Berührungsängste kennt er nicht, und den Vorwurf des Renegatentums hört er sich mit der größten Gelassenheit an.

»Ich hatte es eines Tages einfach satt«, erklärte mir einer dieser Wunderknaben, »immer nur recht zu haben, und als Beweis dafür einen Zeitschriftenaufsatz zu veröffentlichen. Ich wollte direkt an den Entscheidungen mitwirken, die hierzulande gefällt werden. Sie sind zu wichtig, als daß man sie Parteipolitikern oder Experten überlassen dürfte.«

»Also der berühmte Marsch durch die Institutionen«, sagte ich.

»Meinetwegen. Obwohl mir nach Marschieren nicht zumute ist. Diese Sprüche sind immer zweideutig. Wenn man zum Beispiel ›dem Volke dienen‹ will, muß man vom Populismus Abschied nehmen.«

Die Figur des Ratgebers nimmt eine eigentümliche Zwischenstellung ein zwischen der beamteten Technokratie und der traditionellen akademischen und literarischen Intelligenz, deren typische Ausprägungen keineswegs verschwunden sind. Man trifft sie nach wie vor überall in Norwegen an: den Caféhaus-Bohemien, den »kulturradikalen« Redakteur, den Dichter-Eremiten und den Seminarmarxisten. Nur wirken sie, im Vergleich zu den intellektuellen Ratgebern, hoffnungslos veraltet mit ihrem Hang zur Kraftmeierei und zum Idealismus, zur Heimatkunde und zur Selbstdarstellung, zum Geniekult und zur Schwärmerei, als wären sie ihrerseits Figuren aus einem norwegischen Roman der Vergangenheit. Die Ratgeber haben sich von diesem Milieu verabschiedet. Sie sind nicht berühmt, und sie legen keinen Wert darauf, im Fernsehen zu erscheinen.

Ich habe auch nicht den Eindruck, daß es ihnen um Planstellen mit Pensionsberechtigung geht. Sie halten sich ungern an die Spielregeln des Angestelltentarifs und betrachten es als eine Selbstverständlichkeit, die Hand zu beißen, die sie füttert.

»Trotzdem wird es, so wie ich eure Landsleute kenne, nicht ausbleiben, daß man euch Aufsteigertum und Karrierismus vorwirft.«

»Das ist nicht mein Problem«, erklärt mir Lars Buer, der Sekretär einer Projektgruppe für norwegisch-schwedische Zusammenarbeit. »Ich brauche nicht viel Geld, und auf Statussymbole kann ich verzichten. Norwegen gleicht nach wie vor einem Dorf. Da muß man mit einem eingefleischten Moralismus rechnen, der übrigens auch sein Gutes hat. Ich bleibe in meinem Reihenhaus, und ich werde mich hüten, mir einen Mercedes zu kaufen. Mein kleiner alter Volvo tut es auch. Hauptsache, meine Nachbarn sind zufrieden.«

Daß sie im ideologischen Zwielicht operieren, damit haben die Ratgeber sich offenbar abgefunden. An den Zielsetzungen des Wohlfahrtsstaates halten sie fest. Aber gerade deshalb gehören sie zu seinen schärfsten Kritikern. Die Linke habe die Initiative verloren, sagen sie. Defensive Reflexe seien keine Sozialpolitik. Den Kampf gegen den Vormünderstaat und den Abbau autoritärer Regelungen dürfe man nicht den Konservativen überlassen. Wer die Zukunftsangst zum Programm erhebe, habe politisch bereits abgedankt.

Vom herkömmlichen Typus des freien Intellektuellen trennt die Ratgeber nicht nur ihr Verhältnis zur Macht, sondern auch ihre Fähigkeit zur Kooperation. Einer von ihnen hat mir von ihren Frühstücksrunden erzählt. Man trifft sich privat und ohne Tagesordnung: junge Gewerkschaftler, die in die Forschungspolitik eingestiegen sind, Soziologen, die plötzlich über Millionenbudgets verfügen, Verlagsgründer, die Ölmanager, und Studentenpolitiker, die Währungsfachleute geworden sind. Noch vor zehn Jahren sind sie sich vielleicht auf der Tribüne irgendeines linksradikalen Kongresses begegnet. Heute disponieren sie über die wichtigsten Computernetze, und ihre Verbindungen reichen weit. Abseits der Dienstwege, hinter dem Rücken der Apparate, verständigen sie sich über ihre nächsten Züge. Anruf genügt. Fast könnte man sagen, sie bilden ein Kartell.

Der gesellschaftliche Hintergrund scheint in diesem Kreis keine Rolle zu spielen. Oxford-Absolventen finden sich neben Autodidakten, und der Sohn des Holzfällers wird ebenso kooptiert wie der Träger eines alten Beamtennamens. »Es handelt sich einzig und allein darum, die intellektuellen Ressourcen zu mobilisieren, ganz egal, wo sie sich finden. Das ist für unser Land mindestens so wichtig wie das Öl.«

Ein so rascher und vorurteilsloser Rekrutierungsprozeß wäre in anderen europäischen Gesellschaften undenkbar.

In Frankreich verläßt man sich auf die Kaderschulen, in Deutschland bevorzugt man die Ochsentour durch die Parteiapparate, und in England spielt die Klassenherkunft nach wie vor eine entscheidende Rolle.

Vor diesem Hintergrund wirkt die Fähigkeit des politischen und ökonomischen Systems in Norwegen, sich solche unbequemen Führungskader heranzuziehen, einigermaßen sensationell, vor allem wenn man bedenkt, daß die politische Polizei, die es auch in Norwegen gibt, über manche dieser Kandidaten zweifellos dicke Dossiers vorzuweisen hätte. Es handelt sich um die Umkehrung des deutschen Berufsverbots: hier sind es offenbar die Duckmäuser, die keine Chance haben.

Noch etwas anderes ist mir an den norwegischen Ratgebern aufgefallen: ihr nüchterner Optimismus, ihre Aufbruchsstimmung. Diese Gemütsverfassung ist im heutigen Europa eine Anomalie. Sie mag mit dem raschen beruflichen Erfolg zu tun haben. Aber diese Erklärung greift zu kurz. An allen Ecken und Enden begegnet man heute in Norwegen dem Gefühl, daß hier eine neue Gründerzeit angebrochen ist. Die materielle Basis dafür ist, mit all seinen Chancen und Risiken, das Öl.

Es bleibt die Frage, ob die *bright young men* nicht allzu glatt, allzu widerstandslos in ihre einflußreichen Positionen gelangt sind. Wie halten sie es mit den anachronistischen Tugenden des Landes? Denken sie nicht allzu elitär? Mischt sich in ihren Elan nicht eine Spur von Hochmut? Sind sie nicht, bei aller Selbstlosigkeit, ein Klub, eine Seilschaft, eine Mafia?

»Schon möglich«, sagen die Ratgeber. »Aber was bleibt uns anderes übrig?«

Postskriptum

Wörter, die mit *Post-* anfangen, sind immer verdächtig. Natürlich will ich damit nichts gegen den guten alten *Postboten* sagen. Auch Vokabeln wie *Postille* und *Postulat* haben ihren Sinn. Aber was ist mit der *Postmoderne?* Gibt es die? Wer das Wort in den Mund nimmt, stellt damit eine dreiste Behauptung auf, die durch keinen Beweis gedeckt ist, ganz zu schweigen von philosophischen Gummibärchen wie dem *Post-Strukturalismus* und den *post-materialistischen Werten*.

Auch die vielberufene *post-industrielle Gesellschaft* habe ich immer für eine journalistische Phrase gehalten. Seitdem ich aber mit angesehen habe, wie eine riesenhafte Ölplattform durch die einsamen, nebelverhangenen Fjorde von Rogaland geschleppt wurde, bin ich mir nicht mehr ganz so sicher.

Norwegens Uhren sind immer anders gegangen als die des Kontinents. Dieses Land ist das Reich der Ungleichzeitigkeit. Scharfsichtige Beobachter haben das früh bemerkt. Der berühmte Historiker Ernst Sars hat für dieses Aus-der-Reihe-Tanzen den klassischen Terminus geprägt: *»den norske utakt«*. Wahrscheinlich hat er es anders gemeint, aber was mich an dieser kleinen, peripheren Gesellschaft verblüfft, ist ein unbewußtes Kunststück, das ihr in den letzten 170 Jahren immer wieder gelungen ist: sie hinkt hinter der Zeit her und ist ihr zugleich voraus.

Auf der einen Seite liebt sie den Anachronismus und hält zäh an vormodernen Denkweisen und Lebensformen fest. Auf der andern Seite neigt sie zu bedenkenlosen Vorgriffen auf die Zukunft. (Mit einem Begriff aus der Verhaltensforschung könnte man diese Ausbrüche ins

Unbekannte als Übersprungshandlungen erklären.) Eine homogene, gleichmäßige Entwicklung ist unter solchen Voraussetzungen nicht möglich. Deshalb sind die Norweger auch nicht imstande, ja nicht einmal bereit, fremde Vorbilder konsequent nachzuahmen. Der letzte Versuch dieser Art, die Imitation des schwedischen Modells, ist zwar nicht folgenlos geblieben, im Grunde aber doch gescheitert. Auch die Hartnäckigkeit, mit der sich das Wahlvolk der Integration in die Europäische Gemeinschaft widersetzt hat, ist ein Indiz für den asynchronen Gang der norwegischen Geschichte. Das alles wirft ein Licht auf den Doppelcharakter, der ausländischen Betrachtern immer wieder an den Bewohnern des Landes aufgefallen ist: sie sind Hinterwäldler und Kosmopoliten zugleich. Heute ist Norwegen Europas größtes Heimatmuseum, aber auch ein riesiges Zukunftslabor.

Es gibt Märchenforscher, die behaupten, das Aschenputtel aus der Grimmschen Sammlung sei ursprünglich kein Mädchen, sondern ein Mann gewesen. Sie können sich dabei auf die norwegische Überlieferung berufen. Die beliebteste Märchenfigur des Landes, der Askeladden, ist ein scheinbar unbedarfter Geselle, der, wie sein Name sagt, immer in der Asche herumstochert. Er ist der faulste von drei Brüdern und so gutmütig, daß alle Welt ihn für ziemlich zurückgeblieben hält. Aber zum Verdruß seiner fleißigen, berechnenden, ehrgeizigen Brüder ist er es, der die Prinzessin heiratet. Er findet sein Glück so, wie die Norweger ihr Öl gefunden haben: ohne sich allzu sehr dabei anzustrengen. Es bewahrheitet sich, was Askeladden in seiner Dusseligkeit nie bezweifelt hat: nämlich, daß er zu den Auserwählten gehört.
Was aber fangen die glücklichen Gewinner an, nachdem sie das große Los gezogen haben? Nichts besonderes. Sie

treiben nur ihre alten Vorlieben auf die Spitze, die sich nun unversehens als zukunftsträchtig erweisen: ihren Hang zur Übersichtlichkeit und zur Dezentralisierung, zur Nachbarschaftshilfe und zum gesunden Leben, ihren Ahnenkult, ihre Sportleidenschaft, ihre Liebe zur Natur. Und dabei kommt ihnen zugute, daß sie vieles versäumt haben, was anderswo auf der Tagesordnung stand: die Konzentration der Bevölkerung in Millionenstädten, die Entwicklung rußiger Industr1ereviere, den Ausbau engmaschiger Autobahnnetze, die Gewöhnung an strikte Arbeitsdisziplin und an hektische Verschwendung.

Selbst in ihren jüngsten und zukunftsträchtigsten Projekten kehren alte Motive, Neigungen und Fähigkeiten wieder: die traditionelle Fischerei in der Aquakultur, die Heidenmission in der Entwicklungshilfe, die Emigration im Projekt-Export, die Polarforschung in der Ölexploration, die Seefahrt in der Marinetechnologie und die Landwirtschaft in der Biotechnik.

Einige wenige, hochentwickelte Sektoren werden dabei einer Bevölkerung als materielle Basis dienen, die sich von der primären und sekundären Produktion längst verabschiedet hat. Erst unter diesen Bedingungen kommt der Wohlfahrtsstaat zu sich selbst. Die meisten Beschäftigten werden sich um die Kinder, die Alten und die Kranken kümmern. Der Rest ist Freizeit.

Auch der Restaurierung der Vergangenheit wären in einer solchen Gesellschaft kaum Grenzen gesetzt. Nicht nur alte Gebäude, sondern auch ausgestorbene Handwerke lassen sich wiederherstellen. Wer reich genug ist, um sich so »armen« Tätigkeiten zu widmen, kann sich sein Brot selber backen und nach Herzenslust töpfern und spinnen. Hartvig Saetra, der stille Berserker, hat sogar allen Ernstes die Einrichtung von Nationalparks gefordert, in denen Tausende von Bauern, vom Staat

bezahlt, ohne Chemie und Maschineneinsatz, mit altertümlichen Mitteln, hinter Roß und Pflug ihrem Beruf
nachgehen sollen, um aussterbende Techniken und Bio-
tope zu konservieren.

Damit wäre der ehrwürdige norwegische Anachronismus endgültig in sein post-industrielles Stadium getreten. Außerhalb einiger hochtechnisierter Enklaven
könnte sich eine Nation von Lehrern und Joggern, Fürsorgern und Gärtnern, Pflegern und Bastlern in einem
324000 Quadratkilometer großen Freiluftmuseum erge-
hen.

Sonderbarerweise erinnert diese Utopie an die Vorstellungen eines deutschen Philosophen, der sich einen Zustand ausgedacht hat, wo »die Gesellschaft die allgemeine Produktion regelt und mir eben dadurch möglich
macht, heute dies, morgen jenes zu tun, morgens zu
jagen, nachmittags zu fischen, abends Viehzucht zu treiben, nach dem Essen zu kritisieren, wie ich gerade Lust
habe, ohne je Jäger, Fischer, Hirt oder Kritiker zu werden.« (Karl Marx, 1845/46)

Ich glaube allerdings kaum, daß Norwegen im Begriff ist,
sich in eine kommunistische Gesellschaft zu verwandeln.
Auch liegt es den Norwegern fern, sich als Vorbild für
den Rest der Welt zu verstehen, und zwar schon deshalb,
weil sie sich für den Rest der Welt nicht besonders interessieren. Im übrigen ist Norwegen ohnehin kein »Modell«, sondern eine Versuchsanordnung unter extremen,
nicht wiederholbaren Bedingungen. Niemand weiß, was
bei diesem Abenteuer herauskommen wird, und ob ihm
die Bewohner des Landes politisch, psychisch und moralisch gewachsen sind. Schon heute hängen sie, wissentlich
oder nicht, am Tropf der Ölwirtschaft. Ein Hauch von
Künstlichkeit und Frührentnertum liegt über der Szene.

Norwegen, diese Extravaganza an der Peripherie Europas, zwischen Ölterminal und Sommerhütte, Einödhof
und Glasarchitektur, Kapitalexport und Gottesfrieden,
ist nicht das irdische Paradies, sondern ein Monument
des Eigensinns, und eine maulende Idylle.

Polnische Zufälle

Nach zehn Uhr abends sind die riesigen Magistralen der
polnischen Hauptstadt völlig menschenleer, die Fenster
der Granitfassaden und die Vitrinen der staatlichen Warenhäuser liegen im Dunkeln. Im Zentrum der Stadt,
dort, wo die Jerusalemer Allee die Marszałkowska
kreuzt, steht seit Jahren ein Bretterzaun; der spärliche
Verkehr macht einen Bogen um die Baustelle. Ein schweres, bleiches Nebelfeld, halb Dunst, halb Smog, in dem
die Nadelspitze des Kulturpalastes verschwindet, liegt
über Warschau. Hier sind die Gehsteige fünfundzwanzig
Meter breit; die wenigen Menschen, die noch unterwegs
sind, wirken verloren in diesen schnurgeraden, nassen
Straßenfluchten. Alte Frauen, Schichtarbeiter, Rentner,
Jugendliche, jeder für sich, in wattierte Jacken gepackt,
torkeln in weiten Abständen vorbei, starren die Attrap-
pen in den Schaufenstern an, stoßen halblaute Verwünschungen aus. Eine leere Flasche zerklirrt auf dem Pflaster. Niemand beachtet diese isolierten Gespenster. Sie
schwanken, aber sie gehen nicht zu Boden. Nicht einmal
die Miliz läßt sich um diese Stunde blicken.

Wo halten sich die 1600000 Bewohner der polnischen
Kapitale verborgen? Im Zentrum sind wenig Zufluchts-
orte zu finden. Die Restaurants sind selten, und sie
schließen früh. Das »Shanghai« ist eine zugige, unwirtliche Halle; die Beleuchtung ist trüb, das Essen lauwarm,
chinesische Speisen gibt es nicht; die wenigen Gäste machen, daß sie nach Hause kommen. Am Taxi-Halteplatz
ist kein Taxi zu sehen. Die Leute in der Warteschlange
machen einen resignierten Eindruck. Die meisten Warschauer sind zu Haus geblieben, in den endlosen Wohnsi-
los, die vor der Stadt die masowische Ebene bedecken, so
weit draußen, daß man sie hier »die Falklands« nennt.

Die leeren Aufmarschstraßen und Plätze in der Stadt-
mitte decken ein Gräberfeld zu. Mehr als hundertfünf-
zigtausend Tote blieben im Herbst 1944 nach dem Warschauer Aufstand in den Trümmern zurück. Die Überlebenden wurden deportiert. Die Deutschen waren bereits
geschlagen, aber sie setzten ihre letzten Kräfte daran,
jede Erinnerung an die Stadt vom Erdboden zu vertilgen.
Minutiös und fachmännisch wurden die Ruinen, die
übriggeblieben waren, gesprengt. Fast alle öffentlichen
Gebäude, die Kirchen, die Paläste, die Universität, der
Rest des königlichen Schlosses wurden geschleift; sogar
die Kabel wurden aus der Erde gerissen. Hitler schien
sein Ziel, die Stadt für immer unbewohnbar zu machen,
erreicht zu haben.

Heute erheben sich auf dieser *tabula rasa* die maßlosen
Paläste des Stalinismus. Ihre aufgeklebten Fassaden verkünden den Triumph einer anderen fremden Macht. Sie
decken die Leere zu, aber das Nichts scheint durch. Nur
in manchen Hinterhöfen finden sich Spuren älterer An-
siedelung, wurmstichige, baufällige, enge Mietshäuser,
übersät mit den Blatternarben des Krieges.
Fast ein halbes Jahrhundert ist es jetzt her, daß diese
Stadt, diese Trümmerhalde befreit wurde; immer noch
glaubt man, wenn man sie durchquert, jenen Geruch auf
der Zunge zu spüren, an den sich jeder erinnert, der das
Jahr 1945 erlebt hat: Brand und Karbol, Ruß und Schutt.
In Warschau gibt es keine Verdrängung. Hier sind Zerstörung und Mangel, Unterdrückung und Notwehr Stein
geworden. Es ist die einzige Stadt Europas, die vierzig
Jahre nach dem Waffenstillstand immer noch in der
Nachkriegszeit lebt.
Wenn die Polen vom »Krieg« sprechen, meinen sie nicht
nur den deutsch-sowjetischen Überfall von 1939 und die

Jahre der Okkupation, sondern auch das Vorgehen ihrer eigenen Armee im Dezember 1981. Was damals geschah, ist schwer in ein einziges Wort zu fassen. Ausnahmezustand? Aber als Ausnahme betrachtet die Regierung Jaruzelski den Zustand, dem sie gewaltsam ein Ende machte. Kriegsrecht? Aber von Recht konnte bei diesem Putsch keine Rede sein. Belagerungszustand? Aber wer war der Belagerer, wenn nicht das polnische Volk?

In der Verfassung der Volksrepublik war ein solcher Fall nicht vorgesehen; er war den Stalinisten undenkbar erschienen. So mußte der General auf die Bestimmungen über den militärischen Verteidigungsfall zurückgreifen, um seinem Eingreifen einen konstitutionellen Anstrich zu geben. Diese Lösung hatte allerdings einen Nachteil: Das Regime war gezwungen, der eigenen Bevölkerung in aller Form den Krieg zu erklären. Abends, auf den ausgestorbenen Straßen, im Schatten der Monumentalgebäude, ist der Schock, obwohl der »Kriegszustand« längst aufgehoben wurde, bis auf den heutigen Tag zu spüren.

Warschau, Montag

Nach zwei Tagen zielloser Fußwanderungen durch die unbekannte Stadt bin ich ziemlich erschöpft. Ich wohne in einem Viertel, wo sich die Ministerien konzentrieren: Schwerindustrie, Energie, Bergbau. Hier residieren die Eisenköpfe, die Einpeitscher einer Industrialisierung, die längst zum Alptraum geworden ist. Geballter Zentralismus. Unter Aktenbergen begraben die Projekte der forcierten Akkumulation: absaufende Gruben und bankrotte Hüttenwerke, Denkmäler des Raubbaus und des

Größenwahns. Die Verwalter der Katastrophe sitzen in ihren Waben, frühstücken in Hemdsärmeln und telefonieren.

Ein paar Straßen weiter die großen Warenhäuser. Das Einkaufen ist eine harte, aufreibende, langweilige Arbeit. Nur wer über genaue Kenntnisse und ein gutes Stehvermögen verfügt, ist ihr gewachsen. Die Kunden, meist Frauen, machen den Eindruck hochtrainierter Experten. Hier herrscht nicht die Armut, sondern der Mangel. Wut oder Verzweiflung wären fehl am Platz. Geistesgegenwart und eiserne Geduld sind die Tugenden, die man benötigt, um zu überleben. Die einzelnen Stände sind entweder leer oder überfüllt, je nachdem, was fehlt und was »*sie* geworfen haben«. Dieser Ausdruck stammt aus der Sowjetunion. Knappe Konsumgüter erscheinen plötzlich, niemand weiß wann, wo, warum, wie vom Himmel gefallen; man stürzt sich auf sie wie der Hund auf den Knochen. Heute gibt es Spülmittel, das in mitgebrachte Kanister und Flaschen abgefüllt wird, und Klopapier in unförmigen Ballen.

Die Preise sind völlig nebelhaft. Die Straßenbahn kostet fast nichts, telefonieren kann man für ein Achselzucken, aber auf dem Schwarzmarkt tanzen die Nullen. Vermutlich sollen die administrierten Preise irgend etwas »steuern« oder die rasante Inflation des Złoty kaschieren, aber das Resultat ist chaotisch. Um den wirklichen Wert einer Ware oder einer Dienstleistung zu fixieren, ist eine zweite Währung nötig. Als ökonomisches Urmeter dient in Polen der Dollar. Ungeachtet seiner Schwankungen gilt er als unverrückbare, beinahe metaphysische Größe. Der Staat hat es längst aufgegeben, seinen übernatürlichen Zauber zu bekämpfen; er tritt statt dessen als der größte Schwarzhändler des Landes auf. Seine Agenturen werben ganz offen für Luxusreisen nach Paris,

Miami und Ägypten, zahlbar in Dollars. Die Passanten, die diese Angebote studieren, finden das normal; sie sind es gewohnt, daß man sie verhöhnt. Neun Millionen Polen leben im Ausland. Wer wollte sie hindern, ihren Freunden und Verwandten zu helfen? Wer würfe da den ersten Stein? Sieht die zierliche Greisin, die, mit einem schweren Einkaufsnetz bepackt, aus dem PEWEX-Laden kommt, wie eine Schieberin aus? Sie hat nur Waschpulver und Zahnkrem gekauft, Kaffee für ihre Tochter, Schokolade für ihren Neffen. PEWEX ist die allgegenwärtige Schwarzhandelszentrale des Staates. Die Auflösung des Akronyms drückt den Wahnsinn aus, der hier Methode geworden ist: »Staatsunternehmen für den inneren Außenhandel«.

Wenn die Parks nicht wären, müßte man sich um die psychische Gesundheit der Warschauer Sorgen machen. Aber nie braucht man weiter als zehn Minuten zu gehen, um der beklemmenden Architektur dieser Stadt zu entrinnen. Die Parks sind ihre idyllische Kehrseite. Hier steht die Zeit still. Breite Alleen, melancholische Teiche, bemooste Treppen, die zu den Flußniederungen führen, in Gedanken versunkene Rentner, viele Kinderwagen, Schlösser mit verrammelten Fensterläden, vor sich hindämmernde Pavillons, Schwäne und Trauerweiden. Das urbane Warschau besteht nicht aus Stein, sondern aus Vegetation.

Ein anderer Zufluchtsort ist die Altstadt. Sie ist nicht nur die größte, sondern auch die großartigste Fälschung der Welt. 1945, als Warschau am ärmsten war, als es an allem fehlte, an Geld, Material, Essen, Maschinen, und als niemand wußte, wie eine Dollarnote aussah, hatten seine Bewohner nichts besseres zu tun, als diese Straßenzüge aus dem 17., 18. und 19. Jahrhundert mit bloßen

Händen, auf den Zentimeter genau, im Maßstab 1:1 wieder aufzubauen, eine einzigartige Donquichotterie von heroischem Ausmaß. Mit diesem Werk nahmen die Polen den Wiederaufbau Europas vorweg. Sein Gelingen zeigt sich daran, daß die Kühnheit des Entschlusses im Lauf der Jahre unsichtbar geworden ist. Bewohner und Besucher bewegen sich auf diesen Plätzen, in diesen Gassen und Häusern wie in jeder andern Altstadt Europas, wie in Santiago, Stockholm oder Bergamo. Es ist, als hätte die Vergangenheit diese Mauern eingeholt. Eine sekundäre Patina überzieht sie. Schon fehlt es an Geld, sie zu renovieren. Nur wer genau hinsieht, den überkommt eine Art geschichtsphilosophisches Schwindelgefühl, wenn er sich fragt, ob dieser Rinnstein, jener Türgriff alt alt oder neu alt ist. Mit ihrem hochfliegenden Projekt haben die Polen nicht nur alle Aporien des Denkmalschutzes vorweggenommen, sondern einem ganzen Erdteil gezeigt, was es heißt, die eigene Geschichte zu rekonstruieren.

Warschau, Dienstag

»Und das ist die Weichsel, der breite flache Strom. Keine Strömung: der Spiegel flinkert gleichmäßig. Gelbe Sandmassen treten dicht an die Oberfläche. Kleine Schiffe warten am Ufer. Die Sonne wirft den Schatten des Brückengitters über das Wasser. Das Ufer drüben ist sandig, grasbewachsen. Arbeiter lungern herum; Schienen, dampfende Lokomotiven. Lange geht man über diese Brücke, viele ärmliche Menschen wandern herüber... In eine dürftige Gegend bin ich dann herübergekommen, die mich erfreut, wie alle trüben unordentlichen lebendigen Orte: an Kirchen, Palästen gleite ich zu schnell ab. Das ist Praga. Körbe schleppen Bäuerinnen in losen geblümten Leinenröcken... Eine breite Allee führt rechts ab. Jämmerliches Pflaster, kleine Häuser mit unsauberen Fronten. Ein Spalt öffnet sich zwischen zwei Häusern: der Eingang zu den Verkaufsständen. Es sind kleine rote Holzbuden, für Obst, Kleider, Stiefel. Die Menschen, die verkaufen, sind fast nur Juden. Manchmal steht eine ganze Familie hinter dem kleinen Tisch... Wieviel leidende Gesichter, weißpergamentene Gesichtsfarbe, die Frauen mit unordentlichem Haar, ältere Frauen mit dicken Lippen, großen Augen, hängenden Backen von einer schrecklichen Häßlichkeit.«

Sechzig Jahre später scheint die Vorstadt auf dem anderen Ufer unverändert, armselig aber lebendig, so wie Alfred Döblin sie beschrieben hat. Nur die Juden sind nicht mehr da. Ach Kreuzberg, Prenzlauer Berg, Wedding und Lichtenberg – was sind diese Berliner Überbleibsel im Vergleich zu Praga, dem einzigen Viertel Warschaus, wo nicht die Nachkriegs- sondern die Vorkriegszeit herrscht, wo eine ältere Vitalität, unauflöslich vermischt mit einer älteren Misere, die Gesichter zeichnet. In der Ząbokowska sind die Balkone schon vor einem Menschenalter von den Fassaden gebrochen, verrostende Armiereisen starren aus den nackten Ziegelmauern. Auf dem Markt daneben stehen alte Frauen stundenlang und halten eine Mütze, ein Hemd an die Brust gepreßt, das einzige, was sie zu verkaufen haben. Proletarische Armut, durchsetzt von der kriminellen Energie der Asozialen, Schmuggler-, Huren-, Säufer-Terrain. Das winzige Schaufenster der Hutmacherin, Staub auf pastellfarbenen Kreationen, wehmütige Reminiszenz an eine Zeit, da Warschau als das Paris des Ostens galt, daneben eine schmuddlige Friseurstube, eine Flickschusterei. Im Hinterhof, zwischen Mülleimern, Brandmauern, mit Girlanden kleiner Glühbirnen umkränzt, die Tag und Nacht glühen, eine Madonna unter dem himmelblau gemalten Baldachin; auf Spitzendeckchen ganze Pyramiden von frischen Blumensträußen in Konservendosen; zwei räudige Katzen haben sich vor diesem Hausaltar niedergelassen.

Ein paar Straßen weiter eine alte Fabrik, rußiger Ziegelbau mit zinnenbewehrten Türmchen. Vor den blinden Scheiben ein Baugerüst, das im Lauf der Jahre selber baufällig geworden ist; über dem Tor der weiße Adler des polnischen Staates. Mit Hilfe meines Taschenwörterbuches entziffere ich das Schild an der Pforte: *Warschauer Staatsbetriebe der Spirituosen-Industrie*, und das Transparent an der Fassade: »Das Bündnis zwischen Arbeiter und Bauern – Fundament für die günstige Entwicklung Polens«.

An der Haltestelle Wileńska tobt ein Besoffener; er hat es auf mich abgesehen, ich weiß nicht warum. Die Miliz beruhigt ihn mühsam. Ein Student erklärt mir, was der Mann, ein schnauzbärtiger Dreißiger mit der Figur eines Boxers, zu sagen hatte: »Ich bin ein Arbeiter, ich habe ein Recht darauf, zu brüllen!« Es war mein roter Schal, der ihn zu diesem Ausbruch veranlaßt hat.

Ein schäbiger Hautgoût liegt über der Hotelhalle. In den internationalen Karawansereien des Ostblocks zeigt sich die Koexistenz von ihrer anrüchigsten Seite. Mühsam wird der luxuriöse Schein gewahrt, doch die Teppiche sind ausgefranst und die Bezüge der Fauteuils schmierig. Kleine feiste Bonzen in mausgrauen, viel zu weiten Anzügen, die Trevira-Krawatte bis zum Ersticken festgezurrt, eilen zur Internationalen Begegnung der Sozialistischen Jugendpresse. Aus dem Hintergrund dröhnendes

Stammtischlachen; das sind die westdeutschen Techniker auf Montage. Zwei Touristinnen aus Kalifornien wühlen verzweifelt im Angebot des Zeitungskiosks; nicht einmal die *Humanité* oder der *Morning Star* ist hier zu haben, geschweige denn die *Herald Tribune*; das einzige ausländische Presseerzeugnis, das den Gästen zur Verfügung steht, ist die *Pravda*. Ein schwarzer Pop-Musiker mit verfitzter Rasta-Frisur bewacht einen Turm von Elektronik- und Instrumentenkoffern. Der Mann im räudigen Pelzmantel, der in einem riesigen Sessel schlummert, sieht aus wie ein Abgesandter des alten Rußland. Sein weißer Patriarchenbart ist gelblich verfärbt. Ich kenne ihn schon. Tag und Nacht bewacht er die entsetzlichen Ölgemälde, die in einem Winkel des Foyers auf ausländische Idioten warten, die ihre Dollars gegen polnischen Kitsch eintauschen wollen – ein durchaus legales Geschäft.

Aber was mag wohl die Bäurin im schwarzen Kopftuch hier suchen? Sie hat einen rosa Plastikeimer auf dem Schoß, der mit frischen Pilzen gefüllt ist. Geldwechsler, die wie Spitzel aussehen, tuscheln mit Geheimpolizisten, die mit Devisen handeln. Ein Trupp von Koreanern eilt kompakt zum Fahrstuhl; die Mitglieder der Delegation blicken weder nach links noch nach rechts; eigentlich sehen sie wie Mormonen aus. Rätsel gibt der mürrische junge Araber auf, der sich dauernd nervös durchs pomadisierte Haar fährt. Er ist stumm, aber nicht bargeldlos. Ab und zu fingert er an einer dicken Rolle von Banknoten herum, die er aus seiner Hüfttasche holt – ein Angestellter der irakischen Botschaft? ein Gastarbeiter aus Berlin auf der Suche nach Huren? ein Terrorist, der auf den Kurier mit den Zündkapseln wartet? Er kaut an den Nägeln, er zieht ein Buch hervor, liest ein paar Sätze, klappt das Buch wieder zu; kyrillische Buchstaben. Vielleicht ist er hier, um Lenin zu studieren. Oder nimmt er nur an einem Symposion über Kunstdünger teil?

Es geht mir wie ihm, ich bin nervös, niedergeschlagen, ungeduldig. In meinem Zimmer ist der Wasserhahn versiegt. Es ist winzig, zweieinhalb mal vier Meter, und es kostet pro Nacht 9000 Złoty, das ist die Hälfte dessen, was ein Lehrer im Monat verdient. Die Möbel erinnern an ein Studentenheim aus den frühen fünfziger Jahren. An der Innenseite der Tür ist ein mysteriöses Verkehrszeichen angebracht. Im roten Kreis ist ein graues, schlingenförmiges Objekt zu sehen; ein roter Querbalken zeigt, daß es sich um ein Verbot handelt. Erst nach langem Grübeln kommt mir die Erleuchtung. In meinem Zimmer dürfen keine Tauchsieder verwendet werden.

Mein Wiener Freund hatte das alles kommen sehen. Immer sind es die Wiener, ich weiß nicht warum, die sich in diesem Teil der Welt am besten auskennen. »Du willst nach Polen fahren?« hatte er mich gefragt, die Hände hinter dem Kopf verschränkt, genüßlich hingestreckt auf sein altertümliches Sofa. »Ohne Freunde, ohne Verbindungen, ohne ein Wort Polnisch? Viel Vergnügen!«

»Aber meine Ignoranz ist das einzige, was ich Leuten wie dir voraus habe«, wandte ich ein. »Ihr seid Ostexperten, und das bedeutet, ihr seid allwissend. Das ist euer Problem. Ich dagegen lasse mich überraschen.«

»Ich kenne dich. Nach drei Tagen hast du Blasen an den Füßen; denn du willst zwar alles sehen, aber kapieren wirst nichts.«

»Also?« – »Also brauchst du einen Guide. Einen Cicerone... Reg dich nicht auf, ich meine ja nicht die Leute vom amtlichen Reisebüro, die dir die Sehenswürdigkeiten zeigen... Nenn es wie du willst: Schutzengel, Bärenführer, Leibwächter, Gouvernante... Ich gebe dir ein paar Telefonnummern. Wenn du aufgeschmissen bist, rufst du einfach an.«

Ich holte den Zettel aus der Tasche und machte mich an die Arbeit. Es ist kein leichtes Unterfangen, sich einen Weg durch das Warschauer Telefonnetz zu bahnen. Wenn die Leitung nicht gänzlich tot bleibt, eröffnet sich dem Anrufer eine Vielfalt akustischer Reize: Amts- und Besetztzeichen in allen Tonlagen, fremde Gespräche, Pfeif- und Brummtöne und eigentümliche, regelmäßige Knackgeräusche. Ich ließ mich nicht abschrecken, und nach einer Dreiviertelstunde war ich am Ziel. Ich hatte, für den kommenden Nachmittag, ein Rendezvous mit dem wirklichen Warschau.

Warschau, Mittwoch

Aber zuvor war mir noch ein Blick in das Reich der Phantasie beschieden. Der Zufall führte mich in das Renaissance-Schloß der polnischen Könige, einen Neubau, der soeben fertiggestellt worden war. Ich wurde dort zum Zeugen eines Staatsakts. Bemützte Wächter wiesen mich in einen Saal, der vor Gold und Purpur strotzte. Niemand fragte nach meiner Einladung; privaten Terrorismus scheint es in Warschau nicht zu geben. An den Wänden standen, dicht gedrängt, unter historischen Ölschinken, Offiziere in Galauniform, Regierungsbeamte, Parteifunktionäre; nur der Klerus war nicht vertreten. Ihnen gegenüber, an der Fensterseite, war eine höchst sonderbare Gesellschaft aufmarschiert, halb Caféhaus, halb Lehrerzimmer, Figuren wie aus einem alten Fotoalbum: es fehlte weder der ziegenbärtige Visionär noch der klassische Geck, weder die Klavierlehrerin im himmelblauen Kostüm noch der ondulierte Buffo-Schauspieler. Im rückwärtigen Teil des Saales hatte ein Sängerchor aus schwarzbefrackten Herren und Ehrenjungfrauen in wallenden weißen Gewändern Posten gefaßt. Während die letzten Handküsse ausgeteilt wurden, erhob der kleine drahtige Dirigent die Hand, und die Hymne *Mater Poloniae* stieg aus fünfzig Kehlen auf.

Woran mochte es liegen, daß der gewünschte Effekt ausblieb? Die feierliche Stimmung wollte nicht aufkommen. Eine Reminiszenz schwirrte durch den Saal, hartnäckig und flüchtig wie eine Stubenfliege. Woher kannte ich diese Szene? Ich fühlte mich in eine Provinzstadt des 19. Jahrhunderts versetzt. Richtig! Der breitbeinige Würdenträger auf dem Podium, dem die triumphierende Borniertheit aus den Augen leuchtete, war kein anderer als der Stadthauptmann aus Gogols *Revisor*, und die Herrschaften seiner Begleitung stammten alle aus diesem genialen Stück: es fehlte weder der händereibende Schulinspektor noch der vergrämte Verwalter der Wohlfahrtsanstalten, und auch die unzerbrechlichen Polizeigesichter waren vollständig angetreten.

Sie alle hatten sich versammelt, um der Kultur zu huldigen. Um es mit den Worten des unsterblichen Chlestakov zu sagen: »Mit Puschkin stehe ich auf freundschaftlichem Fuße... Es kommt oft vor, daß ich zu ihm sage: Nun, Freund Puschkin, wie geht's wie steht's? – Wie soll es gehen, Bruder, erwidert er, soso lala...« Mit einem Wort, es war der Zweck der Übung, Orden und Preise an die verdienten Kulturschaffenden auszuschütten, die in Kompagniestärke erschienen waren; der Fülle dieses Segens nach zu schließen, mußte zwischen dem Regime und der Intelligenz das herzlichste Einvernehmen herrschen.

Nun sehen Leute, denen soeben ein Orden verliehen

wird, selten sonderlich intelligent aus, und so wirkte die Genugtuung der Ausgezeichneten eher peinlich, ihre Rührung linkisch. Nur der Preisträger erster Klasse, ein alter Herr in ausgebeulten Hosen, der eine dunkle Brille aufgesetzt hatte, konnte seine Ungeduld kaum unterdrücken, als hätte man ihm eine Demütigung zugedacht. Zwei Herren aus dem Ministerium arbeiteten gleichzeitig – sonst hätte die Veranstaltung sich endlos hingezogen –, gefolgt von zwei Sekretärinnen, die ihnen auf vernickelten Serviertabletts stapelweise dunkelrote Schachteln und Urkunden nachtrugen. Während sie nadelten, hefteten und nestelten, während es blecherne Kreuze und Sterne regnete, drang durch die Stille ein eigentümliches Geräusch, ein unregelmäßiges dumpfes Hämmern. Vielleicht wurde irgendwo im Schloß ein Rohr freigelegt, eine Heizung repariert, eine Mauer durchstoßen; oder sollte die polnische Arbeiterklasse ausgerechnet hier und heute beschlossen haben, an den Grundfesten des Staates zu rütteln? Alle taten, als hätten sie es nicht gehört, aber nicht einmal der Vizepremier war imstande, diesem beharrlichen unterirdischen Pochen ein Ende zu machen.

Spät abends. Gerettet! Als sie durch die Drehtür trat, begriff ich nicht sogleich, daß diese schlanke Person, knapp dreißig, blauer Hut, blauer Mantel, damenhafte Haltung, mein Schutzengel war. Eine Veterinärin im zehnten Semester hatte ich mir – blödes Vorurteil! – anders vorgestellt, unscheinbar, womöglich mit dicken Brillengläsern und in Galoschen. Jadwiga, denn so hieß sie, war blond, sachlich und unnahbar, das Gegenteil der »pikanten Polin«, wie sie durch ältere Filme und Romane geistert. Sie musterte mich aus hechtgrauen Augen, und meine niedergeschlagene Miene schien sie zu amüsieren; ein leichter Silberblick trug zu diesem Eindruck bei. Am Telefon war sie unverbindlich geblieben, Namen wurden nicht genannt, auch die Hotelhalle schien ihr zu mißfallen; aber kaum waren wir auf der Straße, kam sie zur Sache.

Die öden Monumentalbauten überging sie mit Schweigen. Für die Alltagsmisere hatte sie nur einen Satz übrig: »Komisch«, sagte sie, »1945 waren wir unter den Siegern. Vierzig Jahre später stehen wir als Bettler da.« Achselzucken; worauf es ihr ankam, was sie mir zeigen wollte, war etwas anderes: das Warschau in ihrem Kopf, eine symbolische Topographie. »Hier, wo wir jetzt stehen«, sagte sie, »warteten die Mannschaftswagen der Bereitschaftspolizei, und da drüben, wo das Pflaster aufgerissen ist, vor dem Bretterzaun, war das große Blumenkreuz. Der Platz hier heißt Siegesplatz, vormals Adolf-Hitler-Platz, vormals Sächsischer Platz... Sehen Sie das Schild an der Ecke? Fotografieren verboten. Wissen Sie warum? Hier residiert die Politische Abteilung der Armee. Da oben im zweiten Stock hat Jaruzelski seinen Putsch geplant.«

Meine Begleiterin folgte einem anderen, unsichtbaren Stadtplan, in dem keine Parkplätze und Bushaltestellen eingetragen waren.

»Dieses Denkmal soll die polnischen Gefallenen des letzten Krieges ehren. Ich finde es scheußlich. Der Platz dort drüben ist nach einem Blutsäufer benannt, einem gewissen Dzierżyński. Der Gründer der Čeka, heute KGB, war nämlich Pole, müssen Sie wissen, Sohn eines adligen Grundbesitzers.« Es gab keine Ecke, die Jadwiga nicht an einen Aufstand, an ein Verbrechen, an einen Klassiker, eine Verschwörung, einen Heiligen oder einen Unterdrücker erinnert hätte.

»Hier wurde die Verfassung vom 3. Mai 1791 beschlossen – Sie wissen doch, die erste geschriebene Verfassung Europas.« (Ich hatte keine Ahnung.) »An dieser Mauer haben die Deutschen Hunderte von Gefangenen erschossen. Dort wurden die Konföderierten von Targowica aufgehängt.« (Ich wagte nicht zu fragen, weshalb.) »Sehen Sie das Kreuz da drüben im Park? Es bezeichnet den Ort, wo die Mitglieder der Nationalen Regierung hingerichtet wurden.« – »Von wem?« – »Von wem? Von den Russen natürlich, 1864.«

Manchmal war es auch nur eine leere Stelle, die ihre Phantasie beschäftigte. Es muß in der Nähe der Universität gewesen sein, neben einer Kirche, unter einem Portikus aus Sandstein, da zeigte mir Jadwiga auf dem Pflaster einen hellen Fleck. »Hier haben sich noch vor ein paar Monaten die Studenten versammelt, die der Solidarność nahestanden, bis die Polizei eingriff und die Kerzen, die Bilder, die Blumen und Inschriften abräumte. Damit hat sich die Miliz allerdings ein neues Problem eingehandelt. Viele Wochen lang standen an diesem Ort Tag und Nacht zwei Posten, um Wiederholungstäter abzuschrecken. So wird bei uns die vollkommene Leere bewacht.«

Wir waren in einem Café in der Altstadt gelandet. Die Orte, Namen, Daten wirbelten mir im Kopf herum: 1768, 1941, 1830, 1981, 1794, 1863, 1944. Nicht nur die Jahreszahlen sind elektrisch geladen, auch die Monate, die Tage bedeuten etwas: der 1. August, der 3. Mai, der 13. Dezember, der 11. November und der 24. März – ein mit roten Blättern durchschossener Kalender voller Echos, Durchblicke, Analogien. Jadwiga war keine Ausnahme; die meisten Polen beherrschen diese patriotische Kabbalistik; sie sind Spezialisten der Erinnerung. An ihrem obsessiven brütenden Gedächtnis ist vielleicht letzten Endes Hitlers Projekt gescheitert: die Auslöschung

Warschaus. Es ist den Nazis nicht gelungen, die Toten zu töten.

Als wir wieder vor dem Schloß standen, fiel mir die Szene ein, die ich dort miterlebt hatte. »Oh, Sie haben die Märtyrer der polnischen Kultur gesehen«, bemerkte mein Schutzengel. »Das muß ja ein erhebender Anblick gewesen sein!« –»Märtyrer?«

»Ich meine nicht die Hausfrauen. Sicherlich waren auch ein paar Hausfrauen dabei. Ich nehme an, sie waren gerührt über die Orden, mit denen unsere Regierung sie bedacht hat. Wenigstens auf diesem Gebiet ist die Versorgungslage ja hervorragend. Ich gönne ihnen die Freude; denn niemand wird ihre Verdienste um die polnische Kultur bezweifeln: Waschen und Bügeln, Einkaufen und Windelnwaschen, Bügeln und Stopfen. Das ist heroisch. Glauben Sie mir, ich spreche aus Erfahrung.

Nein, ich meine die andern, die Herren in den verknautschten Anzügen, die Sie dort gesehen haben. Ist Ihnen nicht aufgefallen, wie verbittert diese Kulturschaffenden aussehen? Ich kann Ihnen auch sagen, warum. Die Herrschaften haben sich nämlich aufgeopfert, zum Besten des Vaterlandes haben sie gewisse Ämter übernommen, Sekretär von dem oder jenem Verband, Vorsitzender in diesem oder jenem Gremium – und was ist der Dank? Niemand grüßt sie mehr, Verachtung wird ihnen zuteil statt Anerkennung. Speichellecker, heißt es, Kollaborateure! Und das hat natürlich Folgen. Ihre Werke werden zwar gedruckt, aber sie bleiben stapelweise in den Buchhandlungen liegen. Der Ruhm bleibt aus, von Übersetzungen ganz zu schweigen. Im Ausland kräht kein Hahn nach ihnen. Die Lakaien des Regimes können sich das nur durch die Hetze der Oppositionellen erklären oder durch die Machenschaften der CIA. Ein regelmäßiges Gehalt und ein Blechkreuz auf dem Revers, das ist alles, was sie für ihre Mühe ernten. Eine magere Entschädigung!

Ja, so ist das mit der polnischen Kultur. Verbittert sind wir alle. Die Polarisierung ist unvermeidlich. Das war schon immer so. Ich habe Ihnen ein Buch mitgebracht. Es ist hundert Jahre alt. Georg Brandes über Polen, deutsche Übersetzung, Paris Leipzig München 1888, da können Sie es nachlesen: Entweder – oder. Nicht wie bei Ihnen zu Hause, wo sich kein Mensch darum kümmert, was die Intellektuellen denken.«

Bettlektüre. »Man erzählte in Warschau von einem armen Schullehrer, der sich hervorgetan hatte und dafür den Stanislaus-Orden bekam, daß er ihn für gewöhnlich in einer Schublade verbarg und ihn nur hervorholte, um seine Kinder zu bestrafen. Wenn der jüngste Knabe unartig war, hieß es: ›Weinst du jetzt wieder, so wirst du während des Mittagessens mit dem Stanislaus-Orden um den Hals dasitzen.‹ Das half... Vielleicht wirkt im Grunde kein Zustand erziehender auf ein Volk, als ein solcher, wo kein hervorragender Mann jemals eine äußere Auszeichnung, Titel oder Dekoration erhält, und wo der offizielle Flitter der Ehre als Schande angesehen, während umgekehrt der offizielle Kittel der Schande, die politische Gefängnistracht, als ehrenvoll betrachtet wird... Jedes Kind, das stets den Obelisken mit den verherrlichten Namen der Verräter sieht, gewöhnt sich vom zarten Alter ab an den Gedanken, daß diejenigen, welche die Machthaber ehren, in der Regel nicht die besten Männer und diejenigen, welche sie verfolgen, meistens nicht die schlechtesten sind.« Georg Brandes, *Polen*.

Endlose Ebene im Rauch der Kartoffelfeuer, weit und breit kein Traktor, keine Maschine zu sehen. Auf den Feldern vereinzelt pflügende Bauern, Frauen, die schwere Säcke auf Pferdekarren laden, Gänse, die über die Chaussee marschieren, verlorene Gehöfte, kleine Gemüsegärten, Kohlehaufen hinter dem Haus, Vogelbeerbäume in leuchtendem Zinnober, Schwärme von Elstern.

Bis zur russischen Grenze sind es vielleicht noch hundert Kilometer. Das Gefühl, weit weg zu sein, am Ende der Welt, besser gesagt, am Ende unserer Welt. Wir halten am Straßenrand, um ein paar Äpfel zu essen, allein auf weiter Flur. Die Warschauer Probleme liegen hinter uns in der Dämmerung: Devisenmangel, Planungslücken, Umschuldungsverhandlungen; Untergrundzeitungen, Demoralisierung, Legitimitätskrisen. Ich kann mir nicht vorstellen, daß solche Begriffe in dieser Landschaft schwerer wögen als die Spreu auf den Äckern. Ich begann ein wenig vor mich hin zu phantasieren: Wenn man das alles satt hätte, wenn man sich fallen ließe, erschöpft von der politischen Misere des Landes, könnte man hier, in einem dieser niedrigen Häuser, friedlich vor sich hindämmern; denn hier gibt es keine Nachrichten, keine Ereignisse, keine Außenwelt...

Jadwiga, den Apfelbutzen in der Hand, blickte mich von der Seite her an. »Das kommt davon, wenn man sich mit der Literatur einläßt! Sie haben wohl die Fernsehantennen auf den Dächern nicht bemerkt? Nein nein, mein Freund, mit der Idylle auf dem platten Land ist es nicht so weit her... Fahren wir lieber, bevor es dunkel wird! Diese Pferdewagen haben kein Licht, und die Bauern machen sich nicht einmal die Mühe, hinten ein Katzenauge anzubringen. Nachts auf diesen Straßen zu fahren, ist der reine Selbstmord.«

»Ich möchte gern einen Ort sehen«, hatte ich in Warschau gesagt, »an dem es nichts zu sehen gibt. Ein ganz ordinäres Kaff, irgendwo weit weg von der Hauptstadt, in der tiefsten Provinz.«

Jadwiga fand diesen Wunsch reichlich seltsam, aber sie war bereit, ihn zu erfüllen. Ein Fiat Polski ließ sich, gegen Dollars, ohne weiteres auftreiben. Das Benzin, eine rare, streng rationierte Substanz, lieferte PEWEX, der offizielle Schwarzhändler der Volksrepublik. Über das Ziel der Fahrt ließen wir den Zufall entscheiden.

Łomża, Freitag

In diesem Frühjahr muß die Stadtgärtnerei sich einen Ruck gegeben haben; ein paar Reste ihres Eifers sind noch zu erkennen; allerdings haben in den kümmerlichen Beeten im Lauf der Zeit leere Zigarettenschachteln und alte Zeitungen die Blumen besiegt. Doch die Bänke werden gern benutzt. Alterslose Männer lungern hier herum, neben sich ein paar leere Flaschen. Sie machen einen sorglosen Eindruck und haben Zeit. Man nennt sie die »blauen Vögel«. Eckensteher? Arbeitslose? Penner? Von alledem etwas und doch keines davon, machen sie den Eindruck von Leuten, die keine Strafe, kein Zureden mehr erreicht. Wenn die Realität ihnen zu nahe tritt, winken sie einfach ab.

Ihr Revier liegt mitten auf dem einstigen Marktplatz, einem Karree, das von alterslosen, niedrigen Häusern umgeben ist. Am Rand des staubigen Parks steht die Markthalle oder vielmehr ein großer Schuppen, der irgendwann, 1930? 1948? 1960? zu diesem Zweck erbaut worden ist. Die Oberlichter sind mit blauer Farbe zugemalt, vielleicht zur Verdunkelung gegen Fliegerangriffe, aber die meisten Scheiben sind zerbrochen, und an der Stirnseite hängt ein rotes Transparent. Ich frage meine Bärenführerin, was darauf steht: »Die wichtigste Aufgabe der Zivilverteidigung ist der Schutz der Bevölkerung.«

Jadwiga versteht beim besten Willen nicht, was daran komisch sein soll. Aber ich habe beschlossen, den ganzen Platz zu erforschen wie ein Ethnologe. Ich möchte begreifen, was hier los ist, und ich gebe mich der Hoffnung hin, ein pedantischer Lokaltermin könnte meiner Ignoranz auf die Sprünge helfen.

Rings um die Halle kauern ein paar Buden, deren Fenster mit Brettern vernagelt sind. »Wegen Reparatur geschlossen« sagt ein Schild, das im Lauf der Jahre selber reparaturbedürftig geworden ist. Aber eine knarrende Tür ist noch da, und im Innern des Gebäudes thront hinter einem Schalter eine alte Frau. Die dämmrige Halle ist leer bis auf einige aus unerschwinglichen Preßplatten zusammengekleisterte Möbel, fabrikneuen Sperrmüll, den niemand kaufen will.

Wir machen eine gewissenhafte Runde um den Platz. Der Rentner- und Invalidenverband hat Ruhetag. In dem Lokal daneben, kein Ladenschild verrät, wozu es dient, stehen dicht aneinandergepreßt die Hausfrauen hinter zugezogenen Gardinen. Es ist elf Uhr, gerade hat der Fleischverkauf begonnen. Eine Stunde später wird das Geschäft leer sein, die grauhaarige Metzgersfrau sitzt dann mutterseelenallein unter einer Salami. Das Reisebüro im nächsten Haus lädt in die Hohe Tatra ein. Im Schaufenster hängt zwischen den Zimmerpflanzen ein Flugzeugmodell aus Papier, das seinen linken Motor verloren hat. Wer den besten Aufsatz in Esperanto schreibt, kann den ersten Preis bei einem Wettbewerb gewinnen und darf zum Weltkongreß nach Peking fahren. Schade, der Einsendeschluß war schon vor einem Jahr, wir sind zu spät gekommen.

Nun zu den »Dienstleistungen«. Hier schlummern hinter Milchglasscheiben kaputte Kühlschränke und warten auf einen neuen Motor. Es ist niemand in Sicht. In der Volksbücherei stricken zwei Bibliothekarinnen um die Wette. Am Rathaus hängt eine steinerne Gedenktafel. Hier hat im Jahre 1920 ein alter Bekannter gewirkt, Feliks Dzierżiński. Die Art seiner Tätigkeit wird nicht näher erläutert. Jadwiga zuckt die Achseln.

Im Fischladen erinnert nur ein fauliger Geruch an die Ware, und die Konserven, die sich im Regal türmen, will niemand haben. Sind sie zu alt, zu schlecht, zu teuer? Dafür gibt es nebenan Blumen, soviel man will. Blumen gibt es überall in Polen, sogar hier, Blumen für die Kirchen, für die Dichter, für die Helden, für die Madonna, Blumen für die Gräber. Auch ein Souvenirgeschäft ist da. Wer weiß, wen es danach gelüstet, sich an Łomża zu erinnern mit Hilfe von Gipsvasen, Zierdeckchen und Spinnrädern, Gegenständen, die der Horror vacui in die Auslagen gestellt hat. Es ist der Mangel, aus dem das Überflüssige entspringt, aber statt ihn zu lindern, macht er ihn nur noch trauriger. In den Läden riecht es durchdringend nach Baldrian, sterbenden Alpenveilchen und Kunstleder. Überhaupt sind die Gerüche seltsam, die einen hier verfolgen. In den Treppenhäusern überwiegen Desinfektionsmittel, Kohl und Urin.

Fünf Herrenschneider sind rund um den Platz am Werk, man sieht sie von draußen mit der großen Schere, mit der Elle hantieren, die Frau sitzt an der altertümlichen Singer-Nähmaschine mit goldener Schnörkelschrift, tote

Wespen und verschossene Farbfotos aus alten Modeheften schmücken das Fenster. Ihre Werkstätten sehen elend aus, aber sie verdienen gut, ein Anzug ist nicht unter 15 000 Złoty zu haben.

In der Seitengasse, ein paar Häuser weiter, neben der baufälligen Garage, in der die staatliche Einkaufsstelle für Geflügel, Eier und Federn ihren Sitz hat – die Rolläden sind heruntergelassen, als hätte sie jede Hoffnung auf Umsatz fahren lassen –, findet sich in einem grasüberwucherten Hof eine Hütte, die mit einem großen Gemälde geschmückt ist. Es zeigt einen übermannsgroßen Rasierpinsel, der allerdings unverkäuflich ist; denn, wie die Inschrift REKLAM beweist, muß hier der Schildermaler selber zu Hause sein, – er, der den Marktplatz von Łomża verziert hat und vielleicht die gesamte Region mit schönem Schein versorgt.

Was er nicht spenden kann, transzendenten Trost und übernatürliche Gnade, bietet das führende Devotionaliengeschäft am Platze, die örtliche Filiale eines katholischen Konzerns, immer geöffnet und reich sortiert: Hier gibt es feiste grinsende Gipsengel mit zum Gesang gespitzten Mündern, Taufkleider, armdicke, grellbunt bemalte Kerzen, den polnischen Papst in allen Größen, Farben und Preislagen, nagelneue Ikonen, Meßgewänder, goldene Monstranzen, und im Schaufenster eine säugende Plastik-Madonna. Es hat zu nieseln angefangen. Die Schulkinder lutschen fröstelnd an ihrem Eis, in der Kneipe beginnen unter zahlreichen Schildern, die vor den Gefahren des Wodka warnen, die Besoffenen zu grölen, und die »blauen Vögel« auf dem Marktplatz decken sich mit ein paar alten Nummern der *Tribüne des Volkes* zu.

Wovon lebt die kleine Stadt mit ihren 52 000 Einwohnern? Vielleicht ist es besser, diese Frage, auf die nicht einmal Jadwiga eine Antwort wüßte, gar nicht erst aufzuwerfen. Wenn man an den blätternden Farben der Fassaden kratzt, kommen immer neue Schichten der Unterdrückung und des Stumpfsinns zum Vorschein: das Regime der Zaren, die Herrschaft der Gutsbesitzer, die mörderischen Überfälle der Deutschen, der Stalinismus... Immer wieder wurde die Gegend umgetauft: Podlachien, »Neu-Ostpreußen«, Kaiserreich Rußland, Generalgouvernement Warschau, Sowjetunion, »Großdeutsches Reich«, und immer neue Heere sind hier durchgezogen, haben Łomża gebrandschatzt und geplündert, als wäre hier je etwas zu holen gewesen. Daß dieser Ort das alles überstanden hat, daß er einfach immer noch da ist, unscheinbar und zählebig wie das Gras, ist eine übermenschliche Leistung.

Warschau, Samstag

Unangenehme Geschichte: ich bin mit meinem Schutzengel in Streit geraten. Der Anlaß war sonderbar genug. Irgend jemand hatte mir erzählt, in Polen ließen sich dreiviertel aller Paare kirchlich trauen. Ob das wahr sei? Ob es zutreffe, daß die Kirche alle möglichen Bedingungen stelle? Da würden Firmzeugnisse und Beichtzettel verlangt, und damit sei das Spießrutenlaufen noch keineswegs zu Ende. Die Kandidaten hätten zehn Lektionen zu absolvieren, mit Anwesenheitskontrolle und Prüfungsstempel, außerdem zwei peinliche Arztbesuche samt gründlicher Unterweisung in Sachen Knaus-Ogino. Ob die Polen nicht von der staatlichen Bürokratie genug hätten, und wie es komme, daß sie sich nun auch noch freiwillig der Herrschaft der Priester unterwürfen?

»Was soll daran verkehrt sein?« fragte Jadwiga.

Ich gab ihr zu verstehen, daß man bei uns im allgemeinen Woytila nicht als kompetenten Ratgeber in gynäkologischen Fragen betrachte. Außerdem sei, meines Wissens, die Abtreibung in Polen nach wie vor die beliebteste Methode der Geburtenkontrolle.

Das gab Jadwiga, wenn auch widerwillig, zu.

»Aber dann verstehe ich nicht ... Die politische Heuchelei der Kommunisten und die sexuelle der Katholiken: das ist doch Jacke wie Hose!«

Ich war an die Unrechte geraten. Jadwigas Nasenflügel bebten, ihr Spott schlug um in feurige Empörung. Es stellte sich heraus, daß mein provisorischer Engel eine glühende Tochter der Kirche war. Ich war töricht genug, Öl ins Feuer zu gießen. Ich fragte sie, warum es in Polen, wo jede westliche Mode, vom Computerspiel bis zum Esoterik-Workshop, gierig aufgesogen wird, keine nennenswerte Frauenbewegung gebe.

»Der Feminismus«, rief sie, »ist eine abscheuliche Verirrung! Wenigstens dieses Unglück wird uns erspart bleiben. Denn bei uns sind die Frauen zu emanzipiert und zu selbstbewußt, um auf eine solche Gemeinheit hereinzufallen. Unsere Männer beten uns an, jawohl! Sie beten uns an, und darin liegt unsere Macht.«

»Sie schätzen die Tradition.«

»Wir respektieren einander. Und das ist wahrscheinlich bei den deutschen Männern anders. Die haben ihre Ehre an Hitler verloren. Die Polen dagegen sind zwar geschlagen worden, aber sie haben auf der richtigen Seite gekämpft. Es kommt in der Geschichte nicht auf Sieg oder Niederlage an, sondern auf Ehre oder Schande.« – Ich war zu verblüfft, um ihr zu widersprechen.

Bettlektüre. »In Polen war in diesem Jahrhundert der

Katholizismus immer oppositionell, in stehendem, rast-
losem Streit wider die Staatsmacht begriffen, häufig mit
der Liebe zur Wahrheit, die frei macht, und mit der
Begeisterung, die sich dem Martyrium aussetzt, ver-
schmolzen... Man sieht den Priestern bei der einen oder
andern Übertretung des katholischen Ritus durch die
Finger, ja man übersieht sogar einen vermuteten Unglau-
ben gegenüber gewissen Dogmen, weil man sie als pol-
nisch-nationale Geistesmacht kennt. Das Gepräge verhältnismäßig unschuldiger Heuchelei, das ihnen unleug-
bar anhaftet, schadet ihnen nur bei ganz wenigen. Die
allgemeine Meinung ist ihnen wohlgesinnt.

Der Gesichtspunkt, den sich der Fremde gezwungen
sieht, für den Wert und die Berechtigung der verschiedenen Parteien und geistigen Mächte anzulegen, ist der
folgende: Welchen Widerstand leisten sie gegenüber
einem Prinzip, das darauf ausgeht, die Individualität des
Volkes auf jede Weise zu zerstören: gegenüber dem
rohen und fürchterlichen Prinzip des asiatischen Absolutismus? Erst wenn die daher drohende Gefahr entfernt
ist, kann Polen sich den Luxus gönnen, die verschiedenen
Bestrebungen der Zeit mit einem neuen und wahreren
Maßstab zu messen.« Georg Brandes, *Polen* (1888).

Warschau, Sonntag

Die Kirche zum Heiligen Stanisław Kostka in Żoliborż,
einem Viertel im Norden der Hauptstadt, ist ein häßli-
cher Betonbau aus den dreißiger Jahren. Der Priester
Jerzy Popiełuszko hat hier jahrelang die Messe gelesen,
bis er im Oktober 1984 von drei Funktionären des
Staatssicherheitsdienstes gefoltert und ermordet wurde.

Seitdem ist die Kirche zu einem Wallfahrtsort geworden. Zweieinhalb Millionen Menschen sind im vergangenen Jahr an das Grab des Märtyrers gepilgert. Das Kirchenschiff ist mit Fahnen geschmückt, auf denen die heiligen Zahlen der nationalen Kabbalistik zu lesen sind: 1569, 1830, 1863, 1914, 1985. Der Besucherdienst organisiert Filmvorführungen in der Krypta und hält Informationsmaterial in fünf Sprachen bereit. Im Schaukasten neben dem Eingang hängen Warnungen vor dem Alkoholismus, Terminlisten für Ehekurse und Aufrufe ökologischer Arbeitsgruppen aus. In dem kleinen Friedhof sind die Stationen eines Kalvarienbergs aufgebaut, die den Wallfahrer zum Grab des Priesters führen. Die ganze Zone wirkt wie ein exterritoriales Terrain, zu dem der Staatsmacht der Zutritt verwehrt ist.

Am letzten Sonntag eines jeden Monats findet hier die »Messe für das Vaterland« statt. Zehn- bis fünfzehntausend stehen, dicht gedrängt, im Halbdunkel auf dem großen Platz vor der Kirche, Männer und Frauen, Kinder und Greise, Metallarbeiter und Universitätsprofessoren. Es ist sieben Uhr abends. Der Balkon und das Portal der Kirche sind hell beleuchtet. Auch das Pfarrhaus nebenan, auf dessen Terrasse eine Schar von weißen Nonnen steht, ist angestrahlt. Es herrscht eine gespannte, erwartungsvolle Stille.

Überraschend genug beginnt die Messe mit einer politischen Rede. Ein älterer Herr mit dem Gesicht eines Gelehrten übersetzt mir flüsternd die wichtigsten Sätze. »Polen muß vorangehen und den Weg weisen«, sagt der Priester, »dann werden auch die anderen Völker die Sonne sehen.« – »Wir danken unseren Gefangenen für die Leiden, die sie auf sich genommen haben.« – Nun erscheinen einige führende Männer der verbotenen »Solidarität« auf dem Balkon, die durch die Amnestie freigekommen sind. Sie werden mit Ovationen empfangen. Die Blitzlichter der Fotografen, die Scheinwerfer des Westfernsehens scheinen niemanden zu stören. Der Ritus des Gottesdienstes wird immer wieder durch Beifallsstürme unterbrochen, durch Einlagen gesprengt. Schauspieler sagen mit schluchzendem Pathos patriotische Gedichte auf. Eine kleine Band trägt mit Schlagzeug und elektrischer Gitarre irgendwelche Schlager vor. Angst vor dem Kitsch kann man dieser Kirche nicht nachsagen. Es herrscht die Atmosphäre eines Meetings. Hier gehen Patriotismus und Religion ein mystisches Amalgam ein. Ein febriler, verzückter Unterton beherrscht die Predigten. Zwischen Offertorium und Sanctus werden die verlorenen Ostgebiete beschworen: »Wir beten für unsere Brüder in Wilna und Lemberg.« – »Das polnische Volk, von einer gottlosen Macht gekreuzigt, tritt die Nachfolge Christi an.« – Die Außenwelt kommt in keiner der langen Reden vor; es ist undenkbar, daß hier ein Wort über Chile, Südafrika oder Guatemala fiele.

Das Machtbewußtsein der Kirche ist ungebrochen. Sie fürchtet sich nicht. Ihre Monopolstellung ist klar: sie verfügt über den einzigen öffentlichen Raum, in den die Staatsmacht nicht eindringen kann. Die Flucht aus der Einsamkeit der Vorstädte endet hier in einer nationalen Kommunion. »Heilig Vaterland« – keiner auf diesem Platz schreckt vor einer solchen Losung zurück. Nach eineinhalb Stunden in der Kälte wird in der dichtgedrängten Menge das Abendmahl gereicht. Niemand rührt sich von der Stelle. Die singende Gemeinde streckt dem Priester Tausende von kleinen Kruzifixen entgegen, und zahllose Hände bilden das V als Zeichen des Sieges über das Reich des Bösen und der Finsternis. Ergriffenheit, Sendungsbewußtsein, Tränen in den Augen.

Nach der Messe ziehen die Abgesandten aus Dutzenden

von Fabriken, Gruben, Genossenschaften mit ihren auf-
rührerischen Parolen in einer langen Prozession um die
Kirche. Es ist wie im alten Jerusalem: Selbst dem klügsten Gouverneur dürfte es schwerfallen, zwischen einer
Wallfahrt und einer Demonstration zu unterscheiden.
Als sich gegen zehn Uhr die Menge friedlich zerstreut, ist
nirgends ein Polizist zu sehen.

Karge Altbauwohnung in Praga, notdürftig von eigener
Hand renoviert; nur eine zierliche Kommode, recht mitgenommen, mit Manuskripten und Flugschriften über-
häuft, zeugt von einer bürgerlichen Vergangenheit, und
die vielsprachige Bibliothek, die in roh gezimmerten Regalen die Wände bedeckt. Man sitzt um den Petroleum-
ofen und trinkt Tee. Wir sind an jenem imaginären Ort,
der Mitteleuropa heißt und nur aus ein paar tausend
solcher Wohnungen besteht, die über eine weite Landkarte verstreut sind: Zagreb, Brünn, Budapest, Wien,
Krakau, Triest, Berlin. Auch die Gastfreundschaft, die
hier herrscht, ist von dieser opalisierenden Vergangenheit
eingefärbt, von ihren Einverständnissen und ihrem
Streit: man hat mich einfach mitgenommen, einen Fremden, der vor einer Stunde noch im Dunkeln in der Menge
stand, vor der Kirche; einen, der nicht verstehen konnte,
was alle verstanden, die sich dort eingefunden hatten;
man mußte ihm ins Ohr sagen, was jedermann wußte,
und ihn einladen, um mit ihm zu streiten.
Der Gastgeber, mein Dolmetsch und Ohrenbläser, war
tatsächlich ein Gelehrter. Seine Professur hat er schon
vor geraumer Zeit verloren, aber dieser Umstand steigert
nur seine Autorität. Er lebt, wie seine Studenten, von der
Hand in den Mund. Über der kleinen Versammlung,
halb Salon halb Seminar, liegt ein Hauch von Konspiration. Man spricht über Berdjajev und Buber, Nietzsche

und Dostojevskij; zu meinem Erstaunen scheint man auch Klages und Ernst Jünger hoch zu schätzen.

»Der Rationalismus ist am Ende.« – »Die Kehre, die metaphysische Umkehr, die sich überall in der Welt ankündigt, wird vielleicht von hier aus beginnen. Das ist die Chance, die im Unglück Polens steckt wie der Kern in der Nuß. Der Papst ist das Symbol dieser Hoffnung.« – »In Amerika gibt es bereits deutliche Anzeichen für eine spirituelle Wiedergeburt, aber einer Zivilisation, die auf materiellen Werten beruht, wird es schwerfallen, die Konsequenzen zu ziehen.«

Ich höre geduldig zu, schließlich aber riskiere ich es, ein Wort für den *common sense* einzulegen. Mir kommt die ganze Diskussion reichlich verstiegen vor. Diesseits der Ideologie, behaupte ich, sagt der gesunde Menschenverstand einem jeden, der es hören will, daß die sowjetische Großmacht weder durch Gebete noch durch Konspiration zu vertreiben ist. »Wenn Sie an Jaruzelskis Stelle wären«, frage ich, »welchen Kompromiß würden Sie anstreben?«

Es war, als hätte ich mit dieser schlichten Frage in ein Wespennest gestoßen. »Was Sie *common sense* nennen, ist die Kapitulation, die Preisgabe aller Werte! Nach diesem Prinzip hätten wir, die Polen, schon vor 150 Jahren aufgehört zu existieren! Wenn wir uns arrangiert hätten, wären wir nicht mehr vorhanden. Wissen Sie, was die offizielle These der Russen ist? Sie unterscheiden in Polen drei Säulen der Konterrevolution: die Kirche, die Landwirtschaft und die Intelligenz. In strategische Begriffe übersetzt, bedeutet das: um den Kommunismus in Polen durchzusetzen, muß man die Intellektuellen, die Bauern und die Katholiken ausrotten. Finden Sie nicht, daß das dem Programm Hitlers ziemlich nahe kommt?«

Ich gebe es auf, zu widersprechen. Das Gespräch wendet

sich Heideggers Verhältnis zum Christentum zu. Ich bin todmüde.

Auf dem Heimweg begleitet mich ein blutjunger Student. Er sieht aus wie ein polnischer Verschwörer aus dem 19. Jahrhundert, schwarz gekleidet, bleich vor Eifer, schnurrbärtig. »Stellen Sie sich einmal vor, spaßeshalber, die sowjetische Okkupation wäre über Nacht vom Erdboden verschwunden; wie sollte ein freies Polen, wenn es nach Ihnen ginge, mit den Leuten verfahren, die Sie Kollaborateure und Verräter nennen?« Er bleibt stehen – wir befinden uns mitten auf der Weichselbrücke, der Mond scheint auf den Fluß – und ruft: »Aufhängen!« – »Das ist nicht sehr christlich gedacht«, gebe ich zu bedenken. »Schließlich handelt es sich um Millionen von Menschen.« – »Aber die Kommunistische Partei ist eine verbrecherische Organisation! Damit muß man aufräumen. Man muß das tun, was ihr in Deutschland versäumt habt.« Wir gehen weiter. Ich schweige. Nach einer langen Pause räumt mein Begleiter ein: »Naja, das sage ich jetzt ... Aber wenn es wirklich jemals soweit käme ... Ich kann mir das gar nicht vorstellen ... Das gäbe ein Durcheinander ... ein Geschrei ... Alles ginge drunter und drüber, und am Ende würden wir uns wahrscheinlich wieder vertragen.«

Warschau, Dienstag/Mittwoch

Die Bewohner dieser Stadt sind immer auf der Suche: nach einem Wasserhahn, nach einem Buch, nach einer Wohnung, nach ein paar Litern Benzin. Auch ich spüre einem raren Artikel nach. Es verlangt mich nach einem

Quentchen *common sense*. Oder sollte das ein Oxymo-
ron sein: der »vernünftige Pole«? Eine Abnormität? eine
Chimäre?

»Unsinn«, sagt ein skandinavischer Freund, an den ich
mich in meiner Not gewendet habe. »In meinem Beruf«
– er ist Auslandskorrespondent – »habe ich es mit einer
bunten Mischung von Leuten zu tun, mit Bürokraten
und Fanatikern, Geschäftemachern und Dichtern, Mit-
läufern und Propheten, von der schweigenden Mehrheit
ganz zu schweigen. Ich brauche dir wohl nicht zu sagen,
daß ich dieses Land liebe – schließlich lebe ich seit
25 Jahren hier –, ja, was noch schlimmer ist, daß ich es
nicht entbehren kann; denn es versorgt mich mit meiner
täglichen Dosis Adrenalin. Der Westen ist mir zu schläfrig, zu selbstzufrieden. Aber es gibt auch einiges, was ich
an den Polen hasse: nämlich ihre Posen und ihr Pathos.
Dieser Hang zur Selbstdarstellung geht mir nicht nur auf
die Nerven, er wirkt auch politisch verheerend. Es ist ein
Defekt, der vor allem die Opposition heimsucht – das ist
das Schlimmste –, und zwar schon seit ewigen Zeiten.
Entsetzlich!«

»Ich fürchte nur, daß es für eine solche Haltung Gründe
gibt. Weißt du, was mir meine unvernünftigen Bekannten gesagt haben? ›Hätten wir uns, als gute Pragmatiker,
mit der Realität der Macht arrangiert, dann wären wir,
als Polen, schon vor hundert Jahren verschwunden.‹ Findest du nicht, daß das etwas für sich hat?«

»Nein. Das sind historische Projektionen. Ich möchte
nicht als Sowjetfreund dastehen, aber ich behaupte, daß
es heute niemanden gibt, der die Absicht hätte, die Polen
auszurotten. Das ist doch Quatsch! Die Russen haben
sich längst damit abgefunden, daß der Sozialismus in
Polen keinerlei Chancen hat, daß sie mit einem traditio-
nalistischen, konservativen, klerikalen Nachbarn leben

müssen. Sie haben sich damit abgefunden, daß hier eine Meinungsfreiheit herrscht, die im ganzen Ostblock, auch in Ungarn, ihresgleichen sucht. Nie zuvor sind so viele Polen ins Ausland gereist wie in diesen Jahren, und zwar ins westliche Ausland.

Und was die Diktatur betrifft, mein Lieber, so ist es mit ihr weiß Gott nicht weit her. Die Regierung Jaruzelski ist nicht einmal imstande, die Pfadfinder gleichzuschalten. Sie ist vorsichtig, schlau und in der Defensive. Nur ja nicht den Bauern zu nahe treten! Das könnte ja Ärger geben.

Mit den subventionierten Preisen muß man wie ein Feuerwerker umgehen, der eine Bombe entschärft. An grundlegende Wirtschaftsreformen ist unter diesen Umständen nicht zu denken. Ganz zu schweigen von der Kirche! Um Gotteswillen, nur nicht daran rühren! Was die Dissidenten angeht, so sperrt man sie nicht ein, man läßt sie frei. Seit der letzten Amnestie gibt es hierzulande weniger politische Gefangene als in Frankreich, in Italien oder in der Bundesrepublik. Aber glaub ja nicht, daß das Verhalten dieser Regierung von irgend jemandem honoriert wird. Im Gegenteil, die Opposition reagiert, zu einem großen Teil, mit der Flucht in den Boykott, in die leere Radikalität, manchmal sogar mit rechtsextremen Untertönen. Sie hält ein Scherbengericht über jeden, der sich an die Normen der moralischen Polarisierung nicht halten will.«

Die karge, aber gemütliche Garçonniere meines norwegischen Freundes ist ein Taubenschlag. Einer von denen, die ihn, während ich hier sitze, aufsuchen, um eine Tasse Nescafé zu trinken und eine Pfeife zu rauchen, ist der Publizist Adam Krzemiński. Er gehört zu jener Minderheit, die für eine realistische Vermittlung der Interessen eintritt. Infolgedessen sitzt er zwischen den Stühlen, auf

einem Platz, den er angesichts der vorhandenen Sitzgele-
genheiten für durchaus zumutbar hält.

»Das Kriegsrecht« meint er, »wäre gar nicht nötig gewesen. Die oppositionelle Massenbewegung wäre an ihren
eigenen Fehlern zugrunde gegangen; sie hat nie über
tragfähige Entwürfe verfügt. Die Selbstverwaltung der
Arbeiter ist ein ehrwürdiges Ziel, aber ohne die uner-
meßlichen Staatssubventionen wären die Danziger Werf-
ten längst pleite. Doch über Produktivität und internationale Konkurrenz will in der Opposition niemand
nachdenken. Sie erhebt Forderungen, aber die Idee der
Gegenleistung ist ihr fremd. Sie fragt nicht danach, welche Folgen eine Aktion hervorbringt; ihr geht es darum,
was für einen moralischen Eindruck sie macht. Mit
einem Wort, ein Wolkenkuckucksheim. Was dieses Land
am nötigsten hätte, Ernüchterung, ist nirgends in Sicht.«

In einem schummrigen Café in der Altstadt treffe ich
einen jungen Kritiker, der sich mühsam als Übersetzer
durchschlägt, seitdem er seinen Posten in einem Verlag
räumen mußte, weil er bei irgend einer Loyalitätsprü-
fung durchfiel. Aber P. lehnt es ab, die Rolle des politisch
Verfolgten zu spielen. Er fühlt sich aus ganz anderen
Gründen als Außenseiter. »Daß die Partei die Intellektuellen nicht ausstehen kann – und umgekehrt, finde ich
normal. Der Kommunismus ist ideologisch bankrott.
Hierzulande verdient ein Busschaffner dreimal soviel wie
ein Arzt oder ein Dozent. Das Regime verfährt nach dem
Motto: Wie der kleine Jakob dem lieben Gott, so der
liebe Gott dem kleinen Jakob. Wer nicht brav ist, soll
auch nicht essen. Das ist idiotisch, aber wirkungslos. Mir
persönlich macht die religiöse Paranoia in Polen mehr zu
schaffen. Wenn das so weitergeht, wird die Kirche bald
die gesamte Intelligenz um sich geschart haben. Schon

349

heute macht sich jeder zum Paria, der es wagt, Woytila zu kritisieren. Auch die Opposition ist der Meinung, daß es außerhalb der Kirche keine intellektuelle Seligkeit gibt. Wenn Sie dann noch bedenken, daß der Klerus zu keiner Selbstkritik fähig ist – die Kirche hat mit ihrer antisemitischen Vergangenheit nie aufgeräumt –, werden Sie verstehen, daß die Aussichten für Leute wie mich ziemlich trübe sind. Ich gebe zu, daß eine solche Lage unwahrscheinlich ist – aber ein Polen, in dem statt der Partei die Kirche regierte, wäre zum Auswandern.«

»Sie glauben, daß die Säkularisierung in Ihrem Land definitiv gescheitert ist?«

»Das will ich nicht sagen. Eine Theokratie in Europa kann ich mir nicht vorstellen. ›In Polen glauben alle an Gott, aber nur, um die Roten aufs Kreuz zu legen.‹ Ich zitiere Marek Edelman, einen alten Bundisten. Er ist der letzte Überlebende des Warschauer Ghetto-Aufstandes. Ich glaube, er hat recht. Aber es kommt noch etwas anderes dazu. Im Lauf der letzten vierzig Jahre haben sich die Leute an ihre Entmündigung gewöhnt. Sie brauchen ein Dach. Je mehr es in die kommunistische Baracke hereinregnet, desto eifriger suchen sie eine andere Zuflucht. Unter der Kirchenkuppel wird man wenigstens nicht naß! Aber vielleicht sehe ich das auch zu subjektiv...«

P. ist einer der wenigen jüdischen Intellektuellen, die in Polen geblieben sind.

Schließlich Ryszard Kapuściński. Er ist der Klügste, der Souveränste; ein Dichter, der sich als Reporter verkleidet und die ganze Welt gesehen hat. Sein Thema ist die Macht. Seine wichtigsten Arbeiten handeln von Polen, indem sie sich von Polen so weit wie nur möglich entfernen. (*König der Könige*, sein schönstes Buch, handelt von der Herrschaft Haile Selassies.) Kapuściński, ein Mann im mittleren Alter, ist fleißig, ein Beobachter, dem wenig entgeht, rastlos und hilfsbereit. Er trägt abgewetzte Jeans oder einen alten Battle-Dress und ist immer in Eile.

»Entschuldigen Sie, ich habe mich verspätet.«

»Ich weiß. Die Arbeit... Ich kenne das.«

»Wenn es nur die Arbeit wäre! Viel schlimmer ist die Überforderung. Ich meine: viel peinlicher. Man kommt sich wie ein Hochstapler vor. Der Intellektuelle und ganz besonders der Schriftsteller gilt hier als moralische Instanz, als Ratgeber in allen Lebensfragen. Diese Autorität, die einem einfach zugeschrieben wird, ist mir unheimlich, aber es ist unmöglich, sie loszuwerden. Mit der Qualität dessen, was einer produziert, hat sie wenig zu tun. Es genügt, daß man sich nicht bestechen läßt; schon verwandelt man sich in einen Beichtvater, einen Guru, einen Propheten. Die Polen betrachten ihre Intelligentsia als Stellvertreterin der fehlenden Souveränität. Das ist natürlich eine Mystifikation, denn es ist völlig ausgeschlossen, solche Erwartungen einzulösen. Ein Anachronismus! Ein Ding der Unmöglichkeit! Reinstes neunzehntes Jahrhundert. Viele meiner Kollegen fallen auf die Rolle, die man ihnen zuschreibt, herein. In Wirklichkeit sind wir beängstigend provinziell. Das gilt auch für die Opposition. Sie ist wundergläubig. Sie unterschätzt nicht nur die Russen, sondern auch die herrschende Klasse im eigenen Land.«

Ich schwor mir im stillen, nie wieder an der polnischen Vernunft zu zweifeln. »Eine Frage, die ich Ihnen stellen möchte, weil ich bisher niemanden fand, der sie beantworten konnte: Was denkt sich die Macht? Ich versuche, ihre Maßnahmen zu entziffern, aber eine Strategie vermag ich nicht zu erkennen. Mit welcher Zukunft rechnet diese Regierung? Was ist ihr Projekt?«

Er lächelte, aber ohne Heiterkeit. »Sie hat kein Projekt.

Niemand hat ein Projekt. In der Gesellschaft, in der Politik, in der Kultur, in der Wirtschaft – überall die gleiche Situation. Es herrscht das absolute Patt, die totale Blockade.«

Wir saßen im *Coffee Shop* des Forum-Hotels. Amerika auf Sparflamme, Möbel im Ikea-Stil der Schweden, *fast food* auf polnische Art. Vor lauter Eifer ließ ich das Essen kalt werden.

»Aber das geht doch nicht. Zumindest in der Ökonomie kommt kein Regime, egal was es sonst treibt, ohne längerfristige Planungen aus.«

»Seit dem Scheitern Giereks kann von wirtschaftlichem Denken nicht mehr die Rede sein. Produktivität zählt in Polen nicht. In diesem Punkt sind sich Regierung, Gewerkschaften und Opposition einig. Die Schwerindustrie arbeitet ohne Rücksicht auf die Kosten, zum Teil unter direkter Kuratel der Russen. Natürlich haben wir außer dem staatlichen Sektor noch vier oder fünf andere Ökonomien: einen privaten, einen gemischten, einen schwarzen Sektor, dazu noch Subsistenzwirtschaft und einen Dollar-Kreislauf. Die produzieren zwar, aber ohne Perspektive. Die Infrastruktur stirbt, die Kohlengruben brechen ein, das Ökosystem geht zum Teufel, für neue Investitionen ist kein Geld vorhanden. Alle Reformen, die innerhalb des Systems denkbar wären, wurden entweder schon ausprobiert, dann sind sie gescheitert, oder sie werden blockiert, von den Russen, von der Bürokratie oder von den organisierten Gruppen. Wir stehen mit dem Rücken zur Wand. Die Direktoren großer Betriebe operieren innerhalb eines Zeithorizontes von zwei bis drei Monaten, manchmal auch von Woche zu Woche. Die Leute stehen jetzt schon Schlange, im September, für den Fall, daß es Kohlen gibt. Es steht fest, daß der Winter kommt, aber das System ist nicht in der Lage, sich auf diese Eventualität vorzubereiten. Die Energiekrise ist unausbleiblich.

Was das alles für die Stimmung der Leute bedeutet, ist klar. Die Leute sind verbittert, verhärmt, vergrämt. Selbst die Arbeiter fühlen sich deklassiert. Früher galten die Polen als ein höfliches Volk. Wenn das je gestimmt hat, ist es damit jedenfalls vorbei. Unter solchen Umständen kann man keinen Menschen zu Anstrengungen motivieren, die über die private Selbsterhaltung hinausgehen. Ich will nicht behaupten, daß sich das Regime die kollektive Depression als politisches Ziel gesetzt hätte, aber darauf läuft es im Ergebnis hinaus.«

»Auf Selbstzerstörung?«

»Auf Selbsterhaltung um jeden Preis. Das eine ist vom andern kaum zu unterscheiden, wenn man in Zeiträumen von Wochen denkt.«

»Und wer ist schuld an der ganzen Misere?«

»Ah! Das ist eine gute Frage. Fragen Sie, wen Sie wollen, jeder wird Ihnen einen Sündenbock vorschlagen. Gewöhnlich muß die Partei dafür herhalten, oder die Sowjetunion. Aber die ökonomische Katastrophe hat tiefere Wurzeln. Ich will Sie nicht mit einem historischen Resumée langweilen. Aber ich kann Ihnen die Dreiteilung Polens im 19. Jahrhundert nicht ersparen; denn sie hatte zur Folge, daß sich eine polnische Bourgeoisie nicht entwickeln konnte. Es waren die deutschen und die jüdischen Unternehmer, die den Kapitalismus bei uns eingeführt haben. Und die Zweite Republik hatte zu wenig Zeit, zu viele Konflikte, um den Rückstand aufzuholen. Was dann geschah, wissen Sie: das polnische Bürgertum, und das heißt auch, die polnische Intelligentsia, eine relative schmale Schicht, wurde von den Deutschen und den Russen liquidiert. Sie brauchen sich nur die Statistik anzusehen: die Bevölkerung der Städte wurde in den vierziger Jahren um 40%, die des flachen Landes dagegen nur um 5% dezimiert. Die Juden wurden fast völlig ausgelöscht. Es ist ein Wunder, daß es heute überhaupt so etwas wie eine polnische Intelligenz gibt. – Kurzum, was uns fehlt, sind nicht Fabriken, es ist nicht einmal in erster Linie Kapital. Es ist eine Führungsschicht im europäischen Sinn des Wortes.«

»Das Regime hatte immerhin vierzig Jahre Zeit, um seine eigenen Kader auszubilden.«

»Aber unsere herrschende Klasse kommt direkt aus der Dritten Welt! Sie kennen die Käffer im Osten nicht, die Dörfer, in denen die Kinder bis vor kurzem barfuß gingen und die Lehrer Analphabeten waren! Eine reine Agrargesellschaft. Noch heute arbeitet ein Drittel der aktiven Bevölkerung in der Landwirtschaft. Das erklärt, nebenbei bemerkt, auch die kulturelle Hegemonie der Kirche. Die Öffentlichkeit der Bauern ist die Predigt, sie haben keine andere. Und was unsere sogenannten Kader betrifft – es ist doch klar, daß sie über keine wie auch immer geartete kulturelle Ausrüstung verfügen, über keine Begriffe, keine Perspektiven, keine Aspirationen, die über das Bedürfnis hinausgehen, Karriere zu machen. Sie sind unwissend und brutal. Im besten Fall verfügen sie über eine gehörige Portion Schlauheit.«

»Wenn wir ein paar Generationen zurückgehen, kommen wir alle aus irgendwelchen Dörfern. In diesem Sinn ist jeder Mensch ein Hinterwäldler.«

»Wem sagen Sie das? Ich stamme aus einem verlorenen Nest in Weißrußland. In Paris oder London fühle ich mich immer unbehaglich. Die Dritte Welt, das bin ich selber. Davon lebt meine Arbeit. Ich verstehe, was in San Salvador, im Iran oder in Äthiopien passiert, weil ich ein Pole bin.«

Bettlektüre. »Dieses Land, das man mit inneren und äußeren Verschwörungen erschreckt, wie leicht ist es zu besiegen. Es genügen 20 Grad Frost und 50 Zentimeter Schnee, und schon gibt es nach einer Woche Schwierigkeiten mit der Brotversorgung. Doch wo soll man nach den Ursachen suchen, wen soll man belasten? Die Regierung? Das System? Rußland? Uns selbst? Dieser Winter hat etwas deutlich gemacht – nicht nur die Schwäche der Wirtschaft und der Administration, sondern etwas sehr viel Wichtigeres: die Unklarheit darüber, wer die Diagnose unserer gesellschaftlichen Wirklichkeit zu hintertreiben versucht. Seit Jahren wissen wir nicht, was wir uns leisten können und wer wir wirklich sind. Sind wir ein Land der Unfreiheit oder ein Land der Alkoholiker, eine führende Industriemacht oder eine ausgebeutete Kolonie oder die ewige ›polnische Wirtschaft‹, sind wir Märtyrer, Antisemiten oder eine nicht an die moderne Zivilisation angepaßte Gesellschaft? ... So leben wir zwischen Zwang und Legende, in einem Zustand, der unabhängig von unserem Widerspruch oder unserer Zustimmung besteht und der uns unablässig bearbeitet und verändert. Bis wir schließlich in einem Winter erfahren, daß es geschneit hat. Da fragen wir uns: Ist das unser Schnee? Sind wir verpflichtet, ihn wegzuschaufeln? Es besteht nämlich der Zweifel, ob dieser Schnee nicht *ihr* Schnee ist, der uns im Rahmen der Freundschaft von Rußland aufgezwungen wurde, ob sie ihn nicht selbst wegschieben müßten. Man wendet sich an uns und ruft uns zu freiwilligem Arbeitseinsatz auf. Nur wissen wir nicht, wer sich an uns wendet: die Gesellschaft oder die Macht, die wir nicht ablösen können.

Dennoch schauen wir uns nach einer Schaufel um, irgendwie müssen wir uns durcharbeiten, wegfahren. Und dann stellt sich heraus, daß keine Schaufeln da sind. Wir fragen uns wieder: Wer muß für die Schaufeln sorgen, die Regierung oder das Volk? *Sie* oder wir? Wir stehen im Schnee, in Gedanken versunken und doch unfähig zu irgendwelchen Schlußfolgerungen. Der Mangel an Schaufeln demobilisiert nicht nur unsere Energie, er lähmt auch das Denken.«

Kazimierz Brandys, *Warschauer Tagebuch* (Januar 1979). Frankfurt am Main 1984.

Warschau, Donnerstag

Keine Lust auszugehen.

Am Nachmittag ringe ich mich dazu durch, Jadwiga anzurufen und mich zu entschuldigen. Ein Schutzengel gehört hier zum Existenzminimum. Wir versichern einander, daß unser Streit nur ein Mißverständnis war. Die Versöhnung wird mit Tee und kleinen Törtchen besiegelt. Wenn alles gut geht, fahren wir übermorgen mit dem Polski Fiat Richtung Süden.

Warschau, Freitag

Überraschende Wendung: Man hat mich zu einer Landpartie in die Vergangenheit eingeladen; oder war das, worauf ich heute einen Seitenblick werfen konnte, die Zukunft? Das ist in diesem Teil Europas nicht immer leicht zu klären.

»Wenn Sie mit den vielen Konsonanten in meinem Namen nicht fertigwerden«, sagte Grzegorz in seinem tadellosen Englisch, »nennen Sie mich einfach Gregory.

Ich habe mir sagen lassen, daß Sie etwas über Polen schreiben wollen. Keine einfache Sache. Wenn Sie für heute nachmittag nichts Besonderes vorhaben, vergessen Sie für ein paar Stunden Ihre Arbeit. Ich würde Ihnen gerne meine Sammlung zeigen.«

Seine Breeches waren perfekt wie sein Akzent und seine Manieren. Er war fast sechzig, lässig und drahtig zugleich, und seine Augenbrauen, buschig, rötlich, sauber gestutzt, ließen an jene Kavallerieoffiziere aus der Vorkriegszeit denken, von denen die polnische Legende berichtet. Aber ich wußte Bescheid. Seine militärische Karriere war kurz und endete im Gefängnis. Er hatte als junger Mann in der Heimatarmee gekämpft; nach dem Einmarsch der sowjetischen Truppen war er verhaftet worden; als er nach Hause kam, waren seine Eltern tot und die Güter der Familie enteignet. Schlechte Zeiten für die Angehörigen des Landadels. Aber von solchen Erinnerungen war nicht die Rede, während wir in Gregorys amerikanischem Wagen stadtauswärts fuhren, die Weichsel entlang, Richtung Süden, eine knappe Stunde weit. Als wir den obligaten *small talk* hinter uns hatten, fragte ich ihn vorsichtig nach seinen Computern.

»Ah, Sie haben von meiner Nebenbeschäftigung gehört? Bitte sagen Sie es nicht weiter, aber im Grunde verstehe ich nichts von Computern. Ich finde sie uninteressant.«

Ich glaubte kein Wort, hielt es aber für das Klügste zu schweigen.

»Reiner Zufall, daß ich mich mit dem Zeug befasse; ich hätte mich ebensogut auf Baumwolle oder auf Bagger verlegen können. Nur fehlt diesen nützlichen Dingen die Aura oder sagen wir lieber: der ideologische *sex appeal*. Hierzulande sind die Leute verrückt nach Computern. Die Dinger werden mir aus der Hand gerissen. Ich habe nicht die geringste Ahnung, wozu jede Schraubenfabrik und jede Bezirksverwaltung unbedingt einen Computer braucht. Aber die Funktionäre versprechen sich Wunderdinge davon. Natürlich muß alles aus dem Westen kommen, *hardware*, *software*, Peripherie ...«

»Trotzdem, ich nehme an, daß das Geschäft nicht ohne Risiko ist. Ein kleines Revirement im Parteiapparat, eine der üblichen Kursänderungen, und schon heißt es: Wirtschaftsverbrechen, Schwarzhandel ...«

»Häßliche Worte«, sagte Gregory. »Sie haben natürlich recht. Aber bedenken Sie, gewisse Teile der Administration gehören zu meinen besten Kunden, ganz zu schweigen von den staatlichen Unternehmen.«

»Und die Probleme mit dem Zoll, die Embargo-Bestimmungen der Amerikaner, die Devisenvorschriften?«

»Gewiß«, seufzte Gregory. »Es ist, alles in allem, ein langweiliger Beruf. Aber wir sind angekommen.«

Die Allee führte schnurstracks auf das Hauptgebäude zu, ein weitläufiges Holzhaus aus dem frühen 19. Jahrhundert, das schneeweiß in der Dämmerung leuchtete. In der Halle erwarteten uns bereits die ersten Gäste: ein Bühnenbildner mit seiner Frau, ein Schauspieler, eine Galeristin; niemand weit und breit, der auch nur die Anfangsgründe von Basic oder Fortran beherrscht hätte. Aber das Bemerkenswerteste an dem langen Raum mit der hohen, kassettierten Decke waren die Wände. Gregorys Sammlung von polnischen Malern der Jahrhundertwende war überwältigend. Nächtliche Stadtbilder, »Nocturnes«, verfließende Landschaften, koloristisch flimmernde Portraits – eine Kunst, von der ich nichts wußte. Es mag ja sein, daß sie sich irgendwo »einordnen« läßt, zwischen Symbolismus, Jugendstil, Spätimpressionismus; aber in meinen Augen waren diese Bilder sehr selbständig, sehr eigenartig. Ich fragte meinen Gastgeber nach der Geschichte seiner Sammlung.

»Alles in den letzten zwölf Jahren erworben«, sagte er. »Vorher hatte ich mit dem Haus genug zu tun. Als es mir nach langem Hin und Her gelang, das Haus zurückzukaufen, war es in einem erbärmlichen Zustand. Nach der Enteignung hatte sich irgendeine Behörde eingenistet, aber die Räume erwiesen sich als ungeeignet, und so stand es lange Zeit leer. Der Dachstuhl war dem Einsturz nahe. Selbstverständlich habe ich nur das Haus erworben, das Land wird von anderen bewirtschaftet. Die Möbel sind mir gleichgültig, Sie sehen ja, alles zusammengewürfelte Sachen. Statt dessen fing ich an, mich für diese Maler zu interessieren. Es sind ein paar berühmte Namen dabei, aber die meisten waren unterschätzt oder vergessen. In den letzten Jahren hat sich das freilich geändert... Was nehmen Sie? Wodka? Portwein? Sherry?«

»Die Bilder in Ihrem Haus sind dunkel, aber die Atmosphäre ist heiter«, sagte ich. Er lachte.

»Sie haben sich anstecken lassen, nicht wahr? Polen ist ein tragisches Land, die Situation ist ausweglos... So oder so ähnlich. Die üblichen deprimierenden Redensarten. Es ist schwer, sich diesen nationalen Klischees zu entziehen, besonders für einen Ausländer. Ich fürchte, es gibt sogar eine Art von Touristen, die sich dafür begeistern. Sie suchen hier, was ihnen zu Hause fehlt: das Drama, den Glauben, die Verzweiflung, vielleicht sogar den Heroismus. Und es gibt unter meinen Landsleuten nur allzu viele, die mit diesen verdächtigen Tugenden aufwarten können.«

»Dafür bietet die polnische Geschichte gute Gründe.«

»Mag sein. Aber man sucht sich auch die Vergangenheit, die zu einem paßt. Der bleiche, leidende Pole, dieses tragische Opferlamm, ist ja, historisch betrachtet, eine ziemlich neue Figur. Vergessen Sie nicht, daß wir seit

dem 16. Jahrhundert in ganz Europa für unsere Genuß-
sucht, unsern Leichtsinn berüchtigt waren. Die Polen galten als ein munteres, verschwenderisches Volk, das von
einem Fest zum andern taumelte. Davon zeugen bereits
die Lieder unserer Renaissance-Dichter. In den Friedens-
zeiten kam das alles wieder zum Vorschein, selbst im
19. Jahrhundert. Oder denken Sie an die Zeit zwischen
den Kriegen!«

»Sie müssen zugeben, daß das auch eine Frage der ökonomischen Möglichkeiten, des Reichtums ist.«

»Da sagen Sie etwas! Ja, der Haß auf die Reichen ist
unsere Spezialität. Aber das ist eine neue Errungenschaft.
Der einzige Punkt, in dem der Sozialismus gesiegt hat!
Neidische Puritaner waren im alten Polen eine Seltenheit.
Dieses ganze Gerede von der Korruption – pure Dem-
agogie. Armer Gierek! Wenn Sie seine berühmten Villen
gesehen hätten – vergoldete Wasserhähne und so weiter
–, er würde Ihnen leid tun. Sie haben den Standard eines
Reihenhauses in Liverpool oder Bochum. Kein westdeutscher Metzgermeister würde in so etwas einziehen.
Aber lassen wir das. Letzten Endes erfindet jeder von uns
sein eigenes Polen. Es bleibt uns gar nichts anderes übrig.
Wir müssen die Dinge selber in die Hand nehmen, ohne
Rücksicht auf die Russen, die Amerikaner, die Partei, die
Kirche, den Weltmarkt. Hätte ich auf den Denkmals-
schutz gewartet, dann wäre dieses Haus heute ein Trüm-
merhaufen.«

»Sie haben leicht reden, Gregory.«

»Finden Sie? Dann sollten Sie sich einmal meinen Nachbarn ansehen. Er bewirtschaftet das Land, das früher uns
gehörte, und ich muß zugeben, er macht es besser. Er
liefert jeden Tag frisches Gemüse nach Warschau. Natürlich wird er dabei reich. Das ist unvermeidlich. Er investiert, er baut jedes Jahr ein paar neue Treibhäuser, die

Beheizung ist automatisch geregelt. Ich habe ihm die nötige Computer-Anlage besorgt.«

»Es geht also, trotz allem, aufwärts.«

»Ich neige nicht zum Optimismus. Er kommt mir nutzlos vor. Propheten brauchen wir nicht. Die polnischen Verhältnisse sind unabsehbar. Nur das Vorläufige ist wahr. Durchaus möglich« – er weist mit einer vagen Handbewegung auf sein Haus, auf seine Bilder –, »daß ich das alles eines Tages verliere. Aber solange es dauert, fühle ich mich als Treuhänder. Im Provisorischen liegt unsere Stärke, darin sind wir geübt. Und im Fall des Falles heißt es eben von vorne anfangen.« Er wandte sich seinen Freunden zu und rief: »Könnt ihr ein paar Körbe Kaminholz hereinbringen? Seid so gut. Und Sie könnten mir helfen, den großen Tisch auszuziehen. Die anderen müssen bald hier sein. Ein volles Dutzend! Heute abend wird gefeiert. Ein vorläufiges Fest! Ich hoffe, Sie werden sich amüsieren.«

Kattowitz (Katowice), Samstag

Die alten Teilungen des Landes sind, wenn man genauer hinsieht, nach wie vor zu bemerken. Es ist dem Warschauer Zentralismus nie gelungen, die Unterschiede, die sie hinterließen, ganz zu planieren – Unterschiede in den Sitten, in der Architektur, im Habitus der Städte. Kattowitz: eine preußische Industrie-Hölle – Duisburg ist, damit verglichen, eine Idylle. Krakau, bis zur Demütigung vernachlässigt, aber immer noch herrlich, ist dagegen ältestes Mitteleuropa: polnische Renaissance, österreichisches Barock, Wiener 19. Jahrhundert.

Auch die Kleinstädte, durch die wir fahren, erinnern an

versunkene Zeiten. Die Landstraße, von herbstlichen Kastanien gesäumt, führt über eine weite Ebene. Immer wieder müssen wir Pferdefuhrwerken ausweichen, die Kohle geladen haben. Ein alter Rangierbahnhof, verrußte Stellwerke, Bahnschranken. Der nächste Ort liegt am andern Ufer eines kleinen Flusses, unter den Weiden halten die Angler ihre zeitlose Andacht. Im Dickicht sind ein paar Graugänse unterwegs.

Jenseits der Brücke, im alten Stadtkern, herrscht ein lebhaftes Samstagstreiben. Im Wartezimmer des Schreibbüros, halb gute Stube, halb Kanzlei, sitzen die Kunden, die einen Antrag zu stellen, eine Eingabe zu machen haben. An der Wand Hirschgeweihe, staubige Leitz-Ordner, ein Papst-Portrait im verwelkten Blumenschmuck. Der Besitzer lächelt gemessen. Er kann sich nicht recht entscheiden, ob er wie ein Anwalt auftreten soll oder wie ein Friseur. Die Kakteen auf dem Blumenständer wirken privat, aber die vielen gerahmten Diplome geben seinem Laden einen amtlichen Anstrich, und um keinen Zweifel daran aufkommen zu lassen, daß er mit den Behörden im besten Einvernehmen steht, hat er ein Schild aufgestellt, auf dem es heißt: »Der sozialistische Staat ist das höchste Gut des polnischen Volkes.«

Daß die Frauen auf ihrer Einkaufsrunde für das Wochenende diese Ansicht teilen, möchte ich bezweifeln. Sie schieben ihr höchstes Gut vor sich her: es wimmelt von Kinderwagen.

Konkurrierende Werte hat die neugotische Backsteinkirche zu bieten, die Don-Bosco-Berufsschule der Salesianer, aber auch der Abgeordnete der »Patriotischen Bewegung für den Wiederaufbau der Nation«, gegründet 1982, der in einer verwinkelten Ziegelvilla seine Sprechstunde hält. Sogar der ideologische Gegner kann, im Geiste der Koexistenz, seine höchsten Güter feilbieten: im

Kino »Luna« läuft *Es war einmal in Amerika* von Sergio
Leone mit Robert de Niro in der Hauptrolle.

Die Parfümerie an der Ecke verkauft ein Toilettenwasser
namens »Lady Day« – gemeint ist vermutlich Lady Di –,
aber es sind auch Glasperlen, Plastiktüten mit westli-
chem Reklame-Aufdruck und Gummiballons für Kli-
stierspritzen zu haben. Der Laden für Kunst und Ge-
schenkartikel verfügt ebenfalls über ein reichhaltiges Angebot: das Schwert des ersten polnischen Königs,
Bolesław I. Chobry, mit farbigem Wappen, als Brieföff-
ner geeignet (1000 Złoty); eine Lore, mit Kohlen gefüllt,
massiv Messing, auf Anthrazitsockel, die als Zimmer-
schmuck dienen kann (350 Złoty); und als absolutes Lu-
xusstück die Messing-Pendule, Jugendstil-Imitation
(10000 Złoty).

Ja, ich glaube, was polnische Marktplätze betrifft, kann
man mir eine gewisse Kennerschaft nicht absprechen.
Die Unterschiede zu Łomża, dem Städtchen im fernen
Nordosten, sind mit Händen zu greifen. Der Park in der
Mitte des Platzes zum Beispiel ist hier schon in den siebziger Jahren dem Fortschritt gewichen. Wo einst die
Parkbänke standen, hat Gierek, dessen Hausmacht im
oberschlesischen Revier lag, seiner Klientel das Warenhaus »Regenbogen« beschert. Der spätfunktionalistische
Bau paßt wie die Faust aufs Auge zu den alten Bürger-
häusern, aber die Damenkonfektion ist reich sortiert.
Nur der farbige Hoffnungsschimmer aus Neon ist erlo-
schen – die Lichtreklame ist seit langem außer Betrieb.
Dafür erfreut sich eine andere Errungenschaft, das unterirdische Klo direkt vor dem Polizeigebäude, regen Zu-
spruchs.

Um so verschlafener wirkt das Parteihaus nebenan, ein
gelber, ehrwürdiger Bau aus der Zeit der k.u.k. Monarchie. Wenn man die Augen halb schließt in der Mittags-

sonne, könnte man sich vorstellen, daß in diesem Gebäude der Bezirkshauptmann von Trotta residiert, und ganz in der Ferne glaubt man den Radetzkymarsch zu hören.

Nur der Geruch stört. Von einem solchen Geruch hätte sich Joseph Roth nichts träumen lassen. Es ist nicht nur der Braunkohlenruß, der über der Stadt liegt. Etwas anderes mischt sich ein, halb süßlich, halb stechend, wie Gasgeruch. Das muß die chemische Industrie sein, deren Schornsteine man hinter den Dächern der Stadt erkennen kann.

Statten wir zum Abschluß unserer Besichtigung dem Zentralen Pfadfinder-Magazin einen kurzen Besuch ab. An der Wand hängt in riesiger Vergrößerung das Emblem des Verbandes, der in Polen eine große Rolle spielt: ein Malteserkreuz aus bemalter Pappe, im Mittelfeld die Lilie, im Hintergrund das Eichenlaub, auf den waagrechten Flügeln des Kreuzes die Losung: »Sei wach!« In der polytechnischen Abteilung gibt es eine reiche Auswahl von Papier-Flugzeugen und Papier-Panzern zum Selberbasteln, aber auch Leim und Schweißgeräte. Noch bunter ist das Angebot in der Textilabteilung: wollene Unterhosen, Mützen, Uniformen, vor allem aber alle möglichen Auszeichnungen, Winkel, Litzen, Rangabzeichen.

Da können die hiesigen Pfadfinder auch ein Schild mit dem Namen ihrer Heimatstadt kaufen. Aber wer wird sich diese acht Buchstaben aus roter Gummimasse, auf grünen Filz geschweißt, freiwillig an den Ärmel nähen? Die kleine Stadt, die wir besucht haben, heißt OŚWIECIM, zu deutsch: Auschwitz.

Er liebt Beckett, er bewundert ihn, »deswegen weil er so ruhig atmet / in Erwartung des Weltuntergangs / aber auch er beginnt langweilig zu werden«. »Er erinnert sich während er / Grützwurst mit Sauerkraut ißt / daß die Poesie gestorben ist.« Überschrift: »Die Poesie hat rosige Backen.« Er stört, er ist berühmt, er zieht sich zurück, er sabotiert alle Einverständnisse. Tadeusz Różewicz fällt nicht auf. Man verbringt einen ganzen Tag mit ihm und weiß nicht, was er anhatte. Es ist sein Ehrgeiz, die vollkommene Unscheinbarkeit zu erreichen. Ich kenne ihn seit zwanzig Jahren. Immer wieder überrascht er mich.

Plötzlich bleibt er vor dem Warenhaus »Libelle« im Zentrum von Breslau stehen. »Gar nicht schlecht«, behauptet er. »Wollt ihr nicht hereinkommen?«

Die Schaufenster sehen nicht sehr verlockend aus. »Hier gibt es eigentlich alles«, sagt Tadeusz. »Dieses Hemd zum Beispiel. Brauchst du kein Hemd?« Er hält es mir unter die Nase, er preist es förmlich an, ein graues, kariertes Hemd mit kurzen Ärmeln. »Bei euch würde so ein Hemd 30 Mark kosten. Hier kannst du es für drei Mark haben. Sehr günstig!«

Auch Jadwiga, kühl und unnahbar wie immer, hat keine Lust, etwas zu kaufen. Täusche ich mich, oder hat sie mir tatsächlich zugeblinzelt? Es wäre das erste Mal.

»Die Leute schimpfen über die Versorgungslage, über die Preise, über die alltäglichen Scherereien. Sie haben ja recht, Schreien ist gut; aber man lebt hier besser, als du denkst. Die sogenannten einfachen Leute sind sehr intelligent, sie finden alles. Die Polen sind ein bißchen wie die Italiener, sie verstehen sich durchzumogeln. Nur wir sind die Dummen, die sogenannte Intelligenz. Mein Sohn zum Beispiel, er ist Assistent an der Universität und verdient ganze 7000 Złoty im Monat. Selber schuld! Warum ist er nicht Müllkutscher geworden?«

»Und du«, frage ich ihn, »schimpfst du nie?«

»Ich habe keine Zeit«, antwortet er. »Das Benzin zum Beispiel. Die Leute regen sich auf, wenn kein Benzin da ist. Sollen sie doch ihr Auto verkaufen! Ich habe schon seit einem Jahr keines mehr. Ich gehe zu Fuß. Ist auch ganz schön.«

Wir streben der nächsten Kneipe zu und genehmigen uns das erste Bier. »Wieso hast du keine Zeit?« frage ich.

»Alle rufen mich an. Die alten Damen, die Gedichte schreiben, sind unglaublich hartnäckig. Neulich kam sogar ein Chirurg mit seinem Manuskript zu mir. Warum kann er seine Finger nicht von der Poesie lassen? Ich schneide schließlich auch keine Leute auf! Oder ich soll etwas unterschreiben, irgendeinen Appell für oder gegen etwas. Aber ich bin zu alt, habe keine Lust. Früher brauchte ich zwei Stunden, um ein Gedicht zu schreiben, heute zwei Monate. Ich arbeite viel, aber ich schreibe fast nichts.«

Doch dann zieht er ein buntes Heftchen aus der Tasche und lächelt glücklich. Es ist eine billige Broschüre in deutscher Sprache, mit altmodischen Illustrationen, vor einem Menschenalter in Moskau gedruckt: Grimms Märchen. »Kennst du *Die kluge Else*?« fragt er. »Das lese ich immer, wenn ich nicht schlafen kann.«

Mitten im Lärm der Kneipe, bedächtig, mit seinem breiten Akzent, liest er uns ein paar Sätze vor: »Die kluge Else ward irre ob sie auch wirklich die kluge Else wäre und sprach ›bin ich's, oder bin ich's nicht?‹ Sie wußte aber nicht, was sie darauf antworten sollte, und stand eine Zeitlang zweifelhaft: endlich dachte sie ›ich will nach Hause gehen, und fragen ob ich's bin oder nicht, die werden's ja wissen‹. Sie lief vor ihre Haustüre, aber die war verschlossen, da klopfte sie an das Fenster, und rief ›Hans, ist die Else drinnen?‹ ›Ja‹, antwortete der Hans, ›sie ist drinnen.‹ Da erschrak sie, und sprach ›ach Gott, dann bin ich's nicht‹.«

Tadeusz lachte. Wir tranken unser Bier aus und gingen weiter.

»Ja«, fuhr er fort, »mit der Wohnung ist es schwer. Sie wollen ein Stockwerk über meinem Kopf bauen, das bedeutet ein Jahr Lärm. Nach einer Weile wird es mir so gehen wie der armen Else.«

»Du solltest auf der Sandinsel wohnen, da gibt es schöne Häuser.«

»Ja, da wohnt der Kardinal.«

»Du hast den falschen Beruf gewählt.«

»Sag das nicht, ich bin auch ein Kardinal, nur weiß niemand davon, Gott sei Dank, sonst würden noch mehr Leute bei mir anrufen.«

»Ein atheistischer Kardinal«, sagte ich. Sein Lächeln war unergründlich.

»Ja, weißt du, jetzt werden sie auf einmal wieder alle mystisch, die Polen. Das ist eine alte Geschichte. Mickiewicz, Słowacki, unsere besten Schriftsteller, gescheite Menschen, aber plötzlich, eines Tages, wurden sie Mystiker. Ein Berufsrisiko, wie die Staublunge bei den Bergarbeitern.«

»Wenn es regnet, braucht man ein Dach.«

»Jaja, ich verstehe schon… Aber müssen sie unbedingt alle in Kirchenzeitungen schreiben? Dieselben Leute, die mich vor zwanzig Jahren schief angeschaut haben, weil ich kein richtiger Marxist war… Was dieser Różewicz schreibt, hieß es damals, ist kleinbürgerlicher Nihilismus! Und jetzt sind sie alle fromm geworden.«

Ich warf einen ängstlichen Seitenblick auf Jadwiga, aber der Schutzengel verzog keine Miene.

»Naja«, sagte mein Freund der Dichter schließlich, »nur keine Angst, wir sind hier nicht in Paraguay, es wird kein Jesuitenstaat aus Polen werden... Ich bin der letzte Rationalist in diesem Land. Du kannst ein Autogramm von mir haben.«

Wir waren unterdessen bei der nächsten Schankwirtschaft angelangt. Ich erzählte Tadeusz von der Ordensverleihung im Warschauer Schloß, die ich miterlebt hatte. »Orden«, sagte er, »sind auch was Schönes, warum nicht, und sie kommen nicht teuer. Jetzt haben wir einen neuen Kultusminister, er ist Gräzist, soll ein witziger Mensch sein. Da wird sicher wieder einmal alles besser, kann doch sein, ich bin ja Optimist. Aber das ist für meine Enkelin. Ich bin 65. Ich brauche keinen Minister mehr.«

Die letzten Fliegen summten um den Tisch. Wir tranken.

»Orden sind schön«, sagte Tadeusz, »aber *wir* müssen sehen, was darunter ist«, – er zeigte unter den Tisch –, »und das ist schwer.« Seine Stimme war ganz leise, als hätte er Kreide gefressen. Bei Leuten wie ihm, dachte ich, nützt alles nichts, kein Druck, keine Verführung; er ist ein kleiner, weißhaariger Dickkopf. Er sieht alles ein. Dagegen kommt kein Regime an.

Łódź, Mittwoch

Ein unfreiwilliger Aufenthalt. Fast zweitausend Kilometer weit hat uns der Polski Fiat, ohne zu klagen, über die polnischen Landstraßen geschaukelt, abgesehen von einer kleinen Schwierigkeit mit den Scheibenwischern. Sie sind nur durch eine wackelige Steckverbindung mit ihrer Halterung verbunden. Wir haben bald entdeckt, wie sich der Besitzer behalf: er wickelte alte Zeitungen um die Stutzen, um so die Konstruktion zu festigen. Diese Lösung trug freilich nur bei schönem Wetter Früchte. Sobald es zu regnen anfing, weichte die Papiermasse auf, und die Wischer drohten auf und davon zu segeln. Wir nahmen diese kleine Schwäche nicht übel. Aber nun gab der Motor, kaum daß wir die Wartebrücke überquert hatten, Richtung Warschau, höchst beunruhigende Geräusche von sich. So hat uns der Zufall nach Łódź geführt. Der erste beste Tankwart diagnostizierte einen Getriebeschaden. Damit dürfte unsere Lustfahrt zu Ende sein.

Jadwiga, unbeirrt, verspricht aus der Not eine Tugend zu machen. Sie hat überall Freunde, also auch hier. Morgen werden sie uns »die häßlichste Stadt Europas« zeigen. Łódź, das die Polen auch »die Ungeliebte« nennen, hat einen vielversprechenden Ruf.

Łódź, *Donnerstag*

Mit allen Anzeichen einer nahenden Grippe aufgewacht. Kein Wunder, wenn ich an meine kohlschwarzen Taschentücher und an den stechenden Schmerz in den Bronchien denke, der mich, den laienhaften Atemholer, im schlesischen Revier überfallen hat.

Die Stadt ist dämonisch. Mit ästhetischen Urteilen ist ihr nicht beizukommen. An ihrer wüsten Topographie würde sich jeder Stadtplaner die Zähne ausbeißen. Łódź ist der steingewordene Wilde Osten: überall die Spuren vergangener Gier, vergangener Ausbeutung. Ohne unsere einheimischen Begleiter – J. ist ein arbeitsloser Journalist, der für die Untergrundpresse schreibt, Sława eine sanfte, mollige Graphikerin – hätten wir nicht einmal das Zentrum gefunden, so sprunghaft und unübersichtlich ist dieser Ort gewachsen. Die Menschen wimmeln durch den Wirrwarr, als gelte es, nach einem Erdbeben oder einem Bombenangriff aufzuräumen; dabei hat der Krieg die Stadt, abgesehen vom Areal des Ghettos, das die Deutschen in Schutt und Asche legten, verschont. Die entscheidenden Schläge sind hier schon vor einem Jahrhundert gefallen: die Blütezeit der Stadt war auch ihr Erdbeben, eine frühkapitalistische Katastrophe.

Das Herz dieses Gemeinwesens ist die Fabrik. Beklommen steht man vor den riesigen alten Backsteinfestungen, in denen heute wie vor fünfzig und vor hundert Jahren die Webstühle dröhnen und die Spinnmaschinen summen. Entsetzlich wenig hat sich hier verändert, seitdem Reymont und Israel Joschua Singer ihre atemlosen Romane schrieben: *Das gelobte Land, Di brider Aschkenasi*. Selbst der Hauptbahnhof von Łódź trägt den Namen »Fabryczna«.

Nirgends auf der Welt wird der Mechanismus der Ausbeutung so offen zur Schau gestellt wie hier. Gleich neben der Maschinenhalle erhebt sich der Palast des Fabrikherrn, megaloman und schamlos, ein schauerlicher neo-barocker Bau »im französischen Stil«. In seinem enormen, eisigen Ballsaal, unter nackten Jünglingen und Frauen, verewigt der Buchstabe P in den Kartuschen den Namen Poznański, eines Menschen, der als Lumpensammler begonnen hat und als Textil-Magnat endete. Im Spiegelsaal sieht man ihn, wie er als gipserner Bacchus, mit Weinlaub bekränzt, von der sieben Meter hohen Decke grinst. Und einen Steinwurf weit entfernt, auf der anderen Seite der Straße, steht die Werksiedlung, die er zwischen 1880 und 1890 erbauen ließ: die Fassaden schwarz wie nach einem Brand, die Treppenhäuser feucht, die Zimmer winzig, finster, niedrig; vor jeder Wohnungstür zwei Holzkisten, mit Vorhängeschlössern gesichert, die eine für die Kohlen, die andere für das Sauerkraut. J.s Vater hat hier gehaust. Der Sohn kennt das Milieu, er weiß das alte Lied zu singen von Rachitis und Tuberkulose, Streiks und Razzien, und von den Barrikaden, die immer wieder von neuem in den Hinterhöfen errichtet worden sind.

Aber die elende und heroische Geschichte des Łódźer Proletariats ist noch nicht zu Ende. Je düsterer die Zukunft der Textilindustrie aussieht, je mehr die Fabriken veralten, je weniger investiert wird, desto auswegloser erscheint die Lage der Arbeiterinnen. Nirgends werden niedrigere Löhne bezahlt, nirgends ist die Säuglingssterblichkeit höher, nirgends wohnen die Leute schlechter als in Łódź.

In der monströsen Backsteinburg, die einst Poznański gehörte– sie ist heute noch die größte Baumwollspinnerei Europas – arbeiten fünftausend Frauen in drei Schichten rund um die Uhr, ohne Pause, im Akkord. Eine Untersuchung der Gewerkschaften hat gezeigt, daß eine Textilarbeiterin, die eine Familie zu versorgen hat, im Durchschnitt mit fünfeinhalb Stunden Schlaf pro Nacht auskommen muß.

Bei einem der großen Streiks der siebziger Jahre hatten die Frauen die Fabrik besetzt; sie forderten, daß der damalige Partei- und Regierungschef persönlich mit ihnen verhandle. Als er nach tagelangem Zögern erschien, kam es zu erregten Auseinandersetzungen. Die Arbeiterinnen bewarfen ihn mit trockenen Semmeln und verschimmelten Würsten. Die Sicherheitsbeamten mußten Gierek mit dem Hubschrauber herausholen; er wäre sonst kaum mit heiler Haut davongekommen.

Es ist J., der mir diese Geschichte beim Mittagessen erzählt. Wir sind in einer Kneipe an der Straße der Belagerung von Stalingrad eingekehrt, aber kein Mensch nennt sie so; ihr alter patriotischer Name, Straße des 11. November, hat alle Umtaufen überstanden; er erinnert an die Zweite Republik der Vorkriegszeit. Bei der Witwe Szmidtowa, III. Kategorie, fließt der Wodka schon am hellen Vormittag, wenn die Frühschicht nach Hause geht. Das Essen ist billig und gut.

Die Szmidtowa ist allerdings schon vor einem Jahr gestorben, aber das ganze Viertel bewahrt ihr ein respektvolles Andenken. Bei ihr mußte Stalin immer mit dem zweiten Platz vorliebnehmen, auch in den frühen fünfziger Jahren; denn sie weigerte sich, das Heiligenbild von der Wand zu nehmen. Die härtesten Rowdies wurden unter ihrem mütterlichen Blick lammfromm und gingen brav nach Hause, wenn sie ihnen nach dem zehnten Glas den Stuhl vor die Tür setzte.

Der alte Kellner, der uns bedient, läßt sich nichts anmerken, aber das ganze Lokal spitzt die Ohren; wir kommen den Stammgästen verdächtig vor. »Gut, das es so früh am Tag ist«, sagt J. leise. »Wenn diese Burschen mehr als 200 Gramm intus haben, könnte es riskant werden. Die Älteren unter ihnen hören es nicht gern, wenn hier einer deutsch redet.«

Nachmittags zum Bazar am Ende der Petrowka, früher »Roter Markt« genannt. Wie es sich für diese Stadt gehört, stellt er alles in den Schatten, was ich an polnischen Märkten bisher gesehen habe. Auch hier ist die langgestreckte Halle, die an den Hangar eines Zeppelins erinnert, »wegen Reparatur geschlossen«. Wie überall in Polen, bedeutet das Schild mit der Aufschrift *Remont* den Passanten: Laßt alle Hoffnung fahren. Dafür bietet der Bazar auf freiem Feld einen schwindelerregenden Anblick.

Schwärme von Wahrsagerinnen, die einem für 200 Złoty, für 20 Złoty, für eine Zigarette alle Geheimnisse der Zukunft entschleiern; Krüppel, die zäh um einen Posten Reizwäsche feilschen; unförmige, früh gealterte Frauen um ein Gurkenfaß geschart; ein verstümmelter Veteran, der, emsig seine Kurbel drehend, im Rollstuhl durch die Menge schlingert: man glaubt, in eine neapolitanische Freak-Show geraten zu sein, man reibt sich die Augen, man betrachtet verstört das Angebot: die Computer-Programme zwischen dem Rosenkohl, den Samizdat-Porno, die »Süßtafeln« aus der DDR, eine Art Schokolade-Ersatz, der dem Schmuggler 400% Gewinn bringt; ferner den schwarzen Plastik-Teufel, der eine obszöne, rosige Gummizunge ausstreckt, wenn man ihm den weichen Schädel zerquetscht, und den lebenden Hahn. »Schade um dich, mein Schöner«, klagt die Bäurin, die ihn streichelt.

Ein paar Reihen weiter »die Industrie«: das sind Stände, an denen die Ersatzteile wuchern, die zertrümmerten Geräte, der Schrott aus hundert abgewrackten Autos. Ein Archäologe könnte aus diesen Überresten unsere technische Zivilisation rekonstruieren, aus dem Müll einen ganzen Fernseher, einen kompletten Mercedes zusammensetzen wie eine griechische Amphore aus ihren Scherben... Und hinter dem Markt ragt drohend die Silhouette eines Kraftwerks, das, mitten ins Herz der Stadt gerammt, infernalisch zischende Giftwolken ausstößt.

Zügellos wirken in dieser Stadt sogar die Friedhöfe. Sie ufern aus, so, als wäre nicht einmal der Tod imstande gewesen, die Energie der Gründer, die hier liegen, zu bremsen. Der evangelische Kirchhof zeigt den Anteil deutscher Unternehmer am Aufstieg der Łódźer Industrie und ihr Selbstverständnis: »Liebe Treue Fleiß und Streben / war ihr Leben.« Einer dieser Textil-Millionäre, ein gewisser Scheibler, ließ sich mitten in das Gräberfeld eine neogotische Kirche im Maßstab 1:1 bauen. Der Sarkophag, in dem er um die Jahrhundertwende bestattet wurde, nimmt die Stelle des Altars ein. Heute sind die Spitzbogenfenster mit Backsteinen vermauert, die eisernen Portale verrostet; abgestürzte Fialen und Kreuzblumen liegen zerbrochen am Boden, von Unkraut überwuchert. Aber Scheibler, »in treuer Pflichterfüllung«, hat für den Jüngsten Tag gebaut, und so hat seine Kathedralengruft selbst die Handgranaten, mit denen die Rote Armee ihr zu Leibe rückte, bis auf ein paar Schrammen heil überstanden.

Aber was ist der deutsche Friedhof im Vergleich zu jener anderen Nekropole, die sich, hinter hohen Mauern verborgen, im Norden der Stadt über ein riesiges Areal hin ausdehnt! Der abgelegene Ort ist schwer zu finden. Man geht eine knappe Viertelstunde weit über einen alten, moosigen Karrenweg bis zu einem winzigen Durchschlupf, tritt durch eine rostzerfressene Tür und findet sich auf einem Hof, wo Hühner scharren und Ziegen grasen. Zwei kläffende Hunde fletschen die Zähne. Ein Mann klopft an einem zerbeulten Auto herum, ein zweiter, der an einer Betonmischmaschine hantiert, wirft uns einen mißtrauischen Blick zu. Über dem verfallenden Ziegelbau der Einsegnungshalle steht der David-Stern.

Vor dem Zweiten Weltkrieg war jeder dritte Łódźer jüdischen Glaubens. Nur der Friedhof zeugt noch von der dominierenden Rolle, die das Judentum einst in dieser Stadt gespielt hat. Das ausgedehnte Geviert ist in Jahrzehnten der Verlassenheit zu einem zweiten Angkor Wat geworden. Wie im Dschungel versunkene Tempel stehen die Mausoleen im mannshohen Unkraut. Bäume haben die Steine gesprengt, Marmortafeln und schmiedeeiserne Gitter sind Grabräubern zum Opfer gefallen. Eine blecherne Tafel, 1970 aufgestellt und schon fast unleserlich, erinnert an die Geiseln, die die SS hier im Jahre 1944 erschossen hat.

Hundert Schritte weiter zeigt das Grab von Ładysław Goldberg, der am 15. März 1908 gestorben ist, eine Allegorie der Vergänglichkeit: der Tote ließ sich damals eine zerbrochene Säule setzen. Aber vor ein paar Jahren ist die künstliche Ruine noch einmal umgestürzt, das Geborstene ein zweites Mal geborsten. So ist der ganze Friedhof zum doppelten Memento geworden, ein Palimpsest des Todes.

Meine Grippe hat die Stirnhöhle erreicht, und ich frage mich, ob ich nicht die falschen Tabletten geschluckt habe. Ich taumle durch das Dickicht. Wie eine Halluzination taucht ein ägyptischer Kuppelbau aus der Wildnis auf. Es ist der Tempel des Lumpensammlers P. Das Innere ist durch einen Bretterverschlag gesichert, aber die Mosaike sind verschwunden, das Blattgold von den Säulen gekratzt; eine ungelenke Hand hat auf den Marmor einen fünfzackigen Stern im Kreis geschmiert, flankiert von zwei auf den Kopf gestellten Kreuzen, darüber die Zahl 666, und die Inschrift lautet: »Satan ist unsere Liebe, Luzifer unsere Zuversicht«. Es ist die Losung einer Sekte, die dem Satanismus huldigt und die sich in den letzten Jahren, zum Kummer der Kirche und der Partei, an den Oberschulen der Stadt ausgebreitet hat.

Abends großes Abschiedsmahl bei Sława. Sie haust mit ihrem Mann und ihren zwei Kindern in einer Zweizimmerwohnung an der Wschodnia. Das Haus liegt in einem alten Glasscherbenviertel. Hier gibt es Tag und Nacht Wodka zu kaufen; die Schwarzhändler verstecken ihre Vorräte in den Hydranten und in den Zählerkästen der Hauseingänge. Auch die ältesten und billigsten Huren der Stadt haben hier ihr Revier. Die finstere Mietskaserne aus dem Jahre 1905 sieht aus, als hätte seitdem niemand eine Hand gerührt, um sie instandzuhalten. Der schmalbrüstige Innenhof erinnert an ein Gefängnis. Unter der Treppe hat sich eine private Garküche eingenistet, wo man billig essen kann.

Aber heute herrscht nicht der Mangel, sondern die Verschwendung. Eine festliche Tafel erwartet uns. Sławas Mann, ein zartgliedriger Mensch mit den großen dunklen Augen eines Sehers, hat es nicht nur fertiggebracht, einen privaten Verlag zu gründen, der in der schmalen Grauzone zwischen Zensur und Samizdat operiert und exquisite Pressedrucke in winzigen Auflagen veröffentlicht – er ist auch ein hervorragender Koch. Er hantiert in der Küche, wo sich neben Sławas Schreibtisch Spielsachen, Besen, Schachteln türmen, und erschafft aus dem Chaos ein wunderbares Diner.

Nur mir war es nicht vergönnt, das Aroma, das die Wohnung erfüllte, zu würdigen. Der Virus hatte mich fest im Griff, und ich spürte, wie ein heißer Nebel in meinem Gehirn aufstieg.

»Angenommen«, sagte ich, noch bevor die Suppe auf den Tisch kam, »angenommen, morgen fänden die ersten freien Wahlen zum polnischen Reichstag statt...« Ich weiß nicht, welcher Teufel mich geritten hat, ein solches Spiel vorzuschlagen.

»Blödsinnige Idee«, sagte Sława. »Du weißt doch, was hier los ist.«

»Es ist ja nur ein Gedankenexperiment«, erwiderte ich lahm.

»Wer soll denn kandidieren?«

»Keine Ahnung. Aber natürlich braucht ihr unbedingt eine katholische Partei.«

»40 Prozent«, rief J. »Vorausgesetzt, die Bauern sind dabei.«

»Ach was, höchstens 30«, sagte Sławas Mann, die Suppenschüssel in der Hand.

»Dann die Sozialdemokraten«, fuhr ich fort.

Die Zahlen kamen wie bei einer Auktion, prompt und entschieden: »25!« – »36!« – »Und die Rechten?« fragte ich.

»Nationaldemokraten und Piłsudski-Leute 10 Prozent. Dazu kommen dann noch die Rechtsradikalen. 8 Prozent Faschisten finden sich immer.« – »8 Prozent? Ausgeschlossen!«

»Und was ist mit den Kommunisten?« fragte ich.

»Die Kommunisten werden natürlich verboten.« – »Seid ihr wahnsinnig? Das wäre der allergrößte Fehler. Ich sage fünf Prozent.« – »Quatsch! Mindestens doppelt soviele. All die Leute, die Angst haben, ihren Job, ihre Landhäuser, ihre Pensionen zu verlieren. Allein schon die Bereitschaftspolizei. Das geht in die Millionen!«

Nach einem langen, erbitterten Streit einigte sich die Tafelrunde auf folgendes Ergebnis: Sozialdemokraten 32%, Christlich-Soziale 36%, Bauernpartei 7%, Nationaldemokraten 9%, Rechtsradikale 5%, Kommunisten 11%.

»Aber das ist ja sensationell!« schrie ich. »Wißt ihr, was

das heißt? Erstens, 40 Jahre Parteipropaganda waren für die Katz. Zweitens, Polen ist, politisch gesehen, ein ganz normales europäisches Land. Genau wie Frankreich oder Italien!«

Das wollten sie nicht auf sich sitzen lassen. »Stellt euch das Durcheinander vor!« – »Spaltungen! Schlägereien! Straßenschlachten!« – »Wahnsinn! Alle unsere Fehler kämen zum Vorschein!« Sie lachten. Ich hatte sie angesteckt. Sie waren außer sich vor selbstkritischem Übermut.

»Außerdem, die Polen als brave Europäer – das ist doch ein Hirngespinst. Von dem, was ihr Normalität nennt, haben wir keine Ahnung. Darauf sind wir nicht trainiert. Hat dir niemand erzählt, wie eitel wir sind, wie selbstbezogen? Ein zurückgebliebenes Volk, das auf seine eigenen Probleme fixiert ist?«

»Und noch etwas anderes hast du vergessen, mein Lieber. Wir wissen nämlich nicht, wie man mit seinen Nachbarn auskommt. Denn solange wir denken können, haben diese Nachbarn immer nur eins im Sinn gehabt: uns zu überfallen. Daran haben wir uns gewöhnt. Ich bin gar nicht sicher, daß wir ohne Feinde auskommen könnten. Jedenfalls würden wir euch alle bis aufs Blut reizen mit unseren Extratouren, unseren Empfindlichkeiten.«

Ich widersprach ihnen, von Hustenanfällen geschüttelt. Ich versicherte ihnen, daß Europa Polen braucht. »Sogar eure Fehler werden dringend benötigt«, rief ich. »Was ist Europa anderes als ein Konglomerat von Fehlern? Fehlern, die so verschieden sind, daß sie einander ergänzen und ausbalancieren. Für sich betrachtet, sind wir alle unerträglich. Jeder auf seine Art. Schaut euch doch die Schweizer an, oder die Griechen! Von den Deutschen ganz zu schweigen.«

Dann brachte Sławas Mann den Hasenbraten herein,

und eine lange, andächtige Stille senkte sich über die Tafel.

Ein paar Gläser später erkundigte sich J., wie mir Łódź gefallen habe.

»Unvergeßlich«, antwortete ich. »Ein brutales Wunder. Aber man müßte...« Ich stockte.

»Man müßte was?«

»Man müßte etwas tun... Ein Projekt entwickeln, Vorschläge machen... Eine solche Stadt kann man doch nicht einfach vor die Hunde gehen lassen! Die Textilindustrie ist eine Monokultur, ein sterbendes Ungeheuer... Ihr müßt euch etwas einfallen lassen! Zum Beispiel... Die Filmstudios. Ja, natürlich! Munk, Polański, Wajda. Ihr habt doch diese berühmte Filmhochschule hier, und massenhaft Theater. Leute wie ihr, Journalisten, Musiker, Regisseure, Graphiker, Autoren... Das wäre die Lösung! Łódź muß die Medien-Metropole des Ostens werden. Fernsehstudios, Druckereien, Plattenfirmen, Redaktionen, Datenbanken, Verlage, Satelliten-Stationen... Eine Zukunftsindustrie. Jede Menge Arbeitsplätze.« Ich war nicht mehr zu bremsen.

»Schluß mit dem Lärm und dem Dreck, mit den vorsintflutlichen Webstühlen, und Schluß mit der Warschauer Bevormundung! Eine große Debatte über die Zukunft der Stadt. Ein Projekt. Warum schlagt ihr das nicht vor?«

Ich hielt inne, die Gabel in der Hand. Die Runde meiner Freunde starrte mich an wie einen Verrückten. Jadwiga legte mir ihre kühle Hand auf die Stirn. »Er hat Fieber«, sagte sie. Ihre grauen Augen musterten mich mit einer Mischung aus Spott und Mitleid.

Wir wandten uns dem Dessert zu. Nach einer langen Pause fragte mich Sława: »Wie lange bleibst du noch in Polen?«

»Ich fahre morgen.«

»In deinem Zustand? Ausgeschlossen.«

Sie hatte recht. Ich brachte keinen Bissen mehr hinunter.

»Entschuldigt bitte«, sagte ich. »Meine Rede vorhin war wirklich naiv. Ich verstehe ja, daß das alles nicht so einfach ist.«

»Gib dir keine Mühe«, sagte Jadwiga. Das war das erste Mal, daß sie mich duzte. »Wir verstehen uns ja selber nicht.« Sie sprach so leise, daß ich Mühe hatte, ihr zu folgen. »Daß wir tapferer, frömmer und klüger sind als alle anderen, das weißt du ja. Aber du glaubst doch nicht im Ernst, daß wir zu retten sind?«

Ihre Stimme klang sonderbar beruhigend. Der Kachelofen glühte. Ich wollte ihr widersprechen, aber ich fühlte, wie mir die Augen zufielen, und so brachte ich nur ein mattes, dankbares Murmeln hervor.

Spanische Scherben

»An den Scherben erkennt man den
Topf, und an dem Stroh das Getreide.«

Der Palast und der Souk

»Die Stadt hat eine heitere Atmosphäre.« So steht es, schwarz auf weiß, im dümmsten Reiseführer Europas. Die Madrider haben keinen Grund, das Buch zu öffnen; aber wenn sie diesen Satz fänden, wären sie beleidigt. Sie sind stolz auf die Ungemütlichkeit der Metropole, ihre Hektik, ihren Krach, ihre Gedankenflucht. Die Explosion Madrids kann ihnen gar nicht schnell genug gehen; sie können es nicht erwarten, daß die Fünf-Millionen-Grenze überschritten wird.

Es schmeichelt ihnen, wenn skrupellose Besucher Madrid mit New York vergleichen. Sie lieben ihre vierzehnspurige Hauptstraße, den Paseo de la Castellana; nur ein Lebensmüder könnte auf die Idee kommen, auf dieser Promenade spazierenzugehen. Sogar auf ihre Kriminalität halten sich die Madrileños etwas zugute. Das Wort *chulo* wird selten ohne einen bewundernden Unterton ausgesprochen. Im Wörterbuch steht: »eingebildeter, dreister, flegelhafter Kerl; Schlägertyp; Gauner, Zuhälter, Dieb; Madrider Kind, typischer Menschenschlag der arbeitenden Klasse in Madrid.«

Madrid ist ungefähr so heiter wie Moskau oder Houston, Texas. Hier war von jeher alles eine Nummer zu groß, auch als die Kapitale noch ein verschlafenes Kaff auf der öden kastilischen Hochebene war. Ihre Architektur ist monumental und geschmacklos; man merkt ihr an, daß hier schon immer die Macht und die Repression zu Hause waren. Es ist nicht leicht, im Straßenbild der Stadt ein Ministerium von einer Bank und eine Bank von einer Kaserne zu unterscheiden. Die Portale sind allesamt von so enormer Größe, daß sich der General, der Präsident, der Minister auf die Zehenspitzen stellen müßten, um auch nur den Türgriff zu erreichen.

Der auftrumpfende Gestus ist so alt wie die Stadt, nämlich gute dreihundert Jahre. Solange ist es her, daß sich ein spanischer König sein Land ansah, und siehe, es war an der Peripherie blühend und voller Leben, aber in der Mitte wüst und leer, und so zeigte er mit dem Finger auf die Landkarte und sprach: Hier laßt uns Paläste bauen. So geschah es, und seitdem ist Madrid dazu ausersehen, der Peripherie zu imponieren. Was freilich den Charme und die Vitalität dieses Gemeinwesens ausmacht, ist nicht die Fassade der Macht, sondern ihre Kehrseite. Hinter dem bürokratischen Zeremoniell lauert die Anarchie. Hunderttausende von Glückssuchern sind nach Madrid gezogen, in der Hoffnung, hier die Netzestadt Mahagonny zu finden. Ihnen verdankt die Stadt ihr ungezähmtes und plebejisches Wesen.

Nachts gleicht das Zentrum einem Ameisenhaufen. An Schlaf ist nicht zu denken. Wenn der infernalische Verkehr auf der Gran Vía einen Augenblick lang an der Ampel stockt, ist der orientalische Singsang der Losverkäufer zu hören, die wie Muezzine dem Passanten die Wonnen des Paradieses verheißen.

Ein zerlumptes Paar hat seine Matratze vor dem Kinoeingang ausgerollt, flankiert von zwei auf dem Pflaster schlafenden Kindern. Ihr Familiendrama und die Geschichte ihrer Obdachlosigkeit wird auf einem riesigen, selbstgemalten Plakat enthüllt. Für den Fall, daß es regnen sollte, ist die Tafel mit einer Plastikhaut geschützt. Niemand bleibt stehen, um den endlosen Briefwechsel mit Ämtern und Gerichten zu studieren, die fotokopierten Ausweise und Räumungsbefehle. Auf dem blechernen Teller liegen nur fünf Münzen. Die Madrider glauben kein Wort. Sie sagen: »Papier ist geduldig. Das sind Profis, die sitzen schon seit Wochen hier. Nur die Ausländer fallen auf so was herein.«

Der Rastro ist der Souk, der große Bazar der Hauptstadt. Hier ist Europa zu Ende. Mit 45 Peseten sind Sie dabei, soviel kostet die U-Bahn, die Sie aus der spanischen Kapitale im Handumdrehen in den Orient bringt.

Sollten Sie am Sonntagmorgen einen Hund benötigen, und zwar augenblicklich, so ist das kein Problem in Madrid. Sie können sich einen Boxer aus dem Pappkarton holen oder einen Chow-Chow aus dem Bierkasten. Gleich daneben gibt es Ölgemälde, Hunderte, Tausende von Ölgemälden, eine ganze Straße ist damit bedeckt. Bitte treten Sie nicht auf die Kunst!

Das Angebot an Dietrichen ist phantastisch. Auch der Liebhaber gebrauchter Nagelscheren kommt hier auf seine Kosten. Was Che Guevara betrifft, dessen Plakate die Linke beider Hemisphären schon vor fünfzehn Jahren von ihren Pinnwänden genommen hat – hier ist er noch zu finden, über einem Haufen echter falscher Möbel. Hier wird alles verkauft, was nicht niet- und nagelfest ist: der Strumpfgürtel, der Pazifismus, der Lärm, die Sonnenbrille, der Goldfisch. Innerhalb von fünf Minuten kann man sich die Dankbarkeit der Volks-Mudjahedin erwerben, eine Heavy-Metal-Ausrüstung und eine Krokodilhaut aus dem Besitz der Herzogin von Marlborough.

Auch die Politik nimmt hier alle Züge eines Jahrmarkts an. Sämtliche Kommunistischen Parteien Spaniens – ich habe sieben oder acht gezählt – sind mit von der Partie. Neben Stapeln von Unterhosen und Girlanden von Fascho-Abzeichen sind auch die Anarchisten noch zu finden, deren reiche Tradition ansonsten wie vom Erdboden Spaniens verschluckt scheint. Reliquien aus ihren heroischen Zeiten sind preiswert zu haben, zum Beispiel ein tintenrot und schwarz bebildertes Romanheftchen, *Die Stimme des Blutes* von Vicente Ballester, Vorwort von Federica Montseny, der *grand old lady* des Anarchismus, erschienen im Verlag Universum, Toulouse 1946, etwas vergilbt, aber sonst wie neu, Kostenpunkt 50 Peseten. Weit und breit ist kein Käufer zu erblicken. Der alte Mann am Stand, ein Veteran der Bewegung, rollt sich gleichmütig eine Zigarette.

Dagegen gehören zu den begehrtesten Artikeln auf dem Rastro Fleckenwasser, Fleckenpasten, Fleckenpulver aller Art. Dicht umzingelt von der Menge, zelebriert der bärtige Verkäufer mit hoch erhobener Flasche sein alltägliches Wunder. Wie die alten Flecken, der alte Schmutz, die alte Schande im Nu verschwinden, das ist ein magischer Vorgang, der das Publikum immer von neuem in seinen Bann zieht.

Auch die höheren Sphären der Madrider Gesellschaft haben ihre magischen Praktiken. Ihr Arbeitstag endet nicht, wenn es dunkel wird. Fast wäre man versucht zu sagen: er beginnt erst eigentlich um acht Uhr abends, und er zieht sich bis zum Morgengrauen hin. Die berühmte *movida* besteht aus einem endlosen Pilgerzug von einem Lokal zum andern. Bei der Auswahl der Bars, der Restaurants und der Nachtlokale waltet unerbittliche Strenge; gerade dort, wo um keinen Preis ein Tisch zu haben ist, gilt es sich niederzulassen. Hier werden die Posten vergeben, die Intrigen gesponnen, die Putsche geplant, die Märkte aufgeteilt und die Allianzen geschmiedet. Diese Gesellschaft, in der sich Politiker und Gutsbesitzer, Militärs und Journalisten, Künstler und Bankiers begegnen, hat etwas Orientalisches: sie ist großzügig und klatschhaft, rachsüchtig und indiskret, heimlichtuerisch und unberechenbar.

In diese »arabische« Welt sind vor ein paar Jahren die »Dänen« eingezogen, in Gestalt der aufgeklärten, anständigen Zukunftsmänner. Die Sozialisten unter Felipe González kamen aus der Provinz. Sie kamen als Sieger. Sie vertraten das bessere Spanien. Haben sie Madrid umgekrempelt? Oder hat Madrid sie verschluckt?

Diese Frage kann ein Ausländer nicht beantworten, auch wenn er ein paar Nächte lang in der Hauptstadt unterwegs war, wie es der Brauch verlangt. Wer weiß, ob es die richtigen Lokale waren, die er aufsuchte, die richtigen Tische, an denen er saß? Die Geheimnisse, zu deren Mitwisser er wurde, waren ohne Zahl. Ob sie etwas zu bedeuten haben, ist fraglich; fest steht nur, daß sie alle aus erster Hand stammen:

»Der Innenminister hat mich auf die Feuertreppe gebeten, um mir zu sagen, wie sich die Sache in Wirklichkeit verhält. In seinem Amtszimmer kann er nicht frei sprechen. Er weiß genau, daß er von seinem eigenen Sicherheitsdienst abgehört wird.«

»Was wollen Sie, in Madrid arbeitet kein Mensch. Alle machen *puente*. Am Freitag vormittag habe ich versucht, im Außenministerium anzurufen. Es war nicht einmal ein Telefonist da, der den Hörer abgehoben hätte.«

»Felipe ist ein Caudillo. Niemand wagt ihm zu widersprechen. Seine Umgebung besteht aus lauter Feiglingen. Der Staatsapparat macht, was er will. Die Sozialisten wissen nicht einmal, was Gewaltenteilung ist. Ausgerechnet die wollen die Verwaltung vereinfachen! Da kann ich nur lachen. Was bei uns regiert, ist keine Partei, sondern eine Futterkrippe. Ganze 80000 Mitglieder haben die Sozialisten, die meisten sind erst vor ein, zwei Jahren eingetreten, und 49000 davon haben sich bereits einen Posten im öffentlichen Dienst verschafft!«

»Ich kenne ihn, ich habe damals in Sevilla mit ihm Fußball gespielt, als er noch Student war. Insgeheim ist Felipe ein Ultralinker. Er behandelt die Kapitalisten, als wären sie anständige Menschen, aber im engsten Kreis sagt er: Der spanische Unternehmerverband besteht aus lauter Kriminellen, mit einer einzigen Ausnahme, und der ist ein Dummkopf.«

»Ich kann Ihnen versichern, der nächste Putsch ist bereits geplant, für Mitte Oktober; aber er wird scheitern, das steht fest. Ich habe die Operationspläne der Luftwaffe gesehen. Im Ernstfall wird das Bomberkommando die Kasernen angreifen.«

»Die Sozialisten? Natürlich sind das Hurensöhne, aber es sind *unsere* Hurensöhne, und darauf, mein Lieber, kommt es an!«

Das Orakel

Im Vorortzug nach Aranjuez sitzen keine Touristen, sondern bescheidene Hausfrauen, müde Pendler und aufgekratzte Schüler. Die Fahrt geht an den ziegelroten Zinnen der Madrider Schlafstädte vorbei. Dann durchquert die Strecke das verwüstete Vorfeld der Metropole: zertrümmerte Magazine und einstürzende Fabriken, Schrotthalden, Lokomotivschuppen. Niemand beugt sich aus dem Fenster, um den Monster-Christus von Cerro de los Angeles zu besichtigen. Die riesige Betonfigur segnet mit ausgebreiteten Armen ganz Spanien. Sie steht exakt auf dem Mittelpunkt des Territoriums und erinnert an die Tatsache, daß Spanien dem Heiligen Herzen Jesu geweiht ist. Anno 1936 wurde die Statue von einer Anarchisten-Truppe »hingerichtet«; die Einschüsse dieser symbolischen Ermordung sollen heute noch zu sehen sein. Ein Fernsehmast überragt inzwischen den Erlöser. Der Bummelzug klettert über steinige Hügelketten. Unter den Hochspannungsleitungen weiden Schafe im kastilischen Staub. Endlich hält der Zug in Ciempozuelos.

Ich bin nicht als harmloser Besucher an diesen kleinen Ort gekommen, sondern in heimtückischer Absicht, als ein Spion, der seine Gastgeber auskundschaften will. Das häßliche Mißtrauen, das mich dazu bewog, hatte mir ein lateinamerikanischer Freund eingeflößt, der jahrelang im spanischen Exil gelebt und sich dort mehr schlecht als recht durchgeschlagen hat.

»O ja«, das war seine Rede gewesen, »in Madrid wirst du die üblichen Leitartikelschreiber treffen, einen Staatssekretär, einen Gewerkschaftsboß, und natürlich ein paar Dutzend Schriftsteller. Sie werden dich gut behandeln, sie werden dir ihre Bücher schenken. Aber was werden sie dir erzählen? Daß das alte Spanien tot ist, daß nur noch ein paar Unbelehrbare an ihrem alten Wahn festhalten, daß alles ganz, ganz anders geworden ist, daß Spanien zu Europa gehört. Sie glauben selber daran. Sie bewundern ihr Werk. Die Modernisierung, den berühmten Wandel. Fabelhaft! Nur, daß sie leider in einem Potemkin-Land herumirren, in einem Land, das es gar nicht gibt! Als ließen sich Jahrhunderte der Sklerose so einfach mir nichts dir nichts liquidieren, mit ein bißchen gutem Willen und dem nötigen Optimismus! In Wirklichkeit ist alles beim alten geblieben. Nur die Verpackung hat sich geändert.«

»Und wo finde ich diese Wirklichkeit?« fragte ich ihn.

»Das kann ich dir sagen. In Ciempozuelos.«

Natürlich hatte ich nie von diesem Ort gehört. Mein Freund allerdings hat dort, im Jahre 1978, ein paar Monate seines Lebens zugebracht.

»Das ist es ja«, rief er. »In Madrid wissen sie nicht einmal, wo Ciempozuelos liegt. Aber dieses Nest und tausend seinesgleichen sind das wahre Spanien, nicht die rosa Teesalons von Barcelona und die Computerläden von Madrid!

Stell dir ein paar staubige Straßen von niederträchtiger Häßlichkeit vor, 12 000 Einwohner, vier traurige Cafés, und die hauptsächliche Industrie des Ortes ist der Wahnsinn. Jedesmal, wenn ich zum Bahnhof ging, kam ich an den langen Mauern und den vergitterten Fenstern des Irrenhauses vorbei. Jeder dritte Einwohner ist Patient. Ich war nie drin, aber daß es sich um eine Schlangengrube handelt, würde selbst ein Blinder sehen. Und wer nicht zu den Internierten zählt, der steht unter der Fuchtel der Guardia Civil.

Der einzige, mit dem ich ab und zu ein vernünftiges Wort wechseln konnte, war der lokale Gewerkschaftsführer. Er hat monatelang vergebens nach einem Büro und einem Versammlungsraum gesucht. Die Guardia Civil ging zu den Hausbesitzern und legte ihnen nahe, diesen Kommunisten keinen Unterschlupf zu gewähren. Er hat mir auch erzählt, wie die Polizei in Ciempozuelos Angebot und Nachfrage auf dem Arbeitsmarkt regelt. Jeder, der einen Job sucht, muß in der Kaserne vorsprechen und sich dort seinen einwandfreien Lebenswandel und sein Wohlverhalten bescheinigen lassen. Kein Zeugnis, keine Arbeit. Die Taglöhner gehen jeden Tag früh morgens auf den Markt, um ihre Arbeitskraft zu verkaufen. Hinter jedem Landbesitzer steht ein Uniformierter. Die Guardia Civil entscheidet, wer angeheuert wird und wer nicht.

Es gibt auch eine Fabrik in Ciempozuelos, die Plastikröhren herstellt. Wer dem Meister widerspricht oder höhere Löhne fordert, der wird innerhalb von 24 Stunden in die Kaserne vorgeladen. Dort wird er mit Ledergürteln oder mit nackten Fäusten verprügelt. Alle schweigen darüber. Sie haben Angst. Du siehst, mein Lieber, eine Stunde weit von Madrid ist es aus und vorbei mit der spanischen Demokratie!«

Ich beschloß, Ciempozuelos, dieses unscheinbare Pünktchen auf der Landkarte, so wie man eine Münze wirft, zu meinem Orakel zu machen, zur Probe aufs Exempel. Auf den ersten Blick schien alles meinem verbitterten Freund recht zu geben. Der Bahnhof lag verlassen in der brütenden Hitze da. An der menschenleeren Straße fand ich das erste der vier traurigen Cafés. Ein ausgetrockneter Brunnen, die verkrauteten Reste eines Parks, Bauruinen auf freiem Feld... Und das zuchthausartige Gebäude dort drüben mußte die psychiatrische Klinik sein. Allerdings waren die Türen zugenagelt, und die Fensterscheiben hinter den eisernen Gittern waren zerbrochen. Die Schlangengrube stand leer.

Dagegen bot der alte Hauptplatz mit seinen Laubengängen ein überraschendes Bild. Das Rathaus war renoviert worden und strahlte in frischem Weiß; die Balkone waren erneuert, auch an andern Häusern sah ich neue Kassettentüren und Pfosten aus hellem Eichenholz. Der Platz war umgetauft worden: er hieß nun Plaza de la Constitución, Platz der Verfassung. Ich fand eine neu eingerichtete Gemeindebibliothek und einen kleinen Saal für kulturelle Veranstaltungen.

Dann machte ich mich auf den Weg zur Guardia Civil. Die Kaserne lag nur ein paar Minuten weit entfernt. Unterwegs entdeckte ich zwei Videoläden (*Gandhi, Ben Hur, Die Foltern der Inquisition* und *Deep Throat* waren im Sonderangebot zu haben). Graffiti gaben bekannt: »Das Volk von Ciempozuelos unterstützt den gerechten Kampf des palästinensischen Volkes.« Ferner fand ich den Saal des Königreichs der Zeugen Jehovas, der neben einer kleinen Diskothek untergebracht war. An der

Hauswand verlangte jemand die sofortige Auflösung aller Unterdrückungsorgane. Die Kaserne, ein altes, gelbes, viel zu großes Gebäude, lag direkt gegenüber. Eine Schafherde zog vorbei, durch die sich vier kichernde Schwestern in Ordenstracht hindurchkämpften; sie waren mit einem Schlagzeug und mit elektrischen Gitarren bewaffnet.

Das Tor der Kaserne stand offen. Ein rotgesichtiger Sergeant empfing mich händereibend. Nach einem Ausweis hat er mich nicht gefragt. Er führte mich in ein kleines, stickiges Büro und bot mir einen Zigarillo an. Über den unverhofften Besuch schien er sich aufrichtig zu freuen. Über seinem Schreibtisch lächelte verhalten der Monarch. Der Sergeant, 45 Jahre alt, zwei Kinder, 18 Jahre im Dienst, 1500 Mark (80000 Peseten) Monatsgehalt, tat es seinem obersten Dienstherrn nach. Ich fragte ihn, womit sich die Garnison, die aus elf Leuten bestand, die Zeit vertriebe. »Wir garantieren die Sicherheit«, gab er zur Antwort. Allerdings, Gefahren, das gab er zu, waren nicht in Sicht. Ab und zu gab es Ärger wegen der Jagd- und Fischereirechte. »Und im letzten Monat hatten wir sogar einen Diebstahl. Ein paar Hemden und ein Kofferradio. Der Fall konnte aufgeklärt werden.«

»Und wie ist es mit den Gewerkschaften? Streiks? Arbeitskonflikte? Man hat mir gesagt, die Guardia mische sich in alles ein.«

»Diese Zeiten sind vorbei. Das war früher. Was wollen Sie? So ist das eben in der Demokratie. Sie macht weniger Arbeit. Damit müssen wir uns abfinden. Unser Bürgermeister zum Beispiel: Wenn Sie mir vor fünf Jahren gesagt hätten, daß wir einen Kommunisten als Bürgermeister kriegen würden, ich hätte es nicht für möglich gehalten. Übrigens ist das ein sehr guter Mann. Die Leute haben ihn ja nicht wegen seiner Partei gewählt, sondern weil er tüchtig ist. Das Ergebnis war ziemlich knapp. Wenn er nicht so sympathisch wäre, hätte vermutlich der Apotheker das Rennen gemacht. Der ist von der rechten Partei, der Alianza Popular. Sie sind sicher an seinem Haus vorbeigekommen, der Laden liegt links an der Ecke, wenn Sie zum Rathaus gehen.«

Ich fragte den Sergeanten, was aus der Psychiatrie geworden war.

»Was? Sie haben den Neubau noch nicht gesehen? San Juan de Dios heißt die Klinik, zwei Straßen weiter, Sie können es gar nicht verfehlen.« Tatsächlich. Ein paar hundert Meter von der alten Schlangengrube entfernt stieß ich auf eine christliche Sozialutopie: einen weitgestreuten Komplex von weißen Gebäuden und Pavillons, mitten in einem großen Park. Die Klinik-Tore standen weit offen. Es gab keine Ein- und Ausgangskontrolle. Die Patienten saßen dösend an einem Teich, spielten Karten im Freien, baten mich um eine Zigarette. Pfleger waren kaum zu sehen. Ich warf einen Blick in eine Tischlerwerkstatt, in eine Bar, in einen Swimming-Pool. Gärtner waren in einem Treibhaus beschäftigt. Kinder schaukelten. Kranke spielten Tennis. Aus der Kirche war Musik zu hören. Hier fand ich die vier kleinen Schwestern wieder. Sie hatten ihr Schlagzeug vor dem Altar aufgebaut und ließen ein paar milde Polit-Rock-Nummern erschallen. Einer der Songs handelte von Nicaragua, ein anderer vom Hunger in der Welt. Ein kleines Publikum, meist ergraute Häupter, hörte ihnen andächtig zu. Ich traf einen jungen Psychiater, der mir sagte, der Gründer des Hospitals, Pater Menni, solle demnächst seliggesprochen werden – eine Idee, die mir, alles in allem, einleuchtend schien. In der Bundesrepublik Deutschland habe ich eine psychiatrische Klinik von vergleichbarer Qualität noch nicht zu Gesicht bekommen.

393

Auf der Rückfahrt nach Madrid geriet ich ins Grübeln. Ich war einem unbestimmten Argwohn gefolgt. Die Realität hatte mich widerlegt. Ich war glücklich darüber. Innerhalb von acht Jahren hatte sich dieser unscheinbare Ort radikal verändert. Das Wunder von Ciempozuelos war kein Propagandatrick. Aber war das, was ich gesehen hatte, die Ausnahme, oder war es die Regel? Wie viele Ciempozuelos gibt es in Spanien? Ich weiß es nicht. Ich weiß nur: die Bewohner der kleinen Stadt finden nichts besonderes an ihrem Los. Das Schönste an dem Wunder, das sie gewirkt haben, ist, daß sie es normal finden.

Die Analogie

»Die politisch-soziale Rückständigkeit Spaniens gegenüber seinen Nachbarn gehört bis ins 20. Jahrhundert zu den Dauerthemen des Nachdenkens der Spanier über sich selbst; und wenn es so etwas wie eine spanische Ideologie gab, so bestand sie darin, weniger den Ursachen dieser Rückständigkeit nachzuspüren und auf Abhilfe zu sinnen, als vielmehr in einer Mischung aus Trotz und Trauer den Ständestaat gegen die Industriegesellschaft, das Mittelalter gegen die Moderne, die Kultur gegen die Zivilisation, die Innerlichkeit gegen die Außenwelt, Gemeinschaft gegen Gesellschaft auszuspielen, um schließlich zur Glorifizierung eines spanischen Sonderwegs und zur Verherrlichung spanischen Wesens zu gelangen... Eine Art stolzer Melancholie schwang dabei mit und das Bekenntnis zur Rolle des Außenseiters, in der man sich nur allzu gut gefiel.«
Dieses Resumé stammt aus einer neuen Abhandlung des

deutschen Sozialwissenschaftlers Wolf Lepenies (*Die drei Kulturen*. München 1985). Allerdings habe ich mir erlaubt, das Zitat zu verfälschen: überall dort, wo »Spanien« steht, hat Lepenies »Deutschland« geschrieben. Wer hat recht? Der Autor? Der Fälscher? Weder der eine noch der andere? Oder alle beide?

»Sie sind ratlos? Sie verstehen nicht, was hier passiert ist? Das ehrt Sie. Es geht mir genauso. Und dabei lebe ich seit fünfzig Jahren hier, und fühle mich durchaus als Spanier.«

Wir saßen im Rauchsalon einer alten Villa in Chamartín, im Norden von Madrid. Das Haus mit der gelben Stuckfassade hatte wie durch ein Wunder die Raserei des Grundstück-Booms überlebt, die rapide Ausbreitung von Schnellstraßen, Hochhäusern und Einkaufszentren... Mein Gastgeber war ein zierlicher Greis, der rechtzeitig aus Deutschland emigriert war und sich in Spanien als Pelzhändler durchgeschlagen hatte.

»Viele Ausländer schwärmen bis auf den heutigen Tag von der Franco-Zeit. Damals brauchte man abends nur in die Hände zu klatschen, schon kam der Nachtwächter gelaufen und sperrte einem die Haustür auf. Die Dienstboten waren dankbar und devot. Wer dreimal in der Woche Fleisch auf dem Teller hatte, galt schon als reicher Mann. Es war eine muffige Idylle. Ich bin froh, daß sie verschwunden ist. Auch die ideologische Kleistermasse, die das Selbstbewußtsein der Spanier zementierte, also Ehre, Seele, Treue, Rasse, Stolz, Vaterland, Ruhm, usw., hat sich in nichts aufgelöst. Sozusagen über Nacht. Spurlos weg.«

»Das ist es ja, was ich nicht begreife«, sagte ich.

Der Verkehr vor dem kleinen Vorgarten war infernalisch. Die Neonlichter des Hotelneubaus gegenüber warfen rötliche Reflexe auf die Politur der alten Möbel. Mein Gastgeber saß im Halbdunkel.

»Stellen Sie sich einmal vor«, sagte er leise, »Hitler hätte das wichtigste eingebüßt, was er besaß, seinen Wahn, und wäre zu einem kaltblütigen, rational kalkulierenden Diktator geworden.«

»Das kann ich mir nicht vorstellen.«

»Ich bin 1935 ausgewandert, weil ich eingesehen hatte, daß etwas Derartiges ausgeschlossen war. Aber setzen wir einmal den Fall, er hätte es dabei bewenden lassen, seine eigenen Landsleute zu unterdrücken, einzusperren und umzubringen! Sie werden mir zugeben, daß sich die Aufregung der Welt in Grenzen gehalten hätte. Das Regime der Nazis wäre unerschütterlich gewesen. Früher oder später hätten die Deutschen es zu einigem Wohlstand gebracht. Eines Tages wäre Hitler im Bett gestorben, an Altersschwäche, mitten im Boom. Und sein Nachfolger, ein gewisser Speer, ein ungewöhnlich begabter Technokrat, wäre zu seinem Nachlaßverwalter geworden. Was hätte Speer getan? Er hätte kunstvoll, zäh und umsichtig die Selbstabschaffung des Regimes ins Werk gesetzt. Natürlich nicht ohne erbitterten Widerstand der Herren von der Gestapo und der hohen Militärs. Aber vielleicht hätte er es geschafft. Und ich frage Sie: Was hätten dann die Deutschen angefangen mit ihrem kollektiven Wahn? Mit ihrer nordischen Seele? Mit ihrer fixen arischen Idee? Mit ihrer ganzen unappetitlichen Ideologie? Weg damit, auf den Müll!«

»Ich verstehe, worauf Sie hinauswollen.«

»Natürlich hinkt der Vergleich. Die Falange, das waren schließlich Waisenknaben im Vergleich zu den Nazis.«

»Außerdem, und das ist ein entscheidender Unterschied, haben die Spanier ihre Diktatur aus eigener Kraft liquidiert. Dagegen haben die Deutschen ihren Faschismus bis zum letzten Atemzug verteidigt. Erst mußten die Alliierten unsere Städte zertrümmern und unser Land zerstückeln; dann erst konnte die Demokratie eingeführt werden, per Dekret der Militärregierung.«

»Einverstanden. Aber das Resultat ist doch ziemlich ähnlich, finden Sie nicht? Musterknaben in Bonn, Musterknaben in Madrid. Aufgeklärte, liberale Leute, überzeugte Europäer, Pressefreiheit, volle Schaufenster und leere Kirchen. Da und dort ein paar dunkle Punkte, von denen niemand mehr etwas wissen will, aber sonst? Die alten Laster, die alten Tugenden, die alten Überzeugungen, – alles den Bach runter! Na, wenn Sie mich fragen, es ist wahrhaftig nicht schade drum. Und das alles in zehn Jahren! Erst der Boom, das ›Wunder‹, dann der ›Übergang‹, die Euphorie, der ›Wandel‹, schließlich der Kompromiß, die Ernüchterung, die Krise, die Abnutzung, der Zynismus. Ich rede jetzt von Spanien.

Sie haben es hier mit einem Land zu tun, das bis zur Banalität vernünftig, bis zur Langeweile normal ist, genau wie die Bundesrepublik. Natürlich ist niemand zufrieden. Natürlich gibt es eine Menge Leute, die sich darüber beklagen, daß das Christentum nur noch ein Popanz ist und der Marxismus ein alter Schuh. Und ich räume Ihnen ein, daß das Resultat laut, lästig und vulgär ist. Schauen Sie sich meinen Garten an, da wächst nichts mehr. Seinen Charme hat Spanien gründlich eingebüßt. Die Arbeitslosigkeit geht mir auf die Nerven, der Terrorismus, die Kriminalität, die Putschgefahr, das Schlamassel, die Häßlichkeit. Aber ich muß Ihnen sagen: Ich sehne mich nicht zurück in die dreißiger, vierziger, fünfziger Jahre. Sie werden feststellen, daß heute auf einen spanischen Fanatiker mindestens zehn völlig normale Menschen kommen. Nach Jahrhunderten des Schwachsinns ist das ein Triumph, mein Lieber! Ein Triumph!«

Der alte Herr blickte auf seine erloschene Zigarre und fügte hinzu: »Sie als Deutscher sollten das verstehen.«

Das Wahn-Museum

Exponat Nummer 25 775, unter Glas, auf rotem Samt: der Teller, von dem der Erste Marquis del Duero, Generalkapitän Manuel Gutiérrez de la Concha, eine Viertelstunde vor seinem Tod gefrühstückt, und die Tasse, aus der er getrunken hat. Daneben, in einem gläsernen Schaukasten, eine hölzerne Puppe mit hervorquellenden blauen Augen, mit farbigen Lappen bekleidet und auf einen Ladestock gestützt: so sah ein Artillerist im 15. Jahrhundert aus. Ohne Registernummer: die vergoldete Pistole mit dem Perlmuttgriff, die der berüchtigte Faschist Queipo de Llano hinterließ, sowie das Mikrophon, das er benutzte, um täglich einmal über den Sender Sevilla seine Hetztiraden loszuwerden.

»Im Armeemuseum läßt sich die Geschichte unseres Vaterlandes mit Händen greifen. So stark ist die geistige Kraft, die es ausstrahlt, so durchdringend und so tief ist die Bewunderung, die es erweckt, daß sich die Stofflichkeit seiner Sammlungen in eine Ruhmeshymne, in ein Heldengedicht zu verwandeln scheint. Das Gefühl, das sie hervorrufen, gleicht dem des Christen, der seine Gedanken im feierlichen Raum unserer alten Kathedralen zu Gott erhebt.« So steht es im *Offiziellen Führer des Armeemuseums zu Madrid.*

In diesem Palast an der Calle de Méndez Núñez ist die Geschichte abgeschafft. Alles ist gleichzeitig: das Mittelalter und der Bürgerkrieg, Pizarro und Napoleon, die Berber und die Indios. Eine erstarrte Ewigkeit herrscht in diesem glorreichen Panoptikum. Hunderte von Flinten, Orden, Büsten, Schwertern, Fahnen, Rüstungen bilden ein halluzinatorisches Durcheinander. Niederlagen und Verbrechen hat es nie gegeben. Der Krieg ist ein einziges Gesamtkunstwerk, das nach Magie oder Moder riecht, eine phantastische Reliquie, zusammengestückelt aus tausend Fetzen.

»Sehen Sie die entzückenden Kompositionen aus Soldaten des 20. Jahrhunderts«, lockt die Werbebroschüre, die an der Kasse ausliegt.

»Soldaten aus dem Mutterland, aus Übersee, aus unserem Protektorat (?), aus dem letzten Bürgerkrieg, und die Figürchen bedeutender Männer, wie Alfons XIII. und Juan Carlos I., Hitler, Mussolini, Eisenhower, Göring, de Gaulle, Franco... Das Museum ist so hübsch, so wertvoll, so bedeutend, so interessant!«

Unter der Unbefleckten Empfängnis unserer Lieben Frau in Öl, Schutzpatronin der Infanterie, sind zwei Rekruten aus Jaen damit beschäftigt, einige der zahllosen Schwerter blankzuputzen; Hingebung liegt in ihren Mienen. 13700 Zinnsoldaten tragen eine Schlacht aus, die nie ein Ende nimmt. Das Büro des Obersten Moscardo ist ein winziger Salon, möbliert mit zündholzgroßen Stühlchen, Tischchen und Kanapees, geschmückt mit einer Galerie von Paßfotos, auf denen vergilbte Offiziere zu sehen sind. Die Wand, an der sie hängen, ist aus Papier, das Haus aus Gips und Sperrholz, die Zimmerdecke, die dem Besucher Einblick gewährt, aus einer Plastikfolie. Der Kommandant des Alcazar ist ein Liliputaner, gebastelt von einem Heer, das seit vierzig Jahren gottlob nichts anderes mehr totzuschlagen hat als die Zeit.

Es gibt Museen zweiten Grades, deren wichtigstes Exponat den Kuratoren gänzlich unbekannt ist: sie zeigen die Mentalität der Aussteller vor. Solche Museen sind Selbstporträts. Etwas Unschuldiges haftet ihnen an. Dem Generalleutnant Varela, der das Armeemuseum leitet, muß alles gleich wertvoll vorkommen: der philippinische Kris und die Aktentasche des Caudillo. Massenmorde werden hier mit der gleichen Unbefangenheit gesammelt wie Briefmarken auf dem Schulhof. Nur das jüngste Ausstellungsstück fällt aus dem Rahmen. Es ist ein zerknautschter amerikanischer Straßenkreuzer, Marke Dodge, schwarz, Kennzeichen PMM 16416, der am 20. 12. 1973 durch eine Bombenexplosion fünfzehn Meter hoch in die Luft geschleudert wurde. Der Insasse war der letzte Statthalter Francos. Über die Täter und ihre Motive schweigt sich das Museum aus. Sicherlich ahnt der ernste Saaldiener nicht, mit welch inniger Freude mancher Besucher diesen verbeulten Sarg betrachtet.

Der Störenfried

»Du wirst lachen«, sagt Juan Cueto Alas, »aber es ist ein Vergnügen, ein spanischer Intellektueller zu sein. Man kann sagen, was man denkt, man wird gedruckt, und man wird auch noch dafür bezahlt. Ein phantastischer Zustand! Das hat es in diesem Land noch nie gegeben.«

»Und wovon«, frage ich höflich, »haben die spanischen Dichter und Denker früher gelebt?«

»Die Tradition gab ihnen zwei Möglichkeiten an die Hand: entweder die servile Ochsentour – bei Hof, in der Akademie, im Staatsdienst – oder das Dasein eines Hungerleiders in der Provinz. Wer sich mit dieser Alternative nicht abfinden konnte, für den gab es noch eine dritte Chance: den Knast. Vergiß nicht, daß wir hierzulande zwar Aufklärer hatten, aber keine Aufklärung.«

Mit einer lässigen Handbewegung wies Cueto auf die Gesammelten Werke des illustren Don Gaspar Melchor de Jovellanos, eines Menschenfreundes aus dem achtzehnten Jahrhundert, der alle drei Optionen, die einem spanischen Intellektuellen zur Verfügung standen, am eigenen Leib erfahren hatte.

»Dafür habt ihr euch vermutlich ein paar neue Risiken eingehandelt.«

»Natürlich. Überproduktion, Starkult, schnelles Geld und modisches Geschwätz. Endlich sind wir selber schuld an dem, was wir uns einbrocken. Die Zeiten, in denen wir uns als Märtyrer fühlen durften, sind vorbei. Ich kenne viele, die ihnen nachtrauern, vor allem unter den Linken. Sie vermissen Franco, sie ärgern sich darüber, daß es ihnen gut geht, sie sind die Witwer der Diktatur.

Ich kenne das. Ich habe den Widerstand mitgemacht, den Kommunismus, die algerische Revolution. Ich bin froh, daß ich es hinter mir habe. Es ist ein herrlicher Luxus, daß man über die Politik lachen kann. Leider lacht niemand mit, zumindest nicht öffentlich. Unser Humor ist klandestin geblieben. Auch das ist ein Erbe der Franco-Zeit. Die Öffentlichkeit macht uns immer noch Angst. Wer zu weit geht, könnte sich ja blamieren. Also führen wir lieber getragene Reden. Auf den Brustton kommt es an in unsern Debatten. Der Ausdruck ist übrigens zu hoch gegriffen. Es handelt sich um einen Choral von Monologen. Niemand kümmert sich um das, was der andere sagt, niemand widerlegt einen.

Die spanische Intelligenz ist rhetorisch und literarisch. Von Mikroelektronik und Molekularbiologie hat sie noch nie etwas gehört. Ihr höchster Ehrgeiz ist es, einen dieser hirnlosen Romane zu schreiben, in denen es von tragischen Figuren wimmelt, obwohl unsere

Wirklichkeit, dem Himmel sei Dank, alltäglich und banal geworden ist. Die Romanliteratur ist zum Massensport geworden. Ich persönlich ziehe den Fußball vor.«

Cueto wohnt an der Peripherie der spanischen Peripherie. Die Stadt Gijon war einst ein wichtiger Erz- und Kohlehafen und ein blühendes Zentrum der Schwerindustrie. Heute ist sie von postindustrieller Armut gezeichnet. Wer freiwillig dort lebt, gilt als Exzentriker. Weit draußen vor der Stadt, im Nordosten, gegenüber einer verwahrlosten Diskothek im maurischen Stil, steht auf freiem Feld ein Haus, von dem der Mörtel abbröckelt: halb Mexiko, halb Grunewald. Die Zimmer sind mit schweren »Renaissance«-Möbeln vollgestellt, die der Erbauer, ein alter Nazi, hinterlassen hat, ebenso wie das Hakenkreuz-Mosaik, mit dem das Badezimmer gefliest ist. In diesem Haus, das ihm gefällt, gerade weil es nicht zu ihm paßt – er liebt die Inkongruenz, den Wirrwarr, das Risiko – lebt der Schriftsteller, allein mit seinem Hund und mit seinem Apple-Computer, der alles, was er schreibt, via Telefon an die Madrider Medien weitergibt. Cueto sitzt auf einem ausgeleierten alten Bürostuhl und spricht. Er spricht so fließend, daß ihm fortwährend die Zigarre ausgeht; es fällt ihm soviel ein, daß er keine Zeit hat, seinem Gast einen Kaffee anzubieten. Das ist ein Zeichen seiner Generosität; denn was ist ein Kaffee, verglichen mit einem Argument? Cueto ist nicht der Mann, der einem Stichwort widerstehen könnte.

»Konsum! Alle schimpfen auf den Konsum, als wäre das etwas Neues in unserm Land. Dabei sind wir seit Jahrhunderten Virtuosen des Konsums. Er ist das Medium und das Maß unserer Fortschritte. Was haben wir mit unserem Weltreich angefangen? Wir haben es konsumiert. Als wir damit fertig waren, kam das ausländische Kapital, und aus kolonisierenden wurden wir zu kolonisierten Affen. Unsere Modernisierung geschah durch den massiven Import von Investitionsgütern und Luxuswaren. Die Produktion interessierte uns nicht, sie kam später, chaotisch und stoßweise, ohne jede unternehmerische Logik. Zu Francos Zeiten wiederholte sich das Spiel. Nicht die Produktion löste den Boom aus, sondern der Tourismus, die Imitation, der wildgewordene Verbrauch.

Und heute? An jedem Kiosk kannst du die neuesten Produkte der Informatik kaufen. Auf dem Schulhof tauschen die Kinder nicht mehr Briefmarken, sondern Programmkassetten. Alles importiert, alles in englischer Sprache: gepumpte Intelligenz. Das ist bequemer, als selbst etwas zu erfinden. Der Staat hinkt hinterher. Die Polizei kann mit Computern nicht umgehen, sie bevorzugt den Knüppel. Gesetze über Datenverarbeitung und Datenschutz gibt es nicht, und weil es weniger anstrengend ist, sich an ausländische Netze anzuhängen, gibt es keine nennenswerten spanischen Datenbanken.

Das Schema ist alt, das Resultat ist immer das gleiche: Abhängigkeit. Die Abhängigkeit ist uns zur zweiten Natur geworden. Nach wie vor überwiegen in Spanien administrative, ›organische‹, korporative Haltungen. Die Protektion ist unser Ideal, der Kündigungsschutz für Gedanken, Wohnungen, Gefühle und Geschäfte. ›Lebenslänglich‹: das bedeutet bei uns keine Verurteilung, sondern eine Verheißung.

Ich sehe darin die Säkularisierung unserer berühmten heiligen, unantastbaren ›Werte‹ – sozusagen ihre kleinbürgerliche Version. Das ewige Spanien ist auf das Format einer Sitzfläche geschrumpft: jeder klammert sich an seinen Stuhl. Die Unternehmer sind unfähig und feige.

Außerdem lassen sie sich vom Staat subventionieren, ebenso wie die Gewerkschaften, die nicht müde werden, das Beamtentum für alle zu fordern. Ihre einzige Strategie ist die Blockade.

Und im privaten Leben ist es nicht anders. Niemand will sich bewegen. Niemand will eine Mietwohnung haben. Auch wer kein Geld hat, kauft und mauert sich ein, möglichst lebenslänglich. Ich kenne Leute, die sich nicht scheiden lassen, weil sie eine Eigentumswohnung haben. Man trennt sich, aber man zieht nicht aus. Nur keine Veränderung!«

»Ich finde aber im Gegenteil, daß sich Spanien in einem rasenden Tempo verändert hat.«

»Ja, ja, ja! Du hast recht. Das Tempo ist schwindelerregend. Wir taumeln übergangslos von einer Phase in die nächste. Alles geschieht überstürzt. Weißt du, womit wir es in Spanien zu tun haben? Mit einem galoppierenden Immobilismus!«

Er war jetzt völlig entfesselt und durch keinen Einwand mehr zu bremsen.

»Dynamik ohne Veränderung, lethargische Raserei... Nichts wird verarbeitet. Bevor ein Problem gelöst wird, ist es schon wieder überholt. Die Folge ist eine ganz spezifische Form der Amnesie. Nimm z. B. den Bürgerkrieg! In Wirklichkeit ist er natürlich alles andere als vergessen. Aber die Erinnerung wird gewissermaßen tiefgefroren. Alle heiklen Fragen werden »geparkt«. *Por ahora no* – im Moment lieber nicht! Das ist die Parole. Es ist noch zu früh, um daran zu denken, es ist zu gefährlich, später vielleicht! Und so werden die gestrigen Probleme von den heutigen und die heutigen von den morgigen verschluckt. *Somos todos amigos!* Wir verstehen uns schon! Überall Stillhalteabkommen...«

»Das glaube ich kaum. Wenn ich mir die spanischen

Medien ansehe, habe ich eher den Eindruck, daß da ein enormes Durcheinander herrscht, ein Geschrei, bei dem man sein eigenes Wort nicht mehr versteht, eine babylonische Sprachverwirrung...«

»Schaumschlägerei! Die Pluralität ist nur ein hauchdünner bunter Film. Darunter findest du einen erschreckenden Grad von Übereinstimmung. Der Konsens geht bis zur Kapitulation. Die Rechte ist bankrott, die Linke hat aufgegeben. Daraus ist ein stillschweigender ideologischer ›Vertrag‹ entstanden, an den sich alle halten. Das Vertragsziel ist: Komfort, Konsolidierung, Sicherheit.«

»Und du bist der Störenfried.«

»Ach was. Ich bringe niemanden um seinen Schlaf. Ich fürchte nur, daß ich dazu verdammt bin, recht zu behalten. Das ist mein schlimmstes Berufsrisiko.«

»Du bist viel zu ungerecht, als daß dir jemand zustimmen könnte. Wenn ich mir die Politik eurer Regierung ansehe – wo bleibt denn da dein Konsens, dein Stillhalteabkommen? Die Sozialisten riskieren einen Krach nach dem andern.«

»Du hast recht! Die Sozialistische Partei nimmt dem Kapitalismus die schmutzige Arbeit ab. Wenn sie wenigstens Zyniker wären, unsere Sozialisten! Aber nein! Sie leiden wie die Hunde, ihr moralischer Kummer ist keineswegs gespielt, und sie haben auch allen Grund dazu: die Arbeitslosigkeit, der Abbau der Pensionen, die NATO, das Defizit der Staatsbetriebe, die Inflation... *Pobrecitos*! Die Ärmsten!«

Sie tun ihm wirklich leid. Aber jetzt muß Juan Cueto Alas rasch seine Tasche packen, sonst erreicht er die letzte Maschine nicht mehr. War es ein Symposion in Rom? eine Ausstellung in Málaga? eine Konferenz in Budapest? Jedenfalls hatte er es eilig. Er gehört zu jenem guten Dutzend öffentlicher Figuren, die man in Spanien die Allgegenwärtigen nennt. Das ist nicht seine Schuld. Es sind einfach zu wenig Leute von seinem Kaliber vorhanden. Je seltener eine Ressource, desto eifriger wird sie ausgebeutet. Er setzt mich im Zentrum von Gijon ab und verabschiedet sich mit dem heiteren Seufzer: »Entbehrlich müßte man sein!«

Es ist dunkel geworden. Es nieselt. Die Geschäfte haben ihre Rolläden heruntergelassen. In den Cafés an der Calle Corrida ist es still. Die Bürger von Gijon bleiben zu Hause. Ist ihnen das Geld ausgegangen? Die alte Hauptstraße liegt verlassen da. Nur zwei Gestalten lassen sich durch den ewigen Regen nicht vertreiben: der eine ist mit einem Schwert und mit einem Kreuz bewaffnet, der andere mit einem Buch. Es sind die beiden Schutzpatrone von Gijon: der König Pelayo von Asturien, der die Mauren vertrieb, und Jovellanos, der Aufklärer. Sie werfen einander keinen Blick zu. Jeder mustert von seinem Ende der menschenleeren Straße aus ratlos die dunkle, von der Krise belagerte Stadt.

Das Denkmal

Das Tal der Gefallenen ist das größte Kriegerdenkmal der Welt. Lohnt es sich, dieses Selbstporträt des Franco-Regimes zu besuchen?

»Der Augenschein hat immer recht. Die Architekten lügen, aber die Architektur sagt die Wahrheit. Sie stellt ihre Auftraggeber bloß, je monumentaler sie ist, desto deutlicher. Schon deshalb mußt du hinfahren.«

Die einschlägige Literatur wartet mit Zahlen auf: 201740 Tonnen wiegt allein das Kreuz, das sich über dem Tal erhebt. Die Bronzetür zur Basilika ist zehneinhalb Meter hoch. Die Krypta mißt 262 Meter in der Länge, der Platz vor dem Eingang 30600 qm. 50000 Tote sind in der Nekropole untergebracht. Tausende von Zwangsarbeitern haben neunzehn Jahre lang gebraucht, um das Monument zu errichten.

»Was wollen Sie dort?« fragt ein katalanischer Freund, antiklerikal bis auf die Knochen. »Wenn Sie die Moskauer Metro gesehen haben, wissen Sie Bescheid. Nur daß das Ding zehnmal größer ist, und über dem Eingang steht: Gefallen für Gott und Vaterland. Die Wahrheit wäre: Gefallen für nichts und wieder nichts. So viel Beton, um eine Lüge zu verewigen! Ich war noch nie da. Ich fahre nicht mit. Ich denke nicht daran!«

»Es ist sinnlos«, sagt ein sozialistischer Politiker, »gegen einen Tempel zu polemisieren. Wenn du mich fragst: die mexikanischen Pyramiden sind nicht weniger obszön. Aber in der Frage der Symbole sind es immer die Rechten, die die bessere Nase haben. Die Rechten sind die Spezialisten des Wahns. Deshalb ist es sinnlos, sich um Denkmäler, Fahnen und Straßennamen zu streiten. Dieser Kampf ist sogar gefährlich, denn es ist stets der Dümmere, der ihn gewinnt. Diesen Ausflug kannst du dir sparen.«

»Sie müssen Ihre Vorurteile ablegen«, rät mir die Gattin eines deutschen Industriellen, eine üppige Blondine, die sich im Handumdrehen zur spanischen Patriotin gemausert hat.

»Ich finde das Tal der Gefallenen himmlisch. Ich fahre immer wieder hin, und es ist von Mal zu Mal schöner! Die Landschaft ist atemberaubend, und was die Architektur betrifft – Sie werden sehen, wie schlicht sie ist, wie authentisch, und alles aus echtem Naturstein! Ich weiß, Sie haben für Franco nichts übrig, ich auch nicht – wo denken Sie hin! –, aber Politiker kommen und gehen, was bleibt, ist die spanische Grandezza. Glauben Sie mir, es lohnt sich. Ich bringe alle meine Gäste dorthin.«

»Das Tal der Gefallenen? Für mich ist es eine Kindheitserinnerung«, erzählte mir einer der klügsten Köpfe von Madrid. Er ist der Sohn eines hochgestellten Falangisten; als Student hatte er eine marxistisch-leninistische Partei mitbegründet; heute gehört er zu den Auguren der spanischen Politik. »Es muß in der Mitte der fünfziger Jahre gewesen sein. Wir sind mit Chauffeur vorgefahren, in einer langen schwarzen Limousine. Autos waren damals eine Seltenheit. Wenn es hochkommt, gab es sechs Fahrzeuge auf tausend Einwohner, heute sind es, glaube ich, 160. Mama trug ein rosa Kleid und einen großen Hut. Sie kam mir aufgedonnert vor. Die Bauarbeiten waren in vollem Gang. Ich erinnere mich genau an die Blicke der Gefangenen, die mir, auf ihre Schaufeln gestützt, ins Gesicht sahen. Es war ein merkwürdiges Gefühl. Ich ahnte, daß auch ich ein Gefangener war. Übrigens, wenn Sie wirklich hinfahren, sollten Sie ein paar hundert Schritte durch den Wald gehen. Ich habe mir sagen lassen, daß die Baracken der Zwangsarbeiter heute noch stehen. Ich bin nie wieder dort gewesen.«

Sie hatten alle recht. Sogar die Reste der Baracken waren noch da. Die Sterne im Reiseführer sind verdient, es handelt sich um eine Sehenswürdigkeit. Es ist, als hätten die Pharaonen Walt Disney engagiert; als wäre Stalin fromm geworden; als hätte die Mafia beschlossen, eine Nekropole für die Ehrenwerte Gesellschaft zu erbauen; als hätte Albert Speer einen Vatikan ohne Papst geplant; als hätte Paul Getty eine Bande von Fälschern beauftragt, ihm einen atomsicheren Renaissance-Bunker zu bauen. Allerdings, der Tourismus zermahlt auch den härtesten Stein. Er normalisiert alles, indem er es knipst und mit

Pappbechern bedeckt. Im Tourismus findet dieser zwecklose Bau zu seiner wahren Bestimmung. Verkleinert auf das Format eines Souvenirs, eines Aschbechers, verliert er seinen Schauder. Und so kann ich mich dafür verbürgen, daß unter den Fundamenten dieses Denkmals kein ideologisches Dynamit verborgen liegt.

Einen beruhigenden Eindruck macht bereits die Zahnradbahn, die vom Parkplatz bis zur Basis des 150 m hohen Betonkreuzes führt, dorthin, wo die vier Kardinaltugenden verzweifelt in die Ferne blicken: sie ist »wegen Betriebsstörung geschlossen«, und zwar, wie es heißt, schon seit sechs Monaten. In der Talstation stehen ganze Busladungen von Amerikanern vor der Toilette Schlange.

An der Bar wird »Pralinen-Freude« verkauft, ein deutsches Erzeugnis; auch eine Likörflasche in Form einer Flamenco-Tänzerin ist zu haben. An Video-Spielen wird geboten: Fenix, Crash Road, Space King, Moon Cresta und Piraña, keine schlechte Auswahl für eine so geheiligte Stätte.

Eine obsolete Form des Nervenkitzels bietet der betagte Glücks-Kran: Wer bereit ist, fünfzig Peseten zu wagen, kann, wenn er geschickt genug ist, den Greifarm so über ein Sortiment von Gummibällen, Pen-Lites und Zigarettenschachteln manövrieren, daß ihm diese begehrenswerten Dinge für den Bruchteil ihres Wertes gleichsam in den Schoß fallen. Ein Texaner, der es versuchte, wurde allerdings mühelos von dem Apparat besiegt und verließ fluchend das Lokal.

Vor dem Eingang zur Basilika hat sich ein Andenkenstand angesiedelt. Hier gibt es Heilige Jungfrauen in Plastiktaschen und kleine Tafeln mit der Messing-Inschrift: *¡La muerte es un acto de servicio!* Tod ist Dienst! Das Geschäft geht schleppend.

Ein pensionierter Unteroffizier bietet seine Dienste als Guide an. Der Mann ist aufgedunsen vom jahrzehntelangen Eintopf der Kaserne; an seiner grünlichen Strickjacke zeichnen sich Hosenträger ab. Unter der großen mosaikgeschmückten Kuppel gibt er sein halluzinatorisches Geschichtsbild preis. Helden, sagt er, seien Helden, er drehe da die Hand nicht um. Sogar Primo de Rivera liege hier begraben, obwohl er gegen Franco war. Jeder habe mal Mist gebaut, sogar Franco, aber hier sei eben Platz für alle. Ich verstehe kaum, was der Rentner vor sich hinmurmelt. Vielleicht liegt es an seinem starken Dialekt, vielleicht auch daran, daß der Mann offenbar schon am Vormittag betrunken ist.

Auch in der Eingangshalle will sich, trotz der riesigen Kandelaber, keine weihevolle Stimmung einstellen. Hier haben sich die Pförtner eingenistet. Sie hausen in einem Verschlag aus Plastik und Kunstholz, der an eine Ost-Berliner Zollbude erinnert. Die beiden Pförtner sitzen hemdsärmlig da. Ihre verschwitzten Mützen haben sie vor sich auf den Tisch gelegt, neben ihre halbgeleerten Bierflaschen. Ein Sicherungskasten, ein grüner Papierkorb im Stil der fünfziger Jahre, ein paar Besen. Es ist heiß. Es riecht nach schmutziger Wäsche. Die Architektur der Bretterbude sagt die Wahrheit. Der Augenschein hat immer recht.

Die Romantik

Nach der Corrida gibt Don Antonio Ordoñez in seinem Stadthaus zu Sevilla einen kleinen Empfang. Streng genommen – und hier geht es um Nuancen, die man gar nicht streng genug nehmen kann – handelt es sich nicht um einen Empfang, oder ein Fest, oder eine Party, sondern um eine *tertulia*. Diese traditionelle Form altspanischer Geselligkeit überlebt heute nur noch in der Provinz. Die Etymologen behaupten, das Wort leite sich von dem Namen eines Kirchenvaters her. Quintus Septimius Tertullianus ist schon lange tot, aber die Gewähltheit seines Ausdrucks, der »dunkel und glänzend wie Ebenholz« gewesen sein soll, seine Streitsucht und seine Neigung zur Haarspalterei müssen auf die Spanier einen großen Eindruck gemacht haben; anders wäre es kaum zu erklären, daß sie heute noch ihr Glas in seinem Namen leeren.

Der Gastgeber des Abends ist ein schwerer, rotgesichtiger Mann, der sich mit überraschender Finesse bewegt und einen ungewöhnlichen Sinn für Etikette an den Tag legt. Obwohl er zwei Kellner engagiert hat, schenkt er seinen Gästen selbst den Sherry nach. Hier kommt es auf die Geste an und auf eine Zuvorkommenheit, zu der der Ruhm verpflichtet. Don Antonio war einmal ein gefeierter Torero.

Der dreieckige, weißgekalkte Raum, mit roten Ornamenten sparsam bemalt, ist einfach bis zur Kargheit. Zwei riesige Stierhäupter, ein Devotionalienbild von der »Kanonischen Krönung des hoffnungsreichen Bildes von Triana« mit Zweigen verziert, und ein paar bunte Lampions sind der einzige Schmuck. Dennoch hat die Szene die Eleganz eines Salons.

Die Habitués haben, soviel ich sehen kann, nur eines gemeinsam: ihre Allwissenheit in allen Fragen des Stierkampfes. Er ist ihr universeller Text. Alle beteiligen sich an der Exegese: der Historiker in Designer-Jeans, der die Sonnenbrille nie abnimmt; die Dame vom Rundfunk; der Bauunternehmer, der sich über Nacht in einen sozialistischen Politiker verwandelt hat; die Soziologin, früher mit dem Feminismus, heute mehr mit Modeproblemen beschäftigt; der Rektor der Sommeruniversität; und die Studentin aus guter Familie, blaß, unwissend, fatalistisch. »Was kommt, kommt«, sagt sie mir ins Ohr. »Ich habe keine Projekte. Ich bin niemand. Die Zukunft existiert nicht.« Der Gastgeber aber hört sich, großmütig, schweigend, die metaphysischen Deutungen des Stierkampfs an, die seine Freunde zwischen zwei Schinkenbrötchen entwickeln.

Rätselhaft bleibt, wie die französische Touristin in diesen Kreis geraten ist. Sie hat sich als Andalusierin verkleidet. Ganz in schwarze Spitze gehüllt und verruchte Blicke in die Runde werfend, erzählt sie von ihrem Lieblingsautor, dem Marquis de Sade, über den sie promoviert; aber ihr Kleinbürgertum trägt ohne weiteres den Sieg über Folklore und Dämonie davon. Während sie mit ekstatisch geschlossenen Augen und kippender Stimme die Arie der Carmen zum besten gibt, zeigt sich ein kleines Doppelkinn. Alle Welt applaudiert begeistert. Alte spanische Tugenden, die mancher schon verloren glaubte, erheben an diesem Abend ihr Haupt: bewundernswürdige Geduld und grenzenlose Höflichkeit.

Am andern Tag folgt die Wallfahrt zu den Stieren auf Don Antonios Farm El Judío. Der Grundriß des Geheges ist labyrinthisch: ein verwickeltes System von Falltüren, Waaghäuschen und Gängen öffnet sich auf eine kleine Arena hin. Von der Loge aus können die Käufer und ihre Damen die Stiere bewundern. Andächtiges Flüstern. Für jede Farbnuance des Fells, für jede Altersstufe, für jeden Fehler im Bau und in der Haltung der Tiere gibt es einen eigenen Ausdruck. Die meisten wird man im Wörterbuch der Königlichen Akademie vergeblich suchen; sie dienen nur der Verständigung der Eingeweihten.

Don Antonios Ranch ist eine der 200 Stierfarmen, die für den Nachwuchs der Tauromachie sorgen. Aber nur fünfzehn dieser Züchter werden ernst genommen. »Die andern haben sich bloß aus Eitelkeit auf dieses Abenteuer eingelassen, das weit mehr Geld kostet als es bringt. Sie sind zur Stierzucht gekommen, so wie andere Präsident eines Fußballklubs werden: mit dem Scheckbuch in der Hand.«

Es ist der allwissende Universitätsprofessor, der mir diese Aufklärung zuteil werden läßt.

Beim Mittagessen – Langusten, Perlhuhn und Reis – kommt Don Antonio auf die Politik zu sprechen. »Ich bin«, ruft er, »unabhängig, rechts und liberal.« Der König sei ein Feigling, und was Felipe Gonsález betreffe, so habe der sich noch nie einen Stierkampf angesehen; schon daran könne man ersehen, wes Geistes Kind er sei. Die jugendlichen Akademiker werfen einander bekümmerte Blicke zu. Es ist ganz und gar nicht *comme il faut*, was der Maestro da äußert. Der linke Soziologe versucht, rasch das Thema zu wechseln. Aber der alte Torero läßt sich seine *estocada* nicht nehmen: »Ja, ja, mein Freund, wir leben hier in einer linken Diktatur!«

Wird Don Antonio noch einmal in den Kampf ziehen? Wird er als Abgeordneter für das Parlament kandidieren, und wenn ja, für welche Liste? Den Schleier dieses Geheimnisses habe ich nicht lüften können. Aber sollte er zum Streit gegen die Windmühlenflügel des Sozialismus antreten, so gibt es nur einen Ort auf der Welt, wo er eine gute Chance hätte, gewählt zu werden: seine Heimatstadt Ronda. Dort sind heute schon die Reliquien seines Kultes zu besichtigen, im Stierkampfmuseum: ein Taufbild, ein Foto, auf dem er als Fünfjähriger die *muleta* schwingt, ein gräßliches Ölgemälde, auf dem die ganze »Dynastie Ortoñez« abgepinselt ist, Aufnahmen,

die ihn mit Orson Welles und dem unvermeidlichen He-
mingway zeigen, eine Urkunde, die ihn zum »Lieblings-
sohn der Stadt« ernennt, und, auf eine Messingplatte
montiert, die ausgestopften Ohren, die er 1980 seinem
letzten Stier abgeschnitten hat.
»Andalusien«, sagt er mir zum Abschied, »entzückt
mich, weil es so romantisch ist.«

Gibt es eine andalusische Kultur? Ich hatte immer den
Eindruck, daß sie, lang bevor das Wort Kitsch erfunden
war, unter einer dicken klebrigen Schicht von Imitatio-
nen verschwunden ist. Aber nein! Ihr Verteidiger, ein
ernster Studienrat, belehrt mich eines Besseren. »Indem
sie sich ausstellt«, sagt er, »verbirgt sich unsere Kultur;
sie läßt sich überrollen, und dadurch überlebt sie. An
dieser Strategie sind bisher noch alle Eroberer gescheitert: die Phönizier und die Römer, die Vandalen und die
Westgoten, die Araber und die Könige von Kastilien. Wir
haben die napoleonischen Invasoren korrumpiert, und
wir werden auch mit dem Tourismus fertig werden. Die
Anpassung ist unsere stärkste Waffe, sie macht uns un-
überwindlich.«
Ich habe Mühe, seinen Worten zu folgen; denn wie alle
Kneipen der schönen Stadt Sevilla wird auch das kleine
Restaurant, in dem wir sitzen, von unermüdlichen Musi-
kantenscharen heimgesucht, die uns mit ihrer dröhnen-
den Version des Flamenco bekanntmachen.
»Achten Sie nicht darauf! Ich habe zwanzigtausend echte
coplas gesammelt und aufgezeichnet. Niemand außer
mir weiß, was Flamenco ist! Ein Leben reicht nicht aus,
um die dichterische Kraft dieses Landes zu fassen.« Die
aufgerissenen Augen hinter den Brillengläsern verraten
den hemmungslosen Patrioten. Auch an seiner Tirade
fällt die Allwissenheit auf. Prähistorie und Hydrogra-

phie, Mythologie und Botanik, Literaturgeschichte und Mineralogie, alles beweist die Einzigartigkeit seiner Heimat. »Ohne uns wären die Hexen Europas verloren gewesen, denn die Wurzel der Mandragora wächst nur hier, am Unterlauf des Guadalquivir. Ohne Andalusien gäbe es keine spanische Zivilisation und keine europäische Kultur.« Die Belege für diese These stammen aus der Eiszeit und aus dem Mittelalter, aus der römischen Antike und aus der Gegenwart. Alles raunt und bedeutet, alles ist gleichzeitig, alles wird zur Wünschelrute bei der zelotischen Schnitzeljagd der Heimatkunde.

»Unter uns gesagt, sie gehen mir auf die Nerven, die Bannerträger der andalusischen Identität«, sagte mir ein alter Gewerkschaftler, den ich um Auskunft bat. »Vor einem guten Jahr brachen die Zeitungen der Region in einen Taumel der Begeisterung aus. Ein Paläontologe war bei Ausgrabungen auf ein paar Gebeine gestoßen; seine Expertise ergab, daß es sich um die ältesten Menschenfunde der Welt handeln müsse. Damit war endlich der Beweis erbracht, daß Andalusien die Wiege der Menschheit ist. Nach ein paar Wochen stellte sich heraus, daß es Eselsknochen waren. Ein Dementi habe ich der hiesigen Presse nicht entnehmen können. Sie studieren alle Nuancen des Dialekts, diese Leute, aber das Wort Agrobusiness nehmen sie nicht in den Mund. 2 % aller landwirtschaftlichen Betriebe bewirtschaften in Andalusien die Hälfte der gesamten Anbaufläche. Das ausländische Großkapital kauft den alten, korrupten Grundbesitzern ihre Güter ab und mechanisiert die Landarbeit. Wir haben 23 % Arbeitslose in der Region, und in den nächsten Jahren wird ihre Zahl sich verdoppeln. Die andalusische Kultur, mein Lieber, kann mir den Buckel runterrutschen.«

Die Extremisten

Keine Bewegung, keine Stimme, kein Rauch, kein Maschinenlärm. Der lebende Leichnam streckt sich auf einem Bett aus, das mehrere Fußballfelder groß ist. Von hohen Stacheldrahtzäunen umgeben, hinter verrammelten Gittertoren, liegt das Gelände der größten und modernsten Werft Europas da. Keine Besichtigung, keine Presse, keine Fotos: Befehl von oben. Madrid wünscht keine Publizität. Die AESA-Werft gehört zu 100% dem spanischen Staat. Der Weiße Elefant der Industriepolitik Francos wurde 1973 fertiggestellt; er hat der verarmten Südspitze Spaniens wenig Glück gebracht.

Die vierzigtausend Einwohner von Puerto Real in der Nähe von Cádiz sind die Geiseln des sterbenden Monsters. Die kleine Stadt ist zu 90% von der Werft abhängig, sagt José Antonio Barroso, der Bürgermeister, ein Dreiunddreißigjähriger, der das kindlich pausbäckige Gesicht eines Seminaristen hat.

»Früher habe ich als Rohrschlosser auf der Werft gearbeitet«, erzählt er, »aber die Politik ist wie eine Einbahnstraße. Selbst wenn es wieder Arbeit gäbe, ich könnte nicht zurück. Niemand würde mich einstellen. Ich habe nicht einmal das Abitur.«

Den Leuten von Puerto Real ist es ganz egal, wie lange ihr Bürgermeister die Schulbank gedrückt hat. Während wir durch die Stadt gehen, umarmt er eine alte Frau, wirft den Schwarzarbeitern im Hinterhof einen Gruß zu, unterhält sich mit den Arbeitslosen, die im Café sitzen und das Radrennen im Fernsehen verfolgen, und lädt Teté den Schmuggler zu einem Fino ein. Der Schmuggler ist einundneunzig Jahre alt; eines der vierundzwanzig Kinder, die er in vier Kontinenten hinterlassen hat, ist Mitglied des ZK der cubanischen KP in

Habana. Bevor die Werft kam, war der Schmuggel hier in der Gegend der wichtigste Erwerbszweig; Teté, der Meister-Pascher, ist ein angesehener Mann. Als unehrliche Leute gelten in Puerto Real dagegen »die Politiker«. Die Madrider Parteien haben keine Chance gegen Antonio Barroso.

Dabei ist der Bürgermeister mit dem Babygesicht kein unbeschriebenes Blatt, sondern im Gegenteil ein bekannter Extremist. Seine ideologische Schulung verdankt er einer längst verblichenen ultralinken Splitterpartei. Ausführlich erklärt er mir, die Kaffeetasse in der Hand, die Lehren von Marx und Engels; am allermeisten freut er sich auf das künftige Absterben des Staates. Nur daß seinen Wählern Marx und Engels Hekuba sind. Sie wissen nicht einmal, wer Pablo Iglesias war.

Ihr politisches Weltbild ist nicht von Programmen geprägt. Sie kennen den Franquismus, und sie kennen die Arbeitslosigkeit. In diesen Punkten ist ihr Wissen äußerst detailliert. Sie können einem die Mauer zeigen, an der die Gegner Francos erschossen worden sind, die Stellen, an denen die Einschüsse zugespachtelt wurden, und die Zementbrocken, die sonderbarerweise immer wieder aus den Löchern fallen. Oder Los Rosales, ein Anwesen hinter dem Bahnhof. Einer wollte dort eine Kneipe einrichten, ein anderer eine Autowerkstatt; aber bisher hat noch jeder Pleite gemacht, der sich dort niederließ. Der Ort bringt Unglück; dort haben die Falangisten ihre Gegner gefoltert. Auch El Verdugo, der Henker, ist nicht vergessen, der damals die Frauen heimsuchte, wenn der Mann auf Arbeit war, um sie zu erpressen: Geld her und eine halbe Stunde ins Bett, oder dein Mann wird verhaftet. Wenn er bekommen hatte, was er wollte, hat er das Ehepaar angezeigt und auf diese Weise sowohl das Opfer wie den Zeugen aus dem Weg geräumt.

»Trotzdem«, sagt José Antonio, »wir wollen niemanden an die Wand stellen. Es sind die Rechten, die die Aussöhnung verweigern.«

Was aber die Arbeitslosigkeit betrifft – die Sozialisten, meint er, hätten Erfolg, aber keine Verdienste. »In meinen Augen sind sie Feiglinge. Sie haben nur ein Fünftel dessen getan, was möglich wäre. Die größte politische Leistung in diesem Land hat ein alter Franco-Bonze vollbracht, nämlich Suarez. Er hat den ganzen Apparat der Diktatur liquidiert. Felipe González und seinen Leuten sind die Resultate in den Schoß gefallen. Und was haben sie damit angefangen?

Sehen Sie nur, was mit unserer Werft passiert ist. Ausgelegt ist sie auf 8000, ausgebaut auf 4500 Arbeitsplätze. Das Management sitzt in Madrid, lauter Herren mit Vorzimmern und Dienstwagen, aber ohne eine Idee im Kopf, wie man die Produktion dem Weltmarkt anpassen könnte. Es gibt zwei Arten, einen Großbetrieb, der Verluste macht, aus der Welt zu schaffen. Entweder durch einen Keulenschlag. Das riskieren sie nicht, denn dabei würden sie ihre eigenen Posten aufs Spiel setzen. Oder, indem man ihn langsam aushungert. Das ist die Methode der Sozialisten.

Aber man kann die menschliche Arbeitskraft nicht jahrelang in einem Einmachglas aufbewahren. Die Leute werden demoralisiert, sie verlieren ihre Qualifikation. Wir haben 4000 Beschäftigte *en rotación*, d.h. sie stehen auf der Lohnliste, tun aber nichts. Die einzigen, die überhaupt die Werft betreten dürfen, arbeiten gewissermaßen als Denkmalschützer. Sie ölen die Maschinen, klopfen den Rost ab oder spielen Nachtportier. Die Werft produziert nichts. Sie ist eine Konserve. Das ist der reine Wahnsinn!«

Dann muß sich der Bürgermeister leider verabschieden

und nach seinen Tieren sehen. Er lebt allein, außerhalb der Stadt, in einem alten Haus, das er sich zu einer Menagerie ausgebaut hat, mit drei Hunden, darunter einem riesigen Mastiff namens Tovarišč, so groß wie ein Kalb, mit Eidechsen, Königspfauen, Chamäleons und drei Papageien, deren Vokabular unwiederholbar ist.

»Das Weibchen meines Kakadus hat sechs Eier gelegt«, sagt der Extremist, und ein seliges Lächeln zieht über sein Engelsgesicht. »Ich bin gespannt, ob sie schlüpfen.«

Friedlich geht es auch in Marinaleda zu, obwohl das Dorf in einem Teil Andalusiens liegt, wo es 60% Analphabeten gibt und wo die Arbeitslosigkeit endemisch ist. Die Bewohner sind fast ausschließlich landlose Tagelöhner. Viele sind vor der Misere nach Barcelona oder ins Ausland emigriert. An den Häusern der Heimkehrer sind die Früchte ihres Fleißes zu erkennen: ihre Mauern sind wie Badezimmer gekachelt. Die grell gemusterten Fliesen sind das einzige private Statussymbol, das in Marinaleda Geltung hat.

Alle anderen Verschönerungen, die der Ort zu bieten hat, gehen auf eine kollektive Initiative zurück. Überall wurden grüne Bänkchen aufgestellt, und über einer kleinen Triumphpforte steht in handgeschmiedeten Lettern: *Avenida de la Libertad*, Promenade der Freiheit. Sogar die Randsteine sind rot und weiß bepinselt, obwohl hier nur selten ein Moped vorbeiknattert. Die Atmosphäre erinnert an einen Kindergarten oder an ein Altersheim. Marinaleda ist ein rhetorischer Ort; es war jahrelang ein Wallfahrtsziel der spanischen Linken. Sein Name ging durch alle Zeitungen, weil es hier immer wieder zu Landbesetzungen kam.

Allerdings waren diese Aktionen weit entfernt von den Landarbeiter-Aufständen, die zu der anarchistischen

Tradition Andalusiens gehören. Hier wurde niemand umgebracht, und kein Rathaus ging in Flammen auf. Die Besetzungen waren rein symbolischer Natur, und sobald die Guardia Civil kam, wurde das Terrain gewaltlos geräumt. Es weht ein pazifistisches Lüftlein in Marinaleda. Das liegt an dem Stifter des Experiments, einem christusbärtigen Schwärmer namens Juan Manuel Sánchez Cordillo. Diesen Unermüdlichen bewegt die Hoffnung, es genüge, ein gutes Beispiel zu geben, um die Menschheit zur Umkehr zu bewegen. Es ist leicht, sich über diesen Apostel ohne Messias lustig zu machen. Immerhin hat er seiner Herde sämtliche Subsidien zu verschaffen gewußt, die der spanische Staat zu vergeben hat.

Im Rathaussaal von Marinaleda kann man lesen und schreiben lernen, auch Kurse über Zahnpflege und richtige Ernährung werden angeboten. Heute ist ein Genosse aus der Stadt angereist, der seinem Publikum die Wolfsnatur des Kapitalismus und die Skrupellosigkeit seiner Lakaien vor Augen führt, zu denen auch die Regierung in Madrid gehört. Auf den Klappstühlen neben dem Kanonenofen sitzen ein paar ältere Frauen, ganz in Schwarz gekleidet, die Enkelkinder auf dem Schoß, und hören schweigend zu.

Lauter geht es in der Casa del Pueblo zu. Die Wände des geräumigen Schuppens sind mit Plakaten gespickt, die in Stil und Inhalt an militantere Tage erinnern: »Landarbeiter erhebt euch! Nie das Haupt gebeugt!« Auf einem andern Bild posiert nonchalant der junge Gutsbesitzer mit seidener Krawatte und schwarzem Sombrero, die Zigarette im Mund; neben ihm bückt sich schweißgebadet der Arbeiter, hinter dem jedoch eine rote Sonne aufgeht. Jüngeren Datums ist ein großes Transparent, dessen Inschrift die nachdenkliche Natur des Stifters der Kommune von Marinaleda verrät: »Wer ein Revolutionär sein will«, heißt es da, »der beginne damit, seinen eigenen Egoismus zu erschießen!«

Hintersinnig oder militant, die Gäste an der Bar schenken den Parolen keinen Blick. Man sieht es ihren Schuhen und Hemden an, daß sie am Rand des Existenzminimums leben. Sie sind froh, daß in diesem Lokal alles billiger ist als anderswo. Der Ventilator an der Decke dreht sich ächzend, die Dominosteine klappern, die Sportschau dröhnt aus dem Fernseher. Weit und breit ist keine Frau in Sicht, kein Land, kein Geld und keine Befreiung.

Der Musterbetrieb

»Die erfolgreichsten Firmen Spaniens, wenn es nach der Wachstumsrate des Nettogewinns geht«, sagt mir der Herr von der Handelskammer, »haben allesamt mit der materiellen Produktion wenig zu tun. An dritter Stelle steht ein Fabrikant von Spielautomaten, an zweiter ein Modemacher, und den ersten Rang nimmt ein Unternehmen ein, das sich PRISA nennt, d.h. Promotora de Informaciones S.A. Aktiengesellschaft zur Förderung der Information.«

Der wichtigste Betrieb der PRISA ist so abgelegen, daß die meisten Taxifahrer stutzen, wenn man ihnen die Adresse nennt. Es handelt sich um einen streng bewachten, fensterlosen Industriebau im Osten von Madrid. In diesem Gebäude, das mit Zementornamenten von geradezu rumänischer Häßlichkeit übersät ist, wird die wichtigste Zeitung Spaniens gemacht.

El País ist innerhalb von zehn Jahren zu einer zentralen Institution der spanischen Demokratie geworden. Die kurze Geschichte des Blattes mutet märchenhaft an. Sein Gründer, Jesús de Polanco, ein Mann, dem man den Presselord nicht ansieht – mit seinen bescheidenen Anzügen und seinem Aktenköfferchen macht er eher den Eindruck eines kleinen Bürokraten –, lud im Jahre 1973 ein paar Freunde und Bekannte zu einer Sitzung ein. (Damals erfreute sich der Generalissimus Francisco Franco noch einer ungebrochenen Gesundheit.) Unter den Geladenen waren Manuel Fraga, ein konservativer Politiker; Ramón Tamames, ein kommunistischer Ökonom, ein paar Industrielle, Christdemokraten, Akademiker. Man beschloß die Gründung einer Aktiengesellschaft mit dem Ziel, eine unabhängige Tageszeitung herauszugeben.

Die spanische Presse lieferte zu diesem Zeitpunkt nur ein einziges brauchbares Produkt: Altpapier. Ihre Servilität und ihre Inkompetenz waren sprichwörtlich, ihr technisches Niveau afrikanisch. Die Gründer der PRISA waren sich natürlich darüber im klaren, daß das Regime nicht willens war, ihnen eine Lizenz einzuräumen. Sie bauten ihre Wartestellung aus. Nach dem Tode Francos, genau zum richtigen Zeitpunkt, schlugen sie zu. Die politischen Parteien waren noch verboten. *El País* wurde von einem Tag auf den andern zur alleinigen Tribüne der politischen Öffentlichkeit. Der Erfolg übertraf alle Erwartungen. In kürzester Zeit hatte das Blatt die Mehrzahl aller Spanier für sich gewonnen, die, im emphatischen Sinn des Wortes, schreiben und lesen konnten. Heute ist *El País* nicht nur die bei weitem beste Zeitung, die in spanischer Sprache erscheint, sondern eines der besten Blätter der Welt. Andere große Journale wirken im Vergleich leicht tantenhaft *(The New York Times)*, unzuverlässig *(La Repubblica)*, bleiern *(Le Monde)* oder reaktionär *(Frankfurter Allgemeine Zeitung)*.

Das ist, wenn man die kulturellen Voraussetzungen bedenkt, sonderbar genug. Einzigartig wird der Fall jedoch, wenn man die Verbreitung der Zeitung in Betracht zieht. Mit einer Auflage von 350000 (sonntags 570000) erreicht *El País* nämlich mehr Leser als jedes andere Druckerzeugnis in Spanien; der erfolgreichste Konkurrent liegt bei 190000, und die Boulevardpresse ist mit Auflagen um die 100000 weit abgeschlagen. Dieser Erfolg steht in der ganzen westlichen Welt einzig da; in allen andern Ländern verhält sich bekanntlich die Leserzahl umgekehrt proportional zum Informationsgehalt einer Zeitung.

Um diese Anomalie zu erklären, kann man auf ein paar naheliegende Faktoren verweisen: auf die Unfähigkeit der Konkurrenz, auf den politischen Instinkt der leitenden Redakteure, auf das schiere Können der Mitarbeiter. Dazu kommt, daß *El País* zu den avanciertesten Industriebetrieben Spaniens gehört. Die Zeitung versteht sich nicht nur ihrem Inhalt, sondern auch ihrer Produktionsweise nach als ein Pilotprojekt. Die redaktionelle Arbeit wird ausnahmslos am Bildschirm verrichtet. Satz, Umbruch und Druck sind computergesteuert. Die Filiale in Barcelona, wo eine eigene Ausgabe erscheint, ist via Kabel und Satellit mit der Zentralredaktion in Madrid verbunden. Der kapitalistische Musterbetrieb schlägt allen traditionellen Arbeitsvorstellungen, die in Spanien gelten, ins Gesicht. Der Pefektionismus der Organisation geht bis zur Pedanterie. Für den internen Gebrauch gibt die Zeitung alljährlich ein Handbuch heraus, in dem verbindlich vorgeschrieben wird, ob es *Gaddafi* oder *Kadhafi* heißt und ob die NATO mit oder ohne Punkte zu buchstabieren ist.

Aber all diese Erklärungen greifen zu kurz. Die Rolle, die *El País* spielt, wird letzten Endes nur durch die Spezifika der spanischen Situation verständlich, durch die Fragilität der demokratischen Strukturen, durch Rückstände und Defizite, die sich auch beim besten Willen nicht in einem Jahrzehnt ausgleichen lassen.

Emblematisch für die Rolle, die unter diesen Bedingungen der Presse zufällt, war die Nacht vom 23. auf den 24. Februar 1981. Das staatliche Fernsehen schwieg. Das Land war der Panik nahe. In dieser kopflosen Situation brachte der Chefredakteur Juan Luís Cebrián nicht weniger als vier Extrablätter auf die Straßen von Madrid gegen die Panzer, für die Verfassung. Das Scheitern des Militärputsches ist nicht zuletzt auf diese lebensgefährliche Aktion zurückzuführen.

Das Beispiel zeigt, daß in Spanien eine Zeitung, wenn sie das politische Format von *El País* hat, nicht nur, wie in jeder andern Demokratie, Einfluß, sondern ganz reale Macht ausüben kann. Es ist daher kein Wunder, daß man *El País* gelegentlich als *gobierno alternativo*, als zweite Regierung bezeichnet hat. Diese Charakterisierung war keineswegs nur schmeichelhaft gemeint.

In der Tat wird die symbolische Rolle, die die Zeitung übernommen hat, mit zunehmender Normalisierung der politischen Verhältnisse im Land prekär.

Unter den Mitarbeitern macht sich in letzter Zeit eine gewisse Ernüchterung bemerkbar. »Unser Quasi-Monopol ist auf die Dauer ungesund«, sagt der eine. »Für einen erstklassigen Journalisten gibt es hierzulande keine Alternative. Das weiß man in der Chefetage nur allzu gut. Cebrián schreibt die Leitartikel der besten Leute nach Belieben um. Er läßt niemand neben sich hochkommen. Er ist ein aufgeklärter Despot.«

»Wissen Sie, wer die drei wichtigsten Leute in Spanien sind? Erstens Felipe González, zweitens der König, drittens Juan Luís Cebrián. Das erzählt man sich allen Ernstes in der Redaktion. Ich sehe schwarz für einen Laden, der sich derart überfordert, um nicht zu sagen überschätzt. Finden Sie nicht, daß die Zeitung matter geworden ist, humorloser, offiziöser? Das ist die Strafe. Frühstückslektüre für die *bien-pensants*!«

»Ach was«, sagt ein Dritter. »Auch im Journalismus sind die heroischen Zeiten vorbei. *El País* ist heute ein ganz normaler Medienkonzern. Es geht nicht mehr darum, der spanischen Kultur auf die Beine zu helfen oder die Demokratie zu retten. Es geht um die Auflage. Es geht darum, das Privatfernsehen in die Hand zu bekommen. Genau wie in Bonn, in Paris und in Rom.«

»Das kannst du doch nicht vergleichen.«

»Ach, hört mir auf! Ich weiß wirklich nicht, was an Spanien so spanisch sein soll.«

Der Papst

Wer den Papst sehen will, wie er seinen Aperitiv trinkt, der braucht sich nur gegen halb zwei Uhr mittags in der Schenke zum Goldenen Turm in Sevilla einzufinden. An der langen hölzernen Bar des geräumigen Lokals wird er einen fünfundvierzigjährigen, bärtigen, muskulösen Mann antreffen, der ein wenig wie ein Portier oder wie ein Metzger aussieht: Seine Heiligkeit Papst Gregor XVII., leicht zu erkennen an dem breitkrempigen Jesuitenhut und an der scharlachroten Schärpe. Mit einem wohlwollenden Blick des Oberhirten kann der Gast allerdings nicht rechnen, denn seit einem Unfall, den er vor zehn Jahren erlitt, hat Gregor XVII. keine Augen mehr. Auch gibt er keine Interviews, und sein Hofstaat, bestehend aus dem Kardinalstaatssekretär Padre Manola und einem halben Dutzend von Bischöfen, die wie verkleidete Leibwächter wirken, schützt ihn vor lästigen Fragern.

Der Papst stammt aus sehr bescheidenen Verhältnissen. Er hat lange Jahre als Buchhalter in einer kleinen Firma gearbeitet, solange, bis eines Tages ein paar Schulkindern auf einem trübsinnigen, lehmigen Acker bei El Palmar de Troya, fünfunddreißig Kilometer im Süden von Sevilla, die Muttergottes erschienen ist. Die katholische Kirche reagierte lustlos auf die Marienerscheinung. Clemente Domínguez hingegen, denn so hieß unser Buchhalter, hat auf die Stimme der Jungfrau gehört. Was blieb ihm anderes übrig, als zu gehorchen?

Seine erste Aufgabe bestand darin, das nötige Startkapital herbeizuschaffen. Die Quellen liegen bis auf den heutigen Tag im dunkeln. Jedenfalls reichte es zu einer Reise nach Rom. Dort trieb Clemente einen greisen Monsignore auf, den kaltgestellten vietnamesischen Bischof Ngo Dhin Thue, der bereit war, ihn zum Priester zu weihen. Einmal Priester, immer Priester! Denn nach kanonischem Recht läßt sich eine Priesterweihe auf keine Weise rückgängig machen, nicht einmal durch eine förmliche Exkommunikation. Der Buchhalter aus Sevilla beförderte sich selbst zum Bischof und ernannte dann eine ganze Horde von Anhängern zu weiteren Eminenzen.

1978, nach dem Tod des Papstes Paul VI., berief Clemente ein Konzil nach Bogotá ein, das mit einem Hagelschauer von Enzykliken und Bullen eröffnet wurde. Zur Überraschung der Christenheit stellte sich heraus, daß der römische Woytila ein Hochstapler war, ja sogar der Antichrist in Person. In dieser ernsten Lage blieb dem Konzil von Bogotá nichts anderes übrig, als sich zum Konklave zu erklären und einen neuen Papst zu wählen. So wurde der Buchhalter aus Sevilla zum Oberhaupt der

»Katholischen, apostolischen und palmarianischen Kirche«.

Sein neuer Vatikan liegt auf eben jenem gottverlassenen Acker, der es durch die Marienerscheinung zu einem gewissen Ruf gebracht hatte. Ein fünf Meter hoher Zementwall riegelt das Heiligtum hermetisch von der Außenwelt ab; die Berliner Mauer wirkt im Vergleich dazu wie ein Gartenzaun. Ein eisernes Portal ohne Schild, ohne Hinweis, ohne Glocke, öffnet sich nur einmal am Tag; ein winziges Guckloch dient der Personenkontrolle. Hinter der Mauer sind bewaffnete Wächter mit dressierten Hunden zum Schutz des neuen Petersdoms angetreten. Vier Türme und eine riesige Kuppel aus Eisenbeton ragen in den Himmel; von weiteren Türmen und Kuppeln steht bisher nur das Stahlskelett.

Die Messe, die in dieser größenwahnsinnigen Dorfkirche gefeiert wird, ist ein extravagantes Schauspiel. Sie wird simultan an sechsundzwanzig Altären zelebriert, und weil diese Zahl nicht ausreicht, um die 39 amtierenden Bischöfe zu fassen, findet das Meßopfer alternierend statt, gewissermaßen im Pendelverkehr. Während das Gewimmel der Priester an einen Ameisenhaufen erinnert, wirkt die Gemeinde in dem langgestreckten Kirchenschiff recht verloren. Sie besteht aus einigen tiefverschleierten Nonnen, die in einem Kleinbus aus Sevilla angereist sind, und einer kleinen Schar alter Frauen aus dem Nachbardorf, die ab und zu die Plastikhüllen ihrer Skapulare küssen.

Mit einem gewissen Schauder, einem angenehmen *frisson* tischen einem die Leute von Sevilla alte und neue Gerüchte über das apostolische KZ von Palmar de Troya auf. Von schwangeren Nonnen ist die Rede, von Priestern, die sich eigenhändig kastrierten, von homosexuellen Kardinälen und von afrikanischen Mönchen, die mit *delirium tremens* in die psychiatrische Klinik eingeliefert wurden. Auch von obskuren Erbschaften wird gemunkelt, von texanischen Millionärinnen und englischen Adligen, die sich im andalusischen Vatikan verkrochen haben sollen.

Freilich fehlt den Bürgern von Sevilla der rechte Glauben, die Bereitschaft, dem Pontifex zu folgen. Wenn die letzte Anekdote erzählt ist, haben sie nur noch ein Achselzukken für ihn übrig. Der Geruch des Scheiterhaufens ist verweht. Gregor XVII. hat seinen Landsleuten nur eine Parodie alter Ekstasen zu bieten, einen schwachen Abglanz des spanischen Wahns.

Von der ausschweifendsten Idee des Buchhalters in der Tiara sind nur ein paar vergilbte Zeitungsausschnitte übriggeblieben. Sie fiel in das Jahr 1978. Damals ließ der Papst auf Anweisung der Heiligen Jungfrau in El Palmar mehrere tausend Spanier heiligsprechen, unter ihnen San Luís Carrero Blanco, San José Antonio und San Francisco Franco. Der Barmann im Goldenen Turm scheint sich an diesen feierlichen Akt nicht zu erinnern. Gleichmütig streicht er das Trinkgeld ein, während Seine Heiligkeit ihren fünften Fino kippt.

Die Undurchdringlichen

In Arrigorriaga hört der Spaß auf. Hier ist der spanische Konsens zu Ende. Für fünfunddreißig Peseten hat mich der Vorortzug aus Bilbao ins feindliche Ausland gebracht. Arrigorriaga liegt zehn Kilometer weit flußaufwärts von der baskischen Metropole am Nervión-Fluß. Das ganze Tal ist schon vor Jahrzehnten durch einen

Industrialisierungsprozeß verwüstet worden, der brutaler vorging als eine Panzerdivision. Die Umgebung wirkt wie ein Müllhaufen. Die proletarischen Straßen – es gibt hier nichts, was nicht proletarisch wäre – liegen um sechs Uhr nachmittags verlassen da. Hunde bellen. Die letzte Palme ist längst abgestorben. Die Mauern sind mit einem Meer von Inschriften bedeckt.

Die Grafittimalerei ist hier nicht, wie in Madrid, ein Außenseitersport, ein Ventil für Sektierer, ein Alibi-Medium für studierende Kleinbürger, sondern eine kollektive Obsession. Die Schrift an der Wand spricht nur das aus, was jeder denkt, und der Text – ich verstehe ihn, obwohl ich kein Wort Baskisch kann – sagt, egal wer ihn unterzeichnet hat, immer dasselbe: »Verschwindet endlich! Raus!« Der Adressat, der spanische Staat und seine Repräsentanten, läßt sich nirgends blicken.

Die Gäste in der verräucherten Bar setzen den Fremden im Bruchteil einer Sekunde einer automatischen Prüfung aus: Freund oder Feind? Wer weder das eine noch das andere ist, wird nicht zur Kenntnis genommen. Die Luke hat sich nur einen Lidschlag lang geöffnet, dann fällt sie wieder zu. Nach außen hin wirkt diese Gesellschaft kompakt, nach innen ist sie voller Unterscheidungen, die der Außenseiter ahnen, aber nicht begreifen kann.

Ein Mann, der wie ein Rentner geht, obwohl er noch keine fünfzig Jahre alt ist – er arbeitet in einer Papierfabrik, die von der Schließung bedroht ist –, zeigt mir die Sehenswürdigkeiten des Ortes: die alte Schule, heute aufgegeben, das Rathaus und das Haus des Volkes, Bauten aus den Tagen der Republik. Sie sind in einem eigentümlichen Regionalstil errichtet, halb folkloristisch, halb monumental, Zeugen einer künstlichen Tradition, die aus der Not geboren ist.

Die Erklärungen, die mir mein Begleiter gibt, sind kon-

fus. Das Geld regiert die Welt, Reagan ist ein eingefleischter Feind der Basken, wir können noch hundert
Jahre gegen ihn durchhalten, die Heilige Jungfrau beschützt uns, die Spanier müssen enteignet werden, wenn
uns die NATO in Ruhe ließe, wären wir alle reich. Dann
zeigt er mir zwei Fenster im obersten Stockwerk einer
heruntergekommenen Mietskaserne. »Wissen Sie, wer
dort wohnt? Argelas Mutter!« Er spricht den Namen
ehrfürchtig aus, als ginge es um den Papst, um Einstein
oder Lenin. Wer ist dieser Argela? Ein Heiliger? Ein
Genie? Ich wage nicht zu fragen. Es ist undenkbar für
meinen Begleiter, daß es Menschen geben könnte, denen
der Name Argela nichts sagt.

Später erfahre ich, daß es sich um Beñaran Ordeñana
handelt, den Gründer der ETA militar. Er hat das Atten-
tat auf Francos Statthalter Carrero Blanco organisiert.
Später fiel er seinerseits einer Autobombe zum Opfer, die
vermutlich von einem Agenten der spanischen Polizei
gelegt worden ist. Seitdem wird er wie ein Märtyrer ver-
ehrt.

Abends ist der Bahnhof von Arrigorriaga ausgestorben.
Ein Beamter schläft, einer liest Zeitung, einer telefoniert.
Keiner will mir eine Fahrkarte verkaufen.

Als ich in einem exquisiten Restaurant im Zentrum von
Bilbao den Namen des Herrn nenne, mit dem ich verabredet bin, werde ich beflissen, ja beinahe devot empfangen. Xabier Arzallus ist eine imponierende Erscheinung: grauhäuptig, universell gebildet, distinguiert.
Seine Autoriät verdankt sich weniger der führenden politischen Position, die er einnimmt, als seiner Intelligenz
und dem Mut, den er bewiesen hat. Die Linke nennt ihn
den Popen des baskischen Nationalismus. In der Tat
haftet seiner Rhetorik etwas Klerikales, fast möchte man

sagen, etwas Gesalbtes an. Sein Deutsch ist perfekt, seine Syntax verrät das Training des Jesuiten, seine Haltung die Nähe zur Macht. Aber da ist noch etwas anderes, eine Härte, die nicht zum Habitus eines Anwalts, eines Diplomaten paßt.

»Wenn man gewohnt ist, im Dschungel zu leben«, erklärt er mir, »dann verlernt man die Angst. Lesen Sie, was Humboldt anno 1800 über den baskischen Charakter geschrieben hat, dann werden Sie verstehen, was ich meine. Schon mein Urgroßvater saß wegen Aufruhrs im Gefängnis. Das war in den sechziger Jahren des vergangenen Jahrhunderts. Beim Umbau meines Landhauses habe ich seine Flinte gefunden. Das ganze Land hier ist voller Waffenverstecke. Unter Franco haben wir viele über die Grenze geschleust, die heute unsere Gegner sind, Kommunisten, Christen, Sozialisten. Ich erzähle Ihnen das alles, damit Sie begreifen, daß die Geschichte uns über alles geht. Wir waren immer unterdrückt, und wir haben immer verloren.«

»Und deshalb fühlen Sie sich immer im Recht. Auch wenn nur jeder vierte Bewohner des Baskenlandes baskisch versteht, auch wenn ein Drittel der Bevölkerung aus Einwanderern besteht, denen die baskische Frage gleichgültig ist.«

»Ich bin Seperatist, und ich bin dafür, daß unsere Sprache, das Euskara, wieder die erste Rolle in unserem Land spielt. Aber einen raschen, schmerzlosen Weg zu diesen Zielen gibt es nicht. Deshalb ist meine Partei zu Allianzen bereit. Die Nationalistische Partei geht jeden gangbaren Weg, auch den parlamentarischen. Wir haben schon manches erreicht: die regionale Autonomie, eine eigene baskische Polizei, Kompetenzen für die baskische Regierung, die noch vor zehn Jahren undenkbar gewesen wären.«

»Und was halten Sie von den Aktionen der ETA, die immer brutaler, immer unverständlicher werden?«

»Wir haben, wie Sie wissen, mit der ETA nichts zu tun. Diese Leute beschimpfen uns als Kollaborateure und Verräter. Ich fürchte die ETA nicht. Unsere politischen Differenzen liegen auf der Hand. Aber erwarten Sie nicht von mir, daß ich ihre Anhänger moralisch verurteile. So leicht ist das Tischtuch nicht zu zerschneiden. Die heutige Generation des militanten Flügels besteht aus den Enkeln. Ihre Ungeduld angesichts der Wortbrüche, der Folter, der schmutzigen Repression von seiten der Regierung ist verständlich. Der Versuch, ihren Willen mit Gewalt zu brechen, ist aussichtslos. Wer jederzeit bereit ist, zu sterben, ist schwer zu besiegen.«

Habe ich mein Gegenüber richtig verstanden, diesen vergeistigten Mann mit den Manieren eines Abtes? Das Tafelsilber glänzt, der Wein schimmert in den Gläsern. »Der Terrorismus ist für Sie als Christ also kein Gewissensproblem?« frage ich nach.

»Die Frage der Gewalt ist strategischer, nicht religiöser Art«, antwortet Xabier Arzullus knapp. Ich denke an die Ajatollahs des Islam, die in der westlichen Presse gern als rohe Schreihälse und blutgierige Rowdies dargestellt werden; dabei handelt es sich um würdige und gesetzte Männer, denen der Ruf der Weisheit vorauseilt.

»Und warum denkt niemand daran, die baskische Frage durch ein Plebiszit zu lösen?«

»Ich hätte nichts dagegen, aber weder die ETA noch Madrid würden eine Volksbefragung zulassen. Sie blokkieren sich gegenseitig. Die ETA müßte mit einer verheerenden Niederlage, die Regierung in Madrid mit einem Putsch rechnen.«

»Glauben Sie, daß ein selbständiges Baskenland überhaupt lebensfähig wäre? Mir fällt auf, daß die Parteiprogramme der Nationalisten in dieser Hinsicht ziemlich vage sind. Ich verstehe nicht, wie Sie die wirtschaftlichen Probleme der Region lösen wollen.«

»Es gibt Wichtigeres als die Ökonomie. Wir sind keine Marxisten. Mit dem steigenden Wohlstand hat die Militanz der Basken nicht ab-, sondern zugenommen. Wir sind nicht so leicht zu korrumpieren wie die Regierung in Madrid. Wir sind bereit, jeden Preis dafür zu zahlen, daß die spanische Besatzung verschwindet – auch einen sinkenden Lebensstandard würden wir in Kauf nehmen.«

Und dann, beim Kaffee, gestattet sich die graue Eminenz der Baskischen Nationalpartei, mit einem mephistophelischen Lächeln, eine ironische Boutade, die dem Pathos seiner Argumentation die Spitze abbricht: »Wenn wir je ein souveränes Land würden – und das wäre nur durch einen Witz der Geschichte möglich –, ich wüßte nicht, was dabei herauskäme.«

Die Partei der Volkseinheit, Herri Batasuna, gilt als der politische Arm der ETA. Ihr Vertreter Iñeki Esnaola, Mitglied des Vorstandes und wie Arzallus Anwalt von Beruf, meidet sorgfältig jeden Anschein von Radikalität und gibt sich glatt und harmlos, als spräche er für die baskische Version einer verständigen Sozialdemokratie. Den linken Flügel seiner Partei spielt er absichtsvoll herunter: »Wir sind eine Koalition verschiedener Gruppen; deshalb müssen wir auch die Marxisten-Leninisten ertragen. Sie sind ohnehin nur eine Minorität. Wir wollen unser Land nicht zu einem Albanien an der Biskaya machen; eher schwebt uns das schwedische Modell vor.«

»Aber man sagt Ihnen nach, daß bei den Entscheidungen Ihrer Parteiführung die ETA das letzte Wort hat, und zwar dadurch, daß sie die Pistole auf den Tisch legt.«

»Ach, wissen Sie, in der baskischen Frage kommt niemand ohne Legenden aus. Die Nationalistische Partei braucht uns als Buh- und Schreckensmänner. Wir brauchen die ETA, sonst nähme uns in Madrid niemand ernst. Und umgekehrt: Was wäre die Guardia Civil ohne die ETA? Was wäre das Heer ohne die Guardia Civil, die ihr die schmutzigste Arbeit abnimmt? Was wäre die Regierung ohne die Armee, die es ihr erlaubt, sich als das kleinere Übel darzustellen, als die Hüterin der bedrohten Demokratie? Kennen Sie die Reise nach Jerusalem, dieses Kinderspiel, bei dem es darauf ankommt, so schnell wie möglich die Stühle zu wechseln? Es ist immer ein Stuhl zu wenig da. So sieht der spanische Pluralismus aus. Nur daß das Spiel ziemlich blutig ist. Dabei verlangen wir nur das, was jedem zusteht, unser Selbstbestimmungsrecht. Gebt es uns, sagen wir, und ihr habt Ruhe. Verweigert es uns, und ihr tragt die Konsequenzen. In diesem Punkt weichen wir nicht zurück. Er ist uns heilig.«

Ich frage ihn, was ich alle Basken frage. Worin liegt die unantastbare Besonderheit der Basken? Was ist das für ein geheimnisvolles »Wesen«, das sie zur Geltung bringen wollen? Woraus besteht ihre metaphysische Substanz, die nicht definiert, nur erfühlt werden kann? Herr Esnaola hat es mir nicht erklären können. Niemand hat es mir erklären können, auch nicht der Dichter, den ich im Gefängnis traf.

Martuene, ein paar Meilen außerhalb von San Sebastián, ist ein »weicher Knast«. Ich hatte meinen Ausweis im Hotel vergessen und wurde auf Treu und Glauben eingelassen, eine Großzügigkeit, die in Deutschland unvorstellbar wäre. Zwei Stunden lang hat man mich alleingelassen mit dem Schriftsteller Joseba Sarrionandía, einem kleinen, bärtigen, zutraulichen Menschen, der vor 27 Jahren in Durango, unweit von Guernica, geboren ist.

Dort hängt sein Bild an allen Häuserwänden. Er ist der Held des ganzen Marktfleckens; vier Fünftel der Einwohner, heißt es, treten für seine Freilassung ein.

Er wirkt sanftmütig und beinahe naiv, und seine Erzählungen werden vom baskischen Publikum, obwohl sie als artifiziell und schwierig gelten, eifrig gekauft. Das ist eine Demonstration, die nicht viel kostet. Auch die Literaturpreise, die ihm Abordnungen aus mehreren baskischen Gemeinden in seiner Zelle überreicht haben, drükken eine Anerkennung aus, die nicht nur seiner Prosa gilt, sondern auch der stillen Halsstarrigkeit, mit der er sich weigert, der ETA abzuschwören.

Ideologische Abstraktionen interessieren Joseba kaum. Nichts im Leben ist ihm wichtiger als das Schreiben. Er redet lieber von Gedichten als von Politik. Als ich ihn nach seinen illegalen Aktionen frage, ernte ich einen vorwurfsvollen Blick. Er sagt leise, und seine Antwort beschränkt sich auf vier Worte: »Ich habe nicht getötet.« Das glaube ich ihm. Eintönig fast, konstatierend, ohne Nachdruck, betet er die Litanei seiner Erfahrungen her, die ich ihm abfrage: die Verhaftung, die Fahrt in der Grünen Minna der »Wohlverdienten« (so nennt sich, ganz ohne Ironie, die Guardia Civil), die Scheinhinrichtung auf dem Transport, die Schläge, die neuntägigen Verhöre, die Elektroden an den Genitalien, die Isolation in der Untersuchungshaft, neun Monate lang, das Strammstehen an der Zellenwand, drei Stunden täglich. »Das ist nichts Besonderes. Ich bin nur einer von 300 baskischen Gefangenen. In Spanien hat sich nichts geändert. Nach wie vor herrschen Militär und Polizei.« Das Gerichtsurteil lautete auf 30 Jahre Gefängnis wegen Beteiligung an einer Entführung. »Ich könnte morgen nach Hause gehen, wenn ich unterschriebe. Aber ich unterschreibe nicht.«

Dann spricht er wieder, schüchtern und voller Eifer, von den Gedichten, die ihm geholfen haben, fünf Jahre Knast und Tortur unbeschädigt zu überstehen, von Kafka, von deutscher Literatur, von Alfred Kubins phantastischem Roman *Die andere Seite*. Er zweifelt nicht an seiner Sache. Er ist freundlich, bescheiden, und vollkommen undurchdringlich.

»Sie haben das Licht ausgemacht, ich muß aufhören«, schrieb er mir aus dem Gefängnis. »Es fällt mir schwer, mit der Kerze in der einen und dem Federhalter in der anderen Hand fortzufahren.« Ich hätte ihm gern geantwortet, aber Joseba Sarrionandía ist ein Mann ohne Adresse. Als Musiker verkleidet hat er sich unter die Mitglieder einer Kapelle gemischt, die den Gefangenen von Martuene ein Ständchen brachte. Seit diesem Konzert fehlt von ihm jede Spur.

Die Tageszeitung *Egin* ist das Sprachrohr des marxistisch-leninistisch geprägten Seperatismus in Euskadi. Kritik an den Handlungen der ETA ist von ihr nicht zu erwarten. Das Blatt tritt für die Hegemonie des Euskara ein, aber vier Fünftel der Texte sind in spanischer Sprache abgefaßt. Eine Zeitung, die das Baskische auf baskisch propagieren würde, wäre unverkäuflich. Ihr Direktor sagt: Die einzige wahre Differenz zwischen uns und den Spaniern besteht in unserer Kultur. Sie ist wichtiger als die Souveränität.

Diese Behauptung will mir nicht mehr aus dem Kopf. Es gibt eine alte Schmalspurbahn, die Bilbao mit San Sebastián verbindet, aber niemand will mit ihr fahren. Alle Welt benutzt den Bus. Er ist nagelneu, luxuriös ausgestattet, klimatisiert; die Sitze sind verstellbar, die Scheiben sind getönt. Der Stolz des Chauffeurs jedoch ist die Videoanlage. Siebzig Minuten lang brüllen amerikanische, spanische, englische, baskische Popgruppen dem Fahrgast ihre dumpfen Songs ins Ohr. Niemand kann bei diesem Höllenlärm eine Zeitung lesen. Jede Unterhaltung mit dem Nachbarn, gleichgültig in welcher Sprache, ist ausgeschlossen. Die Passagiere blicken nicht auf die grünen Hügel ihrer Heimat, sondern auf die endlose Folge von idiotischen Video-Clips. Vergebens halte ich Ausschau nach einem Agenten der CIA, nach einem Emissär der Zentralregierung in Madrid. Um die baskische Kultur zu liquidieren, genügt es, daß der Chauffeur auf den Knopf drückt. Der Beifall des Publikums ist ihm sicher.

Die Zentrifuge

»*Somos una nación*« – »Wir sind eine Nation!« Diese Beteuerung ist an vielen Häuserwänden im Süden Spaniens zu lesen. Sie gibt dem Betrachter einige Rätsel auf. Zum einen ist ihre Logik zweifelhaft; denn wenn sie zutrifft, ist sie überflüssig; wenn sie aus der Luft gegriffen ist, beschreibt sie nur die Ohnmacht derer, die sie im Munde führen. Auch geht aus dem Text nicht zweifelsfrei hervor, welche Nation gemeint ist. In Spanien gibt es nämlich, außer der spanischen, eine unbestimmte Menge von Nationalitäten, die sich von Jahr zu Jahr zu vermehren scheint.

»Jahrzehntelang«, schreibt der Ketzer und Essayist Fernando Savater, »haben wir unter der pathetischen Geistesverwirrung und der spätimperialen Arroganz gelitten, die das unwahrscheinliche Wesen Spaniens uns auferlegte. Jetzt aber sehen wir uns mit dem ebenso unwahrscheinlichen Wesen des Baskenlandes, Kataloniens, Andalusiens und Galiziens konfrontiert. Morgen wird es soweit kommen, daß wir uns über die unsterbliche Essenz von Zaragoza oder über die historische Verpflichtung streiten, die es mit sich bringt, in Fuengirola geboren zu sein... Ich weiß nicht, aber mir kommt das alles wie Zeitverschwendung vor. «

Jeder von uns möchte was ganz Besonderes sein, um so mehr, je weniger er sich von seinem Nächsten unterscheidet; jedes Kuhdorf hat seinen Heimatstolz und möchte sich über das Nachbardorf erheben. Das sind Wünsche, die in einer banalen Welt verständlich sind, vielleicht sogar legitim; aber lassen sie sich erfüllen, indem sich jeder Gesangverein aufführt, als wäre er der Vietcong? Die schrillen Töne der Autonomisten parodieren die Rhetorik der nationalen Befreiungsbewegungen in der Dritten Welt. Ich kann mir über ihre Beweggründe kein Urteil erlauben, aber jeder Pauschaltourist dürfte in der Lage sein festzustellen, daß Galicien kein zweites Nicaragua ist und Katalonien kein zweites Afghanistan. Selbst für das Baskenland schienen mir solche Vergleiche etwas hoch gegriffen.

Natürlich ist Spanien nie ein homogenes Land gewesen; natürlich ist der Madrider Zentralismus ein bürokratischer Wahn; natürlich hat das Franco-Regime jahrzehntelang jede selbständige Regung unterdrückt. Gründe genug, um sich endlich nach einem funktionierenden Föderalismus umzusehen, kaum aber, um sich einem Kult der Borniertheit hinzugeben.

Soviel ich weiß, kann sich heute jedermann in Spanien, mündlich oder schriftlich, der Sprache bedienen, die ihm paßt. Das hindert aber die Bewohner des Landes nicht, sich linguistische Bürgerkriege zu liefern. Nach dem Ende des großen Baubooms scheinen genügend Kapazitäten frei zu sein, um sich einem neuen Projekt hinzugeben: der Errichtung eines babylonischen Turmes auf spanischem Territorium. »Die asturische Sprache, das ›Bable‹, wird demnächst bei den Ansagen eingeführt werden, mit denen das Bordpersonal der Iberia den Passagieren die Start oder die Landung auf dem Flughafen des Autonomen Fürstentums Asturien ankündigt«, lese ich in *El País* vom 17. Mai.

Das ist ein harmloses Vergnügen. Auch ist es nur recht und billig, wenn die Bürger von Barcelona fordern, daß die Straßenschilder der Stadt nicht nur die spanische, sondern auch die Nomenklatur der Landessprache tragen. Kaum aber ist dieses Ziel erreicht, macht sich die einheimische Sprachguerrilla mit ihren Spraydosen ans Werk, um jedes spanische Wort auszutilgen.

Die selbsternannten Sheriffs der Sprache stehen keineswegs isoliert da. Heribert Barrera, ein führender Politiker der Republikanischen Linken in Barcelona, erklärte mir ganz unverblümt: »Wir lehnen die Zweisprachigkeit in Katalonien ab. Eine der beiden Sprachen muß gewinnen, und das wird die unsrige sein. Es geht nicht an, daß die Sprache des Kolonisators hier die Oberhand behält. Wir wollen die Hegemonie des Katalanischen gesetzlich verankern. Wenn es nach mir ginge, so würde in Zukunft nicht das Spanische unsere zweite Sprache sein, sondern das Englische.«

Da kann sich der Vertreter der Herri Batasuna nicht lumpen lassen. Er verlangt, daß der Unterricht in den Schulen seiner Region künftig ausschließlich in baskischer Sprache zu erfolgen hat, ohne Rücksicht auf die Wünsche der Eltern und der Schüler.

Mit solchen Forderungen verrät die Rebellion gegen die Zentralgewalt, daß sie an ihren autoritären Gegner fixiert geblieben ist. Es ist der Zwang, der die Befreiung bringen soll. Die Staatshörigkeit der Autonomisten hat nur den Adressaten gewechselt. Nun sind es die eigenen

Regierungen, die durch Gesetze, Vorschriften und Erlasse Remedur schaffen sollen. Kein Gedanke daran, daß es nie der Staat ist und immer die Gesellschaft, die über die Vitalität einer Kultur und die Ausstrahlung einer Sprache entscheidet.

»Du hast recht«, sagte mir in Barcelona eine Psychoanalytikerin, der ich meine Konklusion vortrug, »aber deine Erklärung geht nicht weit genug. Ist dir nicht die außerordentliche Künstlichkeit dieses ganzen Streits aufgefallen? Der hysterische Anteil läßt darauf schließen, daß es um etwas anderes geht, daß es sich um eine Kompensation, eine Ersatzbildung handelt.

Der wahre Nationalist weiß natürlich, daß die Siege der kastilischen Zentralregierung immer Pyrrhussiege waren, daß der spanische Staat alles in allem schwach auf der Brust ist, daß unsere Parteien Kartenhäuser, unsere Institutionen seltsam losgelöste Inseln im Meer der Realität sind.

Den wahren Nationalisten plagt kein Zweifel an der eigenen Existenz; sein Selbstbewußtsein hält es mit der achselzuckenden Tautologie Jordi Pujols, unseres Präsidenten, der sagt: *Somos quienes somos*, wir sind, die wir sind, und es dabei bewenden läßt. Natürlich verzichtet der alte Demagog nicht darauf, den Sprachstreit für seine Zwecke zu nutzen, aber er weiß auch, daß unsere Kultur und unsere Sprache – du weißt, ich bin Katalanin mit Leib und Seele – viel zu reich und lebendig ist, als daß sie es nötig hätte, sich mit staatlichem Kunstdünger vergiften zu lassen.«

»Du kommst von deiner These ab. Du hast von Kompensation, von Ersatzbildung gesprochen. Ersatz wofür?«

»Aber mein Lieber, das liegt ja auf der Hand! Sieh dir unser Land doch an! Die rücksichtslose Gemeinheit, mit der die Landschaft zerstört wird; die subhumanen Wohnverhältnisse; die Krise der alten Industriekultur... Und in dieser Situation macht sich eine Heimatliebe breit, die nichts Besseres im Sinn hat, als Ortsschilder umzukippen und Fahnen zu schwingen! Eine Heimatliebe, die sich weder um das Trinkwasser noch um die Wohnungsfrage kümmert, die keine Industriepolitik kennt, keinen Arbeitsschutz, keine Infrastruktur, keine Ökologie...

Das ist doch nichts anderes als der alte spanische Wahn, nur daß er jetzt nicht mehr im Zentrum zu Hause ist, das ihn ausgebrütet hat; sondern er hat sich in der Peripherie eingenistet, sozusagen an den Wänden der spanischen Zentrifuge. Während in Madrid die Macher herrschen, haben die Basken und die Gallegos, die Asturier und die Kanaren, die Andalusier und die Katalanen die heroische Rechthaberei, das Zelotentum, die nationale Würde und den Fanatismus für sich gepachtet. Das ewige Spanien, diese altersschwache Mystifikation! Die einzigen, die noch an ihr festhalten, sind ausgerechnet diejenigen, die ums Verrecken keine Spanier sein wollen!«

Die Scherben

Die Kreuzung Seiner Eminenz. Ein Feuer mitten auf der Straße, Kinder stehen herum, brennende Autoreifen. Das Ghetto in der Vorstadt besteht aus billigen Neubauten. Die Mieten sind subventioniert. Drohende Gesichter. Es ist, als wäre man in Harlem unterwegs. Eine Braut, ganz in Weiß, vor einer schmuddligen Bar. Ein Esel unter einem Küchenbalkon. Ein verlassenes Karussel; niemand hat Lust und Geld mitzufahren. Hier ist das Spanien der

Reisebüros zu Ende. Drogen, Zigeuner, Kinderprostitution.

Die Ampel an der Carretera de Su Eminencia steht auf Rot. Es knirscht unter den Rädern. Die Kreuzung ist mit winzigen Glassplittern übersät. In der Nähe lungern die Spezialisten: Sechzehnjährige mit ausgemergelten Gesichtern, den Schraubenschlüssel in der Hand, mit dem sie die Rückfenster der Wagen einschlagen, die vor der Ampel halten. Der Raub dauert nur wenige Sekunden. Sie zögern einen Moment zu lange, die Ampel wechselt auf Grün, der Fahrer beschleunigt, mit kreischenden Reifen fahren wir davon, das Terrain der Vorstadt bleibt in der Dämmerung zurück.

Mein Bild von Spanien, ein Haufen von Scherben auf einer Straßenkreuzung. Meine Reisetasche habe ich gerettet, aber das schmale Notgepäck an Vorwissen, meine Stereotypen und Vorurteile, haben mir die Wegelagerer im Handumdrehen weggenommen.

Bouvard und Pecuchet. Der neuernannte Generaldirektor im Kultusministerium versucht, eine Woche, nachdem er sein Amt angetreten hat, die Zahl seiner Untergebenen zu ermitteln. Manche erscheinen nur zweimal im Monat, andere holen nicht einmal ihr Gehalt ab. Eingeweihte verraten flüsternd ihre Schätzungen: viertausend Beamte soll das Ministerium in der Hauptstadt beschäftigen, einundzwanzigtausend im ganzen Land.

Nach vier Monaten stößt der Generaldirektor bei einer Wanderung durch die Korridore auf ein kleines Zimmer, in dem sechs Zensoren sitzen. Natürlich ist die Zensur seit langem abgeschafft, aber die Herren sind keineswegs untätig. Sie blättern eifrig in den Büchern, die ihnen aufgrund einer ehrwürdigen Gewohnheit nach wie vor zugesandt werden.

Philip Marlowe in La Mancha. Die Chefredaktion hat ihn in eine entlegene Provinzhauptstadt entsandt. Der Journalist, ein früherer Sportreporter, ist nicht zu beneiden. Die Lokalpolitik ist verwickelt, er findet nicht eine, sondern drei, vier, fünf geschlossene Gesellschaften vor, alle mißtrauisch, eitel, undurchsichtig wie in einem Roman von Balzac. Die Zeitung zahlt schlecht. Honorar gibt es nicht für das, was der Reporter schreibt, sondern nur für das, was Madrid drucken will. Die Junggesellenwohnung sieht aus, als wäre der Mieter seit langem verreist. Im Kühlschrank ist der Käse verwittert, die Butter ranzig, der Schinken grün. Der Korrespondent aber hat das Temperament eines Terriers. Bald weiß er manches über die Ausschreibungen, die seltsamen Koalitionen und Manöver im Gemeinderat.

Aber auch nach ein paar Monaten gibt es noch Fragen, die er nicht beantworten kann. Wer ist der Mann mit der Sonnenbrille im überlangen Mercedes, dessen Chauffeur überall parken darf, auch auf dem reservierten Standplatz des Gerichtspräsidenten? Warum kommt die Post nicht an? Wer ist die mittellose Witwe, die jeden Samstag in ihrer Villa empfängt, und alle machen ihr den Hof, als hinge es von ihr ab, wer befördert wird? Was bedeutet es, daß in der Bude des Journalisten, wenn er spät nach Hause kommt, das Licht brennt? Der Lampenschirm ist verschwunden, eine nackte Glühbirne baumelt über dem Tisch. Er hat doch die Tür gut verschlossen, als er das Haus verließ. Und die Whiskey-Flasche steht leer unter der Dusche. Wer hat sie ausgetrunken? Soll das eine letzte Warnung sein?

Mündliche Tradition. Im Weißbuch des Ministeriums für Erziehung und Wissenschaft heißt es, daß sich unter der Bevölkerung Spaniens genau 11418724 funktionelle

Analphabeten befinden. »Ich frage mich, wer sie gezählt hat«, sagt mein Freund, der Kritiker, »und ob die Zähler daran gedacht haben, sich mitzuzählen. Nicht, daß Sie glauben, ich hätte etwas gegen Analphabeten. Meine Berufserfahrung sagt mir, daß sich die besten Dichter unseres Landes unter ihnen befinden müssen.«

Überflußgesellschaft. Wie viele Pförtner gibt es auf der iberischen Halbinsel? Eine halbe, eine dreiviertel, eine ganze Million? Sie sitzen unter der Treppe und plaudern, oder sie haben eine Loge für sich, oder sie sind zu Besuch bei andern Pförtnern und spielen Karten. Warum sie da sind, bleibt dunkel. Sie kümmern sich nicht um die Heizung, mit einem Besen wissen sie nichts anzufangen, selbst die Polizei kann auf ihre Informationen verzichten. Die privaten Pförtner sind untätig, aber harmlos. Zur Landplage werden die Türhüter, sobald sie ein öffentliches Gebäude heimsuchen.

Im Rathaus der kleinen Stadt, in der ich zu tun habe, zähle ich am Eingang vier. Einer, der niemanden registriert, sitzt in einem Glaskasten mit der Aufschrift *»Registro«*. Ein anderer steht unter der Tür. Zwei weitere, die an ihren Pistolen herumfingern, warten in einem eigenen Zimmer. Auf jedem Stockwerk hat sich wieder einer etabliert. Er sitzt apathisch an einem Tischchen, mit einer leeren Kaffeetasse und einem vollen Aschbecher, vor einem Formular, das nie ausgefüllt werden wird. In jedem Vorzimmer starren noch einmal zwei Wächter in die Luft. Ihre Aufgabe besteht darin, daß sie jedem, der das Haus betritt, das Leben schwer machen. Ihre Auskünfte sind, wenn sie überhaupt Auskünfte geben, falsch. Ihre Lebensphilosophie ist sowjetisch. Sie sind die Leibwache der Ineffizienz, die Prätorianer der Faulheit, die Schutzengel des Schlendrians.

Niemand kann eine Million Pförtner entlassen. Wozu auch? Sie sind billiger als die überflüssigen Generalsekretäre und Präsidenten, die sie beschützen, als die 1400 überflüssigen Generäle und Admiräle, als die überflüssige Hälfte der Armee, als die überflüssige Guardia Civil. Das Überflüssige ist eine geheimnisvolle Kategorie, ohne die keine Gesellschaft auskommt. Die Pförtner sind störend wie ein Kropf, aber nicht lebensgefährlich wie ein Tumor.

Unheimlichkeit der Zeit. Vielleicht gibt es auf der ganzen Welt kein Land mit so vielen kaputten Häusern. Kinos, in denen längst kein Film mehr läuft, verlassene Stellwerke, einstürzende Brauereien, Mietshäuser, in denen nur noch die Ratten hausen, Fabrikhallen, Hafenspeicher, Paläste, Garagen: die Tore vermauert, die Fassaden geschwärzt, die Fenster zugenagelt. Von manchen Gebäuden sind nur Skelette übrig. Hier und da schlägt eine Tür im Wind.

Dort, wo man am wenigsten darauf gefaßt ist, zeigen manche dieser Ruinen Spuren von Leben. Aus einer verfallenen Fabrik dringt giftiger Qualm, im Innern einer verrosteten Halle gleißt das blaue Licht eines Schweißbrenners, ein uralter Kran bewegt sich, jemand tritt auf den Balkon einer aufgegebenen Villa. Gleich nebenan erhebt sich ein neuer Supermarkt, ein Industriebau mit vergoldeter Spiegelglas-Fassade, ein luxuriöser Wohnblock. Die Bewohner sind überrascht, wenn man sie nach der Phantom-Architektur in ihrer Nachbarschaft fragt. Sie murmeln etwas von Mietsgesetzen, von Bodenspekulation. Aber ihre Erklärungen sind halbherzig. Die Wahrheit ist, daß sie die toten Häuser nicht bemerken.

Die Ruinen sind die hartnäckigen Zeugen eines stillen Bürgerkriegs, den niemand zur Kenntnis nimmt. Der Geruch von Überbleibseln haftet auch vielen Institutionen an: den Gewerkschaftshäusern der Franco-Zeit, den Büros von Korporationen, den Klubs, den Heimen und den Kasernen. Man geht an ihren dunklen Fassaden vorbei und fühlt: Ja, vielleicht ist noch Leben in ihnen, aber es ist ein Leben nach dem Tod.

Ein stiller Machtwechsel. In San Vicente, einer verschlafenen Gasse gleich hinter der Kathedrale von Oviedo, liegt ein bemerkenswertes Café: das Heim der Blauen Division. Die Lampen am Eingang sind mit dem Pfeilbündel der Falange und mit den Stahlhelmen des Zweiten Weltkriegs geschmückt. Das Glas ist zerbrochen. Links und rechts wird der eintretende Gast von zwei meterhohen Granaten begrüßt.

An den Mauern des Gebäudes steht: *¡Viva la droga!* Nieder mit der NATO! Reagan ist ein Mörder!

Das Café wirkt kahl und düster wie eine Armenküche. Ein Pfarrer in altmodischer Soutane schwätzt mit dem Veteranen hinter der Theke. Auf dem alten Fernseher steht eine ausgestopfte Wildgans. Über der Bar sind die Relikte der Blauen Division aufgebahrt: ein zerbeultes Kochgeschirr, ein Helm, verrostete Patronenhülsen. Von der Wand grüßt links der Caudillo, rechts José Antonio Primo de Rivera, in der Mitte der König. Niemand gönnt ihnen einen Blick, niemand denkt daran, sie aus ihrer *ménage à trois* zu erlösen.

Das Heim der Blauen Division ist einer Schar von Eroberern anheimgefallen. Die Invasion verlief unblutig. Die Sieger sind ihrer Sache so sicher, daß sie sich um das Dekor nicht kümmern; sie ignorieren es. An den Plastiktischen schreiben Primanerinnen ihre Hausaufgaben ins Heft, die kleinen Zungen vor lauter Eifer und Konzentration an die Oberlippe gepreßt.

Ein bärtiger Freak löffelt seine Linsensuppe und blättert dabei in einem Gedichtband. Philosophiestudenten spielen Karten. Ein rotbäckiges Mädchen lauscht verzückt seinem Walkman. Das Menu, Suppe, Hamburger, Pommes frites, Brot und Wein, kostet ganze 250 Peseten. Billiger ist in der ganzen Stadt kein Essen zu haben. Die Vergangenheit ist zur Kulisse geworden, zum Bühnenbild für ein Stück, das nicht mehr auf dem Spielplan steht. Die Enkel finden es nicht der Mühe wert, die Scherben fortzuräumen.

Böhmen am Meer
von
Timothy Taylor

(The New New Yorker, 21. Februar 2006)

Ich stieß die Tür auf, und ein Schauder lief mir über den Rücken. Es war alles beim alten geblieben. Der einarmige Bandit an der Wand blinkte und klingelte wie vor zwölf Jahren, unverrückt thronte das Senfglas auf der karierten Tischdecke, im rötlichen Schummerlicht verdorrten die gleichen blassen Semmeln in ihrem geflochtenen Sarg. Ein schwerer Bier- und Frittendunst lag in der Luft, die gelben Butzenscheiben zitterten, wenn draußen ein Güterzug vorbeifuhr, und unter der schweren, »rustikalen« Tischplatte lauerten Querhölzer, an denen jeder, der mit den Tücken der deutschen Gemütlichkeit nicht vertraut war, sich unfehlbar die Knie wundschlug.

Auch die Speisekarte, eine kunstlederne Mappe, groß und schwer wie ein Meßbuch, war unverändert: Schweinskotelett mit Kartoffelpüree, las ich unter der vergilbten Plastikfolie, Jägerschnitzel Hawaii, Würstchen mit Kartoffelsalat, Schoppenwein lieblich, Schoppenwein herb.

Mir sank das Herz, und zugleich überkam mich eine perverse Zufriedenheit; denn die deutsche Gastwirtschaft war mein archimedischer Punkt, die einzige Ecke Europas, die ich in- und auswendig kannte. In diesem Purgatorium hatte ich zwei Jahre lang jeden freien Abend zugebracht; ich wußte, daß hier die Zeit stillstand, daß sich am Jägerschnitzel der Frau Leininger, genannt »das Walroß«, die Weltgeschichte die Zähne ausbiß. An diesem gottverlassenen Ort mußte meine Recherche beginnen.

»Ja ist das die Möglichkeit? Herr Teilohr, sind Sie auch wieder einmal im Lande?« Die Wirtin kam wie ein rollender Dampfer auf mich zu, stützte die Arme in die Hüften und warf mir einen Blick voll grauenhafter

Koketterie zu. Alles Amerikanische unterwarf sie den Regeln der pfälzischen Phonetik, und so war und blieb ich der Herr Teilohr. Daß sie mich wiedererkannte, grenzte an ein Wunder; denn ich hatte ihre Stube, ihr Dorf, ihr Land, ihren Erdteil zwölf Jahre lang nicht betreten.

Auf ihr herzliches Willkommen war ich ebensowenig gefaßt wie auf die Stille, die in der Gaststube herrschte. Ich hatte das »Golden Gate« ganz anders in Erinnerung, nämlich laut, überfüllt und gewalttätig. In seinen besten Zeiten war hier nach neun Uhr abends kein Stuhl mehr frei, die Musik war ohrenbetäubend, die schwarzen GIs hämmerten auf den Spielautomaten herum, und die kleinen rattenhaften Dealer brachten ihre Ware direkt an den Tisch. Der Dollarkurs war für die Soldaten mörderisch, sie konnten sich nur die billigsten Kneipen und Bordelle leisten. Der Whisky, den das Walroß ausschenkte, war lebensgefährlich; wahrscheinlich kam er aus einer Chemiefabrik; doch die Wirtin füllte ihn stets in alte Johnny-Walker-Flaschen aus dem PX ab; sie war immer darauf bedacht, den Schein zu wahren.

Meine Vorgesetzten sahen es nicht gern, daß ich mich im »Golden Gate« herumtrieb; als Leutnant war ich mehr oder weniger dazu verpflichtet, mich im Offiziersklub zu langweilen. Aber hinter dem Stacheldraht der Basis fühlte ich mich wie ein Zuchthäusler, und so landete ich nach den langen Tagen der Herbstmanöver mit lehmverkrusteten Stiefeln regelmäßig im gemütlichen Purgatorium der Frau Leininger. Niemand kümmerte sich um mich, ich kümmerte mich um niemand. Mit allen Anzeichen einer chronischen Depression saß ich da, betrank mich, wortlos und methodisch, und wartete auf die obligate Schlägerei. Dann bahnte sich das Walroß mit unbewegter Miene eine Gasse durch die Menge, trennte die

Messerstecher und warf ihre Gäste hinaus. Sie brauchte keine Militärpolizei. Die GIs torkelten fluchend auf ihre verbeulten Autos zu, ließen die Türen knallen, die Motoren aufheulen und verschwanden in der Finsternis.

Keiner von ihnen hatte auch nur die geringste Ahnung, warum man ihn in diese unwirtliche Gegend geschickt hatte. Ich war immer der letzte, der das »Golden Gate« verließ; ich sah den Schlußlichtern nach und wartete auf den Fahrer vom Verbindungsstab, der mich abzuholen pflegte. Auch ich hatte das Gefühl, daß ich nach Europa deportiert worden war.

Die unerschütterliche Frau Leininger sah das offenbar anders. Nachdem sie mir mein Bier und meine Pfälzer Würstchen gebracht hatte, baute sie sich strahlend vor mir auf und sprach: »Ach, Herr Teilohr, damals, als Sie hier waren – das waren noch Zeiten! Wissen Sie noch, wie Sie versucht haben, den Weihnachtsbaum mit Gin zu löschen?« Was sollte ich ihr antworten? Ich konnte mich an derartige Lustbarkeiten beim besten Willen nicht erinnern.

Andererseits wäre ich nie so weit gegangen wie der Attaché an der amerikanischen Botschaft in Bad Godesberg, den ich kurz nach meiner Ankunft in Europa aufgesucht hatte. Er wirkte mager und übernächtigt, und die vielen roten Äderchen in seinen unsteten Augen verliehen ihm etwas Gehetztes.

»Mein lieber Taylor, seien Sie vorsichtig! Ich warne Sie!« Das war das erste, was er sagte.

»Was heißt vorsichtig?« fragte ich. »Haben Sie etwa Angst vor den paar überlebenden Veteranen des Terrorismus, die immer noch frei herumlaufen?«

»Sie können uns nicht leiden!« stieß er hervor. »Sie hassen uns!«

»Wer denn?«

»Alle. Die Deutschen. Die Franzosen. Die Spanier. Alle durch die Bank anti-amerikanisch. Wir haben hier praktisch keine Freunde mehr.«

Ich versuchte ihn zu beruhigen. »Immerhin existiert das Bündnis noch«, sagte ich.

»Das Bündnis steht doch nur auf dem Papier! Das ist kein Bündnis mehr, das ist ein schlechter Witz.«

»Was wollen Sie? Seitdem wir unsere Truppen abgezogen haben... Die zweihundert Mann in Berlin fallen ja weiß Gott nicht ins Gewicht...«

»Eben!« rief er.

»Aber das war doch unsere Entscheidung. Der Kongreß...«

»Ich war von Anfang an dagegen.«

Er tat mir leid, aber ich wußte nicht, wie ich ihn trösten sollte. Und schließlich war es sein Job, mir zu helfen, nicht umgekehrt. Er raffte sich zu der Frage auf, was er für mich tun könne.

»Ich nehme an, Sie brauchen ein paar Kontakte. Aber die Politiker hier...«

Ich versicherte ihm, daß ich nicht darauf erpicht war, den Bonner Staatsmännern anti-amerikanische Äußerungen zu entlocken. »Politiker sind immer unergiebig«, sagte ich. »Sie sind dazu verurteilt, die Welt zu langweilen.«

»Unterschätzen Sie diese Leute nicht«, flüsterte er. »Sie sind zu allem fähig. Wissen Sie, Taylor, die Westdeutschen waren immer Verräter.«

»Ist das eine offizielle Einschätzung von seiten der CIA?« fragte ich.

»Um Himmelswillen, wenn Sie mich zitieren, dementiere ich alles.«

»Ich verstehe wirklich nicht, warum Sie sich beklagen. Jahrzehntelang haben die Bonner Häuptlinge mit ihrem

Dackelblick auf jeden Wink aus Washington gelauert...«

»Das war einmal. Damals haben sie sich nur nicht getraut, ihr wahres Gesicht zu zeigen.«

»Sie sind ganz schön geladen, Murphy.«

»Wundert Sie das? Die Innenstadt wimmelt von Russen. Seitdem sie reisen dürfen, stolpert man in ganz Westeuropa über russische Touristen. Ein Sicherheitsproblem ersten Ranges.«

»Ja, ich verstehe. Sie haben alle Hände voll zu tun. Aber schließlich geht es bei alledem in erster Linie ums Geschäft.«

»Und ob! Sie arbeiten mit allen Mitteln, um uns aus dem Markt zu drücken. Die Europäische Gemeinschaft...«

»Hören Sie auf, Murphy! Sie tun so, als hätten wir es mit einem Weltreich zu tun. Sie wissen so gut wie ich, daß die Europäische Gemeinschaft ein Hühnerstall ist, ein Knäuel von immer kleiner werdenden Staaten – wenn man das, worin sich die Europäer eingerichtet haben, überhaupt noch als Staaten bezeichnen kann.«

»Aber wenn es darum geht, uns zu brüskieren, sind sie sich alle einig. Und wenn man dann auf den Tisch haut, verschanzen sie sich in ihrem hundertfach verfitzten Durcheinander. Nur ja keine klare Linie, keine große Perspektive. Nur ja nirgends anstoßen! Überall soll man Rücksicht nehmen auf ihre angebliche Komplexität, ihre Privilegien, ihre Minderheiten. Einmal sind es die Landschaftspfleger, die gehätschelt werden müssen, dann wieder die Mohammedaner, oder die Basken, oder die pensionierten Kommunisten. Neuerdings wollen sie sogar den Text auf ihren Banknoten in zwölf Sprachen drucken. Zum Verrücktwerden! Ich bin froh, daß ich demnächst nach Seoul versetzt werde, dort herrschen wenigstens klare Verhältnisse.«

Es dauerte eine gute Viertelstunde, bis ich mich von seinen Tiraden befreien konnte. Er wollte mich noch zur Tür bringen.

»Bitte bemühen Sie sich nicht«, sagte ich. »Sie haben mir sehr geholfen.«

Kein Wunder, daß wir Schwierigkeiten haben, dachte ich auf dem Weg zum Bahnhof, bei solchen Diplomaten... Dennoch tat mir Murphy leid, und wie alle Paranoiker hatte er letzten Endes nicht ganz unrecht. Ich wußte schließlich ein Lied davon zu singen, was eine mehrjährige Stationierung in Europa für einen Amerikaner bedeutet.

Obwohl die Bevölkerung in den letzten Jahren zurückgegangen war, hatte ich den Eindruck, als wäre es auf dieser Seite des Atlantik noch enger geworden als zuvor. Das Gedränge in den Fußgängerzonen war unerträglich. In diesem Land war jede freie Bewegung unmöglich. Zu diesem Gefühl trug auch der Zwang, die Eisenbahn zu nehmen, das seinige bei. Der Zug nach Kaiserslautern war gut, er war sogar luxuriös, aber ich hätte lieber den Wagen genommen, und die bürokratischen Einschränkungen des Autoverkehrs erbitterten mich. Ich machte mich auf eine langweilige Fahrt gefaßt. Meine Mitreisenden zogen ihre Bücher hervor. Auch das war eine europäische Marotte. In Koblenz stieg eine Familie von Bulgaren oder Jugoslawen zu, die sofort ihre Delikatessen auspackte. Den Rest der Reise brachte ich in einer Wolke von Knoblauch zu.

»Ja, das ›Golden Gate‹ hat schon bessere Tage gesehen«, fuhr die Wirtin fort; sie hatte sich schnaufend an meinem Tisch niedergelassen. »Seit die Basis geschlossen ist, Herr Teilohr, könnte ich den Laden ebensogut ganz zumachen, bei dem Umsatz, den ich erziele.« Ich war tatsächlich der einzige Gast. »Aber was bleibt mir übrig, in meinem Alter... Das neue Einkaufszentrum hat schon vor fünf, sechs Jahren aufgegeben, und Elsies Schuppen, Sie erinnern sich doch, die große Diskothek mit der Laser-Show, die ist auch schon längst pleite. Eine Katastrophe für uns, Herr Teilohr, eine Schande! Der ganze Landkreis ist im Eimer! Hat es Ihnen geschmeckt?« Wenigstens eine, die uns nachtrauert, dachte ich. Dann ließ ich mir ein Zimmer im ersten Stock geben. Es roch muffig, als hätte seit Jahren niemand mehr darin gewohnt. Am andern Morgen wanderte ich durch die Ortschaft. Die Wirtin hatte nicht übertrieben. Die ausgestorbenen Tankstellen, die zugenagelten Schaufenster erinnerten an eine Geisterstadt.

Ich überquerte die leere Autobahn und ging eine Weile auf einem Trampelpfad durch den Wald. Die Betonpfeiler des Zauns waren stehengeblieben, doch der verrostete Maschendraht lag am Boden. Das riesige Areal des ehemaligen Stützpunkts lag offensichtlich brach. Ich arbeitete mich durch das Unterholz und erreichte das Compound, in dem ich gewohnt hatte.

Das Haus war noch da. Unter dem Vordach am Eingang wucherte das Unkraut meterhoch. Das Treppengeländer war zerbrochen. Vorsichtig probierte ich die Stufen aus. In meinem Wohnzimmer faulte der Fußboden. Es regnete durch die Decke. In der Küche stand das Skelett eines Kühlschranks. Nicht einmal ein Obdachloser hätte hier eine Zuflucht gefunden. Zwischen dem Munitionsdepot und dem Hubschrauber-Hangar scheuchte ich ein Rudel Rehe auf. Der Kontrollturm des Flugplatzes war eingestürzt. Auf dem Rückweg stolperte ich über ein paar Panzerketten im Gras. Ob es hier Blindgänger gab? Vergrabenes Giftgas?

Ich fröstelte. Die Bunkertrümmer und Panzersperren fielen mir ein, Reste der Befestigungen aus dem Zweiten Weltkrieg, auf die ich vor Jahren bei unseren Geländeübungen gestoßen war. Und ich fragte mich, ob diese Ruinenlandschaft der richtige Ausgangspunkt für meinen Streifzug durch Europa war, oder ob ich mich schon beim ersten Schritt im Dickicht des *déjà vu* verirrt hatte.

Den Haag

Am Bahnhof stehen zwar noch ein paar Taxis, aber sie fahren nur in die Vorstädte. Das Zentrum ist, wie in den meisten europäischen Städten, abgeriegelt. Nach einer Woche habe ich bereits eine Hornhaut an den Füßen. Der Altweibersommer ist tropisch, die Schuhe drohen im weichen Asphalt steckenzubleiben.
Die Mischung aus Würde und Vulgarität, die man in den Niederlanden antrifft, ist einzigartig. Der Übergang zwischen Slum und Residenz ist fließend. Die Strichjungen tragen grüne Plastikausweise um den Hals, garantiert aids-frei; in den asiatischen Garküchen brodeln auf offener Straße exotische Ragouts; Dealer, aufdringlich wie Mücken, umschwärmen die Passanten. Alte Damen prüfen mit strenger Miene das Obst in altmodischen Kramläden, um sich dann, nach der täglichen Einkaufsrunde, in einem hausbackenen Café an Sahnetorten zu laben. Die Renaissance-Häuser sind perfekt restauriert. Gutgelaunte Beamte unterhalten sich auf den Freitreppen. Durch ein Gewühl von Mulatten, Surinamern, Molukken bahne ich mir meinen Weg.
Endlich, in einer stillen Straße unweit der Parklaan, es ist genau elf Uhr vormittags, erreiche ich mein Ziel, eine

kühle, weitläufige klassizistische Villa, die mit ihren perl-
grauen Säulen und Pilastern an eine Botschaft erinnert.
Hier hat das Auktionshaus van Rossum sein Domizil.
Der Saal im ersten Stock ist überfüllt, an einen Sitzplatz
ist nicht zu denken. Doch weit und breit ist keine Kamera
zu sehen, nirgends flammen Scheinwerfer auf. Mit den
Medienspektakeln von London, New York und Tokio ist
diese Versteigerung nicht zu vergleichen. Das Publikum
besteht aus sehr alten Herren, nur hie und da ist ein
junger Banker zu sehen. Frauen fehlen fast ganz. Es fehlen auch die Mannequins auf der Bühne, die anderswo,
bei Sotheby's oder Hitocha's, den Versteigerer umschwärmen. Die Lose werden nicht vorgezeigt. Es geht
diskret und lautlos zu; ein Blick genügt; wenn ein Bieter
seine Karte in die Höhe hebt, wirkt das bereits wie ein
Gefühlsausbruch. Unter dem Murmeln des Auktionators
bewegen sich die Preise sprunghaft aufwärts.
Ein Château Cheval-Blanc 1991, nicht einmal ein besonders hervorragender Jahrgang, wird bei 6400 Dollars zugeschlagen; eine Magnum Pétrus 1993 erreicht 19000,
selbst kleinere Lagen, wie ein fünfter Cru Classé aus dem
Médoc, kommen mühelos auf 1800 bis 2000 Dollars.
Absolute Spitzenergebnisse erzielen natürlich die Hoch-
gewächse aus den späten siebziger Jahren. Ein Château
Palmer, und zwar der legendäre 78er, geht nach zähem
Kampf an einen schwarzgekleideten, hinfällig wirkenden
Greis, eine Gestalt wie aus einem Velázquez-Gemälde.
Nach zwei Stunden ist alles vorbei. Die Auktion hat drei
bis vier Millionen Dollars erbracht, und das alles für ein
paar hundert staubige Flaschen.
Robert de Rossum empfängt mich in seinem getäfelten
Kontor, zuvorkommend, mit ausgestreckten Armen. Ich
muß in einem riesigen Ohrensessel Platz nehmen. Die
grünen gläsernen Lampenschirme verleihen dem Zimmer

einen Hauch von Bonhomie. Van Rossum sieht nicht wie ein Genießer aus. Seine Herzlichkeit wirkt aufgesetzt, und es kommt mir so vor, als stecke in der aufgeschwemmten Figur des Fünfzigjährigen, wie die Puppe in der Puppe, ein dünner, verkniffener Geizhalz.

»Wo denken Sie hin«, entgegnet er auf meine erste Frage, »ich trinke keinen Bordeaux. Das könnte ich mir gar nicht leisten. Die meisten dieser Weine werden heutzutage nicht mehr getrunken, sie werden gesammelt. Es handelt sich um museale Objekte, Zeugnisse einer verschwundenen Kultur. Gewiß gibt es hie und da noch Verschwender, die sie öffnen. Mit solchen ostentativen Gesten tun sich besonders Ihre Landsleute hervor. Das gilt als der Gipfel der Extravaganz. Doch im großen und ganzen haben wir es mit einem der vielen schwer erklärlichen Kulte zu tun, die unsere Zivilisation hervorbringt. Die Anthropologen vergleichen ihn mit der Reliquienverehrung des Mittelalters. Vielleicht haben sie recht. Ich verstehe nicht viel davon. Aber ich darf behaupten: Ich habe es kommen sehen.«

Er lehnte sich zurück, und zu meinem Entsetzen zündete er sich eine Zigarre an. Es gehört zu den Widrigkeiten einer Europareise, daß man sich immer wieder, wenn auch nicht in der Öffentlichkeit, so doch in Privathäusern, diesem abstoßenden und lebensgefährlichen Laster ausgesetzt sieht.

Ich biß die Zähne zusammen und sagte: »Ihr Haus kann, wie ich annehme, auf eine lange Tradition zurückblicken.«

»Die Firma wurde 1878 gegründet, und zwar hier, in diesen Räumen. Sie hat ihre Tätigkeit nur während des Zweiten Weltkriegs unterbrochen. Aber die van Rossums hatten mit dem Weinhandel nichts zu tun. Mein Urgroßvater hat als Graphiksammler begonnen, und er ist gewissermaßen aus Versehen zum Händler geworden. In den folgenden Generationen hat sich dann unser Tätigkeitsfeld erweitert, zuerst auf die Malerei, dann auch auf Asiatica und antiken Schmuck.«

»Keine moderne Kunst?«

»Nie! Dieser Kelch ist Gott sei Dank an uns vorübergegangen. Mein Vater hat sich immer antizyklisch verhalten. Natürlich hat er auf diese Weise vor dreißig, vierzig Jahren den großen Boom versäumt; aber dafür hat ihm auch der Zusammenbruch des Marktes Anfang der Neunziger nichts anhaben können, als der ganze Schwindel aufflog und niemand mehr bereit war, für den gesammelten Pfusch des zwanzigsten Jahrhunderts auch nur einen Heller zu geben. Als sich der Wind drehte, waren unsere Bestände plötzlich Millionen wert. Praktisch alles, was älter als 1850 war, wurde einem aus der Hand gerissen. Sie erinnern sich gewiß, daß damals sogar der allerletzte Schrott rehabilitiert wurde, vorausgesetzt, es war barocker oder Renaissance-Schrott. Das Problem war der Ankauf. Der Markt war bald vollkommen ausgetrocknet, Material von guter Qualität war einfach nicht mehr aufzutreiben. Nun, das gehört nicht hierher. Ich jedenfalls hatte den Kunsthandel satt. Vielleicht ist das der Grund, weshalb ich seinerzeit, ich meine, im Juni 1996, sofort erkannt habe, daß sich hier eine einmalige Chance bot.«

Ich hatte es mit einem hartgesottenen Zyniker zu tun; das war ganz offensichtlich.

»Finden Sie mich zynisch?« fragte er, indem er eine neue Qualmwolke ausstieß, nicht ohne mir einen süffisanten Seitenblick zuzuwerfen.

Ich antwortete ihm mit einer Gegenfrage.

»Wie haben Sie damals reagiert? Können Sie sich an die Einzelheiten erinnern?«

»Natürlich, ganz genau. Die erste Meldung kam an einem Samstag: Explosion in einem der vier Reaktoren von Le Blayais. Kein Grund zur Beunruhigung. Die üblichen Verdunklungsmanöver. Es war, wie Sie wissen, schon am Freitag abend passiert, um 22.14 Uhr.

Erst am Sonntagmittag begannen die Behörden mit der Evakuierung des Médoc. Am Montagmorgen wurde Bordeaux geräumt. Ich setzte mich sofort ans Telefon und rief meine Partner in Paris, in London, in Deutschland an. Natürlich habe ich auch in den Niederlanden aufgekauft, was ich kriegen konnte. Ich bin keine Spielernatur, aber dies eine Mal habe ich alles auf eine Karte gesetzt. Das Risiko war enorm.«

»Wieso? Wie meinen Sie das?«

»Nun, es hätte ja sein können, daß die französische Regierung ausnahmsweise die Wahrheit gesagt hätte. In Paris hat man tagelang behauptet, man hätte die Lage unter Kontrolle. In diesem Fall wäre ich, ein Kunsthändler mit relativ bescheidenen Reserven, auf meinen Bordeaux-Hochgewächsen, dem größten Lager der Welt, sitzengeblieben. Eine unvorstellbare Schuldenlawine hätte die Firma unter sich begraben.«

»Sie hatten Glück.«

»Am Mittwoch war klar, daß es mindestens in einem Reaktor zur Kernschmelze gekommen war.«

»Sie haben es zweifellos mit Tränen der Dankbarkeit gehört.«

»Ihr Sarkasmus ist fehl am Platz. Das Ganze war schließlich kein Scherz. Bald stellte sich heraus, daß auch der zweite Reaktor nicht mehr zu kontrollieren war. Es wundert mich noch heute, daß ich der einzige war, der auf die Idee kam ...«

»Die Leute hatten wohl in diesem Augenblick andere Sorgen.«

»Natürlich. Wer es miterlebt hat, wird es so leicht nicht vergessen. Die panische Flucht, die verstopften Straßen, die blockierten Flughäfen, die Schießereien. Als endlich die Armee eingesetzt wurde, desertierten die Soldaten in hellen Haufen. Und dann die Lynchjustiz gegen Wissenschaftler, Ingenieure und Industrielle... Sie werden das alles nur aus dem Fernsehen kennen.«

»Und Sie saßen in Ihrem Büro und telefonierten mit den Weinhändlern.«

»Ich habe die Nerven behalten. Vergessen Sie nicht, normalerweise kommt der Wind vom Atlantik her, aus West bis Südwest. Daß ausgerechnet in den Tagen nach Le Blayais eine Kaltfront über den Pyrenäen aufkam, die die Wolke von Südosten her landauswärts trieb, war ein unwahrscheinlicher Glücksfall. Andernfalls säßen wir nicht hier. Eine Drehung der Windrichtung um neunzig Grad, und ganz Westeuropa, nicht nur das Bordelais, wäre heute unbewohnbar.«

»Ein paar hunderttausend Tote, aber Sie haben das Geschäft Ihres Lebens gemacht.«

»Nach einer jahrelangen Zitterpartie, vergessen Sie das nicht! Bis der Kundschaft klar wurde, daß im Gebiet von Bordeaux auf Generationen hinaus keine Traube mehr zu ernten sein würde, vergingen Monate. Dann kamen die Energiegesetze, der forcierte Ausbau der Solar- und Wasserstoffwirtschaft, die Krise von 1997... Kein Mensch dachte daran, Wein zu kaufen.«

»Aber dann kam das, was Sie den Reliquienkult nennen. Wann hat Ihre erste Auktion stattgefunden?«

»Kurz vor der Jahrtausendwende. Zuerst kam es darauf an, gewisse Ressentiments, ein gewisses Mißtrauen zu überwinden. Dazu kam die amerikanische Konkurrenz, die wir lange unterschätzt haben. Unter uns gesagt, die besten kalifornischen Kreszenzen können es mit dem, was ich zu bieten habe, durchaus aufnehmen, abgesehen vielleicht von gewissen Spitzen-Domänen... Auch die Spanier haben Fortschritte gemacht... Aber, wie gesagt, es geht hier letzten Endes nicht ums Trinken.«

Ich hustete. Er hatte seine Zigarre ausgedrückt, aber der Stummel glomm weiter und verbreitete einen penetranten Gestank im Zimmer.

»Gestatten Sie eine letzte Frage«, sagte ich hastig. »Welche Gewähr können Sie Ihren Kunden dafür bieten, daß die Weine, die sie erwerben, von einwandfreier Herkunft und Beschaffenheit sind?«

»Eine gute Frage! Bei den heutigen Preisen kommt natürlich immer wieder zweifelhafte Ware auf den Markt. Soweit es sich nicht um Fälschungen handelt, sind es geplünderte Bestände oder kleinere Partien, die als Schmuggelgut aus den verseuchten Departements kommen. Aber vergessen Sie nicht, daß der Grundstock meines Lagers die Herkunftsregion lange vor der Katastrophe verlassen hat. Dennoch versteigern wir grundsätzlich keine einzige Flasche, ohne sie vorher in unserm eigenen Labor zu prüfen.« Er stand auf und holte eine versiegelte Flasche aus dem Regal.

»Hier, auf diesem Computerausdruck sehen Sie, daß der Inhalt absolut unbelastet ist. Wir haben große Fortschritte in der Dosimetrie gemacht; wie Sie bemerken werden, können wir jedes Isotop einzeln bestimmen. Unsere Grenzwerte unterschreiten die der europäischen Richtlinien um den Faktor drei. Sie können diesen 83er Saint-Julien also getrost mit nach Hause nehmen. Vielleicht etwas viel Tannin, aber langlebig und nicht ohne Finesse. Ich hoffe, er wird Ihnen Freude machen.«

Ich erhob mich. Die Lüge ging mir glatt über die Lippen. »Danke«, sagte ich. »Aber ich trinke nicht.«

Berlin

Viel ist nicht übriggeblieben vom kaputten Reiz dieser Stadt. Von der heroischen Dekadenz, die so vielen Filmen als Kulisse gedient hat, ist nichts mehr zu spüren. Die Maulwürfe der Kultur, die einst im Schutt der Geschichte nach alten und neuen Mythen gewühlt haben, sind schon vor Jahren abgewandert. Mit der Exterritorialität ist auch der Ludergeruch der Stadt verschwunden. Lust und Schrecken sind der Normalität gewichen, die hier wie überall, wo die Zeit für sie arbeitet, alles besiegt.

Die vier Männer im Jeep, die mit ihren weißen Helmen nach wie vor über den Marx-Engels-Platz und um die Gedächtniskirche kurven, sind nur noch ein Zitat, eine folkloristische Erinnerung an die Zeit der Okkupation und des Vier-Mächte-Status. Niemand dreht sich nach ihnen um; nur den japanischen Touristen sind sie noch ein Foto wert.

Auch das Haus am Wannsee, in dem wir tagten, hätte ebensogut in Kopenhagen oder Hannover stehen können. Der postmoderne Klinkerbau hatte keine Ähnlichkeit mit jener berüchtigten Villa, in der 1942 eine andere Wannsee-Konferenz stattfand. Man konnte sie übrigens, grau und halb versteckt hinter Trauerweiden, durch die riesigen Sprossenfenster sehen, aber keiner der Anwesenden schenkte ihr einen Blick. Hier ging es um ein Treffen anderer Art. Nicht von Juden und Fremdvölkern war die Rede, sondern von Ottern und Nachtfaltern, Lärchen und Fröschen. Auf dem fehlerlos ausgedruckten Pappschild, das die uniformierte Hostess vor mir auf den Tisch gestellt hatte, war zu lesen: »Ständige Artenschutz-Konferenz Deutschsprachiger Länder / Expertengespräche / Timothy Taylor / Akkreditierter Korrespondent.«

Ich hatte mir eine Einladung besorgt, weil es hier um das

einzige Thema ging, das die übrigen Europäer neidlos den Schweizern, den Österreichern und den Deutschen überließen. Der Artenschutz war eine mitteleuropäische Obsession. Das wußte ich. Dennoch war ich verblüfft über die Vehemenz, die die Teilnehmer an den Tag legten.

Schon die gutgemeinte Begrüßungsrede des Regierenden Bürgermeisters wurde durch Zwischenrufe, Pfiffe und Buhrufe unterbrochen. Auf der Eröffnungssitzung kam es zu einem erbitterten Streit über die Tagesordnung. Vom ersten Moment an gerieten die Vermummten aus der Ökoanarchisten-Szene mit den Beamten von der Umweltpolizei aneinander. Ein Abgesandter der chemischen Industrie, der sich in rituellen Demutsgesten und Beteuerungen erging, wurde niedergebrüllt. Natürlich hatten auch die neuen Naturreligionen ihre Vertreter entsandt, bizarr gekleidete Priester und den einen oder andern Bischof im Sonnentalar. Ein greiser Veteran aus den siebziger Jahren, der Gründerzeit der Bewegung, erregte sich derart über einen Antrag des Verbandes der Bioethiker und der Umweltingenieure, daß er, krebsrot im Gesicht und einem Herzinfarkt nahe, aus dem Saal getragen werden mußte.

Wenn ich bei dem allgemeinen Tohuwabohu alles richtig verstanden habe, wurde über folgende Punkte verhandelt: einen Gesetzentwurf zum Schutz des Unkrauts in öffentlichen und privaten Anlagen, Parks und Gärten; ein allgemeines Skiverbot im Voralpenland; die Untertunnelung von Bahnstrecken für das Niederwild; die Rückzüchtung ausgestorbener Schmetterlingsarten und die Herstellung künstlicher Duftstraßen für die Rotbauchunke *(Bombina bombina)*; außerdem ging es um die Standortbestimmung für das Gemeinschaftsprojekt Künstlicher Regenwald.

Alles ganz schön und gut, aber der Lärm im Saal war
derart schrill, daß ich beschloß, einen minimalen Artenschutz für mich selbst in Anspruch zu nehmen. Ich verließ die Versammlung und ging in den Garten. Über dem
See lag eine paradiesische Stille. Motorboote waren hier
seit Jahrzehnten verboten. Am Ende des Grundstücks
war die Uferböschung von hohen Sträuchern gesäumt.
Ich wollte mir einen Weg zum Wasser bahnen. Dabei
überraschte ich eine mollige Dame, die heftig auf ihren
Begleiter einredete, der einen schlotternden Gabardine-
Anzug trug und wie ein ergrauter Buchhalter wirkte. Ich
hätte die Auseinandersetzung der beiden für einen Ehe-
streit gehalten, wäre mir nicht die Verschwörermiene der
Dame im blauen Schneiderkostüm aufgefallen. Ich murmelte eine Entschuldigung und ging weiter.

»Sind Sie nicht der amerikanische Reporter?« rief mir
ihre muntere Mädchenstimme nach. Ich wandte mich
um und stellte mich vor. »Aber ich wollte Sie keineswegs
stören«, sagte ich.

»Davon kann keine Rede sein! Wie fanden Sie die Sitzung?«

Ich antwortete ausweichend, aber meinem Tonfall war
wohl ein gewisser Mangel an Begeisterung anzumerken,
denn die beiden tauschten einen schmerzlichen Blick.
Eine peinliche Pause trat ein.

»Waren Sie schon an der Mauer?« fragte endlich der
Herr in Grau. Ich wußte im ersten Moment nicht, was
ich auf diese überraschende Frage antworten sollte.

»Nein«, gab ich widerwillig zu. »Ich denke, dort gibt es
schon lange nichts mehr zu sehen.«

»Ah«, rief die Dame – sie hatte etwas von einer Kindergärtnerin – und richtete ihre lebhaften, leicht hervorquellenden Augen auf mich, »da irren Sie sich aber sehr!
Gerade jetzt haben wir an der Mauer eine sehr interes-

sante Situation! Übrigens, ich heiße Ohlmeyer, Dr Sabine Ohlmeyer vom West-Berliner Senat, Naturschutz, und das ist Professor Sturz vom Umweltministerium der DDR.«

Während ich die unvermeidlichen Verbeugungen absolvierte, dachte ich an die Bilder, die seinerzeit um die ganze Welt gegangen waren: die Sprengung der Betonhindernisse, die Demontage der Schranken, die Bulldozer, die abgerissenen Zollbuden.

»Wieso?« fragte ich. »Wie meinen Sie das, eine sehr interessante Situation?«

»Sie werden schon sehen«, rief Frau Dr Ohlmeyer fröhlich. »Wenn Sie wollen, lade ich Sie für heute abend zu einem Spaziergang an der Grenze ein; vielleicht wird auch Professor Sturz eine Stunde für Sie erübrigen können, nicht wahr, Herr Professor?«

Wir trafen uns in der Nähe des einstigen Checkpoint Charlie. Die Gegend hinter den Türmen des neuen Bankenviertels hat einen Rest der alten Kreuzberger Schmuddligkeit bewahrt. Ein Hauch von Nachkriegszeit weht über die alten Brandmauern. Auf einem der letzten Ruinengrundstücke hat sich ein illegaler Bazar etabliert. Türkische Trödler verkaufen hier Pantoffeln und gestohlene Computer, man sieht streunende Hunde, verwitterte Sex-Shops, altersschwache Würstchenbuden, und in den Hauseingängen schlafen die Stadtstreicher, umringt von leeren Chianti-Flaschen.

Der Verkehr auf der Friedrichstraße war schläfrig. Ein gelangweilter Grenzpolizist thronte einsam in seinem Glaskasten und winkte die wenigen Fahrzeuge vorbei. Ich sah, wie er, den Walkman über den Ohren, im Takt zu der Musik mit dem Kopf wippte, und ich fragte mich, wozu ich mich auf dieses Rendezvous eingelassen hatte.

Aber dann sah ich den Zaun. Etwa zwanzig Schritt von der Straßenfront zurückgesetzt stand er da, ein silbern schimmernder, nagelneuer, engmaschiger Gitterzaun, mindestens drei Meter hoch.

Frau Dr Ohlmeyer lachte. »Das hätten Sie nicht erwartet! Nun, der Zaun steht auch erst seit knapp drei Wochen. Ja, das war ein langer Weg durch die Instanzen, auf beiden Seiten, bis es uns gelungen ist, die Einfriedung durchzusetzen, nicht wahr, Herr Professor?«

»Ich verstehe nicht...«

»Sie werden gleich sehen.«

Flankiert von den beiden Experten überquerte ich die Grenze, einen weißen Strich auf dem Pflaster. Der ehemalige Todesstreifen war tatsächlich auf beiden Seiten eingezäunt, und während wir, seinen Zickzacklinien folgend, weiterstiefelten, Richtung Potsdamer Platz und Brandenburger Tor, sah ich durch das Drahtgitter die Reste der alten Grenzanlagen, Scheinwerfer, Gräben, und hie und da einen jener bröckelnden Wachtürme, die jedem, der sie sieht, eine Gänsehaut über den Rücken jagen, so sehr erinnern sie an die Konzentrationslager der vierziger Jahre. Und dahinter war die Mauer. Sie war immer noch da, wenn sie auch da und dort, wo das Abdeckrohr abgestürzt war, Lücken aufwies. Professor Sturz reichte mir seinen Feldstecher, und ich erkannte, daß ein längeres Stück der Mauer unter einem hölzernen Schutzgang verschwand, einer nagelneuen, mit Dachpappe abgedeckten Verschalung, wie man sie bei Bauarbeiten anzulegen pflegt.

»Ist das nicht großartig?« zwitscherte Frau Dr Ohlmeyer. »Ein einzigartiges Biotop! Wo sonst gibt es eine solche Vegetation mitten im Zentrum einer Metropole?«

Ich sah nur mannshohe Brennesseln, Ginster, Lupinen

auf dem eingezäunten Gelände, das sich nun verbrei-
terte.

»Hier gibt es Wildkaninchen«, fuhr meine Begleiterin
fort, »Igel, Beutelratten, sogar Blindschleichen! Und was
die Insekten betrifft, wir haben schon sechs verschiedene
Schlupfwespenarten gezählt. Wir hoffen, daß sich mit
der Zeit in den Türmen Nachtvögel und Fledermäuse
ansiedeln.«

»Aber die Mauer«, sagte ich. »Warum hat man sie nicht
abgerissen? Was sind das für hölzerne Schutzbauten? Das
sieht ja ganz so aus . . .«

»Das ist es ja, Mr. Taylor! Diese Eingriffe sind ein Hohn
auf unsere Bemühungen! Und dabei ist das ganze Gelände als Naturschutzgebiet ausgewiesen! Das sind die
Quertreibereien der Denkmalspfleger. Sie behaupten, die
Mauer müsse konserviert werden, man dürfe sie nicht
dem Vergessen preisgeben, sie sei historisch wertvoll.«

»Sogar aus der DDR sind solche Stimmen zu hören«,
versicherte Professor Sturz, »obwohl diese Frage in den
Gremien sehr umstritten ist. Aber mit der provisorischen
Verschalung haben die Denkmalsschützer zweifellos
einen Teilsieg errungen.«

»Die Kunsthistoriker sind die schlimmsten. Sie betrachten die Mauer als Kunstwerk, der Graffiti wegen, die
allerdings nur auf der westlichen Seite zu finden sind.
Der Kunstsenator möchte am liebsten ein Freilichtmuseum von dreißig Kilometer Länge aus dem Biotop machen. Aber Sie wissen ja, Mr. Taylor, was das heutzutage
bedeutet!

Unsere Museen sind doch die reinsten Rummelplätze!
Wenn sich die Denkmalspflege mit ihren Plänen durch-
setzt, dann ist es aus und vorbei mit dieser unberührten
Landschaft, dann wird alles, was sich hier im Lauf von
Jahrzehnten entwickelt hat, brutal zertrampelt. Deshalb

brauchen wir die Unterstützung der Medien, auch im Ausland, und wir wären Ihnen sehr, sehr dankbar, wenn Sie die amerikanische Öffentlichkeit auf unser Anliegen aufmerksam machen könnten.«

Sie blickten mich einträchtig an. Es fehlte nur, daß sie sich die Händchen gehalten hätten. Ich wußte nicht, was ich sagen sollte. Vielleicht, dachte ich, war mein erster Eindruck doch nicht so falsch. Vielleicht hatte ich ein gesamtdeutsches Liebespaar vor mir. Ich brachte es nicht übers Herz, sie zu enttäuschen.

»Aber gern«, sagte ich. »Der Berliner Riesenknöterich hat meine volle Unterstützung.«

Im Club der Auslandspresse herrschte gähnende Leere. Berlin machte keine Schlagzeilen mehr, und die großen elektronischen Blätter hatten ihre Korrespondenten längst abgezogen. Ich hatte mich mit einem britischen Journalisten verabredet, den ich aus New York kannte und der hier, auf verlorenem Posten, die Stellung hielt, weil er mit einer Deutschen verheiratet war. Er rührte zerstreut seinen Cappucino um, während ich ihm von meinen Erlebnissen an der Mauer erzählte.

»Das ist genau das Richtige«, sagte er schließlich. »Du mußt das unbedingt verwenden. Sentimental und schwachsinnig, genau, was die Leute hören wollen! Und wie alle guten *faits divers* ist deine deutsch-deutsche Geschichte durch und durch verlogen.«

»Den Eindruck hatte ich nicht. Im Gegenteil, die beiden meinen es bitter ernst. Das ist ja gerade das Komische.«

»Geschenkt«, erwiderte er. »Trotzdem bist du mit deiner Story auf dem Holzweg.«

»Warum?«

»Diese deutsch-deutsche Harmonie ist doch eine Fiktion.

Einmal abgesehen von deinem Professor und seiner Freundin, die vermutlich auch nichts weiter verbindet als ihre *idée fixe*: Tatsache ist, daß die Deutschen einander nicht ausstehen können. Ossies und Wessies – das ist wie Hund und Katze!«

»Ich dachte, sie hätten sich zusammengerauft.«

»Offiziell schon. Aber wenn du ihre Deklarationen beim Wort nimmst, gerätst du sofort in ein Unterholz von Komplexen, Rivalitäten und Ressentiments. Es ist doch bezeichnend, daß die Zahl der deutsch-deutschen Heiraten, der Mischehen, wenn man es so nennen kann, minimal geblieben ist. Oder nimm den Fußball. Ohne massiven Polizeischutz gäbe es beim Endspiel DDR-Bundesrepublik jedesmal Mord und Totschlag. Ganz zu schweigen von den politischen Apparaten. Ich rede wohlgemerkt von den Parteien gleicher Couleur hüben und drüben. Die sind sich spinnefeind.

Wenn ich meine jungen Freunde hier über die jeweils andere Seite reden höre – ich sage dir, die sind geradezu von Ekel geschüttelt! Der Wessie schwört auf sein Lufthansa-Weltbürgertum. Dafür ist der Ossie moralisch allemal der Größte, so, als wäre er automatisch immun gegen alles, was Dekadenz heißt, Korruption oder Zynismus. Mit einem Wort: jeder der beiden fühlt sich über den andern weit erhaben.«

»Und die berühmte Wiedervereinigung?«

»Außer Kaffee und Kuchen nichts gewesen. Ja, mein Lieber, wir haben alle jahrzehntelang den falschen Baum angebellt. Erinnerst du dich noch an die neunziger Jahre, wie damals die nackte Angst vor den Deutschen umging, besonders natürlich bei den Franzosen, aber auch in England erhoben sich besorgte Stimmen; von den Polen ganz zu schweigen, die sahen schon den Dritten Weltkrieg kommen. Und was ist passiert? Gar nichts. Inzwischen wurde der deutsche Popanz ganz still und leise aus dem Verkehr gezogen. Wir sind darauf hereingefallen, weil wir von der deutschen Geschichte keine Ahnung hatten.«

»Moment! Gerade die deutsche Geschichte war es doch, die uns nervös gemacht hat. Dazu hatten wir auch allen Grund.«

»Gewiß. Aber wir haben nicht begriffen, daß die deutsche Einheit nur eine Episode war. Sie hat keine hundert Jahre gedauert, und was hat sie, von Bismarck bis Hitler, den Deutschen eingebracht? Eine Bauchlandung nach der andern. Sie haben sich an ihre Vergangenheit erinnert: ein Jahrtausend Flickschusterei. Am liebsten hätten sie ihre provinziellen Könige und Fürsten wieder. Die Kleinstaaterei ist die wahre Heimat aller Deutschen! Übrigens gilt das nicht nur für Deutschland. Im Grunde handelt es sich um ein europäisches Phänomen, einmal abgesehen von den Franzosen, die nach wie vor auf den Zentralismus schwören. Die Europäer verfahren nach dem alten Motto: Teile, aber herrsche nicht. Im Namen des Heiligen Andreas, ich weiß, wovon ich rede: Nieder mit Großbritannien! Ich bin kein Engländer, lieber Tim. Ich bin Schotte!«

Helsinki

Erkki Rintala war verschwunden, spurlos verschwunden. »Keine Ahnung, wo der sich herumtreibt.«
Damit hatte ich nicht gerechnet. Der Präsident war erst vor zwei Monaten zurückgetreten. Ganz Europa kannte seine Hünenfigur, seinen emailblauen Blick, seinen weißblonden Schopf, sein breitflächiges rotes Gesicht und die

unbewegte Miene, mit der er, stoisch und erhaben wie ein Stummfilm-Komiker, jahrelang die Geschicke der Europäischen Gemeinschaft gelenkt hatte.

Helsinki im Frühherbst, wenn das Septemberlicht schräg und blendend auf die blaue Bucht, auf die rosa Sandsteinfassaden und auf die weißen Säulen der Kathedrale fällt, ist eine angenehme, übersichtliche Stadt. Man hält hier nicht viel von protokollarischen Umwegen, und das einzige Sicherheitsproblem ist der Schnaps. Auch bin ich als Reporter kein Profi, sondern ein Dilettant – ich betrachte den Journalismus als eine Art von Maskerade –, und so hatte ich es versäumt, mich bei Erkki Rintala schriftlich anzumelden. Ich schlug das Telefonbuch auf. Wie ich vermutet hatte, war der prominenteste aller Finnen mit seiner vollen Privatadresse verzeichnet. Ich ließ es eine Weile läuten, vergeblich; er hatte nicht einmal einen Anrufbeantworter.

Da ich nichts anderes zu tun hatte, spazierte ich über die Esplanade und den Boulevard zu der angegebenen Adresse. Der Präsident wohnte in einem jener herrschaftlichen, gelb verputzten Häuser aus der Zeit vor dem Ersten Weltkrieg, die man in allen europäischen Hauptstädten findet. Sogar ein Klingelschild war vorhanden. Der Blick vom dritten Stock aus über das Hafenbecken von Sandvika mußte herrlich sein. Aber natürlich war niemand zu Hause. Der alte Portier, der mir schließlich öffnete, sprach nur Finnisch; mit einer ausladenden Geste gab er mir zu verstehen, daß Rintala verreist war, Richtung Norden. Die rudernden Bewegungen des Alten deuteten eine arktische Entfernung an.

Im Außenministerium wußte man von nichts, die Botschaft war geschlossen, weil das Personal streikte. In der Redaktion der *Helsingin Sanomat*, der führenden Zeitung des Landes, wurde ich mit gemessener Höflichkeit empfangen und an einen buckligen Herrn verwiesen, der sinnend vor seinem Bildschirm saß.

»Gehen wir«, sagte er, als ich mein Anliegen vorgebracht hatte. Er führte mich über den Hinterhof auf eine Seitenstraße, trat in ein schäbiges Mietshaus ein und steuerte zielsicher auf die Kellertreppe zu. »Streng privat!« flüsterte er. Im Keller befand sich eine primitive Bar. Wir nahmen an einem roh gezimmerten Tisch Platz, und der Wirt stellte ungefragt eine Flasche Wodka und zwei Wassergläser vor uns hin. Aus dem Lautsprecher kam eine finnische Version des Cannon Ball Blues. Ich kam mir vor wie in einem Film aus den dreißiger Jahren. Daß der Ausschank von Alkohol in Skandinavien strengen und komplizierten Regeln unterlag, davon hatte ich gehört. Aber daß es in Helsinki illegale Lasterhöhlen gab, regelrechte *speakeasies* wie im Chicago der Prohibition, das war mir neu.

Der Redakteur schenkte mir eine Überdosis Wodka ein. Dann begann er mich auszufragen. Er wollte wissen, was ich von den Detroiter Aufständen hielt, von den obligatorischen Gebeten im amerikanischen Fernsehen, von der holographischen Kopie des Louvre auf Coney Island. Er fragte auch nach meinen Auftraggebern. Ich hatte das Gefühl, daß er mich für einen Spion hielt; aber vielleicht war es auch nur seine schiefe Kopfhaltung, was mich auf diese Idee brachte. Als ich ihm versicherte, daß ich auf eigene Rechnung und Gefahr unterwegs war, nickte er, zog ein Blatt Papier hervor und kritzelte darauf eine improvisierte Landkarte. Der Lageplan war ziemlich konfus. Weil der Platz nicht ausreichte, mußte er auf der Rückseite fortgesetzt werden.

»An dieser Abzweigung werden Sie die kleine Kirche von Rääkkylämäki sehen. Lassen Sie die Kirche links liegen. Nach zwei Kilometern geht ein Feldweg nach rechts ab, ohne Wegweiser, nur ein Briefkasten steht da. Der Feldweg führt Sie direkt zu Erkkis Hütte. Den Plan werfen Sie weg. Erkki wird wütend sein. Sie dürfen ihm auf keinen Fall sagen, daß ich Sie geschickt habe.«

Ich seufzte und lud meinen buckligen Helfer, obwohl mir keineswegs danach zumute war, zu einer weiteren Runde Wodka ein.

Finnland gehört zu den wenigen europäischen Ländern, in denen es nach wie vor möglich ist, ohne weitere Umstände ein Auto zu mieten. Die Eisenbahnmanie hat sich hier schon aus geographischen Gründen nicht durchsetzen können. Selbst mit dem Elektrobus kann man die abgelegeneren Teile des Landes – und abgelegen ist hier fast alles – nicht erreichen.

Ich fuhr drei Stunden in nördlicher Richtung, und nachdem ich mich zweimal verfranzt hatte, lag der Ort mit dem unaussprechlichen Namen endlich vor mir. Die Landschaft war reizvoll, wenn auch etwas eintönig. Die Dörfer wirkten ärmlich. Ich sah viele geschlossene Läden und verlassene Schulhäuser. Der Plan erwies sich als recht genau. Über den birkengesäumten Feldweg kam ich an einen kleinen See. Ich ließ den Wagen am Ufer stehen. Der Mann, den ich suchte, stand hinter einem großen Schuppen über einen Tisch gebeugt, auf dem er hantierte. Als er mich kommen hörte, hob er den Kopf, warf mir einen mürrischen Blick zu und wandte sich, ohne ein Wort zu sagen, wieder seiner Arbeit zu. Ich trat näher und sah, daß er eine kleine Werkbank im Freien aufgestellt hatte. Vor ihm lag eine pedantisch angeordnete Reihe von Maschinenteilen, die er offenbar zusammenmontieren wollte. Darüber vergingen mindestens zehn Minuten. Schließlich murmelte er, ohne mich anzusehen: »Was wollen Sie?«

Seine Stimme war überraschend sanft. Er sprach ein reines, aber etwas schleppendes Oxbridge-Englisch. Ich zögerte.

»Amerikaner«, brummelte er. »Das sieht man. Soziologe oder Zeitungsschreiber. Sie haben den ganzen Weg umsonst gemacht. Ich gebe keine Interviews. Ich habe nämlich nichts zu sagen. Außerdem habe ich, wie Sie sehen, zu tun.«

Ich blieb einfach stehen und sah zu, wie er mit einem benzingetränkten Lappen ein Gewinde reinigte.

»Also gut«, sagte er endlich. »Kommen Sie in zwei Stunden wieder. Dann gebe ich Ihnen was zu essen. In dieser Gegend würden Sie sonst verhungern. Hier gibt es keinen Hamburger-Laden.«

Ich dankte ihm. Es blieb mir nichts weiter übrig, als die Umgebung zu erkunden. Schöner Fleck, viel Wildwuchs, genau das Richtige für Professor Sturz aus Ost-Berlin, aber unwegsam, außerdem stellenweise sumpfig. Schließlich setzte ich mich in mein Auto und hielt einen Mittagsschlaf.

Als ich wieder auf das Haus zuging, fing es bereits an zu dämmern. Der Montagetisch war im Schuppen verschwunden. Die Hütte, eine alte Bretterbude, kam mir winzig vor. Immerhin, Strom mußte vorhanden sein, denn zwei Fenster waren erleuchtet.

»Kommen Sie rein«, rief mein unfreiwilliger Gastgeber. Er saß in einem alten Schaukelstuhl. Der Raum war mit Bücherregalen vollgestopft. Soweit ich sehen konnte, hatte er sich auf zwei Arten von Lektüre spezialisiert: auf Lyrik in allen möglichen Sprachen und auf technische Handbücher und Gebrauchsanweisungen. Außerdem standen zwei vorsintflutliche Geräte im Regal: ein Plattenspieler ältester Bauart und ein Fernseher mit dem grünlichen Froschauge, das in den fünfziger Jahren als

Bildschirm diente. Er schenkte mir ein Glas bitteren schwarzen Kaffees ein. Ich hütete mich, ihn auszufragen, und hielt mich an das ungeschriebene Schweigegebot des Nordens.

»Die Dinger«, sagte Rintala, »sind absolut funktionsfähig. Ich habe mir eine Reserve von alten Röhren aus sowjetischen Beständen besorgt und einen digitalen Adaptor konstruiert, der das Satellitensignal in die 625-Zeilen-Norm von anno dazumal umwandelt. Das Ganze ist natürlich reine Spielerei.«

»Wie viele Programme können Sie empfangen?« fragte ich.

»Ich sehe nie fern«, antwortete er.

Eine längere Pause entstand. Dann schlug mein Gastgeber den unvermeidlichen Gang zur Sauna vor, »bevor es Nacht wird.« Glücklicherweise machen mir heiße Dampfstöße bei 90° Celsius nichts aus, und ich hatte nichts dagegen, aus dem glühenden Holzverschlag in den kühlen See zu springen. Ich bot ihm an, Kleinholz zu machen, während er das Abendessen kochte. Es gab Rentiersteaks und gebratene Kartoffeln. Dazu holte Rintala eine Flasche 94er Listrac hervor.

»Van Rossum?« fragte ich.

»Oh, Sie wissen Bescheid? Unsympathischer Kerl, dieser van Rossum, aber was bleibt einem übrig? Inzwischen kann ich mir solche Extravaganzen nicht mehr leisten. Ich lebe von der Substanz, wenigstens, was den Bordeaux betrifft. – Also gut, was wollen Sie wissen?«

»Herr Präsident...«

»Lassen Sie bloß den Präsidenten weg! Ich bin froh, daß ich diese vier Jahre hinter mir habe.«

»Sie sind erst 56 und, wenn man der Presse glauben kann, kerngesund. Warum haben Sie das Handtuch geworfen?«

»Fragen Sie lieber, warum ich mich überhaupt auf diesen Mummenschanz eingelassen habe. Brüssel ist doch ein einziges Affenhaus. Ich verrate Ihnen gewiß kein Geheimnis, wenn ich sage, daß der Präsident der Europäischen Gemeinschaft nichts zu melden hat. Bei uns ist der Präsident nicht, wie in den USA, eine imperiale Figur, sondern ein Herrscher aus Pappmaché. Wir haben eine Art konstitutioneller Wahlmonarchie auf Zeit. Und meine Kandidatur hatte einen ganz simplen Grund. Es kam einfach darauf an, einen Finnen zu wählen, um die Russen zu beruhigen. Ich möchte allerdings wissen, was an mir so beruhigend sein soll.«

»Naja, das ist vielleicht die berühmte Finnlandisierung.«

»Hören Sie auf mit dem Quatsch! Das hat schon in den siebziger Jahren nicht gestimmt, und heute ist dieser Begriff absolut sinnlos. Seit den zentralasiatischen Bürgerkriegen haben die Sowjets weiß Gott andere Sorgen. Dazu kommt dann noch der Konflikt im Fernen Osten. Ganz abgesehen von ihren internen Problemen.«

»Die Europäer haben eben Glück gehabt. Mehr Glück als Verstand.«

Die Teller waren abgewaschen, die Birkenscheite loderten im Kamin, der Moment, auf den ich gewartet hatte, war da: Erkki Rintala setzte, in seinem knarrenden Schaukelstuhl, zum Plädoyer an.

»Wer hat schon Verstand in der Weltpolitik? Sie als Amerikaner wissen doch, wie rar diese Eigenschaft ist. Sie sind Bürger eines Imperiums, einer Supermacht. Dieser Status hat seine Vorzüge, aber er bringt auch einige Defekte mit sich. Je mächtiger eine Gesellschaft sich fühlt, desto weniger kapiert sie, was in der Außenwelt los ist. Gegen diese Art von Realitätsverlust ist kein Kraut gewachsen. Verstehen Sie mich bitte nicht falsch! Ich halte die Amerikaner für ein sehr intelligentes Volk. Aber die Verblödung, die ich meine, ist etwas Objektives. Alle Völker, die den Status einer Weltmacht erreichten, haben sich als kollektive Kretins erwiesen, die Römer und die Chinesen, die Briten und die Russen, die Deutschen und die Japaner...«

»Sie als Finne«, warf ich ein, »haben in dieser Hinsicht leicht reden.«

»Eben. Unsere Dummheiten konnten ein gewisses Maß nicht überschreiten. Das war unser Glück. Heute ist es der Vorzug jener kleinen Halbinsel, die wir Europa nennen.«

»Ein ziemlich bescheidener Vorzug.«

»Finden Sie? Da bin ich ganz anderer Ansicht. Wir blicken auf einen sechzigjährigen Frieden zurück. Das hat es in der dreitausendjährigen Geschichte dieses Erdteils noch nie gegeben. Und noch sensationeller als dieses Resultat ist die Tatsache, daß niemand es sensationell findet. Seit dem Abschmelzen der Rüstungen und dem Rückzug der Supermächte ist ein Krieg in Europa undenkbar geworden. Wir haben hier keine offenen Grenzfragen und keine bedrohlichen Minoritätenprobleme mehr.«

»Und wie ist es mit den Basken, mit Irland, mit Transsylvanien?«

»Sentimentale Reminiszenzen.«

»Sie sehen die Großmächte als Störenfriede. Darf ich Sie daran erinnern, daß es die Amerikaner und die Sowjets waren, die nach dem Zweiten Weltkrieg in Europa für Ruhe gesorgt haben, dreißig Jahre lang? Wer hat denn die Deutschen daran gehindert, sich ihre Ostgebiete wiederzuholen, wenn nicht der Große Bruder? Und was den Deutschen ihr Schlesien, war den Bulgaren ihr Mazedonien, den Ungarn ihr Siebenbürgen, den Albanern ihr Kosovo, und den Finnen ihr Karelien.«

»*Tant mieux*, mein lieber Mr. Taylor. Wenn Sie darauf bestehen, bin ich gern bereit, den Herren Stalin, Roosevelt und Churchill nachträglich für Jalta zu danken, auch wenn diese Danksagung einen ironischen Beigeschmack hat. Heute jedenfalls kommen wir ohne Vormünder aus.«

»Aber nicht ohne ewigen Zank, kleinlichen Kuhhandel und sinnlose Verschwendung.«

»Wem sagen Sie das, mein lieber Freund?«

Er warf ein paar Holzscheite ins Feuer und lehnte sich genüßlich zurück.

»Sehen Sie«, fuhr er fort, »wir haben jahrzehntelang eine Chimäre verfolgt: die europäische Einheit. Diese Idee stammt noch aus den Zeiten, in denen alle Welt an den technischen Fortschritt, an Wachstum und Rationalisierung glaubte. Der sogenannte Europa-Gedanke lief auf die Absicht hinaus, den großen Blöcken einen großen Block entgegenzusetzen. Also nichts als Big Science, High Tech, Raumfahrt, Plutonium, all diese bösen Scherze. Die Politiker haben jahrzehntelang auf dieses Europa der Manager, der Rüstungsexperten und der Technokraten gesetzt, und als leuchtendes Beispiel haben sie uns Japan entgegengehalten. Nur haben sie ihre Rechnung ohne die Bewohner unserer schönen Halbinsel gemacht. Ich habe, von der Grafschaft Cork bis in die Bukowina, noch keinen getroffen, der Lust gehabt hätte, als ein weißer Japaner dahinzuvegetieren.

Die logische Folge war, daß Brüssel zu einem riesigen supranationalen Wasserkopf wurde. Die Kommissionen, die Ausschüsse und Unterausschüsse spielten in ihren Glaskästen ein absurdes Milliarden-Bridge, natürlich alles ohne demokratische Legitimation: wer das Sagen hatte, war nicht aus freien Wahlen hervorgegangen, und wer aus freien Wahlen hervorgegangen war – ich spreche vom Straßburger Parlament –, der hatte nichts zu sagen.

Ich will gar nicht bestreiten, daß dabei auch einiges geleistet worden ist. Wir haben es zu einheitlichen Lebensmittelfarben gebracht, und die Zollformulare wurden standardisiert. Aber natürlich mußte der Brüsseler Schwachsinn in einer gigantischen Pleite enden. Wir zahlen heute noch dafür. Aber wofür zahlt man nicht alles in der Politik!«

»Sie wollen also, wenn ich Sie richtig verstehe, eine europäische Einheit ohne Einheit?«

»Besser kann man es nicht sagen. Kennen Sie Burckhardt?«

»Den Basler Historiker?«

»Ja. Er hat etwas sehr Gescheites gesagt: ›Tödlich für Europa war immer nur eines – das erdrückende Machtmonopol eines Staates, möge es von innen oder von außen kommen. Jede nivellierende Tendenz, sei sie politisch, religiös oder sozial, ist für unseren Kontinent lebensgefährlich. Was uns bedroht, ist die Zwangseinheit, die Homogenisierung; was uns rettet, ist unsere Vielfalt.‹ Ich zitiere aus dem Gedächtnis.«

»Aber Burckhardt – das ist doch reinstes neunzehntes Jahrhundert!«

»Wenn Sie auf neuere Ideen Wert legen, wie wäre es mit Mandelbrot?«

»Mandelbrot?«

»Ja. Das ist ein Mathematiker, der übrigens lange in den USA gearbeitet hat, ich glaube für IBM. Er ist berühmt geworden durch seine Erforschung der Fraktale.«

»Ich verstehe nichts von Mathematik.«

»Ich auch nicht. Aber die Sache ist ganz einfach. Die klassische Geometrie hat sich mit regelmäßigen Flächen und Körpern beschäftigt, mit Dreiecken, Kugelschnitten,

Riemannschen Räumen und so weiter. Dagegen hat Mandelbrot sich an die mathematische Analyse des Unregelmäßigen gewagt. Er ist der Columbus der irreduziblen Mannigfaltigkeit.«

»Ich begreife nicht, worauf Sie hinauswollen.«

»Dann sehen Sie sich bitte diese Karte von Finnland an, im Maßstab 1:500000, und betrachten Sie die Küstenlinie. Sie ist ziemlich wirr. Wenn Sie näher rangehen, mit der Lupe, vereinfacht sich das Kartenbild, es sieht dann regelmäßiger aus. In der Wirklichkeit verhält es sich genau umgekehrt: Je genauer Sie die Küste betrachten, desto mehr Irregularitäten werden Sie feststellen. Und dieses Spiel können Sie bis in den Mikrobereich fortsetzen. Mit anderen Worten: Wie lang die finnische Küste ist, läßt sich, streng genommen, überhaupt nicht angeben.«

»Na und?«

»Die Implikationen liegen doch auf der Hand. Entschuldigen Sie! Wenn Sie nun eine Karte von Europa nehmen, die Einkommensverteilungen oder Dialekte zeigt, Wahlverhalten, Religionen, Bildungsgrade, Wanderbewegungen, Eßgewohnheiten, was Sie wollen, werden Sie auf die gleiche Struktur stoßen, also auf Figuren, deren Dimension nicht mehr ganzzahlig ist. Hausdorff hat schon 1919 gezeigt, daß es in solchen Fällen sinnvoll ist, die Dimension durch einen Bruch auszudrücken. Kurzum, Europa ist ein fraktales Objekt.«

»Wenn ich Sie richtig verstehe, wollen Sie damit den Föderalismus mathematisch begründen.«

»Ach was! Ich wollte Sie nur aufs Glatteis führen. Aber was die europäische Gesellschaft betrifft, so ist sie tatsächlich bis in ihre Mikrostruktur hinein irregulär, und der Versuch, hier im traditionellen Sinn Ordnung zu schaffen, ist ein hoffnungsloses Unterfangen. Das gilt auch für die staatsrechtliche Konstruktion der Gemeinschaft. Sie können allenfalls gewisse Grenzwerte festlegen. Der Mischmasch ist unsere endgültige Gestalt. Das gilt übrigens auch für die Ökonomie. Die Konsequenz heißt *PoD*, also die Abkehr von der großen Serie. *Production on Demand* – das machen wir besser als alle anderen, und das ist auch der Grund, warum wir auf dem Weltmarkt nach wie vor eine Rolle spielen. Die Italiener haben das als erste begriffen, trotz oder wegen ihrer wackligen Infrastruktur, ihrer inkompetenten Verwaltung, ihrer wirren Institutionen. Aber wie Sie sehen, funktioniert die italienische Improvisation auch bei uns im Norden.«

»Mir kommt das alles ziemlich chaotisch vor.«

»Das, was Sie Chaos nennen, ist unsere wichtigste Ressource. Wir leben von der Differenz. Für die Politiker, die das alles unter einen Hut bringen sollen, wenigstens bis zu einem gewissen Grad, ist ein solcher Zustand natürlich die Hölle. Und deshalb, Mr. Taylor, finden Sie mich hier, am Ende der Welt, und nicht in Brüssel ... Sie haben einen anstrengenden Tag hinter sich. Ich habe ein Feldbett unter dem Dach für Sie hergerichtet.«

Am andern Morgen fand ich die Stube leer. Der Kaffee war warmgestellt. Draußen fuhren leichte Böen über den See. Der europäische Ex-Präsident, im blauen Anorak und in hohen Wasserstiefeln, kam von seinem Morgenspaziergang zurück; er hatte sich bereits zwei Forellen für sein Mittagessen geangelt.

»Vielleicht wollen Sie noch die Werkstatt sehen, bevor Sie sich auf die Rückreise machen«, sagte er. »Dieses Anwesen war früher eine Schmiede. Hier, an der Wand des Schuppens, können Sie noch die alte Esse sehen.« Er öffnete die Scheunentür. Im Halbdunkel glänzte silbrig ein Jaguar XK 150 aus den fünfziger Jahren.

»Ich habe den ganzen Kompressor ausbauen müssen. Die Kühlung war undicht. Aber jetzt läuft er wieder.«
Er setzte sich ans Steuer und ließ den Motor aufheulen. Ich ging in die Knie und sah mir das Bodenblech an.
»Tadelloser Zustand. Sieht aus wie neu.«
»Der Wagen wird auch kaum gefahren«, sagte Erkki Rintala. »Er ist schön, aber nutzlos. Ein Andenken an die Moderne.«

Bukarest

Abendessen im »Super Nova«, dem brandneuen Luxus-Restaurant 66 Stockwerke hoch über den Dächern der rumänischen Hauptstadt. Durch die riesige transparente Kuppel ist der ganze Sternhimmel zu sehen. Die Mozart-Musik aus den Lautsprechern wiederholt sich nie; der Mikroprozessor komponiert unablässig neue Klavier-konzerte. Mickey Woolstone, der Geschäftsführer, ist stolz auf sein neues Haus.
»Alles *American Style*!« sagt er. »Es ist gut, daß wir in dieser Ecke der Welt endlich Flagge zeigen.« Auch Tudor, sein rumänischer Stellvertreter, ein Golf-Profi, der beschlossen hat, im Hotelfach Karriere zu machen, sieht in seinem halbdurchsichtigen Body-suit aus, als käme er aus Kalifornien. Das Menu trägt patriotische Züge: *Long Island Lobster, Baked Virginia Ham,* Trut-hahn *à l'américaine, Lemon Meringue Pie.* Sogar die Weine kommen aus San Francisco.
»An und für sich ist Bukarest ein idealer Standort«, stellte Woolstone fest und zeigte auf das Panorama drau-ßen. Die Architektur ist extrem: Hochhäuser aus Leicht-metall und Karbonfaser, denen die Handschrift der

spanischen Designer anzumerken ist. Hier triumphiert die bizarre gotische Mode. »Das ist der Wilde Osten!« rief Mickey. »Eine Goldgräberstadt! Natürlich hat die europäische Konkurrenz mit ihren schmutzigen Tricks alles versucht, um uns draußen zu halten, aber diesmal haben wir die Kurve noch rechtzeitig gekriegt. Bauvorschriften sind hier unbekannt. Die Rumänen sind froh, wenn wir ihre alten Bruchbuden abreißen. Viel war hier sowieso nicht mehr zu retten.«

»Immerhin«, warf Tudor ein, »haben wir unsere Kirchen. Stavropoleos, die Patriarchalkirche und die Curtea Veche müssen Sie sich unbedingt ansehen, Mr. Taylor.«

»Aber Ceauşescu, dieser alte Gangster – ich nehme an, Sie wissen Bescheid – hat ja abgeräumt, was er konnte, bevor ihn seine eigenen Leute endlich abgeknallt haben. Und das große Erdbeben hat dann den Rest besorgt. Fünfzig Jahre lang – das darf ich doch sagen, nicht wahr, Tudor? – war Rumänien der Arsch Europas. Das einzige, was funktioniert hat, war die *Securitate*, die Geheimpolizei. Alles andere war im Eimer. Kein Fleisch, keine Glühbirnen, kein Strom. Im Winter sind die Leute in ihren Wohnungen erfroren. Noch vor fünfzehn Jahren waren die Rumänen die reinsten Hungerkünstler. Unvorstellbar. Und heute... Sie sehen ja, was hier los ist. Ein Wirtschaftswunder wie in alten Zeiten. Nachholbedarf für zwanzig Jahre! Der osteuropäische Markt ist ein Faß ohne Boden.

Natürlich haben vor allem die Deutschen abgesahnt, die Deutschen und die Franzosen. Als das Regime k. o. war, hatten sie am nächsten Tag den Fuß in der Tür mit ihrem ›zweiten Marshall-Plan‹ – nur haben sie diesmal das Geschäft ohne uns gemacht.

Sehen Sie, da drüben, die Typen in Beige, das sind ostdeutsche Ingenieure auf Montage. Ich weiß nicht, warum die immer beige Anzüge anhaben. Und die Rumäninnen, die sie sich aufgegabelt haben, sind auch nicht gerade das Gelbe vom Ei. Am Tisch daneben die Italiener von der Modewoche. Dort hinten ein Konsortium aus Luxemburg; ich weiß nicht, was die verhökern. Und dann natürlich die Russen, dort, am Fenster. Bis zehn Uhr abends drehen die Russen jeden Pfennig um, aber dann, wenn sie in Fahrt gekommen sind, werfen sie das Geld zum Fenster hinaus.«

»Gut für Sie«, sagte ich.

»Es ärgert mich aber trotzdem«, murrte der Hotelier. »Was wollte ich sagen? Ja... Wir haben uns von den Europäern überfahren lassen. Ein unglaublicher Skandal.«

Ich lachte. »Mein lieber Mickey, das Imperium ist eben nicht mehr ganz, was es einmal war. Beim Pokern muß man auch verlieren können. Und soweit ich das beurteilen kann, ist das ›Super Nova‹ eine Goldgrube.«

Als der Kaffee gebracht wurde – sogar der Kaffee war amerikanisch, nämlich dünn und koffeinfrei –, entschuldigte sich Woolstone, und ich sah, wie er erst bei den Italienern, dann bei den grölenden Russen die Honneurs machte. Die französischen Banker, arrogant wie immer, stellten sich, als verstünden sie kein Englisch. Mickey tat mir plötzlich leid. Er kam mir vor wie ein Mann auf verlorenem Posten. Der Attaché in Bad Godesberg fiel mir ein, und ich verstand seinen Verfolgungswahn. Nirgends konnte sich ein Amerikaner fremder fühlen als hier.

Mickeys Stellvertreter betrachtete mich aus den Augenwinkeln, als hätte er erraten, was ich dachte.

»Was wollen Sie«, sagte er leise, »das ist der Balkan. Wir sind und bleiben, was wir waren. Die Kulisse da draußen können Sie vergessen. Dort, wo ich herkomme, eine Eisenbahnstunde weit von Bukarest, ist alles wie immer.«

»Ich kenne Ihr Land nur aus Dracula-Filmen«, sagte ich.

»Wenn es nur die Vampire wären! Nein, für Drehbücher gibt die Gegend wenig her. Ein paar Polizisten, ein Kazike, der das ganze Dorf unter dem Daumen hält, schlafende Hunde, Kinderkrankheiten, Baracken. Mit einem Wort – Dritte Welt. Das rumänische Wunder ist nur eine andere Form der Pleite. Aber bitte kein Wort davon zu Mickey. Es würde ihn nur deprimieren.«

Am andern Tag hatte ich Glück. Das Café Alt-Wien am Boulevard der Republik war überfüllt. Die Marmortheke im Stil von 1890, die Billard-Lampen, die Schürzchen und Häubchen der Serviererinnen, das alles war natürlich nagelneu; der Innenarchitekt hatte sogar an hölzerne Zeitungshalter gedacht, und ich hätte mich nicht gewundert, Faksimiles aus der Habsburger Zeit darin zu finden. In die unhandlichen Antiquitäten waren aber nur Computer-Ausdrucke der neuesten Börsenkurse eingeklemmt. Während der Stehgeiger einen Walzer intonierte, ließ sich eine junge Dame an meinem Tisch nieder. Nach einer Minute *small talk* stellte sich heraus, daß sie Amerikanistik studierte. Ein unwahrscheinlicher Zufall; denn diese Disziplin galt hier als Orchideenfach. In ganz Bukarest gab es, wie sie mir versicherte, nur neun Amerikanisten, davon »sieben Penner, die es nur auf ein Stipendium abgesehen haben«.

Carola war eine bleiche, hübsche, entschlossene Person. Wenn sie nachdachte, hob sie die dichten Augenbrauen und runzelte die Stirn. Wie ich bald feststellen mußte, war sie äußerst schlagfertig. Ich lud sie zu einer Schale Gold ein. Den süßen Kuchen lehnte sie ab.

»Ich würde Sie gern als Dolmetscherin engagieren«, sagte ich. »Da ich kein Wort Rumänisch kann, möchte ich Sie bitten, mir die Stadt zu zeigen.«

»Das ist vollkommen überflüssig«, antwortete sie. »In Bukarest gibt es nur eine Sehenswürdigkeit, das sind die Nutten, und bei denen brauchen Sie keine Dolmetscherin.«

»Das ist keine sehr patriotische Auskunft«, sagte ich. Sie zuckte die Achseln.

»Wenn Ihnen Bukarest nicht gefällt, warum bleiben Sie dann hier?« fragte ich.

»Warum nicht? Ich habe mir auch Paris und New York angesehen, wenn Sie das meinen. Aber wenn schon Korruption, dann lieber die eigene. Ich gebe zu, es ist die schlimmste, aber dafür verstehen wir uns darauf. Außerdem, was das Ausland betrifft, wir liegen ihm zu Füßen, aber wir hassen es auch. Wir hassen die Russen und die Deutschen, wir hassen alle unsere Nachbarn, besonders natürlich die Ungarn. Wissen Sie, warum wir so chauvinistisch sind? Weil Rumänien gar keine richtige Nation ist. Angeblich können wir auf eine zweitausendjährige Geschichte zurückblicken, so steht es wenigstens in den Schulbüchern. Alles reine Einbildung! Ein lächerlicher Trivialroman, den sich irgendwelche Schmierfinken aus den Fingern gesogen haben. Und weil wir nicht wissen, wer wir sind, lassen wir uns auch jederzeit aufs Kreuz legen. Dazu brauchen wir übrigens die Ausländer nicht. Unsere eigenen Könige, unsere Parlamente, unsere Militärs, unsere Faschisten, unsere Kommunisten haben es in diesem Fach zu einer beachtlichen Virtuosität gebracht, und an Henkern hat es uns nie gefehlt.«

»Auch das schlimmste Regime wird eines Tages gestürzt.«

»Zugegeben. Aber was passiert dann? Es gibt zehntausend Tote, ein paar alte Rechnungen werden beglichen, doch drei Tage später geht das ganze Land zur Tagesordnung über. Die Personalakten landen im Kanonenofen, die Orden werden auf den Müll geworfen, man macht einen kleinen Laden auf, man geht hamstern und hausieren. Wie war es denn mit den Ceauşescu-Leuten? Die Gerichtsverfahren sind alle im Sand verlaufen. Ein paar lächerliche Geldstrafen, dann die Amnestie. Und heute werden diese Verbrecher wie rohe Eier behandelt! Wir garantieren ihnen ihre Villen, ihre Pensionen. Nur keinen Ärger! Die Apparatschiks machen immerhin 8–10% der Bevölkerung aus, die Mitläufer 60%. Man darf sie nicht reizen, im Gegenteil, man muß sie füttern, damit sie Ruhe geben.

Also, Sie sehen, man kann auch mit gebrochenem Rückgrat leben. Und wie alle Krüppel sind die Rumänen schlau, stur und unbelehrbar. Fünfzig Jahre lang haben die Kommunisten versucht, uns umzuerziehen. Schauen Sie sich das Resultat an!«

Sie zeigte hinaus auf den Boulevard. »Keine Spur von Sverdlovsk oder Petrozavodsk. Alles für die Katz! Wir sind und wir bleiben wir selber. Das ist ja das Furchtbare.«

Ich sah sie vorsichtig von der Seite her an. Allmählich hatte ich den Verdacht, daß sie sich über mich lustig machte.

Carola lachte. »Nehmen Sie es nicht so ernst. Wissen Sie was? Ich werde Ihnen beweisen, daß ich recht hatte. Wenn Sie wollen, gehen wir heute abend in die Operette.«

»Wollen Sie behaupten, daß es das immer noch gibt? Ich dachte, die Operette sei längst ausgestorben.«

»Bei uns nicht. Das müssen Sie gesehen haben!«

Tatsächlich führte mich Carola ein paar Stunden später

vor ein Theater im Zuckerbäckerstil, das, eingezwängt zwischen ein gefängnisähnliches Amtsgebäude und eine Garage, in einer dunklen Seitenstraße lag. Die Stuckfiguren der Fassade zeigten die Spuren alter Straßenkämpfe. Eine riesige Menschenschlange belagerte die Abendkasse, aber Carola zog triumphierend zwei Eintrittskarten aus der Tasche.

»Erschrecken Sie nicht«, sagte sie, »das Haus ist ziemlich heruntergekommen. Keine Regierung steckt in dieses Theater Geld; die Truppe muß ohne jede Subvention auskommen. Aber dafür läuft *Die Königin im Schweinestall* auch schon seit vier Jahren vor ausverkauftem Haus.«

Das Bühnenbild zeigte ein delirantes 19. Jahrhundert, halb *Freischütz*, halb Moulin Rouge. Außer der Titelheldin traten auf: ein Dorfschmied, eine böse Gräfin, ein betrunkener Bürgermeister und ein habgieriger Viehhändler, offenbar Jude, dazu der als Schweinehirt verkleidete Prinz, der anfangs in einem Kartoffelsack, später in Frack und Zylinder erschien. Ein Mädchenchor in rosa Tutus unterbrach fortwährend die Handlung, der ich nicht zu folgen vermochte. Bombastische Reden und jubelnd begrüßte Zoten wechselten einander mit der größten Ungezwungenheit ab. Der Duft nach Mottenkugeln, die süßen Geigen und die enormen Schnurrbärte rissen das Publikum hin. Auch Carola schien ihren Sarkasmus vergessen zu haben, sie lachte und klatschte vor Begeisterung in die Hände.

Als der Vorhang gefallen war, beugte sie sich zu mir herüber und flüsterte mir ins Ohr: »Sehen Sie? Na, habe ich Ihnen zuviel versprochen?«

Die Stadt ist unverändert. Das zwanzigste Jahrhundert hat ihr nichts anhaben können. Was treibt mich dazu, eine solche Behauptung aufzustellen? Ich bin zum ersten Mal in Prag. Aber die eisernen Läden, mit denen am Abend die eleganten Schaufenster in den Gassen der Altstadt verrammelt werden, kommen mir vertraut vor, wie eine Reminiszenz an die Kindheit; ich erkenne die Gitter wieder, die schweren Riegel, die Kastenschlösser und die gekreuzten Bänder aus Schmiedeeisen an den mittelalterlichen Türen. Nur dunkler und rußiger hatte ich alles, was ich sah, in Erinnerung.

Bierdunst und Bratengeruch schlugen mir aus den Kneipen entgegen. Etwas Lastendes war dem mondänen Flair dieser Metropole beigemischt, so als wäre es nicht ausgemacht, wo hier die Verheißung endete und der Alptraum anfing. Das Kopfsteinpflaster schimmerte im Regen, und ich suchte im matten Schein der Laternen den Eingang zu den Prager Katakomben.

Ich hatte es nicht auf die altmodischen Nachtlokale abgesehen, in denen, heute wie vor fünfzig Jahren, begleitet von einem grämlichen Pianisten, auf einer rosaroten Bühne Damen mit Strapsen ihre nackten Beine in die Luft warfen. Prag war die Hauptstadt der Schwärmer, und um ihnen auf die Spur zu kommen war ich hier. Die Schwärmer waren nicht zu übersehen. Sie mischten sich am hellen Tage in ihren langen weißen Gewändern unter die Menge. Ein seltsamer Anblick!

Gewiß, auch in Berlin und in Amsterdam waren sie anzutreffen, aber nur vereinzelt, wie die Araber in ihrem Burnus oder die Inderinnen im farbigen Sari. Dagegen hier in Prag tauchten sie überall auf, in kleinen Trupps bevölkerten sie die Schalterhallen und die Supermärkte. Man sah sie sogar in den Vororten und in den Armenvierteln. Mochten sich andere über sie lustig machen – »Engel im Nachthemd« nannten sie die Kommentatoren der großen Networks –, mir waren sie unheimlich, und ich war regelrecht erschrocken, als drei von ihnen am Tag nach meiner Ankunft leise summend neben mir in der Trambahn Platz nahmen. Wie es hieß, waren hervorragende Wissenschaftler unter ihnen. In Prag munkelte man sogar, daß zwei Mitglieder des tschechischen Kabinetts Schwärmer seien.

»Naja, das kann schon sein«, hatte mir Frau Grögeróva gesagt, meine Gastgeberin – ich war privat untergebracht, in einem kleinen, etwas schiefen Haus auf der Kleinseite – »wissen Sie, die Regierung spielt bei uns keine Rolle. Das ist wie mit der Müllabfuhr. Die meisten Leute haben heutzutage keine Ahnung, wie der Präsident der Republik heißt.«
Ich fühlte mich bei Frau Grögeróva gut aufgehoben. Ihre Pension verfügte nur über drei Gästezimmer. Sie hatte es, wie sie gern betonte, gar nicht nötig, Geld zu verdienen; sie wollte sich nur die Zeit vertreiben. Wenn ich, von meinen Wanderungen durch die Stadt erschöpft, in ihren kleinen Salon trat, in dem eine marmeladenartige Gemütlichkeit herrschte, war sie stets zu einer Plauderei aufgelegt. Sie schenkte sich dann ein Glas Glühwein ein und lehnte sich zufrieden in die zahllosen kleinen Kissen ihrer Chaiselongue zurück. Über den Sammeltassen der Kredenz hingen die gerahmten Porträts der Stalinisten, die jahrzehntelang vergeblich versucht hatten, die Tschechoslowakei für immer zu ruinieren. Frau Grögeróva war die Witwe eines hohen Funktionärs, der sich nach dem Ende der Parteidiktatur eine Kugel durch den Kopf jagte – offenbar der einzige, der diese Konsequenz gezo-

gen hat. Im übrigen machte sie den Eindruck einer gutmütigen, aber gewitzten Person, die zu jedem Fanatismus unfähig war, und ich fragte mich, wie sie es mit einem Mann ausgehalten hatte, der vermutlich ein Killer im Dienst der Staatssicherheit gewesen war.

Was allerdings die Schwärmer anging, so hatte mir meine Wirtin nicht viel weiterhelfen können. Die nötigen Adressen zu beschaffen war leicht. Die Schwärmer hielten ihre Treffpunkte nicht geheim. Doch waren zwei Abende vergangen, ohne daß es mir gelungen wäre, mir Zutritt zu ihren Versammlungen zu verschaffen.

Mein erster Versuch führte mich zu einem düsteren Palais hinter dem Hradschin. Im Innenhof sah ich schon von weitem die Weißgekleideten stehen. Vor der erleuchteten Kellertreppe trat eine Schwärmerin auf mich zu, ergriff, ohne ein Wort zu sagen, mit beiden Händen meinen Kopf – ich spürte ihre kühlen Finger an den Ohren – und sah mir prüfend, wie man einen Salatkopf untersucht, ins Gesicht. Ihr Blick war seltsam neutral. Ich sehe heute noch die kleinen Pupillen ihrer dunkelblauen Augen vor mir. Sie ließ mich los und schüttelte nur unmerklich den Kopf. Schon spürte ich den athletischen Griff zweier Weißgekleideter, die mich auf die Straße hinausführten. Offenbar hatten die Schwärmer eigene Rausschmeißer, um sich vor ungebetenen Besuchern zu schützen.

Ein zweiter Versuch, den ich zu später Stunde in der Nähe des Altstädter Platzes unternahm, endete noch unrühmlicher. Ein alter Mann, der mir trotz seines weißen Gewandes wie ein Rabbi vorkam, war plötzlich auf mich zugetreten und hatte, wie auf einem Altarbild, beide Hände erhoben, so als wäre ich Satan in eigener Person. Und ohne daß ein Wort gefallen wäre, war ich zurückgewichen.

»Ich begreife das nicht.«

»Was begreifen Sie nicht, Herr Taylor?«

»Die Schwärmer. Wenn ich einen konspirativen Club gründen will oder eine geheime Loge oder eine Mafia, dann zeige ich doch nicht auf offener Straße, wer dazugehört und wer nicht.«

»Ach was«, sagte Frau Grögeróva, »die Schwärmer sind doch völlig harmlos. Diese Verschwörungstheorien sind bloß eine Erfindung der Medien. Mit der Macht haben die Schwärmer nichts im Sinn.«

»Aber warum ist es dann so schwer, in ihre Versammlungen reinzukommen? Wozu diese Geheimniskrämerei?«

»Sie haben eben keine Lust zu missionieren. Eher im Gegenteil.«

»Aber sie werden immer mehr. In Prag soll es schon fast fünfzigtausend geben.«

»Das stimmt.«

»Und woran erkennen sie, wer zu ihnen paßt?«

»Keine Ahnung. Aber in Ihrem Fall haben sie sich nicht getäuscht. Sie sind doch nur aus Neugier hingegangen, oder?«

»Wer ist eigentlich ihr Oberguru? Weiß man das?«

»In dieser Hinsicht sind die Schwärmer wirklich originell. Das muß man ihnen lassen. Sie haben keinen Stifter, keine Hierarchie und keine Priester. Wenn eine Gemeinde zu groß wird, spaltet sie sich von selbst. Dann zieht die eine Hälfte aus und gründet einen neuen Sprengel.«

»Und warum versammeln sie sich immer unter der Erde?«

»Das hat vielen Leuten Angst gemacht, aber es hat nichts zu bedeuten«, sagte Frau Grögeróva. »Bei den Mieten, die heute im Zentrum verlangt werden, kommt ein Kellerlokal einfach billiger. Außerdem ist es da unten still.«

»Und was treiben sie in ihren Löchern? Wird da gebetet? Haben sie ein Ritual?«

»Das wissen Sie nicht? Die wahre Religion, sagen die Schwärmer, muß erst noch gefunden werden. Deshalb haben sie keine Lehre und keine Liturgie. Sie singen nur.«

»Dieses ewige Summen ist mir bereits aufgefallen, man kann es sogar auf der Straße hören. Eine Art leises Wimmern.«

»Ja. Stundenlang geht das so, ohne feste Melodie, und natürlich ohne Text, immer nur mit der Kopfstimme. Es klingt irgendwie geschlechtslos. Eine Art Engelsgesang, der an- und abschwillt. Angeblich geraten sie mit der Zeit in Ekstase. Sie nennen diesen Zustand ›die Eingebung‹.«

»Hm. Und warum, glauben Sie, sind die Schwärmer ausgerechnet hier aufgetaucht, in Prag?«

»Ach, das ist eine alte Geschichte. Früher, im Königreich Böhmen, sind die Leute zu den Hussiten gelaufen, zu den Taboristen und zu den Böhmischen Brüdern. Dann haben wir unser Heil in der Politik gesucht: Panslawisten, Jungtschechen, Nationalismus, Stalinismus, Sozialismus mit menschlichem Gesicht. Und was ist dabei herausgekommen? Nichts als dreißigjährige Kriege, Putsche, Fensterstürze und Okkupationen. Von der Politik haben die Leute die Nase voll. Jetzt suchen sie was anderes. Wundert Sie das?«

»Aber man kann doch nicht einfach vor sich hinsummen, Frau Grögeróva. Oder?«

»Mich dürfen Sie nicht fragen, Herr Taylor. Sie und ich, wir lassen die Finger von der Schwärmerei, nicht wahr? Unter uns gesagt, das Höhere liegt mir nicht.« Sie zeigte mit einem kleinen Ruck ihrer Lockenfrisur auf die Bilder an der Wand. »Schon damals, als mein seliger Mann

496

noch an die Weltrevolution glaubte, habe ich nur den Kopf geschüttelt und mir mein Teil gedacht. Nicht wahr, Sie nehmen doch noch ein Gläschen Glühwein? Möchten Sie ein Stück Apfelstrudel dazu?«

Während ich Madame Grögeróvas heißen, klebrigen Liebestrank leerte, war mir zumute, als müsse ich in ihren Kissen ersticken. Aber vielleicht hatte sie recht.

Am andern Tag erwachte ich mit einem schweren Kater. Die Füße taten mir weh. An den Fersen zeigten sich Blasen. Als Reporter war ich ein Versager. Ich hatte Europa satt.

Alle Maschinen nach New York waren ausgebucht, und ich mußte lange betteln, bis mich der Stationschef, ein barmherziger Landsmann, auf Platz eins der Warteliste setzte.

Mit einem Seufzer der Erleichterung sank ich in das Taxi, das mich zum Flughafen bringen sollte. Es war ein klappriger alter Škoda. Der Fahrer war ein teigiger Typ, schätzungsweise 45 Jahre alt, mit einem versonnenen Babygesicht. Auf dem leeren Vordersitz lag ein Stapel von Büchern, Manuskripten und Broschüren.

»Bitte machen Sie das Fenster zu«, sagte er, »sonst flattert mir die ganze Literatur davon.«

»Sind Sie Schriftsteller?«

»Student«, antwortete er gelassen, als sei das für einen Mann in seinem Alter ganz normal. »Allgemeine und vergleichende Literaturwissenschaft.«

»Gibt es das immer noch?«

»Anscheinend ja«, erwiderte er ungerührt. »Ich studiere im Taxi, während der Wartezeiten. Ich bin Österreicher, lebe aber seit zehn Jahren in Prag. Ich neige nämlich zu Asthma. Die Seeluft bekommt mir.«

»Die Seeluft?«

»Na, Sie wissen doch: Böhmen am Meer.«

Wir fuhren gerade über die Moldaubrücke. Er zeigte aus dem Fenster. »Da, sehen Sie, die Möwen!«

»Ich verstehe kein Wort.«

»Sie sind Amerikaner, nicht wahr? Dann sind Sie entschuldigt. Aber vielleicht lesen Sie deutsch?«

»Ein wenig«, antwortete ich.

»Hier«, sagte er, »das schenke ich Ihnen. Sie können es ja später lesen.« Und er drückte mir ein zerknittertes Stück Papier in die Hand. Wir passierten die Solarstadt Vokovice, eine flache, zickzackförmig angeordnete Siedlung aus Glas und Aluminium. Überall waren Schulkinder im weißen Kaftan zu sehen, ein seltsamer Anblick. Auch vor dem Flughafengebäude stand eine Gruppe von Schwärmern.

»Gute Reise«, sagte der Taxifahrer. »Kommen Sie bald wieder.«

Vielleicht wäre es eine Art Lösung, dachte ich, nur noch vor sich hinzusummen; aber die Frau, die mich am Eingang zu den Katakomben zurückwies, hatte recht: Ich habe leider keine Singstimme.

Zehn Minuten nach dem Start, als auf dem kleinen Monitor vor mir die *News Show* aus New York erschien, fiel mir ein Stein vom Herzen. Endlich wieder zu Hause! Straßenkämpfe in Chicago. Vorwahlen in Massachusetts. Designer-Drogen im Pentagon. Ein verwüstetes Baseballstadion. Ich hatte das Gefühl, in die Realität zurückgekehrt zu sein. Selbst der Gottesdienst im Weißen Haus beruhigte mich. Nach dem Dinner fiel mir der Zettel wieder ein, den mir der Taxichauffeur in die Hand gedrückt hatte. Ich entfaltete die Fotokopie und las:

»Liegt Böhmen noch am Meer, glaub ich den Meeren
                            wieder.

Und glaub ich noch ans Meer, so hoffe ich auf Land.

Bin ich's, so ist's ein jeder, der ist soviel wie ich.
Ich will nichts mehr für mich. Ich will zugrunde gehn.

Zugrund – das heißt zum Meer, dort find ich Böhmen
                                      wieder.
Zugrund gerichtet, wach ich ruhig auf.
Von Grund auf weiß ich jetzt, und ich bin unverloren.

Kommt her, ihr Böhmen alle, Seefahrer, Hafenhuren und
                                        Schiffe
unverankert. Wollt ihr nicht böhmisch sein, Illyrer,
                                        Veroneser,
und Venezianer alle. Spielt die Komödien, die lachen
                                        machen

Und die zum Weinen sind. Und irrt euch hundertmal,
wie ich mich irrte und Proben nie bestand,
doch hab ich sie bestanden, ein um das andre Mal.

Wie Böhmen sie bestand und eines schönen Tags
ans Meer begnadigt wurde und jetzt am Wasser liegt.

Ich grenz noch an ein Wort und an ein andres Land,
ich grenz, wie wenig auch, an alles immer mehr,

ein Böhme, ein Vagant, der nichts hat, den nichts hält,
begabt nur noch, vom Meer, das strittig ist, Land meiner
                                      Wahl zu sehen.«

Unter dem Text stand in krakeliger Schrift: *Ingeborg
Bachmann*.

Bachmann? Nie gehört. »Das ist doch Nonsens – Böhmen am Meer!« hatte ich ihm entgegengehalten, dem ewigen Studenten, diesem Fettkloß am Steuer.

»Nonsens nennen Sie das?« hatte er zurückgerufen. »Sehen Sie sich um! Es ist Wahnsinn!« – hier machte er eine vage Geste, welche die steile Gasse einschloß, die zum Hradschin hinaufführte, die Stadt Prag mit ihren Schwärmern, Böhmen, den ganzen Erdteil – »Der helle Wahnsinn! Sie sollten es auswendig lernen, auch wenn Sie kein Wort davon verstehen!«

Nachbemerkung

Alle, die mir geholfen haben, Freunde und Gegner, Bekannte und Unbekannte in ganz Europa, versichere ich meiner Dankbarkeit.

Ohne die Gastfreundschaft der folgenden Blätter, Verlage und Radiostationen, die meine Reportagen ganz oder teilweise gedruckt und gesendet haben, wäre dieses Buch nicht zustande gekommen:

Die Zeit (Hamburg), *Dagens Nyheter* (Stockholm), *L'Espresso* (Rom), Universitetsforlaget (Oslo), *El País* (Madrid); Süddeutscher Rundfunk (Stuttgart), Norddeutscher Rundfunk (Hannover), Sender Freies Berlin.

Die beiden Kapitel »Polnische Zufälle« und »Böhmen am Meer« werden hier zum ersten Mal veröffentlicht.

München, Frühjahr 1987   H.M.E.

Von Hans Magnus Enzensberger
erschienen im Suhrkamp Verlag:

verteidigung der wölfe. Gedichte. 1957
Bibliothek Suhrkamp 711. 1981
landessprache. Gedichte. 1960
edition suhrkamp 304. 1969
Einzelheiten. Essays. 1962
    Einzelheiten I. Bewußtseins-Industrie. *edition suhrkamp 63.*
    1964
    Einzelheiten II. Poesie und Politik. *edition suhrkamp 87.*
    1964
Gedichte. Die Entstehung eines Gedichts. 1962
edition suhrkamp 20. 1965
blindenschrift. Gedichte. 1964
edition suhrkamp 217. 1967
Politik und Verbrechen. Neun Beiträge. 1964
suhrkamp taschenbuch 442. 1978
Deutschland, Deutschland unter anderm. Äußerungen zur
Politik. 1967
edition suhrkamp 203
Das Verhör von Habana. Szenische Dokumentation. 1970
edition suhrkamp 553. 1972
Gedichte 1955–1970. 1971
suhrkamp taschenbuch 4
Der kurze Sommer der Anarchie. Buenaventura Durrutis Leben
und Tod. Roman. 1972
suhrkamp taschenbuch 395. 1977
Palaver. Politische Überlegungen (1967–1973). 1974
edition suhrkamp 696
Mausoleum. Siebenunddreißig Balladen aus der Geschichte des
Fortschritts. 1975
Bibliothek Suhrkamp 602. 1978
Der Untergang der Titanic. Eine Komödie. 1978
suhrkamp taschenbuch 681. 1981

Die Furie des Verschwindens. Gedichte. 1980
edition suhrkamp 1066. NF 66

Politische Brosamen. 1982
suhrkamp taschenbuch 1132. 1985

Die Gedichte. 1983

Der Menschenfreund. 1984
Bibliothek Suhrkamp 871

Gedichte 1950–1985. 1986
suhrkamp taschenbuch 1360

Hans Magnus Enzensberger als Herausgeber:

Museum der modernen Poesie. 1960
suhrkamp taschenbuch 476. 1980

Allerleirauh. Viele schöne Kinderreime. 1961
suhrkamp taschenbuch 19. 1971

Freisprüche. Revolutionäre vor Gericht. 1970
suhrkamp taschenbuch 111. 1973

Der Weg ins Freie. Fünf Lebensläufe. 1975
edition suhrkamp 759

Alexander Herzen, Die gescheiterte Revolution. Denkwürdig-
keiten aus dem 19. Jahrhundert. 1977
edition suhrkamp 842

Gespräche mit Marx und Engels. Mit einem Personen-, Elogen-
und Injurienregister. 1981
suhrkamp taschenbuch 716

u. a.

Materialien:

Hans Magnus Enzensberger. Herausgegeben von Reinhold
Grimm. 1984
suhrkamp taschenbuch materialien. st 2040

Im Insel Verlag erschienen:

Georg Büchner/Ludwig Weidig, Der Hessische Landbote. Texte, Briefe, Prozeßakten, kommentiert von Hans Magnus Enzensberger. 1965
insel taschenbuch 51. 1974

Bartolomé de Las Casas, Kurzgefaßter Bericht von der Verwüstung der Westindischen Länder. Herausgegeben von Hans Magnus Enzensberger. 1966
insel taschenbuch 553. 1981

Gespräche mit Marx und Engels. Herausgegeben von Hans Magnus Enzensberger. 1973

Allerleirauh. Viele schöne Kinderreime versammelt von Hans Magnus Enzensberger. 1974
insel taschenbuch 115

Edward Lears kompletter Nonsens. Ins Deutsche geschmuggelt von Hans Magnus Enzensberger. Mit Zeichnungen von Edward Lear. 1977
insel taschenbücher 480/502. 1980

Der Menschenfeind. Nach dem Französischen des Molière von Hans Magnus Enzensberger. 1979
insel taschenbuch 401

Clemens Brentano, Gedichte, Erzählungen, Briefe. Herausgegeben von Hans Magnus Enzensberger. 1981
insel taschenbuch 557

Allgemeines deutsches Reimlexikon. Herausgegeben von Peregrinus Syntax. Mit einer Gebrauchsanleitung von Hans Magnus Enzensberger. 1982
insel taschenbuch 674

838
En9a

143526

DATE DUE			

WITHDRAWN
L. R. COLLEGE LIBRARY